오늘의
사회이론가들

오늘의
사회이론가들

김문조·김원동·유승호·김철규·김남옥·박수호·박희제·정일준·김종길
이재혁·민문홍·정헌주·김무경·유승무·하홍규·조주현·함인희·박형신 지음

한울
아카데미

차례

5부 몸, 일상, 감정

현대적 고전을 찾아서

김문조

1. 집필 배경과 방향

오귀스트 콩트(Auguste Comte)가 『실증철학강의(Cours de philosophie posi-tive)』라는 저작을 통해 사회현상을 과학적으로 탐구하기 위한 신학문을 주창한 것이 1830년대이니, 사회학의 수령(樹齡)이 근 200년에 달하는 셈이다. 다행히 후학들이 그의 발상을 체계적으로 승계해 사회학은 비교적 짧은 시일에 사회과학의 중심부에 안착하게 되었다. 결혼이나 출산을 기준으로 한 가족구성론적 관점에서는 30년 내외가 한 세대로 여겨지곤 한다. 그러나 평생의 학습 기간을 요하는 학문 세계의 한 세대는 두어 배 정도 늘려 잡을 수 있기에, 지금의 사회학은 세 번째 학문 세대의 끝물에 이른 것으로 추정된다. 사회학 역사의 초창기를 장식한 위대한 사회사상가들이 학문적 기초를 정립한 1세대 개척자들이라면, 텔컷 파슨스(Talcott Parsons)에서 위르겐 하버마스(Jürgen Habermas)에 이르는 사회이론가들은 2세대 사회학의 주역으로 간주된다(Craib, 1992). 따라서 사회학 강단에서는 그들을 '고전 사회학'과 '현대

사회학' 이론으로 나누어 집중적으로 소개해왔다. 그에 반해 왕성한 활동으로 사회학 3세대를 이끌어온 현대적 대가들(contemporary masters)들의 학문 세계에 관한 논의나 교습은 충분치 못했다고 본다.

역사학자 크레인 브린턴(Crane Brinton)이 비누적적 지식체계라고 지칭한 인문·사회 분야, 그중에서도 특히 깊은 사색을 요하는 이론 영역에 대한 선현들의 공적을 외면하는 것은 지적 자원을 스스로 방기하는 것에 다름없다. 정전(正典)으로 인정되는 고전이론가들의 사상이나 후계자들의 족적을 탐지하는 일이 학문 발전의 필수 요건인 까닭이다. 하지만 당면한 현실 문제에 대한 진단과 대응을 궁극적 과업이자 소명으로 삼아야 할 사회과학의 경우, 당대의 연구 성과에 관한 점검은 옛것에 대한 탐구 못지않게 중시되어야 한다. 이런 점에서 1, 2세대 학자들의 연구 성과에만 치우친 현행 사회학 담론이나 강의는 개선되어야 할 것이다.

이 책은 급변하는 사회체계와 친화성을 견지해야 할 사회학에 맹독이 될 수 있는 '등잔 밑의 어둠'을 밝혀보려는 뜻을 공유한 중견 사회학자들이 오늘날 세계 사회학계를 주도하는 학자들의 이론체계를 폭넓게 알려보자는 목적에서 기획한 것이다. 번뜩이는 모든 것이 황금이 아닌 만큼, 이론가를 자처하는 수많은 학자들 중에서 위업을 인정받을 만한 대가를 가려내기란 결코 쉬운 일이 아니다. 사회학이 다중 패러다임을 특징으로 하는 '혼돈의 학문'이어서 어려움이 더하다. 따라서 이 산이 푸르냐 저 산이 푸르냐와 같은 막연한 논쟁 대신, '만약 이런 인물이 없었다면 오늘날 사회이론이 어떠한 한계를 벗어나지 못했을 것인가'라는 소박한 질문을 던지고 답하는 가상적 절차를 통해 선정된 이론가들의 공적을 검토해보려고 한다.

관념이나 사고가 사회 현실의 함수라는 지식사회학의 기본 명제는 사회이론의 경우에도 엄연히 적용된다. 비교적 평온한 시대 상황에서 균형적 사회 질서를 주장하는 기능주의 패러다임이 태동했고, 계급 갈등을 위시한 이해집

8

단들 간의 대립이 격화되자 갈등 패러다임이 성행했으며, 구조적 압력에 눌려 있던 개인의 주관성이 강조되면서 상호작용 패러다임이나 현상학적 패러다임이 각광받게 되었듯, 최근 새로 등장한 다양한 사회이론들은 당대의 시대 상황을 고려해야 그 내용이나 의의를 온전히 해독할 수 있다. 따라서 오늘의 사회이론에 대한 이해를 위해서는 사회체계의 현재적 특성이나 과정을 개관하는 작업이 선행되어야 할 것이다.

2. 현대사회의 변모와 지적 대응

1970년대 초반까지만 해도 '산업사회'라는 용어가 사회 현실을 가장 압축적으로 지시하는 키워드였다. 그런 입장을 대변한 산업사회론자들은 공업화, 도시화, 관료제화와 같은 개념들로 산업사회의 특성을 진단해 많은 공감을 획득할 수 있었다. 그러던 산업사회가 반세기도 이르지 못한 짧은 기간에 급속히 재편되었는데, 그 기저에는 정보화·세계화·유연화라는 후속적 동인이 내재해 있다.

정보화란 인간 활동 전반에 정보의 생산·관리·전달·활용 비중이 높아가는 현상을 지칭한다. 생존과 직결된 생산 활동의 측면을 놓고 이야기하자면, 정보화란 극소전자공학이나 신소재 및 원격통신기술 등 첨단 정보기술을 이용한 정보의 창조나 개발이 일반 기계나 자연에너지를 이용한 물재나 서비스의 산출보다 부가가치나 인력 분포의 면에서 큰 비중을 차지함으로써 정보가치의 창출이 사회적·경제적 활동의 주류를 이루는 상태로 정의된다. 그러나 컴퓨터 기술과 통신기술이 정보통신기술로 합류되는 최근에 이르러 정보화 효과는 각계각층으로 파급되어 경제생활은 물론 정치활동, 인간관계, 학습, 예술, 놀이, 신앙생활 등 사회 제반 영역에서 '디지털 혁명'으로 총칭되는 변혁의 물결이 출렁이고 있다. 대니얼 벨(Daniel Bell)의 탈산업사회론, 마누엘 카스텔(Manuel Castells)의 네트워크 사회론, 도나 해러웨이(Donna Haraway)의 사이보그 사회론과 같은 것들은 바로 그러한 측면을 집중적으로 공략한 성과라고 할 수 있다.

세계화란 국가 간 상호 의존성이 증가해 자본, 기술, 정보, 문화, 인력 등이 국경을 넘어 자유로이 이동하는 현상을 뜻한다. 세계화의 촉발 요인으로는 동서 냉전체제의 해체라는 국제 질서의 재편을 우선시하지 않을 수 없다. 철(鐵)의 장막과 죽(竹)의 장막 안에 온존하던 소비에트 연방의 붕괴와 중국 사회의 변모는 세계 질서를 이데올로기 중심의 양극체제에서 경제적 이해를 중시하는 다극체제로 전환시켰다. 이렇듯 실리가 이념에 우선하고 군사력 대신 경제력이 국력의 요체가 되어감에 따라 자본주의 선진국들은 시장경제체제를 강화해 우위를 견지하고자 했고, 후발 국가들도 경쟁 대열에 가담해 경제 발전에 매진해왔다. 이때 컴퓨터와 통신기술의 결합을 특징으로 하는 정보통신 혁명이 경제활동의 세계화뿐 아니라 사회적·문화적 세계화를 촉진해 생활양식의 혁신적 변화를 추동해왔다. 그 결과, 국가가 통치 단위로서의 기능을 독점하지 못한 채 초국적 세계 질서에 동참하는 지구화 시대가 본격화하고 있다. 이 같은 동향을 자본주의적 축적 논리에 입각해 비판적으로 논구한 이론가가 이매뉴얼 월러스틴(Immanuel Wallerstein)이고, 상품의 세계화라는 견지에서 바라본 학자가 조지 리처(George Ritzer)이며, 위험 패러다임을 확장한 글로벌 위험론이나 마음의 세계화(globalization in mind)에 해당하는 세계시민주의론을 제기한 학자가 울리히 벡(Ulrich Beck)이다.

유연화란 '경계의 이완' 현상을 뜻한다. 근대 산업사회에서는 부처 간, 산업 간, 제도 간 또는 국가 간 경계가 비교적 선명해 각자의 독립성이 관념적·법적으로 보장되어왔다. 그러나 유연화 과정으로 사회 모든 분야의 경계가 희석되고 있다. 시·공간적 한계를 넘어선 지식 정보의 교류와 활용이 경계의 장벽을 허물어뜨리고 있다. 정보화의 진전으로 국경의 의미가 퇴색하고, 돈과 사람, 물건과 사람이 자유롭게 이동한다. 기업들 간에도 가장 적은 비용과 가장 높은 효율을 찾아 전략적 제휴가 이루어진다. 상징과 기호가 미디어와 시장 질서를 지배하는 가운데 정치·경제·문화의 칸막이도 와해되어 문화의 정치화, 경제의 문화화, 정치의 문화화가 급진전된다. 이런 유연적 사회체제의 형성 과정에서 나타나는 직업 불안정, 계급적 단절과 인간성 상실의 문제들이 리처드 세넷(Richard Sennett) 이론의 소재가 된다. 액체성(liquidity) 개념을 중심으로 한 지그문트 바우만(Zygmunt Bauman)의 논의 역시 사회체계의 유연화 과정에서 파생되는 쟁점들을 중점적으로 고찰한 것이라고 할 수 있다.

'정보화·세계화·유연화'라는 메가 트렌드로 인해 현대사회는 구성 요소들 간의 만유 접속(universal connectivity)이나 만유 소통(universal communication)을 특징으로 하는 개방적 복잡계로 치닫고 있다. 니클라스 루만(Niklas Luhmann)의 체계이론은 바로 그러한 전환기적 특성을 체계이론에 적용한 선각적 연구물이라고 판단된다. 한편 제임스 콜만(James Coleman)이나 레이몽 부동(Raymond Boudon)의 공리주의적 패러다임은 복잡성을 더해가는 현대적 사회질서를 합리주의적 시각에서 재해석하려는 시도라고 말할 수 있다.

더구나 현대사회가 개방체제를 넘어 초개방체계로 향진하면서 종전까지 극복해야 할 부정적 현상으로 폄하된 사회적 이질성이나 다양성이 사회적 활력소가 될 수 있다는 반론이 대두되고, 근대적 사회 발전의 견인자로 찬양되어온 이성에 대한 반발감이 점증했다. 로버트 벨라(Robert Bellah)와 피터 버거(Peter Berger)의 종교론은 반(反)이성주의와 행보를 함께하는 재주술화 효과를 현대적 맥락에서 풀이한 것이며, 질베르 뒤랑(Gilbert Durand)의 신화이론은 비(非)이성적 상상력의 항존이나 현존을 개진한 독창적 성과라고 본다. 이성 중심주의에 대한 좀 더 직접적인 대응은 감성의 분석적 가치를 주장하는 감정사회학 진영에서 널리 관측된다. 앨리 혹실드(Arlie Hochschild)는 기존 사회학의 프레임에 감정의 문제를 접목시켜 사회적 행위에 관한 이해의 폭을 증진시키고자 노력한 반면, 에바 일루즈(Eva Illouz)는 새로운 비판이론적 관점에서 감성 문제에 접근해 감정의 화용적 가치를 주지시켰다.

3. 사회이론의 동향과 현황

전술한 모든 시대 여건이나 그에 대한 지적 대응 사례와 별개로 사회이론의 행로와 직결된 사회학의 가장 두드러진 행운이자 불운은 학문 출범기에 걸출한 대가들이 동시다발적으로 등장했다는 사실이 아닐까 한다. 허버트 스펜서(Herbert Spencer, 1820~1903), 카를 마르크스(Karl Marx, 1818~1883), 에밀 뒤르케임(Emile Durkeim, 1858~1927), 게오르크 짐멜(Georg Simmel, 1858~1918), 막스 베버(Max Weber, 1864~1920), 빌프레도 파레토(Vilfredo Pareto, 1848~1923) 등과 같은 거장들이 불과 수십 년 사이를 두고 속출했으니 말이다. '형님만 한 동생이 없고, 애비만 한 자식은 더더욱 없다'는 속언처럼, 사회학은 한동안 탁월한 1세대 거장들의 위세에 압도되어 '고전으로 돌아가라(Return to the classics)'는 훈고적 언명을 추수(追隨)하는 데 급급했다.

사회학 2세대에 접어들면서 이론 연구의 전개는 구조기능주의를 중심으로 한 지적 대통합의 이상이 풍미하던 1950~1960년대, 소수의 법칙(law of small numbers)이라는 분할 국면으로 묘사되는 1970~1980년대를 거쳐, 갖가지 관점들이 각축하는 다중 패러다임(multi-paradigmatic) 단계로 이어졌다. 이처럼 혼돈이 더해가는 시대를 살아온 2세대 이론가들에게 부여된 가장 막중한 사명은 상반된 시각들, 예컨대 균형론과 갈등론, 실재론과 명목론, 혹은 미시 이론과 거시 이론 등을 결합해 통합 이론의 염원을 실현할 수 있는

12

가교(架橋)를 건설하는 일이었다. 도구적 행위와 이해 지향적 행위를 잇고자 하는 위르겐 하버마스의 의사소통 합리성 이론, 구조와 행위를 이어주는 앤서니 기든스(Anthony Giddens)의 구조화 이론, 아비투스(habitus)라는 개념 틀을 통해 미시 세계와 거시 세계를 연결하고자 한 피에르 부르디외(Pierre Bourdieu)의 이론적 시도들이 바로 그러한 '교량화(bridging)' 작업을 대표하는 사례라고 할 수 있다.

그렇다면 3세대 사회이론가들에게 부과된 새로운 시대적 소명은 무엇일까? 2세대 사회이론과 3세대 사회이론의 차이는 냉전·탈냉전, 생산 근로 중심·소비 여가 중심, 국가자본주의·초국적 자본주의 등과 같은 외적 상황 변화에 준거해 다양한 방식으로 서술될 수 있으리라 생각한다. 그러나 지성사와 직결된 가장 특기할 만한 변화는 지난 4세기간 서구 사회를 지배한 진보적 계몽사상이 세계경제의 위축, 권력체제의 혼란, 사회적 불안, 생태적 한계 등과 같은 부정적 현상에 직면해 '후(後)계몽 단계(post-enlightenment stage)'로 들어서고 있다는 점이라고 본다. 이러한 인식 전환기의 분위기는 "사회가 80년대 초부터 냉랭하고 불안해졌으며, 풍요와 복지의 자리에 궁핍과 위험이 모습을 드러냈고, 낙관적 미래에 대한 기대가 암울한 미래에 대한 전망에 굴복했다"는 사회이론가 우베 쉬만크(Uwe Schimank)의 종말론적 진술에서 엿볼 수 있다(쉬만크·폴크만, 2011). 그러나 후계몽 시대로의 이행을 뒷받침하는 보다 직접적인 단서는 탈산업사회(post-industrial society), 포스트 포드주의(post-Fordism), 탈근대주의(post-modernism)에서와 같은 포스트(post)라는 접두어의 만연이 아닐까 한다. 이러한 포스트적 시대 설정은 오랜 기간 승승장구하던 근대적 계몽사상의 퇴조를 시사하는 후계몽적 전환의 예표임에 틀림없다. 하지만 후(後)계몽적 사유는 기존 계몽주의의 강화, 그 비판적 계승과 비판적 거부라는 세 가지 유형으로 분류할 수 있는바, 이들은 다음과 같은 이념형적 패러다임으로 범주화시킬 수 있다고 본다.

1) 고(高)근대사회론(Theory of High-Modern Society)

지금의 시대 상황을 근대적 사회질서의 진일보한 형태로 인식하려는 사회이론가들은 현대사회를 17세기에 서구 지역을 중심으로 형성되기 시작한 계몽적 근대정신이 활짝 꽃핀 근대성의 절정기로 간주한다. 고근대성(high modernity)은 전례적 근대성이 심화되거나 강화된 새로운 사회유형·사회양식 또는 사회 단계를 지칭하는 것으로, 이는 세계를 이해하고 통제하며 조작할 수 있는 인간 능력에 대한 강한 확신을 바탕으로 한다. 고근대적 세계관은 첨단 과학기술로 자연적 한계를 초극할 수 있다는 기술주의적 신념을 주축으로 한 것으로, 경제 발전에 의한 생활수준의 향상이나 보건 의료 기술의 발달로 인한 생존 기간의 연장과 더불어 사회적 통념으로 공고화되고 있다. 초(超)근대성(hyper-modernity/supermodernity)은 그러한 사고의 극한적 형태라고 할 수 있다(Charles and Lipovetsky, 2006). 고근대론적 입장을 가장 충실히 대변한다고 여겨지는 것이 앨빈 토플러(Alvin Toffler)의 '정보사회론', 니콜라스 네그로폰테(Nicholas Negroponte)의 '디지털 사회론'과 같은 기술 유토피아적 관점들이지만, 거기에는 제임스 베니거(James Beniger)의 '통제 혁명론', 프랭크 웹스터(Frank Webster)와 케빈 로빈스(Kevin Robins)의 '사회적 포드주의' 또는 데이비드 하비(David Harvey)의 '유연사회론'과 같은 비판적 관점들도 포함시킬 수 있으리라 본다.

2) 후(後)근대사회론(Theory of Late Modern Society)

후근대사회론은 근대적 기획(project of modernity)이 아직 소진되지는 않았으나 인류 사회가 근본적 변화를 요하는 문제점들이 속출하는 심각한 상황에 들어서고 있다는 시대 진단의 산물이다. 그것은 (일차적) 근대성에 대한 단순한 자기준거적(self-referential) 수정을 넘어 '근대사회의 근대화(modern-ization of modern society)'를 촉구한다는 이유에서 이차적 근대성론으로 불린다.

후근대적 전망은 1980년대 이후 서구 사회에 출몰하는 일련의 도전적 과제들, 예컨대 투기자본주의의 확산, 양극화와 신빈곤층의 확대, 지배체제에 대한 불신, 복지국가 체제의 위기, 신자유주의적 과열 경쟁, 개인화와 노동시장의 불안정, 생활세계의 식민화, 인간관계의 경량화, 자원 고갈과 생태 위기 등에서 파생한 것으로, 이는 새로운 형태의 자본주의, 새로운 형태의 노동, 새로운 형태의 국가, 새로운 형태의 세계 질서, 새로운 형태의 자연, 새로운 형태의 일상, 새로운 형태의 주관성에 의거해 새로운 사회적 게임의 규칙을 구축하자는 재근대화(re-modernization)를 제의한다(Beck, Bonss and Lau, 2003).

3) 탈(脫)근대사회론(Theory of Postmodern Society)

근자에 문화 · 예술 영역은 물론, 언어학 · 철학 · 정치학 · 사회학 등 인문 · 사회 연구 일각에서는 지난 수 세기 동안 인류 정신사를 지배해온 근대성 논리가 유효성을 상실한 시점에 임박했다는 탈근대 의식이 확산되었다. 탈근대 사회론은 외적 통제의 불가능성에 대한 인식을 전제로 사회질서를 재정립해야 한다는 입장을 취한다는 점에서는 후근대사회론과 상사성(相似性)을 지니나, 합리성 원리에 준거한 확정적 세계관과 진보적 역사관에 거부적 입장을 취한다는 점에서 후근대성론과 확연히 구분된다.

탈근대주의 철학자 장 프랑수아 료타르(Jean-François Lyotard)는 과학적 합리성을 기축으로 한 근대성 이론에 대한 회의가 고조되면서 이성 중심의 근대적 거대 서사(grand narratives)가 와해 국면에 처하고 다양한 국지적 · 이질적 · 역설적 · 모순적 소서사(petit narrative)들이 할거하는 상황을 '포스트모던 조건'의 요체로 간주한다. 대서사의 쇠퇴는 주로 다음과 같은 세 가지 사실, 즉 ① 과학기술의 발전으로 지식이 그 본연의 목표인 인간중심주의로부터 체계의 효율을 중시하는 방향으로 전환되었다는 점, ② 자본주의 생산양식의 발전과 함께 상품 물신성을 초래하는 물재 및 서비스의 사적 전유가 지속적으로 강화되고 있다는 점, ③ 최근의 기술혁신, 특히 정보기술의 비약적 성장이 과학 내부의 위계를 전복시켜 사변 위주의 고전적 과학 기능이 날로 위축된다는 점에 의해 촉진되고 있다는 것이다(Lyotard, 1984).

오늘날 이성 중심주의가 위협받고 있다는 탈근대주의자들의 주장은 보편적 이성이라는 것이 진리라는 인식적 가치와 수행이라는 실천적 가치를 목표로 하는 인식적 이성과 실천적 이성으로 양분되어 지적 정당화의 경로가 분할되는 현실에서 능히 지각할 수 있다. 그럼으로써 고전적 유형을 넘어선 새로운 지적 정당화의 길이 트이는데, 이 같은 정당화 경로의 분화나 세분화를 통해 근대성이라는 거대 메타 서사가 시효를 상실하는 '근대성의 종언(end of modernity)'에 이르게 된다는 것이다.

이상과 같이 이념형적 패러다임은 크게 세 가지 방향으로 구획되지만, 이 책에서 거론되는 3세대 이론가들은 그들 어느 한쪽에 전적으로 의존하는 대신, 모든 입장들을 해체적으로 재구성해 급변하는 현실 세계를 새로운 시각으로 바라볼 수 있는 독법을 창안하는 데 성공한 인물들로 평가된다. 요컨대 상기 학자들은 모두 고근대성·후근대성·탈근대성이라는 이념형적 사고를 꼭지점으로 하는 삼각 구도 내부의 특정 지점을 선정해 독창적 건축물을 설계하고 축조한 이론적 명인들이라고 할 수 있다.

이때 위치 확보가 이론적 정향이나 내용을 결정하는 출발점이 되는 까닭에, 연결보다 '착점(positioning)'이 3세대 사회이론가들에게 부여된 보다 긴요한 과업이 된다. 다만 그들의 착점이 고근대사회론이나 탈근대사회론보다 후근대사회론으로 치우치게 됨은 불가피하다고 본다. 강고한 기술 중심주의나 반(反)이성주의를 고수하지 않는 한, 이론 창출 과정에서 보편적 원리의 탐색을 지향하는 후근대사회론적 인식을 외면하기 힘들다고 판단되기 때문이다. 어떻든 3세대 사회이론은 고근대·탈근대·후근대론적 관점들의 배합 방식에 따라 여러 유형으로 분지하게 되는데, 각 장에 소개된 대표적 학자들의 사회이론을 총체적으로 구도화(mapping)하면 다음 〈그림〉과 같이 나타낼 수 있다.

〈그림〉 3세대 사회이론의 총체적 지형도

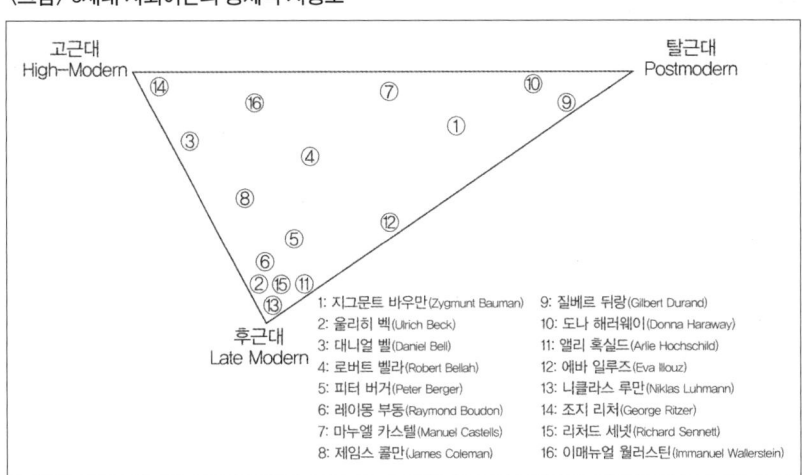

1: 지그문트 바우만(Zygmunt Bauman)
2: 울리히 벡(Ulrich Beck)
3: 대니얼 벨(Daniel Bell)
4: 로버트 벨라(Robert Bellah)
5: 피터 버거(Peter Berger)
6: 레이몽 부동(Raymond Boudon)
7: 마누엘 카스텔(Manuel Castells)
8: 제임스 콜만(James Coleman)
9: 질베르 뒤랑(Gilbert Durand)
10: 도나 해러웨이(Donna Haraway)
11: 앨리 혹실드(Arlie Hochschild)
12: 에바 일루즈(Eva Illouz)
13: 니클라스 루만(Niklas Luhmann)
14: 조지 리처(George Ritzer)
15: 리처드 세넷(Richard Sennett)
16: 이매뉴얼 월러스틴(Immanuel Wallerstein)

4. 새로운 활로의 모색

모든 시대에는 당대의 생활양식이나 가치를 반영하는 고유한 속성들이 존재한다. 현대사회를 특징짓는 속성들로는 일차적으로 사회구조적 복잡성이나 사회과정의 역동성과 같은 점을 들 수 있겠고, 실제보다 이미지, 내용보다 외양을 강조하는 추세, 또는 타자 중심적 인간형이 자아 중심적 인간형으로 바뀌고 있다는 나르시시즘 경향도 거론할 수 있다. 또 신자유주의적 경쟁체제하에서 사회적 긴장이나 불만이 쌓이고 인간성마저 파괴된다는 비관적 견해를 보탤 수 있는가 하면, 사회적 개방성이나 포용성이 증진된다는 희망적주장도 추가할 수 있다. 그런데 이 모든 속성들을 관류하는 가장 포괄적 특성을 추출한다면, 사회체계의 불확정성이나 혼돈을 가중시키는 사회적 자유도(social degree of freedom)의 상승 추세를 꼽을 수 있으리라. 따라서 현대사회는 '혼돈으로부터의 질서 찾기(seeking order out of chaos)'에 주력할 것인즉, 대안적 삶의 비전을 구상할 수 있는 '이론의 힘'이 그 어느 때보다 절실한상황이 되어가고 있다.

자연과학을 모델로 하는 실증적 전통에서 태동해 새로운 해석을 통해 세계를 풍성히 인식하려는 인문학의 영향을 받아온 사회학은 인과적 설명의 탐구와 의미의 이해를 상호 보완적 목표로 삼아 발전을 거듭해왔다. 특히 관행이나 제도로 구성된 독립적이고도 자율적인 영역으로서의 '사회적인 것(the social)'을 탐구 대상으로 삼아온 사회학은 조직화 경향이 지배적이었던 근대사회에서는 주로 '강한 프로그램(strong program)'에 의존해 비교적 세상을잘 파악할 수 있었다. 그러나 사회적 자유도의 증가와 더불어 탈조직화 경향이 새로운 대세가 되어가는 오늘날에 이르러 사회학은 시대 여건에 부합하는이론적·방법론적 대안 창출에 고심하는 모습이 역력하다. 특히 관점의 다양성이 존중되어야 하는 이론 연구의 장(場)에서는 혼돈과 질서의 변증법이 가중되는 현실 사회의 정경을 속절없이 반영한 억견(臆見)들이 창궐해, 이론적탐구의 성과에 대한 신뢰를 날로 격하시키고 있다.

따라서 강한 프로그램의 야망을 접고 '약한 프로그램(weak program)'으로눈을 돌려야 한다는 주장이 호소력을 더해가는 실정이다. 이때 '약한 프로그램으로서의 이론'은 '약한 이론'과 변별될 필요가 있다. '약한 이론'이 이론의설명력이나 소구력이 낮은 상태를 의미하는 것이라면, '약한 프로그램'으로의 사회이론은 사회관계를 유지하는 개인들 간의 사회적 행위에 대한 의미 분석에 치중하자는 것을 뜻한다(Turner, 2009). 그러나 고근대성·탈근대성·후근대성이 교차하는 극심한 사회적·지적 혼돈 상황에서는 강한 프로그램을 약한 프로그램으로 대체하는 소극적 입장을 넘어, 양자의 장점들을 취합한 연성 프로그램(soft program)의 개발에서 새로운 가능성을 모색함이 바람직하다고 본다. 이 책에 등장하는 이론가들은 고근대·탈근대·후근대라는 삼중 나선의 복잡계를 신축적으로 고려하면서 자신의 이론 세계를 축조해나가는 연성 프로그램의 선도적 실천가들이라 해도 과언이 아니다.

세계는 지금 모든 사람들이 각양각색의 소통 매체를 통해 자신의 생각이나 느낌을 언제 어디서든 당당히 표출하면서 살아가는 초연결 시대(hyper-connected age)로 진입하고 있다. 일방적 논리에 근거한 획일적 해법이 이전과 같은 권위나 위력을 행사할 수 없는 불확정적인 국면으로 치닫는 것이다. 따라서 현 단계 사회이론은 역동적이고 융·복합적인 사회 현실을 오롯이 수용하되 혼돈의 늪을 통시할 수 있는 분별적 능력을 겸비해야 한다고 본다. 이런 이중적 기준에 비추어볼 때, 오늘날 학문 질서를 어지럽히는 다음과 같은 무분별한 언술들, 요컨대 단순 논리에 기초한 안이한 진단이나 처방으로 일관하는 대중주의 사회이론(populist social theory), 또는 현실적 복잡성에 함몰되어 보면 볼수록 어렵기만 한 속수무책의 사회이론(helpless social theory)은 모두 배격되어야 한다고 본다.

5. 희망의 속삭임

이 책에 등재된 열여섯 명의 이론가들은 독창적 방식으로 복잡다단한 사회 현실을 명증하게 규명할 수 있는 방안을 예시해준다는 점에서『오늘의 사회이론가들』이라는 학문적 명예의 전당(Academic Hall of Fame)에 오를 자격이 충분한 학자들이라고 판단된다. 삶의 무게나 깊이를 외면한 채 인생을 가볍고 편하며 즐겁게 살아가려는 피상성 에토스가 팽배한 시절임에도 그들 저작이 학계 안팎으로 널리 읽히며 울림을 끼치는 것은 이 때문이다. '연한 것이 견고한 것을 이긴다'는 언표에서 유추할 수 있듯, 부드러움에 대한 찬사가 범람하는 오늘날의 소프트 시대에 진실성·보편성·엄정성을 지향하는 사회이론 연구에 전념한다는 것은 쉬운 일이 아니다. 더구나 고통이나 고뇌 대신 재미와 즐거움이 애호되는 열락(悅樂)의 시대에 집단적 이해관계가 뒤얽힌 공적 쟁점들을 적발하고 분석하며 해법을 모색하는 일은 결코 만만한 과업이 아니다. 하지만 이 책의 주인공들은 대중주의나 현학주의에 함몰되지 않고 학문적·실천적으로 의미 있는 성과를 일궈왔기에, 사회과학도들은 물론이요 일상의 작은 일에 분개하며 살아온 세인들에게도 지음(知音)을 들려줄 수 있으리라 기대한다.

무려 570여 쪽에 달하는 이 공동 저작은 필자의 정년퇴임을 염두에 두고 기획된 것이라고 한다. 이렇다 할 학풍이나 학설도 남기지 못하고 교수직을 마감하는 시점에 학료들이 집성한 방대한 초고를 대하니 실로 부끄럽기 짝이 없다. 업적 경쟁으로 부대끼는 상황에서 공력을 다해 저서 발간에 참여해주신 열여섯 저자들께 이 자리를 빌려 깊이 감사드린다. 모두가 학계 중진으로 존중받는 분들이라 송구스러운 마음이 더하다. 모쪼록 좀 더 나은 사회를 향한 필진의 열망이 서린 이 책이 앎으로서의 사회학에 관심을 지닌 이들에게는 학식(學識), 삶으로서의 사회학에 관심을 둔 이들에게는 학덕(學德), 꿈으로서의 사회학에 관심을 품은 이들에게는 학향(學香), 업(業)으로서의 사회학에 뜻을 둔 학도들에게 학혼(學魂)을 연마할 수 있는 계기가 되었으면 한다.

참고문헌

쉬만크(U. Schimank)·폴크만(U. Volkmann) 엮음. 2011. 『현대사회를 진단한다』. 김기범 외 옮김. 논형.

Beck, U., W. Bonss and C. Lau. 2003. "The Theory of Reflexive Modernization: Problematic, Hypotheses and Research Programme." *Theory, Culture & Society*, 20(2), pp.1~33.

Charles, S. and G. Lipovetsky. 2006. *Hypermodern Times*. Cambridge: Polity Press.

Craib, I. 1992. *Modern Social Theory: From Parsons to Habermas*. Pearson Education Limited.

Lyotard, J. 1984. *The Postmodern Condition*. Minnesota: University of Minnesota Press.

Turner, B. 2009. "Introduction: A New Agenda for Social Theory." in B. Turner(ed.). *The New Blackwell Companion to Social Theory*. Oxford: Blackwell.

1부

탈산업사회,
자본주의,
세계체계

01

대니얼 벨과 탈산업사회의 사회학

김원동

1. 머리말: 탈산업사회의 사회학

2011년 1월 25일, 매사추세츠 주 케임브리지의 자택에서 91세를 일기로 대니얼 벨(Daniel Bell)이 운명했다. 여러 언론 매체가 연이어 그의 죽음을 세상에 알렸다. 부고에는 그의 출생부터 사망 시점까지의 주요 경력과 연구 활동[1]에 대한 밀도 있는 소개가 곁들여졌다. '하버드 대학교의 명예교수'라는 직함도 빠지지 않았다. 언론에서는 "세상의 작동 방식에 관한 폭넓은 일반화를 시도하는 데 관심을 기울인 인물", "탈산업사회에 대해 광범위한 저술 활동을 한 학자", "정치·경제·문화에 대한 열정적인 평가자"로 표현하는가 하면, "일반화 작업이 전공이다"라고 말한 그의 자평까지 인용하며 고인을 추모했다.[2] 벨에 대한 각종 매체의 보도는 각각의 개성을 보여주면서도 하나의

---

1 벨의 삶의 궤적과 학문적 성과에 대한 자세한 내용은 김원동(1996: 136~139), 김원동·박형신(2006), Waters(1996), 그리고 이 글의 참고문헌을 참조하기 바란다. 분량이 너무 많아 여기서는 생략했다.

주제로 집약되었다. 벨이 '탈산업사회'라는 개념을 중심으로 거시적인 사회 변화를 정치나 문화와의 상호 관계 속에서 분석하고 일반화하는 데 평생을 치열하게 매달렸다는 평가가 그것이다. 벨은 현대사회의 변화를 탈산업사회적 경향의 확산으로 포착해내는 가운데, 그 속에서 전체 사회를 구성하는 경제·정치·문화 영역들 간 상호 충돌을 광범위한 이론적·경험적 지평 위에서 치밀하게 분석하고 나름의 해법을 찾고자 고심했다.

벨은 자신을 신보수주의자로 규정할 수 있는지를 묻는 취지의 물음에 답하면서 경제, 정치, 문화와 전체 사회를 바라보는 그의 기본 관점을 다음과 같이 거듭 천명했다.

내가 발견한 재미있는 현상은 사회나 정치를 단일 차원의 관점으로 평가절하하는 사람들은 단일 차원의 명칭을 아무 데나 갖다 붙이려 한다는 점이다. 지금까지 내 입장은 시종일관 변한 게 없다고 생각한다. …… 사회에는 서로 다른 영역들이 존재하고, 그러한 영역들의 토대를 이루는 원리도 다르다고 믿는다. 이것이 바로 내가 스스로를 경제적 측면에서는 사회주의자, 정치적 측면에서는 자유주의자, 문화적 측면에서는 보수주의자로 불러온 이유다. 나는 모든 사회가 구성원들에게 그 사회의 시민이라고 느낄 수 있을 정도의 품위를 유지하도록 책임질 의무가 있다고 믿는다는 점에서 경제적 측면에서는 사회주의자다. 경제 영역에서 자원의 1차적 선취권(先取權)은 재분배의 방식을 통해 공동체에 귀속되어야 한다. 나는 연속성과 판단력을 믿는다는 점에서 문화

---

2 벨이 재직했던 하버드 대학의 학생신문 ≪하버드 크림슨(Harvard Crimson)≫부터 ≪보스턴닷컴(boston.com)≫, ≪뉴욕타임스(New York Times)≫ 등에 이르기까지 여러 지면을 장식한 다채로운 기사들이 벨을 간명하면서도 폭넓게 이해하는 데 도움을 주었다 (*The Harvard Crimson*, 2011.1.27; *boston.com*, 2011.1.27; *The New York Times*, 2011.1.25).

적 측면에서는 보수주의자다. 나는 문화 영역에서 사람들의 견해가 다른 사람과 모두 똑같으리라고 생각하지 않는다. 나는 모든 예술이 똑같다고도 생각하지 않는다. 어떤 것들은 다른 것들보다 더 낫다. 따라서 여러분은 그것이 왜 그런지 정당화할 수 있어야 하고, 또 그 근거를 이해할 수 있어야 한다. 자유주의가 변치 않는 신조를 갖는 것은 아니라고 생각한다는 점에서 나는 정치적인 측면에서는 자유주의자다. 그것은 '이것이 바로 자유주의의 입장이야'라고 얘기할 수 있는 어떤 고정된 요점을 내포하고 있지 않다. 그것은 변하기 마련이다. 그것은 일종의 태도라고 볼 수 있기 때문이다. 그것은 하나의 회의론이다. 그것은 다원주의이고, 불가지론이라고 할 수 있다(Dorman, 2001: 174).

벨이 밝힌 이러한 기본 입장은 그가 평생 사회를 어떤 식으로 바라보았고, 구체적으로 무엇을 어떻게 분석해왔는지를 짐작할 수 있게 해준다.

이 글의 목적은 벨의 시도가 사회의 기술적 측면에 초점을 둔 '탈산업사회' 개념을 중심으로 다양한 영역에서 광범위하게 진행된 사회 변화의 흐름과 특징을 사회학적으로 분석하려는 지속적인 작업이었음을 이해하는 데 있다. 이런 점에서 여기서는 벨의 여러 저작 중 『탈산업사회의 도래(Coming of post-industrial society)』에 주목하되 『자본주의의 문화적 모순(Cultural contradictions of capitalism)』을 비롯한 다른 연구 성과들도 함께 살펴보려 한다.[3]

---

3 이 두 권의 저작은 벨의 사상 전체를 이해하는 작업에서는 물론이고 이 글의 주제와 관련해서도 중요한 의미를 갖는다. 벨은 1965년에 미국학술원이 "장기적으로 사회적 영향을 미치는 사회의 구조적 변화를 탐구하기 위한 목적으로 구성한" '2000년 위원회'의 의장으로 지명받았다. 벨은 이 직책을 수행하면서 탈산업경제, 현대사회의 기술 관료적 구조와 쾌락주의적 문화 등의 문제점들을 부각시켰다. 이후 벨은 그의 『탈산업사회의 도래』와 『자본주의의 문화적 모순』에서 이런 주장들을 더욱 정교하게 가다듬었다(*guardian.co.uk*, 2011.1.26). 특히 벨은 『탈산업사회의 도래』의 1999년판(벨, 2006)을 출간할 때 장문의 '1999년판 머리말'을 덧붙임으로써 이 책의 첫 출간 이후 약 25년 사이에 일어난 사회적 변화를 추가적으로 반영했다. '1999년판 머리말'에는 인터넷을 비롯한 정보통신기술과 정보

2. 대니얼 벨의 탈산업사회의 사회학

『탈산업사회의 도래』는 1973년에 첫선을 보였고, '1976년판 머리말'이 덧붙여져 1976년에 다시 모습을 드러냈다. 이후 1999년에 77쪽에 달하는 장문의 '1999년판 머리말'과 함께 독자들 앞에 새롭게 등장했다. 이 책은 이미 독일어판, 불어판, 일본어판, 이탈리아어판, 스페인어판, 스웨덴어판, 네덜란드어판, 러시아어판 등의 수많은 외국어 번역판을 통해 세계 도처의 독자들에게 전달되었다(Bell, 2001a). 그러나 외견상 친숙해 보여도 막상 책을 읽어보려 하면, 두꺼운 분량에 먼저 압도되기 십상이다. 내용도 쉽지 않아 이 책에서 벨이 개진하려는 탈산업사회에 대한 분석과 의미가 얼마나 제대로 이해되고 있는지 의문이 아닐 수 없다. 그렇기에 여기서는 탈산업사회의 사회학에 대한 벨의 착상과 분석이 압축적으로 용해된 『탈산업사회의 도래』를 중심으로 그 핵심을 짚어보려고 한다.

앞서 언급한 바와 같이, 이 책이 처음 출간된 것은 1973년이지만 1999년판에서 '1999년판 머리말'을 새로 추가함으로써 벨은 첫 발간 이후 일어난 약 25년간의 변화를 일관된 시각으로 연장해 분석하는 성과를 보여주었다. 따라서 1999년판을 통해 그의 탈산업사회의 사회학을 개관해보면 최근의 변화까지 살펴볼 수 있으므로 이 책의 주제를 더욱 풍성하게 이해할 수 있다.

시대에 대한 그의 지적 호기심이 더욱 구체적인 모습으로 표현되어 있다. 당시 벨의 연령이 80세였음을 상기해본다면, 최근의 사회적 동향까지 자신의 이론적·경험적 분석의 틀 속에서 진지하게 소화하려 했던 그의 시도는 매우 놀랍다. 무엇보다 주목할 점은 벨이 고령임에도 탈산업사회적 변화의 특징적 내용들을 2000년 직전 시점까지 연장한 최신판을 독자들 앞에 내놓았다는 사실이다. 이런 맥락에서 벨의 『탈산업사회의 도래』, 특히 1999년판은 생애 말년까지 보여준 연구자로서의 지적 성실함과 더불어 그가 평생에 걸쳐 몰두해온 연구 성과의 종합관적인 성격을 갖는다고 볼 수 있다. 벨의 이런 점들을 종합적으로 고려할 때, 이 글의 주제는 벨의 대부분의 연구 성과를 사실상 포괄한다고 봐도 무방할 듯하다.

1) 탈산업사회: 사회구조 영역에서 일어나는 사회변동

우리는 『탈산업사회의 도래』에서 현대사회의 새로운 변화들에 주목하되 이에 참신하게 접근하려는 사회학적 상상력의 한 원형을 접할 수 있다. 여기서 고유한 한 원형은 사회학의 기본적인 연구 대상인 사회변동과 그에 따라 형성되는 사회구조의 특징을 밝힐 수 있는 새로운 이론적 시각을 말한다. 거시적인 관점에서, 콩트(Auguste Comte) 이래로 사회학의 초점은 '사회구조'와 '사회변동'의 문제를 해명하는 데 집중되어왔다고 할 수 있다. "사회학적 문제는 변동의 특성 그리고 가능하다면 그 궤적 - 즉, 변동을 불러일으키는 힘과 그것에 저항하는 힘, 변동을 강화하는 요소와 해체하는 요소들 - 을 규명하는 것이다"(벨, 2006: 133)라는 벨의 언급은 그가 누구보다 이 점을 분명하게 인식하고 있음을 보여준다. 이 같은 관점에서 벨은 그의 유명한 '전(前)산업사회-산업사회-탈(脫)산업사회'라는 개념 도식을 제시한 것이다.

웹스터(Frank Webster)의 간명한 해석에 따르면, 이러한 분석 틀은 "가장 일반적인 노동의 유형이 그 사회를 규정하는 특징이 된다"는 시각에서 도출된 사회유형론이다. 즉, 사회에서의 '지배적인 고용양식'에 근거해볼 때 전산업사회는 농업 노동이, 산업사회는 공장 노동이, 탈산업사회는 서비스 노동이 지배적인 사회라는 것이다(웹스터, 1997: 70). 이러한 일련의 사회 변화를 추동하는 요인은 물론 '생산력의 증가'에 있다. 거의 모든 사람이 생계유지를 위해 농업에 종사하던 시대에 생산력의 발전은 잉여농산물의 발생, 농업 노동력에서 산업 노동력으로의 점진적 전화와 산업사회로의 진입을 가져왔다는 것이다. 생산력의 발전은 산업사회에서 더욱 급속하게 이루어져 공장에서의 잉여를 야기했을 뿐만 아니라 이전엔 상상하지도 못했던 새로운 서비스의 소비를 가능케 하면서 서비스 직종의 고용 기회를 증대한다는 것이다(웹스터, 1997: 70~71). 비교적 단순해 보이지만 벨의 사회변동론을 이해할 때에는 주의해야 할 점들이 있다.

무엇보다도 벨의 사회변동론은 사회 전체의 총체적인 변동에 관한 진술이 아니라는 점을 분명하게 이해해야 한다. 벨은 『탈산업사회의 도래』를 비롯한 자신의 여러 저작에서 마르크스주의나 기능주의에서 볼 수 있는 사회에 대한 '총체론적 접근'을 분명히 거부한다. 그러한 이론들은 방법론적으로 볼 때 '생산양식'이나 '지배적인 가치체계'를 중심으로 사회를 구분하고 사회의 다른 영역들을 "총체성 혹은 통합의 원리에 의해서 결정되거나 압도적인 영향을 받는 것"으로 간주하기 때문이다(벨, 1994b: 17~18). 벨에 따르면, 사회는 "서로 다른 원리에 의해 조직되고", "상이한 시기에 상이한 방식으로 서로 결합"하며, "때로는 근본적으로 서로 다른 방식으로 변화"하는 세 가지 영역으로 구성된다(벨, 2006: 15). 즉, 분석적 차원에서 서로 구별되는 '사회구조', '정체', '문화'의 세 영역이 그것인데, 이 중 '기술적·경제적 질서'를 의미하는 사회구조 영역의 변화를 설명하기 위해 고안된 것이 바로 '전산업사회-산업사회-탈산업사회'로 이어지는 사회유형론이다. 다시 말해 벨은 어떤 사회가 전체적으로 탈산업사회라고 규정할 수 있는 방향으로 변화해간다고 주장하는 것이 아니다.[4] 벨은 어디까지나 『탈산업사회의 도래』를 처음 출간할 당시

---

4 벨의 다음과 같은 지적도 이 점을 분명하게 경계하고 있음을 보여준다. "일련의 단선적인 사회변동이나 '사회 발전의 법칙'은 결코 존재하지 않는다. 사회과학에서 가장 중대한 실수는, 그것이 단일한 지배적인 개념 …… 을 통해 사회의 성격을 해석해 사람들로 하여금 어떤 현대사회의 복잡한(서로 중첩되고 심지어는 모순되는) 특성을 잘못 파악하게 하거나, 하나의 사회체계가 어떤 냉혹한 필연성에 의해 다른 체계로 이어지게 된다는 식의 '사회 발전의 법칙'이 존재한다고 가정한다는 것이다"(벨, 2006: 115~116). 벨은 그의 또 다른 저작에서도 이 점을 강조한다. "그중 하나는 필연적이고 본질적인 통일성에 따라 역사를 시대구분하는 것 또는 역사 발전에 결정적으로 '연속적인' 단계가 있다고 주장하는 것이 불가능하다는 점이다. 또 하나는 사회의 '기능적 필요'를 규정하는 하나의 원리를 가진 '일반 이론'으로 사회를 개념화하는 것은 지나치게 형식적이고 추상적이라는(즉, 역사적 내용이 결여된 것이라는) 점이다"(벨, 1994b: 19).

사회의 한 구성 영역인 기술적·경제적 측면에서[5] 초기적 모습을 부분적으로 드러내던 '탈산업사회적' 경향들을 추상화한 사회변동론을 전개하려 했고, '1999년판 머리말'을 추가하면서 이후 약 25년 사이에 더 뚜렷하게 또는 새롭게 나타난 탈산업사회적 경향들을 덧붙인다는 점을 정확히 이해해야 한다.

탈산업사회로의 사회 변화 궤적을 분석하고 전망하는 벨의 논의에는 마르크스주의나 구조기능주의 등과 같은 주류 사회변동론에 대한 진지한 비판적 검토 작업이 선행되어 있고, 그러한 해석의 기초 위에서 그것들과 구별되는 또 하나의 새로운 사회변동관을 제시하고 있음[6]을 알 수 있다.

2) 탈산업사회의 개념과 특징

먼저 벨이 '탈산업사회'의 개념에 어떤 경험적·이론적 의미를 부여하는지 확인할 필요가 있다. 벨은 『탈산업사회의 도래』의 1973년판에서 이 점을 다음과 같이 설명한다.

---

5 전체 사회구조의 관점에서 사회를 생각하면서 '탈산업사회'라는 용어를 사용한다면, 그것은 잘못된 명칭(벨, 2006: 105)이라고 얘기한 벨의 지적도 이런 맥락에서 이해해야 한다.

6 벨은 모든 사회에서 그 사회를 구성하는 세 가지 영역들의 개별적·조합적 성격은 현실적으로 서로 다르다는 점과 그 내용에 대한 구체적인 분석은 연구자의 관점에 따라 달라질 수 있다는 점을 강조하고자 했다. 또 자신이 탈산업사회론을 제시하게 된 것은 그의 일차적 관점이 '기술'이 사회에 미치는 영향을 파악하고자 했기 때문이었음을 『탈산업사회의 도래』의 '1976년판 머리말'에서도 분명하게 밝히고 있다. 그에 따르면, "모든 사회는 상이한 종류의 경제적·기술적·정치적·문화적 체계들 ─ 그중 일부 특징은 모든 사회에 공통적인 것이고, 또 다른 일부는 역사적이고 독특하다 ─ 이 서로 얽혀 있는 것이기 때문에, 어떤 사회는 사람들이 염두에 두는 질문에 따라 서로 다른 관점에서 분석되어야만 한다. 나는 새로운 기술의 결과로 어떠한 사회적 변화들이 일어나고, 그리하여 사회와 그 정치체계가 해결하고자 하는 문제는 무엇인지를 이해하기 위해(자동적인 요인으로서가 아니라 분석적인 요소로서의) 기술의 영향에 초점을 맞추어왔다"(벨, 2006: 116).

탈산업사회 개념은 하나의 분석적 구성물이지 특정한 또는 구체적인 사회의 모습이 아니다. 그것은 선진 서구 사회의 사회조직의 새로운 기축들 및 사회 계층의 새로운 기축들을 규명하는 하나의 패러다임 또는 사회학적 준거 틀이다. …… 탈산업사회는 주로 사회구조(사회의 전체 형태가 아니라 하나의 차원)의 특성의 변화를 가리킨다. 그것은 하나의 '이념형(ideal type)', 즉 사회 분석가가 사회의 다양한 변화들 − 그것들을 모아놓고 다른 개념적 구성물들과 대비시켰을 때 다소 일관성을 가지게 되는 − 을 종합해놓은 하나의 구성물이다(벨, 2006: 846, 852).

벨은 『탈산업사회의 도래』의 '1999년판 머리말'에서 사회 현실의 변화 과정과 관련해 이 개념이 갖는 정확한 의미를 다음과 같이 다시 한 번 규정한다.

나는 미래를 예언한 것이 아니라 …… 가공의 이야기를 기술했었다. 다시 말해 그것은 앞으로 있을 법한 것에 대한 하나의 논리적 구성물로, 우리는 이를 미래의 사회 현실과 비교해 사회가 취하고 있는 변화의 방향 속에 무엇이 개입해 사회를 변화시키는지를 파악할 수 있다. 이것은 (역사학자의 '회고적' 구성물과 대비되는) 사회학자의 '전망적' 역사였기 때문에 25년이 지난 지금 호기심 있는 독자들은 내가 얼마나 정확했는지가 아니라 오늘날 사회의 특징이 25년 전의 세계와 어떻게 비교되는지를 가늠해볼 수 있을 것이다(벨, 2006: 16~17).

벨은 자신이 제시한 '탈산업사회' 개념이 사회적 현실의 경험적 변화를 이해하기 위한 일종의 '이념형'이라고 시종일관 분명하게 얘기한다. 그런데 벨은 탈산업사회의 특징을 전산업사회, 산업사회 등과의 관계 속에서 정리하고 있기 때문에 구체적 내용을 살펴보기에 앞서 그가 어떤 이론적 맥락에서 이 개념을 도출했는지를 이해할 필요가 있다.

벨은『탈산업사회의 도래』의 '1976년판 머리말'에서 '사회적 관계'와 '생산력'을 하나로 묶어 '생산양식'으로 개념화한 마르크스(Karl Marx)의 주장을 비판하면서 사회적 관계와 생산력을 분리해서 생각해야 한다고 주장했다(벨, 2006: 112~116). 그에 따르면, '소유관계'인 '사회적 관계'와 '기술적 관계'인 '생산력'은 상이한 기축 원리에 따라 조직화되는 서로 다른 개념 도식들이다. 따라서 양자를 개념적으로 분리하게 되면, '봉건적-자본주의적-사회주의적' 사회와 '전산업적-산업적-탈산업적' 사회와 같은 서로 다른 사회 발전 도식을 도출해낼 수 있다는 것이다. 이를테면 '자본주의'는 사회의 '사회적·경제적 차원'에서의 논의이고, '탈산업사회'는 '사회적·기술적 차원'에서 끌어낼 수 있는 개념이라는 것이다. 벨은 이런 관점에서 1970년대 당시의 미국과 소련은 사회적 관계가 서로 다르지만 기술과 같은 생산력의 측면에서는 유사하기 때문에 같은 산업사회 범주에 포함시킬 수 있다고 주장한다. 벨은『탈산업사회의 도래』의 '1999년판 머리말'에서도 이 점을 다시 요약해서 강조한다(벨, 2006: 32~33). 말하자면, 우리는 여기서도 벨의 탈산업사회 개념이 사회의 기술적 차원을 기준으로 구성된 사회유형의 하나임을 확인하게 된다. 그렇다면 벨의 탈산업사회 개념은 어떤 특징적 요소들로 구성되어 있는가?

서술적인 측면에서 탈산업사회는 세 가지 요소로 구성되어 있다. 경제 부문에서 그것은 제조업에서 서비스로의 이동을 의미한다. 기술의 측면에서 그것은 과학을 기반으로 한 새로운 산업의 중심성을 뜻한다. 사회학적 측면에서 그것은 새로운 기술 엘리트의 부상과 새로운 계층화 원리의 출현을 의미한다(벨, 2006: 852).

벨은 탈산업사회 유형의 특징을 전산업사회와 산업사회와 비교해 〈표 1-1〉과 같이 정리하고자 했다.[7] 〈표 1-1〉을 염두에 두면서 벨이『탈산업사회

〈표 1-1〉 탈산업사회: 비교 도식

	전산업사회	산업사회	탈산업사회		
생산양식	채취	제작	자료 처리, 정보		
경제 부문	1차	2차	서비스		
			3차	4차	5차
	· 농업 · 광업 · 어업 · 임업 · 석유와 가스	· 재화 생산 · 제조업 · 내구재 · 비내구재 · 중공업	· 운송 · 공공 설비	· 무역 · 금융 · 보험 · 부동산	· 보건, 교육 · 조사 연구, 정부 · 오락, 연예
자원의 변형	자연력	창조된 에너지	정보와 지식		
	바람, 물, 견인 용구, 동물, 인간의 근력	석유, 가스, 원자력	프로그래밍과 알고리즘, 컴퓨터와 자료 전송		
전략적 자원	원료	금융 자본	인적 자본		
기술	기능	기계 기술	지적 기술		
숙련된 토대	장인, 육체 노동자, 농부	엔지니어, 반숙련 노동자	과학자: 기술·전문직		
작업양식	물리적 노동	분업	네트워킹		
방법론	상식, 시행, 착오, 경험	경험주의, 실험	모델, 시뮬레이션, 의사결정이론, 체계 분석		
시간 전망	과거 지향	특별한 적응, 실험	미래 지향: 예측과 계획 수립		
뼈대	자연과의 게임	가공된 자연과의 게임	인간 간의 게임		
기축 원리	전통주의	생산성	이론적 지식의 부호화		

자료: 벨(2006: 110).

7　벨은 『탈산업사회의 도래』의 초판을 내던 당시에 전산업사회 및 산업사회와 비교해 제시했던 탈산업사회의 도식(벨, 2006: 311)을 1999년판을 내면서 그 머리말을 통해 수정·보완했다. 초판 출간 이후의 변화를 반영하기 위한 보완이라고 볼 수 있기 때문에 여기서도 후자의 도식을 소개한다.

의 도래』의 여러 지면에서 탈산업사회의 주요 특징으로 서술한 내용들을 몇 가지로 나누어 살펴보면 다음과 같다.

첫째, '가공된 자연과의 게임'에서 '인간 상호 간의 게임'이 중심이 되는 사회로 변화하고 있다는 점이다. 벨은 '기술'의 변화와 맞물린 주요 산업의 변화에 따른 사회 자체의 성격에서 탈산업사회가 이전의 사회유형들과는 다르다고 본다. 즉, 사회 구성원의 60% 이상이 채취 산업에 종사하는 전산업사회나 에너지를 사용해 자연적 환경을 기술적 환경으로 변형시키는 산업사회와는 달리, 탈산업사회는 '기술혁신'으로 인해 서비스 생산이 중심이 되는 사회라는 것이다. 다시 말해, 사회 구성원들이 생존을 위해 자연과 투쟁하지 않으면 안 되는(소위 '자연과의 게임'이 이루어지는) 곳이 전산업사회이고 자연에서 에너지를 취해 기계에 공급하는('가공된 자연과의 게임'이 전개되는) 곳이 산업사회라고 한다면, 탈산업사회는 '인간 상호 간의 게임'이 주가 되는 사회이다(벨, 1991c: 47~49; 2006: 311~312). 사실 수천 년에 걸친 인류 역사의 대부분은, 자연의 힘을 억누를 방법을 찾고자 하는 '자연을 상대로 한 게임'이었다. 이를테면 비바람을 피할 장소를 찾는 일이나 자연환경 속에서 식량을 얻고자 하는 일 등이 그것이다. 그러던 중에 자연계의 질서를 기술적 질서로 대체한 '산업혁명'을 토대로 산업사회를 맞게 되었고, 뒤이어 새로운 기술혁신으로 서비스 중심 사회로 진입함에 따라 인간 간의 게임이 주가 되는 탈산업사회에 이르렀다는 것이다(벨, 1990a: 207~212). 벨은 서비스 중심 사회로서의 탈산업사회의 특징적 내용을 좀 더 구체적으로 다음과 같이 서술한다.

둘째, 제조업 중심의 사회에서 서비스업 중심의 사회로 사회의 성격 변화가 일어나고 있다는 점이다. 벨은 이 맥락에서 전산업사회의 가사 보조 서비스나 산업사회의 재화 생산 보조 서비스·개인 서비스(미용사, 요식업소 종업원 등)와는 달리 탈산업사회에서의 서비스는 보건·교육 등과 같이 사회의 생산성을 증대시키는 '인간 서비스(human service)' 영역이 주로 팽창한다는 점을 강조한다(벨, 2006: 9~10, 122). 이런 서비스 영역이 탈산업사회의 특징으로 부각되는 이유는 크게 두 가지에서 찾을 수 있다. 우선, 인간에 대한 이러한 서비스나 전문적 서비스업들이 오늘날 가장 생산적인 업종이 되고 있기 때문에 이들 부문이 자연히 탈산업사회의 중심적 요소가 된다는 것이다. 또한 자동화 기술과 같은 새로운 기술들의 발달로 종래의 농업 노동이나 단조롭고 힘든 산업 노동의 사회적 필요가 줄어들고 인간 서비스 직종에 대한 수요가 크게 증가되었기 때문이라는 것이다. 벨이 통상적인 서비스 산업의 범주를 세분해 운송과 공공 설비를 경제 부문의 3차 부문으로, 무역·금융·보험·부동산을 4차 부문으로, 그리고 보건·교육·조사 연구·정부·오락·연예를 5차 부문으로 분류한 것은 탈산업사회에서 새로운 서비스 영역이 차지하는 사회적 비중을 강조하기 위해서였다고 할 수 있다(벨, 1984: 72; 1991a: 10~34; 1991c: 50~54; 2006: 8).

셋째, 전문직과 기술직 고용이 엄청나게 증가하고 확산된다는 점이다. 벨은 직업 구조에서 숙련·반숙련 노동자의 비중이 상대적으로 쇠퇴하고, 기술직·전문직 계급이 사회에서 가장 빠르게 성장하고 있다는 점을 강조한다. 벨은 "2000년경에 이르면, 이 기술직 및 전문직 계급이 사회에서 가장 큰 단일 집단이 될 것"(벨, 2006: 122)이라고 전망했다(벨, 2006: 10, 121~122). 특히 여성에게 고등교육을 받을 기회가 주어짐에 따라 고학력에 토대를 둔 대학교수, 자연과학자, 교사, 변호사 등과 같은 전문직종에 여성이 대거 진출하는 현상이 실제로 일어났다. 이와 같이 남성 노동이 중심이던 전형적인 산업사회에서 여성의 전문직 비중이 급증하는 사회로의 변화를 두고, 벨은 『탈산업사회의 도래』의 첫 출간 이후 25년간 미국에서 발생한 예상치 못했던 가장 현저한 사회 변화라고 적었다. 이런 점에서 벨은 이를 노동 영역에서 일어난 탈산업사회적 특징의 하나로 규정한다(벨, 2006: 90~92, 122~123).

넷째, 사회이동 통로로서 교육의 중요성이 커지고, 인적·사회적 자본이 사회의 힘을 이해하는 특징의 하나로 부상하는 현상이 나타난다는 점이다. 벨이 『탈산업사회의 도래』의 초판을 낼 때 이 부분은 빠져 있었다. 이런 점에서 보면, 이 요소는 그 이후의 변화를 반영해 탈산업사회의 또 다른 특징으로 포함한 것이라고 할 수 있다. 벨은 사회에서 지위나 특권을 얻는 전통적인 방식이 상속이었던 것과는 달리 오늘날에는 전문 기술직의 팽창과 더불어 교육이 사회이동의 통로가 되었음을 지적한다. 심지어 기업가에게도 고등교육 이수가 업무 수행의 배경으로 요구된다는 것이다. 또한 종래에는 금융자본이 자본의 핵심이었다면, 이제는 인적 자본과 사회적 자본이 사회적 삶에서 새로운 자원으로 힘을 발휘하게 되었다고 강조한다. 사회적 자본이 결여되거나 부족한 소수집단이 각종 기회와 지식에서 더 쉽게 배제되는 현상도 그러한 자본이 갖는 사회적 힘을 보여주는 실례라는 것이다(벨, 2006: 11~12).

다섯째, '기계 기술(machine technology)'에서 '지적 기술(intellectural technology)'과 '이론적 지식(theoretical knowledge)'이 중심이 되는 사회로의 변화가 일어나고 있다는 점이다. 산업사회의 토대가 기계 기술이었다고 한다면, 통신체계의 융합과 제조업 부문에서의 컴퓨터 설계 확산 등과 더불어 전면에 부상한 것이 바로 수학과 언어학에 기초한 지적 기술이다. 이 새로운 지적 기술은 컴퓨터 프로그램이나 수치 제어 공작 기구로 구체화되는데, 정식화가 가능한 곳에서는 인간의 판단이 알고리듬(algorithm)[8]으로 대체된다. 이러한 새로운 지적 기술을 이용해 우리는 "경제적 및 공학적 문제들에 대해 좀 더 효율적이고 '합리적인' 해결책들을 도식화할 수 있다"(벨, 2006: 121)고 벨은 주장한다. 또 벨은 탈산업사회의 기술적 변화가 이전과는 달리 이론적 지

---

8   여기서 말하는 알고리듬이란 "결정 규칙(decision rule), 즉 다양한 조건 속에서 문제를 해결하기 위해 어떤 경로를 채택할까를 결정하는 양자택일의 판단"을 의미한다. 기계가 20세기 전반을 상징하듯, 20세기 후반을 특징짓는 것은 바로 이 같은 새로운 지적 기술이라고 벨은 강조한다(벨, 1994b: 59~60).

식의 축적에 의존하는 특징을 가진다고 강조한다. 컴퓨터, 전자공학, 광학 등과 같은 과학에 토대를 둔 새로운 산업들 속에서 발견할 수 있는 이론적 지식이 기술혁신의 토대가 되고 사회의 중요한 전략적 자원이 되는 사회[9]가 바로 탈산업사회라는 것이다. 벨이 '노동가치론' 대신 발명과 혁신의 원천으로서의 지식에 초점을 둔 '지식가치론'을 탈산업사회의 토대로 보는 것도 이와 유사한 맥락에서 비롯된 견해라고 볼 수 있다(벨, 2006: 12, 36, 43).

여섯째, 사회 하부구조의 중심이 운송에서 통신으로 전환되는 현상이 나타난다는 점이다. 벨은 산업사회의 하부구조가 항구·철도·화물차·고속도로·공항 등과 같은 운송이었다면, 탈산업사회의 하부구조는 케이블 TV·디지털 TV·광섬유 네트워크·팩스·이메일·ISDN(Integrated Services Digital Network), 인터넷 등과 같은 통신이라고 주장한다. 벨에 따르면, 이러한 새로운 통신 시스템의 발달은 '모든 기계 시스템과 전기·전자기계 시스템의 전자공학으로의 교체', '소형화', '디지털화', '소프트웨어'처럼 여러 부문에서의 혁신을 기반으로 한다. 이 같은 텔레커뮤니케이션이 사회 하부구조의 새로운 중심으로 자리 잡게 됨에 따라 "전자적으로 매개되는 지구 경제"를 활성화하는 기반이 구축되었고, 정보가 주축이 되는 이른바 '정보시대'도 촉진되기에 이르렀다는 것이다. 이런 점에서 보면, 벨에게 정보사회란 탈산업사회를 규정해주는 광범위한 일련의 변화 중 한 측면인 동시에 그것의 가장 첨단적인 측면을 포착해내는 개념이라고 할 수 있다(벨, 1991c: 50; 2006: 12, 33~44).

일곱째, 탈산업사회는 결핍이 사라진 사회가 아니라 이전 시기와는 다른 새로운 결핍이 존재하는 사회라는 점이다. 벨은 먼저 "결핍의 제거는 모든 유토피아적 사고의 주축 원리였다"는 점을 상기시키면서 "결핍이 항상 우리와

---

9 벨은 "결정적인 것은 이론적 지식이 기초연구에서 나온다는 점"(벨, 2006: 46)을 강조한다. 이런 점에서 탈산업사회는 이론적 지식을 생산하는 대학이나 연구소 등과 같은 각종 연구 기관들이 핵심적인 사회제도로 부상하는 사회라는 특징을 갖는다고 할 수 있다.

함께하고 있다는 것은 매우 분명한 사실"이라는 점을 인정한다(벨, 2006: 125, 805). 다만 탈산업사회는 19세기와 20세기 초반의 사상가들이 진지하게 고려하지 못했던 '지위재(positional goods)'를 둘러싼 경쟁과 부족이라는 새로운 결핍에 시달리는 사회라는 것이다. 생산성의 향상으로 비용 절감이 이루어지면 좀 더 많은 생산을 통해 결핍의 문제를 상당 부분 해소할 수 있는 '분배재(distributional goods)'와 달리, 다른 사람과 구별되고자 하는 욕망의 추구와 연계된 '지위재'는 원래 희소한 것이기 때문에 탈산업사회에서는 이를 둘러싼 경쟁과 갈등이 불가피하다는 것이 벨의 생각이다. 말하자면, 사람들 간의 게임이 중심이 되는 탈산업사회에서 이를 충족시키려 할 때에는 그러한 관계의 형성과 유지에 필요한 정보, 조정, 시간 확보 등에 상당한 비용이 수반되기 때문에 이런 영역에서의 새로운 결핍이 나타나기 마련이라는 것이다(벨, 2006: 99~103, 805~835).

여덟째, 탈산업사회는 공간적 차원에서 볼 때 전산업사회나 산업사회와 구별되는 지역에 분포해 있다는 점이다. 벨은 『탈산업사회의 도래』가 출간된 시점인 1970년대 초반에는 전산업사회가 널리 펼쳐져 있는 지역으로 아프리카와 남미 및 아시아 지역을 꼽았다. 그에 비해 산업사회의 특징을 갖고 있는 곳으로는 서유럽 국가들과 소련, 일본을 예로 들었고, 탈산업사회 범주에 속하는 국가로는 유일하게 미국을 꼽았다(벨, 2006: 311). 이후 벨은 1990년대에 이르러서도 아프리카나 남미 및 아시아 지역은 여전히 전산업사회의 유형에 속한 나라들이 많은 곳이지만 미국을 필두로 일본, 서유럽 지역의 대다수 국가들, 그리고 한국의 일부분은 탈산업사회로 진입한 것으로 볼 수 있다고 함으로써 지난 20여 년 사이에 있었던 사회적 변화들을 반영하고자 했다(벨, 1991c: 47~49; 2006: 93). 또한 벨은 모든 사회가 탈산업사회로의 인과적 궤적에 종속된다고 보지는 않지만 모든 산업사회에서 탈산업사회의 특징들이 경향적으로 출현하고 있다고 주장했다. 물론 그러한 특징들이 개별 산업사회에서 실제로 얼마나 출현하느냐는 또 다른 경제적·정치적 요인들에 좌우되기 마련이라고 분명한 단서를 달았다. 그렇지만 이론적 관점에서 볼 때, 모든 산업사회에서 "지속적인 경제성장이 필연적으로 탈산업적 요소들을 도입할 것이라는 점은 분명하다"는 것이다(벨, 2006: 125~126). 결국 벨은 산업사회에서 탈산업사회로의 이행을 기계적 인과론에 따른 필연적 경로로 보지는 않지만 해당 사회의 정치적·경제적 여건이 그러한 방향으로의 변화에 유리하게 작용할 경우에는 그렇게 될 개연성이 크다고 본 것이다.

3) 사회의 세 가지 영역의 의미, 그리고 탈산업적 변화와의 현실적 관계

벨의 탈산업사회의 사회학을 제대로 이해하기 위해서는 앞서 언급한 사회의 세 가지 영역의 의미와 상호 관계에 대한 추가적인 논의가 필요하다. 벨은 『탈산업사회의 도래』를 발표한 이후의 여러 저작에서도 이 문제를 거듭 상세히 논의한 바 있다.

먼저 경제 영역은 생산을 조직하는 일, 그리고 재화와 용역을 배분하는 일과 관련된다. 여기서의 기축 원리는 '기능적 합리성(functional rationality)', 즉 '효율성(efficiency)'이다. 다시 말해 이 영역에서 "어떤 과정을 택할지, 어떤 생산물을 생산할지를 결정하는 기준은 더 저렴하게, 더 질 좋게, 더 효율적으로 생산해낼 수 있느냐"이다(벨, 1994b: 18). 따라서 이런 기준에 따라 생산물과 생산과정의 비용을 측정하고, 필요하다면 이전의 것들을 대체한다는 대체의 원리가 이 영역에서는 가치의 척도로 자리 잡게 된다. 이처럼 '생산성의 원칙(principle of productivity)'에 따른 '대체의 원리(principle of substitution)'가 분명하게 적용되는 곳이 '기술적·경제적 영역'이기 때문에 여기서의 변화 (또는 변화의 리듬)는 '단선적(linear)'이라고 할 수 있다(벨, 1990a: 21~22).[10] '전산업사회-산업사회-탈산업사회'로 이어지는 그의 사회유형론도 이런 변화의 리듬 속에서 이해해야 함은 물론이다.

한편 "정의라는 구성적 원칙 아래 갈등을 규제하는" 정체는 "사회정의와 권력의 투기장"(벨, 1994b: 74)이다. 즉, 사회의 전통과 그 제도 속에 구현된 특정한 정의관을 실현하기 위해 무력의 정당한 사용이 이루어지도록 통제하고 갈등을 규제하는 곳이 정체 영역이다. "정체의 기축 원리는 '정당성(legitimacy)'인데, 민주적 정체의 경우 이것은 피통치자의 동의에 의거해서만 권력이 행사되고 지배도 이루어질 수 있다는 원칙을 의미한다. 여기에 함축되어 있는 전제는 이러한 동의의 과정에서 누구나 동등한 발언권을 가져야만 한다는 '평등'의 이념이다"(벨, 1990a: 11). 이와 같이 정당성과 연계된 서구 정체의 중추 원리인 '평등'의 이념은 법 앞에서의 평등, 기회의 평등, 권리의 평등 등으로 표현되었고, 지난 50여 년 동안 서구 정체의 특징이었던 '권리 신장'의 요구를 정당화하는 데 기여해왔다. 그런데 정체 영역에서의 변화는, 단선적인 기술적·경제적 영역과는 달리 대체로 '양자택일적'이다. 이를테면 중앙집권이냐 지방분권이냐, 엘리트냐 대중이냐, 과두정치적 통제냐 참정권의 신장이냐, 지배냐 동의냐는 식이며, 따라서 이들 사이에 어떤 단일한 연속성은 없다고 할 수 있다(벨, 1994b: 18).

그런가 하면 벨은 문화를 "실존의 의식에서 모든 인간 집단이 직면하기 마련인 핵심 문제, 즉 죽음, 비극의 의미, 의무의 본질, 사랑의 성격 등을 어떻게 만나는가 하는 문제에 인간이 지각을 가지고 대응하는 양식"(벨, 1994b: 298)이라고 정의한다. 따라서 벨이 볼 때 "문화의 테마는 역사의식 안에서 모

---

10 벨은 이런 측면에서의 논의가 자신을 기술결정론자로 오해하게 만들 우려가 있음을 의식한 듯하다. 이를테면 벨은 『탈산업사회의 도래』의 '1999년판 머리말'에서 기술을 선용될 수도, 악용될 수도 있는 '변동의 중요한 도구'로 보면서도, 기술이 사회의 틀을 규정하는 결정적 요인은 아니라고 지적한다. 이처럼 벨은 자신이 기술결정론자가 아님을 강조한다(벨, 2006: 14).

든 인간이 매번 직면하는 '실존의 문제'다"(벨, 1994b: 73). 그러므로 실존의 유한성을 의식하는 어느 사회에서나 이런 의문들은 늘 발견되기 마련이며, 다만 시대에 따라 그 답변이 달라질 수 있을 뿐이다. 이러한 점에서 문화란 그림, 시, 소설, 기도 또는 예배 의식 속에서 '인간 실존의 의미(meanings of human existence)'를 탐구하고 이를 상상력이 풍부한 어떤 형태들로 표현하고자 하는 노력인 상징적 형태의 영역, 특히 '표현적 상징주의(expressive symbolism)'의 장(場)이라고 할 수 있다. 결국 문화에 축적이란 없으며 모든 인간이 언제 어디서나 직면하는 의문이자 인간 조건의 유한성과 부단히 내세에 이르려는 열망으로 야기된 긴장에서 비롯되는 그러한 근본적인 의문들로의 회귀가 있을 뿐이다. 불레즈(Pierre Boulez)가 바흐(Johann Sebastian Bach)를 대신할 수 없듯이, 여기에는 결정적 변화의 원리가 있을 수 없는 것이다 (벨, 1990a: 23~25, 236~237). 이러한 문화 영역에서의 기축 원리는 '자아(self)'의 고양 또는 실현이다. 다시 말해 여기서는 "각 개인의 자아를 만족시키거나 그 잠재력을 실현시키는 것이, 사회집단들의 생활양식이나 문화의 표현 영역에서의 새로움과 실험의 추구를 정당화해주는 규범인 것이다"(Bell, 1980: xiv).

벨은 경제 영역에서 기술이 갖는 도구성과 그것이 정치나 문화와 갖는 연관성에 대해 다음과 같이 이야기한다.

이 도구는 일을 하는 데 있어서 무한한 가능성을 전해줍니다. 그러나 이 도구는 결정을 내리지는 못합니다. 기술이 하나의 도구라면, 이 도구는 사람들이 어떻게 살아야 하고, 무엇을 위해 살아야 하는지에 대해서는 결정을 내려줄 수 없습니다. 이러한 문제는 문화에 의해 결정될 문제입니다. 기술을 어떻게 사용할 것인지를 결정하는 것은 그 사회의 문화와 정치, 그리고 그 기술을 사용하는 사람들과 지도자들의 의지라고 할 수 있습니다. 기술은 지금까지 그래왔던 것처럼 파괴하는 데에도 사용할 수 있습니다. 기술은 사람들의 생활을 넓히는 데에도 사용할 수 있습니다. 여기서 다시 한 번 강조하고자 하는 것은 정보화 사회나 기술만으로는 유토피아를 만들 수 없다는 사실입니다. 정보화 사회나 기술은 단순한 도구일 뿐입니다. 이러한 도구를 어떻게 사용하느냐, 이는 그 사회의 문화와 그 속에 사는 사람들의 문제라고 할 수 있습니다(벨, 1991c: 31~32).

기술이 사회 변화를 결정짓는 것은 아니다. 기술은 수단과 가능성을 제공한다. 이런 것들이 활용되는 방식은 사회적 선택을 포함한다(벨, 2006: 43).

문제는 무엇보다도 기술을 바람직한 사회 발전의 도구로 적절하게 개발하고 유도할 문화 영역이 제 기능을 발휘하기 어려운 상황에 직면해 있다는 점이다. 전통적인 종교의 제약에서 탈피해 '유미주의(aestheticism)'와 '정치 종교(political religions)'로 치닫던 '문화'가 마침내 '쾌락주의 문화'와 '이데올로기의 종언'으로 귀착되면서 방향감각 상실과 혼미 상태를 벗어나지 못하고 있기 때문이다(벨, 1990a, 1994b). 벨은 탈산업사회가 직면한 사회구조와 문화 간 분리 현상의 심각성을 다음과 같이 묘사한다.

나는 지난 100년간 서구 사회에서 사회구조(경제, 기술, 직업체계)와 문화(의미의 상징적 표현)가 점점 더 분리되었다고 생각한다. …… 사회구조는 기능적 합리성과 효율성을 기반으로 하는 반면, 문화는 도덕률 폐기론적으로 정당화되는 자아의 향상에 뿌리를 두고 있다. …… 탈산업사회는 (과학의 신전에 자신을 헌신하는 소수를 제외하고는) 초월적 윤리를 제공할 수 없다. 그리고 도덕률 폐기론적 태도는 결국은 사람들을 공동체의 굴레와 다른 사람들과의 공유 의식을 끊어버리는 철저한 자폐증에 빠뜨린다. 확고한 도덕적 신념체계가 부재한다는 것은 사회의 문화적 모순으로, 그것의 생존에 대한 가장 심각한 도전이다(벨, 2006: 837, 842).

하지만 벨은 이러한 상황에 좌절하지 않고 결코 완전히 고갈될 수 없는 인간의 문화적 욕구에 기대를 건다.

> 인간의 가장 심원한 충동 중 하나는 자신들의 삶 속에서 의미 있는 목적을 발견하고 죽음의 무의미성을 부정하기 위해 자신들의 제도와 신념을 정당화하는 것이다. …… 여전히 남아 있는 것은 인간의 이중적 성격 – 기본적 충동으로부터 파생하는 해체하고 파괴하고자 하는 잔혹한 공격성과 마음의 조화를 통해 예술과 삶 속에서의 질서를 추구하고자 하는 의지 – 이다. 사회 세계를 규정하고 유토피아 – 아마도 근대인이 추구해온 지상의 천년왕국보다는 현실적인 – 를 꿈꿀 수 있게 하는 것도 바로 이처럼 뿌리 깊은 긴장이다. 유토피아는 항상 인간들 간 관계의 조화와 완성의 설계로 인식되어왔다. …… 인간은 항상 상상 속에서 사회를 하나의 예술 작품으로 만들고자 할 것이다. 이는 여전히 하나의 이상으로 남아 있다(벨, 2006: 842, 855).

우리가 늘 직면하기 마련인 실존적 물음의 원천이 문화, 특히 종교적 세계에 있다고 보는 벨은 현대 문화의 비틀거림에도 불구하고 새로운 종교가 틀림없이 나타날 것이라고 주장한다. 그리고 앞으로 나타날 새로운 종교는 "이전 경험과는 달리, 과거로 되돌아가고, 전통을 추구하며, 죽은 자와 산 자, 그리고 태어날 인간을 연결시키는 유대의 구도가 제시하는 밧줄을 찾게 될 것"(벨, 1994b: 321)이라고 한다. 벨은 그것이 새로운 제도로 구체화될지는 알 수 없지만 우리의 문화가 나아가는 방향의 어떤 신성성을 되찾고자 하는 이러한 형태의 새로운 노력이 분명히 나타날 것이라는 소망 어린 전망을 우리에게 내놓았다(벨, 1994b: 328~329; 김원동, 1996: 153~170).

한편 벨은 경제와 정치의 관계에서 기본적으로 정치의 규정성에 비중을 둔다. 즉, 사회의 주요 집단들이 탈산업사회적 변화에 대한 수용 여부와 방향 조정 등을 일정한 정의(正義) 개념에 기초해 정치적으로 결정해야 한다면서, 현대사회에서는 사회구조가 정치에 의해 관리된다는 입장을 취한다. 벨은 탈산업사회에서의 정치의 성격을 공동체적이고 사회학적이라고 규정한다.

현재 출현하고 있는 탈산업사회의 정치적 에토스는 사회적 목적들과 우선 사항들이 국가정책에 의해 규정되고 국가정책이 그러한 목적의 실현을 지향한다는 점에서 공동체적이다. 그것은 개인적 효용과 이윤 극대화의 기준이 (특히 생태학적 황폐화의 부수적 결과가 사회적 비용을 증가시키고 쾌적한 삶을 위협함에 따라) 보다 광범위한 사회복지 및 공동체의 이해에 종속된다는 점에서 경제학적 …… 이기보다 사회학화된다(벨, 2006: 844).

벨의 해석에 따르면, 이 같은 정치의 역할과 성격은 경제와 문화 영역에서의 수많은 변화와 의사결정의 정치화로 인한 집단 간 갈등의 심화로 '관리'와 '조정'의 문제가 야기되는 데서 비롯된다고 할 수 있다(벨, 2006: 845~846).

4) 경제학화 양식에서 사회학화 양식으로

벨은 '경제학화 양식(economizing mode)'과 '사회학화 양식(sociologizing mode)'을 비교해 논의하는 과정에서 경제·정치·문화 간 관계 문제를 탈산업사회적 변화와 연관 지어 좀 더 구체적으로 다룬다.

벨에 따르면, 근대 산업사회는 두 가지 새로운 인간인 '엔지니어'와 '경제학자'의 산물이자 양자를 결합시키는 '효율성' 개념의 산물이다. 따라서 이러한 근대 산업사회에서의 삶은 '서로 경쟁하는 목적들 사이에서 희소 자원을 최선의 상태로 할당하는 과학'으로서의 '경제학화' 양식이라는 '독특한 삶의 양식'을 띠게 된다. 또 '수단의 합리성' 또는 '기능적 합리성'의 관념을 의미하는 '경제학화' 개념에 기초한 삶의 양식은 '기업 법인'이라는 '새로운 사회적 발명품'을 제도화했을 뿐만 아니라 '경제성장'에 진력하는 가치체계를 구축해 왔다(벨, 2006: 532~538). 하지만 그러한 삶의 양식은 경제적 재화의 측정과 사적 소비의 만족에만 주목한 채 그에 따른 사회적 비용이나 삶의 목적 또는 목적들 간의 우선순위 정립 문제 등을 도외시했다. 이런 문제점들을 해결해 나가기 위해 '공익'의 관점에서 모든 사회 구성원들이 공감할 수 있는 '사회정의관'을 확립하고, 사회적 재화 또는 공공서비스와 관련된 공공정책의 문제를 다루는 '사회학화' 양식이 점차 부각된다고 벨은 주장한다. 그렇지만 이런 과정에서는 공동체와 환경에 대한 책임, 사회적 비용이나 공공서비스의 비용 분담 문제, 법인의 사회적 책무 문제 등을 둘러싼 수많은 갈등이 예상된다 (벨, 2006: 538~569).

그 세부적인 방안과 결과는 아직 뭐라고 분명하게 말할 수 없지만 그럼에도 벨은 삶의 방식에서만큼은 정치와 문화의 중요성을 강조하는 사회학화 양식으로의 이행이 진행 중에 있다고 말한다.

오늘날 미국이 민간 기업 시장체계에 입각한 사회에서 가장 중요한 경제적 결정이 (의식적으로 규정된 '목표'와 '우선순위'와 관련해) 정치적 수준에서 이루어지게 될 사회로 나아가고 있다는 것은 분명해 보인다. …… 소비자 지향의 자유기업 사회는 더 이상 과거 한때처럼 시민들에게 만족을 주지 못한다. 따라서 우리가 여전히 자유주의적 사회로 인식하고 있는 무언가가 살아남기 위해서 그것은 변해야만 할 것이다. 그러한 변화가 '진보'를 의미할 것인지 여부는 나도 어떻게 답해야 할지 알 수 없는 민감한 형이상학적 문제이다. 이 사회는 개인주의와 시장 합리성의 전제 — 즉, 개인들이 바라는 다양한 목적이 자유로운 교환을 통해 극대화될 것이라는 전제 — 에 의존해온 사회이다. 우리는 지금 공동체적 윤리로 옮겨가는 중이다. 하지만 우리는 그러한 공동체를 여태 완전하게 정의하지 못하고 있다. 어떤 의미에서, 정치경제에 의한 지배로부터 정치철학에 의한 지배로의 이전은 (그것이 전환을 의미하기 때문에) 비자본주의적 양식의 사회사상으로 회귀하는 것이다. 그리고 이것이 바로 서구 사회의 장기적인 역사적 경향이다(벨, 2006: 568~569).

3. 탈산업사회적 경향의 전개 속에서의 미래 전망과 우리의 책무

벨의 탈산업사회적 미래 전망을 그가 언급한 이론적·경험적 논의의 수준에서 시기에 유의하며 검토해보면 다음과 같다.

벨은 『탈산업사회의 도래』의 '1999년판 머리말'에서도 기술을 바라보는 자신의 관점이 여전히 바뀌지 않았음을 보여준다. 즉, 벨은 기술이 사회의 다른 영역에 미치는 영향력의 한계와 중요성을 동시에 분명하게 강조한다.

기술·경제적 영역이 정치적 영역과 문화적 영역을 결정하는 것은 아니나, 그것은 변화의 선도자로서, (종종 변화로 야기된 분열을 관리하는) 정치적 질서에 대해, 그리고 (도구적 이성이 사회 전역에 확산됨에 따라 그것의 요구들과 대결하는) 문화적 영역에 대해 문제를 제기한다(벨, 2006: 16).

사회의 세 가지 영역이 영향을 주고받으면서도 서로 분리되어 발전하기 때문에 전체로서의 사회 변화의 미래를 전망하는 것은 원론적으로 불가능하다고 벨은 얘기한다. 사회 전체의 미래에 대한 벨의 언급과 『탈산업사회의 도래』의 '1973년판 서문'에서 밝힌 탈산업사회 개념의 의의나 한계도 이러한 맥락의 연장선상에서 이해해야 할 것이다.

"미래 사회는 어떤 모습이 될 것인지"의 질문에 벨은 다음과 같이 답한다.

사회는 하나의 재료로 형성된 덩어리가 아니고 구조적으로 얽혀 있는 전체도 아닙니다. 따라서 사회의 미래 같은 것은 없다고 봅니다. 미래는 어떤 구체적인 것의 미래이기 때문입니다. …… 사회는 그 연관에 대한 정확한 파악을 할 수 없습니다. 우리들은 미래 사회를 예측할 수 있는 불과 몇 가지의 근거만을 가지고 있을 뿐입니다(퐁스, 2003: 74).

벨은 구체적인 사회 변화의 모습이 사회의 정치적·문화적 환경에 따라 다를 것이라는 불확정적이며 열린 미래 사회관을 제시한 셈이다.

『탈산업사회의 도래』의 '1973년판 서문'에서도 벨은 탈산업사회 개념의 의의와 그러한 변화 가능성이 전체 사회 속에서 현실적으로 드러나는 구체적인 모습에 따라 다를 것이라고 얘기한다.

이 책에서 개진되는 주제는 향후 30년에서 50년 사이에 내가 '탈산업사회'라고 불러온 사회의 출현을 우리가 목도하게 될 것이라는 것이다. 내가 강조하듯이, 이것은 주로 사회구조에서의 변화이고, 사회마다 정치적·문화적 지형이 다르기 때문에, 그 결과도 사회마다 다르게 나타날 것이다. …… 나는 어떤 결정론적인 궤적을 믿지 않는다. 탈산업사회는 '상부구조'에서의 변화를 촉발하는 '하부구조'가 아니다. …… 탈산업사회라는 개념은 21세기를 보는 하나의 관점이다. 그것은 방법론적으로는 거시 역사적 변동에 대한 당혹스러울 정도로 많은 관점들을 '정리하는' 하나의 방식으로 …… 그것은 미래에 대한 하나의 모험이다. …… 탈산업사회라는 …… 이 개념은 추론적인 것이고 미래 사회의 대안적 가능성들을 다루기 때문에, 결코 논지를 선형적으로 전개할 수 없으며, 단지 다양한 주제들을 탐구할 수 있을 뿐이다(벨, 2006: 133~134).

『탈산업사회의 도래』의 '1976년판 머리말'에서 벨은 '탈산업적' 변화 그 자체가 객관적으로 어떤 의미를 갖는지에 대해 다시 다음과 같이 서술한다.

탈산업주의라는 주제는 주로 사회구조(기술·경제적 질서)에서의 변화에 적용되고, 전체 사회구조의 다른 주요 영역들을 구성하는 정체와 문화에서의 변화에는 간접적으로만 적용된다. …… 탈산업적 변화가 의미하는 바는 도구적인 힘들, 즉 자연과 심지어는 사람을 지배하는 힘들이 강화된다는 것이다. 19세기에 유토피아적 및 사회주의적 사상가들은 모든 인간 능력의 증대는 필연적으로 진보적일 것이라고 믿었다. …… 그렇지만 그것은 하나의 환상으로 입증되었다. 도구는 다양하게 이용될 수 있다. 그것이 어떠한 용도로 사용될 것인가는 사회의 가치, 구축되어 있는 특권계급의 성격, 사회의 개방성, 품위 의식 또는 (우리가 20세기에 매우 사악한 것으로 배워 온) 수욕(獸慾)에 달려 있다. 탈산업적 변화는 어떠한 '답변'도 제공해주지 않는다. 그것은 단지 우리에게 새로운 전망과 새로운 능력, 새로운 제약과 새로운 문제들 ─ 그 규모가 이전의 세계사에서는 전혀 상상하지도 못했던 것이라는 점에서 차이가 있는 ─ 을 확인시켜줄 뿐이다(벨, 2006: 129~130).

그렇다면 벨은 이렇듯 다소 막연한 이론적 진술로 끝맺고 있는 것일까. 다행히 벨은 이런 상황에 대한 진술과 더불어 1978년에 출간한 『자본주의의 문화적 모순』에서 우리가 해야 할 일에 대해 언급한다.

먼저, 물질적인 쾌락주의만이 남아 있는 현대사회에서 우리에게 절실한 것은 공공의 원리에 대한 인식을 바탕으로 자기 자신과 자신이 소속된 사회에 대해 다시 생각할 줄 아는 '자율적인 인간'의 출현을 도모해야 한다는 것이다(벨, 1990a: 375~381). 벨은 이것이 다음과 같은 세 가지 측면의 노력으로 가능해질 것이라고 전망한다.

첫째, 우리의 과거를 새로이 긍정하는 일이다. 과거의 유산을 알아야 후세에 대해 지고 있는 우리의 의무가 밝혀지기 때문이다. 둘째, 자원의 유한성을 인식해 필요의 우선순위를 발견하는 일이다. 무제한한 욕망 대신 진정으로 필요한 것을 인식하는 일이다. 셋째, 모든 사람들에게 정의의 감각과 사회에의 귀속 의식을 부여하는 공정의 개념에 대한 합의를 만들어내는 일이다. 공정이란 사람들이 적절한 분야에서 더욱 평등해지고, 또 평등하게 다루어지게 되는 일이다(벨, 1990a: 381).

벨은 그의 또 다른 저술에서 경제적 자유주의의 문제점과 정치적 자유주의의 필요성을 역설함으로써 앞선 논의를 보강한다. 벨은 우리가 상호 화해가 불가능한 다양한 가치들이 공존하는 '다원적 사회'에 살고 있기에 종종 충돌하기 마련인 이들 가치들 중 자유에 우선적 가치를 부여해야 한다고 주장한다(벨, 1994b: 182~201).

스스로 전제적(專制的)이지 않은 '절대적인' 가치는 하나도 없기 때문에 자유를 우선하는 것만이 평등, 공평, 효율성과 같은 상이한 가치들이 협상의 대상이 될 수 있는 최대한의 기회를 보장해준다. 무엇보다 빵을 요구하는 굶주린 사람에게 도대체 자유가 무슨 가치가 있느냐고 물어봄으로써 자유를 조롱하는 사람들(그 수가 줄어들고 있지만)은, 빵을 얻지 못하는 이유가 빵을 위해 투쟁할 자유를 얻지 못했기 때문이라는 단순한 사실을 종종 잊어버린다(벨, 1994b: 202).

이처럼 벨은 자유에 최고의 가치를 부여하는 것이 자유주의의 매우 중요한 특성 중 하나임을 상기시킨다. 그런데 자유주의의 이런 역사적 전개 과정을 살펴볼 때, '정치적 자유주의(political liberalism)'는 부르주아 사회와 결부된 채 발전되었고, 경제 영역에서의 자유는 다른 모든 영역에서의 자유를 위한 전제 조건으로 간주되어왔다고 한다. 하지만 벨은 '경제적 자유주의(economic liberalism)'가 경제적 독과점 상태에 이르렀을 뿐 아니라 사적 욕망의 추구 과정에서 사회적 필요와 반(反)하는 쾌락주의를 낳고 말았다고 진단한다. 오늘날 경제적 자유를 무제한적으로 추구하려는 경제적 자유주의가 사회적·도덕적 기반을 잃었다고 보는 것은 이런 맥락에서이다. 즉, 경제적 자유주의가 공리주의적 입장에서 경제적 욕망의 충족을 강조하는 '부르주아적 쾌락주의(bourgeois hedonism)'와 이어지고 있기 때문에 이런 맥락에서는 거부되어야 한다는 것이다. 하지만 정치적 자유주의는 우리에게 필요하다고 벨은 강조한다. 정치적 자유주의가 지속적으로 추구되어야 개인을 공권력으로부터 보호할 수 있고, 또 적절한 영역 내에서 개인이 발휘한 노력과 실적에 상응하는 보상을 보장할 수 있다고 보았기 때문이다.

벨은 『탈산업사회의 도래』의 '1999년판 머리말'의 말미에서 개방적인 정치제도와 과학적 진리를 추구하는 지적 자유의 중요성을 특히 강조함으로써 앞선 논의들을 보강한다.

역사적으로 과학은 자유와 개방성을 위한 힘이었다. 과학을 통한 자연에 대한 발견물들과 이론들은 관찰을 통한 검증에 뿌리를 두고 있기 때문이다. 하지만 …… 과학의 역할 역시 관료제화나 정치적 또는 기업적 목적의 예속에 위협받고 있다. 이것은 역사를 통해 계속 재현되고 있는 지적·문화적 생활의 문제다. 하지만 시간이 경과하며 자유와 자유로운 탐구의 힘은 이를 돌파하고 있다. …… 인간 역사의 많은 진보처럼, 탈산업적 발전은 인간에게 자신들의 사회적 운명에 대한 더 많은 통제력을 약속한다. 하지만 이것은 지적인 자유와 개방적인 정치제도를 제한하고 싶어 하는 사람들에 맞서 진리를 추구할 수 있는 자유가 보장되는 조건 아래서만 가능하다. 이것이 지식의 알파벳의 알파이 자 오메가이다(벨, 2006: 109).

정치·경제·문화의 영역에서 전개된 각각의 변화로 인해 사회 전체적인 상호 충돌과 모순에 봉착한 탈산업사회가 헤쳐가야 할 나름의 해법을 벨은 이렇게 제시하고 떠났다. 벨의 탁월한 이론적 통찰력과 풍부한 경험적 분석을 유산 삼아 탈산업사회의 미래를 좀 더 공정하고 평등한 인간적 사회로 바꾸어가야 할 책무는 이제 우리의 몫으로 남았다. 그 성과 여부는 탈산업사회적 특징과 정치적·문화적 영역에서의 상호작용에 대한 체계적인 분석을 토대로 그러한 사회를 구현하려는 우리의 집단적 의지가 얼마나 강력하게 지속될 수 있을 것인지에 따라 크게 좌우될 것으로 보인다.

참고문헌

김원동. 1996. 「다니엘 벨: 정보화사회」. 박길성 외 지음.『현대사회의 구조와 변동』. 사회비
평사.

_____. 2009. 「다니엘 벨의 탈산업사회이론 연구: 고용구조 변화의 추이와 서비스 부문에 대
한 분석을 중심으로」. ≪사회와 이론≫, 15, 79~125쪽.

김원동·박형신. 2006. 「다니엘 벨과 탈산업사회이론의 현대적 의미(해제)」. 김원동·박형신
옮김.『탈산업사회의 도래』. 아카넷.

마일스, 스티븐(Steven Miles). 2003.『현실세계와 사회이론』. 박형신·정헌주 옮김. 일신사.

벨, 대니얼(Daniel Bell). 1984a.『이데올로기의 종언』. 이상두 옮김. 범우사.

_____. 1984b. 「탈공업시대의 사회적 쟁점」(특별대담). ≪현대사회≫, 14호.

_____. 1990a.『자본주의의 문화적 모순』. 김진욱 옮김. 문학세계사.

_____. 1990b.「『이데올로기의 종언』에의 재초대 − 30년 후에 다시 쓴 후기」. 현인택 옮김.
≪계간 사상≫, 1990년 겨울호.

_____. 1991a.『정보화 사회의 사회적 구조』. 이동만 옮김. 한울.

_____. 1991b.『2000년대의 신세계질서』. 서규환 옮김. 디자인하우스.

_____. 1991c.『제3의 기술혁명: 그에 따른 사회·경제적 변화』(한국통신 초청 대강연집). 한
국전기통신공사 출판부.

_____. 1994a.『교양교육의 개혁』. 송미섭 옮김. 민음사.

_____. 1994b.『정보화사회와 문화의 미래』. 서규환 옮김. 디자인하우스.

_____. 1995.『다니엘 벨의 21세기 진단: 사라진 제국 다가올 제국』. 조선일보사.

_____. 2006.『탈산업사회의 도래』. 김원동·박형신 옮김. 아카넷.

서규환. 1991. 「다니엘 벨의 사회사상(해설)」. 대니얼 벨 지음.『2000년대의 신세계질서』.
서규환 옮김. 디자인하우스.

웹스터, 프랭크(Frank Webster). 1997.『정보사회이론』. 조동기 옮김. 사회비평사.

임희섭. 1983. 「D. 벨」. 한국사회과학연구소 엮음.『현대의 사회사상가』. 민음사.

퐁스, 아르민(Armin Pongs) 엮음. 2003.『당신은 어떤 세계에 살고 있는가? 1』. 김희봉·이
홍균 옮김. 한울.

Bell, D. 1980. *The Winding Passage: Essays and Sociological Journeys 1960-1980*. New
York: Basic Books.

_____. 2001a. "Daniel Bell Curriculum Vita." unpublished.

_____. 2001b. *The Future of technology.* Selangor Darul Ehsan: Pelanduk Publications.

Dorman, Joseph. 2001. *Arguing the World: The New York Intellectuals in Their Own Words.* Chicago and London: University of Chicago.

Waters, Malcolm. 1996. *Daniel Bell.* London and New York: Routledge.

02

자본주의 불평등과 리처드 세넷의 사회학

유승호

1. 머리말: 인간주의 사회학자, 리처드 세넷

리처드 세넷(Richard Sennett)의 글은 폭이 넓고 우아하며 장식이 많다. 세넷의 글쓰기는 핵심을 찌르기보다는 핵심을 드러내는 방식이다. 그만큼 핵심을 파악하기가 쉽지 않다. 인과적 글쓰기가 아닌 수많은 이야기와 인터뷰 속에 인간이 처한 상황과 방황을 비유적으로 그리고 체험적으로 표현한다. 언어는 화자의 의도대로 직접 전달될 수 없고 오직 비유만이 최선이라는 비트겐슈타인(Ludwig Wittgenstein)의 말처럼, 그리고 다차원적이며 리좀적으로 뻗어가 결국 독자도 글에 개입시키고야 마는 이탈로 칼비노(Italo Calvino)의 글처럼, 그는 종횡무진하는 비유들과 체험들을 글 속에 녹여 넣는다. 그것은 세넷의 개인사와도 무관하지 않다. 세넷은 어린 시절을 빈민가에서 보냈고, 음악을 만나 삶의 동력을 찾았으며, 첼로와 지휘라는 음악가의 길을 걷다가 학문의 세계로 들어온 사회학자이다. 가난의 기억과 손의 진동, 빈민가 친구들과의 교제와 유명한 음악 동료들과의 협연, 평등에 대한 욕망과 음악에 대한 영감이 함께 체화된 학자로서, 그의 연구는 숫자·비교·측정보다 비유·체험·공감의 방법으로 표현되는 것이 훨씬 자연스럽다.

세넷의 논점이 지향하는 바를 파악하는 것은 그리 어렵지 않다. 변화하는 세상 속에 함몰되어 원자화되지 않고 주체적으로 서는 인간의 모습을 바라보는 것이다. 세넷은 기본적으로 변화에 민감하다. 고대부터 현대까지 변화해 온 사회의 모습 속에서 인간의 본질을 드러내려 한다. 그런 면에서 세넷은 인간과 사회의 큰 그림을 그리는 화가(big picture painter)이다. 그러나 그 본질을 단순하게 해석하기보다는 인정하고 경청하고 조심스럽게 다가가려 한다. 그는 자기 이론을 타인이 똑같이 공감해주기를 강요하기보다는 인정과 경청을 바라는 '따뜻한 학자'이다. 자신의 학문과 이론을 배타적으로 내세우지 않고 세상과 사물에 대해 개방적이면서도 비판적인 태도를 취하는 이유도 여기에 있다. 그의 학문은 특정한 이론 틀의 제시가 아닌 구체적인 경험에 근거한 실천적 태도이며, 그래서 그의 이론은 '개방성을 갖춘 실천론'이다. 그가 '전통적인 학자'들로부터 '학자보다는 작가'라고 힐난을 받는 이유도 여기에 있다. 그러나 세넷은 이러한 비판에 무관심하며 때로는 당당하다. 오히려 그 이유 때문에 한국에서 사회학자 중 가장 많은 베스트셀러를 기록하는 '세넷 열풍', '세넷 현상'이 생겼다고 할 수 있다.

좁히면 좁힐수록 쉽게 드러나는 엄격한 인과성이란, 거대한 중앙 시스템에 의해 움직이는 터보 자본주의 시대에는, 그리고 그것이 이제 지속 가능하지 않은 시대에는 더 이상 작동하지 않는다. 한쪽이 망가지면 모든 시스템이 사라지는 허약한 위험사회는 더 이상 인간에게 유용하지 않기 때문에 개인과 개인을 기반으로 하는 공동체가 사라지지 않고 살아남아 풍요로워지려면 인간은 서로가 서로를 인정하고 염려하는 깊은 경청의 시대를 살아야 한다. 그가 저서 『투게더: 다른 사람들과 함께 살아가기(Together: The rituals pleasures, and politics of cooperation)』에서 강조한 경청이란 결국 그의 연구자적 태도이자 방법이기도 하다. 위대한 선현들의 말을 빌려와 그들의 경청으로부터 자신의 견해를 드러내는 겸손함에다, 사회학적 상상력을 비판적 사고로 연결시키는 통찰력이 결합됨으로써 세넷의 사회학은 시대적 진단과 처방의 사회학을 넘어 대중적 영향력까지 확보하게 된다. 자본주의 불평등이 심화되는 이 시대에 인간성을 복원하려는 그의 사회학을 이제 '인간주의 사회학'이라 칭할 수 있겠다.

2. 중산층의 몰락과 인간성의 파괴

세넷의 '변동론'에는 불평등의 심화가 그 중심을 이룬다. 그는 특히 부자보다는, 그리고 극빈층보다는 중산층에 관심이 많다. 그의 책에 등장하는 인물들 대부분은 ―『신자유주의와 인간성의 파괴(The Corrosion of Character)』의 리코처럼 ― 전문 기술을 지닌 봉급생활자들이다. 중산층은 특정 시스템 그 자체가 얼마나 지속 가능한지를 잘 보여주기 때문이다. 세넷은 스스로 표현하다시피, 직감적으로(irrationally) 금융 위기 이후의 자본주의는 존속 불가능하다는 사실을 깨닫고 그것을 화이트칼라, 블루칼라 등 자본주의의 근간을 구성하는 주요 중산층들의 삶이 붕괴해가는 것을 통해 확인했다. 자본주의의 유연성은 일에 참여하는 사람들의 인간성을 부식시키고 사회적 양극화를 부른다. 감원과 구조조정은 이전의 자본주의에서 대부분 노동자계급에만 제한되어 있던 파국으로 중산층까지 갑작스레 몰아간다(브뤼제마이스터, 2011). 유연성은 개성을 위협한다. 젊은 세대에게 유연성, 즉 '비장기성'은 신뢰, 충성심, 상호 의무의 발전에 치명적인 처방전이다(Sennett and Cobb, 1972: 27~28). 의도적으로 이웃을 잊어버리고 자신의 아이들이 몰링족(malling rat)이 될지도 모르는 피상적인 유대 관계의 위험을 피하기 위해 리코는 "지속적인 가치를 지니는 생각을 표현"한다(Sennett and Cobb, 1972: 33~34). 표류와 개성 사이에 결여된 것은 리코의 태도가 구성할 수 있는 이야기이다. 이야기는 단순한 연대기 이상으로서, 오히려 '시간의 운동'을 만들고, 어떤 일들이 왜 발생하는지에 대한 근거를 제공하며, 그 결과를 보여준다. 그러나 유연한 세계는 경제적·사회적으로 결코 많은 이야기를 제공하지 않는다(Sennett and Cobb, 1972: 36). 새로운 유연한 자본주의의 모토로서 '비장기성'은 자신의 개성을 지속적인 이야기로 만들어내는 인간의 능력을 위협하며, 내적 표류 속에서 공동체의 의미는 상실된다(Sennett and Cobb, 1972: 37~38).

능력에 기초한 차별화(meritocracy)가 비교의 잣대가 되는 시대에 신뢰는 잠식당할 수밖에 없다(세넷, 2013: 273). 무능하다고 여겨지는 사람은 신뢰를 얻기 힘들기 때문이다. 또 서로에 대한 비하와 적대 때문에 공동체적 연대도 붕괴한다. 세넷과 코브가 『계급의 숨겨진 상처(The Hidden Injuries of Class)』를 펴낸 후, 프린스턴 대학의 라몽(Michèle Lamont)이 이를 극찬하며 그의 연구를 이어받아 미국과 프랑스의 노동자를 연구하고 내놓은 결론도 유사하다. 즉, 미국의 노동자는 이민자들을, 그리고 프랑스의 노동자는 이민자와 그에 더해 전문직종 종사자까지를 서로 비하하고 때로는 적대하며 서로에게 도덕적 상처를 입힘으로써 노동자 내부가 분열할 수밖에 없는 조건에 처해 있다는 그의 연구도 세넷의 시각에 힘입은 바 크다.

구조적 불평등은 결국 인간성을 부식시키고 협력을 약화시킨다. 불평등이 '협력 밀어내기(crowding-out)'를 불러오는 것이다. 그렇다면 붕괴한 중산층의 삶을 어떻게 다시 과거처럼 되돌릴 수 있을까? 중산층의 몰락은 체제가 가져온 필연적 결과였기 때문에 이제 과거의 체제로 돌아갈 수는 없다. 그들이 기껏 할 수 있는 것은 남미와 아시아, 흑인 이주민의 상황과 자신의 상황을 비교하면서 자기 일이 좀 더 낫다는 심령적 만족(psychic satisfaction)뿐이다. 격화된 경쟁에서 상승 이동은 차단되고 '호레이쇼 앨저(Horatio Alger) 신화'

도 사라진 시대에 다시 인간과 사회에 대한 새로운 관계 설정이 필요한 시기가 도래한 것이다. '부식된 인간성(corrosion of character)'의 복원을 위해 세넷은 때로는 그리스 시대의 사상가에게서, 때로는 중세 시대의 장인에게서, 때로는 수도원의 성직자에게서, 때로는 궁정 시대의 기사도에서, 때로는 르네상스 시대의 예술가에게서, 때로는 해방된 노예들에게서, 때로는 빈민가의 공동주택에서, 때로는 재즈와 해커들에게서 실마리를 얻는다. 미래의 삶은 지금의 방식대로는 존속이 불가능하며 그렇다고 완전히 새로운 그 무엇도 인간에게는 불확정적이므로, 앞으로의 인간의 존재 방식을 위해 고대에서 디지털 시대까지, 그리고 세계 여행에서 가상현실까지 넘나들며 인간으로서의 온전한 삶(intact personal life)에 필요한 것을 취하는, 하이퍼텍스트적 시각을 구성하는 것이다. 월스트리트에서 실직한 금융업 종사자가 다시 중산층이 되려면 월스트리트로 돌아가는 것이 아닌, 자신의 삶을 온전한 삶으로 만들 수 있는 새로운 삶의 방식을 구성해야 하며 그런 삶에 대한 모색이 바로 세넷의 모색이다. 그동안 경쟁만 해온 삶이었다면, 다시 경쟁의 삶으로 복귀하는 것은 ─ 그리고 그것을 도와주는 국가 시스템이라면 ─ 시스템의 존속 측면에서나 자신의 온전한 삶을 위해서나 바람직하지 않고 또 그것은 이제 불가능하다.

신자유주의 시대에 몰락하는 중산층들은 모험을 택하기보다 계속 움츠러들 뿐이다. 미국인의 삶은 차이가 불평등으로 전환되면서 르상티망(ressentiment)의 표현에 치중했고, 프랑스인들은 각자의 사적인 일에만 몰두해 공적 생활과의 관계를 끊어버렸다. 불평등 정도가 심한 사회는 아동기 때부터 서로를 적으로 취급했으며(세넷, 2013: 306), 강요된 불평등은 사람들의 내면에 강박을 만들어내고 쫓기는 인간(driven man)을 양산했다. 리코 역시 가정에 충실하고자 상향 이동에 애쓰는 아버지이고, 그런 노동을 통해 자식들에게 인정받고 아버지로서의 역할에 충실하려 했다. 그러나 그 충실함 때문에 리코는 오히려 평생을 불안 속에 보낼 수밖에 없다. 기업의 글로벌화로 대표의 이동성 또한 증가하면서, 즉 대표가 자주 바뀌면서 직장에서의 성실함과 안정성이 보장되기보다는 오히려 불안을 가중시킨다. 지위의 상향 이동을 경험한 사람들이 오히려 자살을 더 많이 한다는, 즉 뒤르케임이 그들을 아노미적 자살의 대표적 부류로 꼽은 이유와 같은 이유인 것이다. 이들은 상층에도, 기존 중·하층 공동체에도 소속되지 못하는 아노미를 겪는다.

그렇다면 이렇듯 '움츠러든 중산층 사람들(withdrawal of the people in the middle)'을 위한 온전한 삶과 공동체는 무엇일까. 분명 그것은 보너스 얻어내기나 부자 되기 프로그램, 즉 허약한 시스템으로서 더 이상 존속할 수 없는 신자유주의의 프로그램은 아니다. 그것은 세넷의 삼부작, 바로 '장인'과 '협력', 그리고 '도시'이다.

3. 자본주의의 불평등에 대처하는 처방들

1) 장인의 위세를 복원하다

18세기의 계몽사상에서는 누구나 일을 잘 해낼 능력이 있으며 대다수 사람들은 지적인 장인의 자질을 가지고 있다고 믿었다. 인간은 그런 내면의 장인적 능력을 드러냄으로써 '나는 나의 창조자'가 될 수 있다. 자기에 대한 부단한 계발이 장인을 통해 이루어지는 것이다. 세넷은 에릭슨(Erik Erikson)의 주장을 가져와 개인 발달은 연령대별로 4단계가 존재하는데, 그것은 성장기·청년기·자립기·달성기이며 전문가의 정체성은 이미 형성된 성장기의 신뢰감·자율성·자주성·근면성의 개인 발달 요소가 다시 재달성되는 과정을 거친다고 본다. 즉, 성장기에 생성된 개인 발달 요소들이 청년기의 전문적 직업으로 재달성되는 과정을 거친다는 것이다. 장인의 일은 에릭슨의 개인 발달,

특히 게임의 규칙성 발견과 형성, 적용의 과정과 유사하며 세넷은 더 나아가 사물을 행위자화·추상화할 수 있는 능력과 결부시켰다. 이를 통해 개인 전 생애의 내러티브가 완성된다(세넷, 2010: 430~435; Erikson, 1993; 유승호·선원석, 2014).

그러나 좋은 장인이 되고자 하는 열망은 불평등을 야기하는 사회제도에 의해 사기가 꺾이고 있다. 일 자체를 위해 일을 잘해보려는 우리 안의 욕망은 무시당하고 있다. 지그문트 바우만(Zygmunt Bauman)은 현대사회가 '쓰레기'와 다를 바 없는 계층을 끊임없이 배출한다고 비판했다. 일은 쓰레기처럼 의미가 사라진 채, 수시로 옮겨놓고 쓰는 물건을 가리키는 옛 영어의 '잡(job)'이 되었다. 신자유주의는 이러한 '잡'에서, 즉 탈숙련화에서 그 번성의 자양분을 얻는다.

컴퓨터화로 인해 사람들은 노동과정에 거의 관심을 가지지 않는다. 그러나 컴퓨터라는 유용한 도구는 오용될 수 있다. CAD가 처음으로 건축설계 교육에 도입되어 수작업 도면을 대체하게 되었을 때, MIT의 한 교수가 다음과 같이 평한 것을 세넷은 강조한다.

> 건축 현장을 그리고, 그 위에 선과 나무를 그려 넣으면서 우리 마음속에 이미지를 새기게 된다. 이것은 컴퓨터로는 할 수 없는 방식으로 그 대상을 알게 되는 과정이다. …… 도면에 그리고 다시 그려보면서 그 공간을 알게 되는 것이지, 컴퓨터가 우리 눈앞에 '재생'해준다고 해서 그 공간을 알게 되는 게 아니다 (세넷, 2010: 74).

또한 과거와 비교해서 훌륭한 노동자가 지녀야 할 명백한 상이 존재하지 않는다. 세넷은 이러한 발전을 불명료성으로 파악한다(브뤼제마이스터, 2011: 386). 제빵 기술 자체의 손쉬운 사용이 빵을 구우면서도 스스로 제빵사로 느낄 수 없는 사람들에게 부분적으로 혼란을 초래했다는 점은 명백하다. 조각부터 서빙에 이르기까지 모든 노동에서 사람들은 스스로를 자신들에게 요구되는 과제와 동일시할 뿐이다(Sennett and Cobb, 1972: 92). 제빵 노동자들의 직업적 정체성은 정체성 상실의 방향으로 흐르고 있다. 노동에 대한 구속성이나 노동으로부터 발생할 수 있는 사회적 관계에 관심을 가지는 사람은 거의 없다. 이러한 분리가 세상을 배회하면서 스스로를 이해하게 하는 것을 어렵게 한다(Sennett and Cobb, 1972: 96~97).

그러나 세넷은 장인의 운명이 이대로 끝날 것이라고 믿지 않는다. 그러면서 장인 노동에 대한 계몽주의적 시각과 낭만주의적 시각 중 계몽주의적 시각을 택하면서 기계와 싸우기보다는 기계를 다루는 일에서 인간 해방의 근본적인 숙제를 찾는다. 예컨대 장인의 노동에서 반복이란 정신 나간 작업일 수도 있고, 리듬일 수도 있다.

애덤 스미스(Adam Smith)가 공장 노동자들을 가리켜 말했듯 똑같이 반복되는 작업은 아무 생각 없이 하는 일이라고 여길 수도 있고, 어떤 작업을 수도 없이 되풀이하는 사람을 정신 나갔다고 말할 수 있을지도 모르겠다. 우리는 보통 반복되는 일을 권태롭게 느낄 것이다. 하지만 세련된 손기술을 익히는 사람들은 전혀 그렇게 느끼지 않는다. 어떤 일을 계속 되풀이하더라도 그 작업이 예측을 동반하는 방식으로 흘러갈 때는 일하는 사람을 고무시킨다. 똑같이 반복적인 작업이라도 반복의 내용은 새로워지고, 변형이 일어나며, 향상될 수 있다. 하지만 작업자가 느끼는 정서적 보람은 반복적인 일을 다시 하는 바로 그 경험이다. 이러한 경험은 전혀 이상한 게 아니고 우리 모두가 알고 있는 것, 바로 리듬인 것이다. 생리적으로 리듬을 타며 수축하는 인간의 심장처럼, 숙달된 장인은 그의 손과 눈을 쓸 때 리듬을 탄다(세넷, 2010: 284).

건축가 렌초 피아노(Renzo Piano)는 반복과 연습에 대해 "장인이 일하는 방식은 생각과 행동을 동시에 하는 겁니다. 도면을 그려가면서 건물을 만들어갑니다. 도면은 항상 다시 그리게 됩니다. 이 일을 하고, 다시 하고, 다시 또 합니다"라고 강조한다(세넷, 2010: 75). 수공업 장인이나 양질의 육체노동에서 익힌 통제력은 새로운 일을 배우는 데 유용하다. 이것이 컴퓨터 프로그래밍을 새로 배우는 재훈련에서 세일즈맨보다는 배관공이 훨씬 더 잘하는 이유이다. '잘 짜여진 조직'이란 이런 장인적 숙련을 심화시키는 곳이고, 되는 대로 아무 일이나 이어가도록 만드는 조직이 아닌, 삶을 일궈가려는 사람들의 욕구를 잘 활용하는 조직이다(세넷, 2010: 424). 이런 곳에서 조직에 대한 개인의 애착은 더욱 깊어진다. 장인은 사라져도 장인적 일과 장인적 경력은 자본주의에서도 여전히 유용하다.

장인 의식은 불평등이 심화되는 시대에 하나의 저항적 자기의식일 수 있다. 획일적이고 예쁜 토마토를 마다하고 벌레가 먹어 상처가 난 토마토를 더 좋아하는 소비자들(세넷, 2010: 226)이 태동하는 시대에, 그리고 공장에서 물밀 듯 쏟아내는 식품보다는 줄리아 차일드의 달뷔프라식 영계 요리와 엘리자베스 데이비드의 베리숑식 닭 요리(세넷, 2010: 303)처럼 개인의 특이한 조리법이 요리책과 주방으로 들어온 시대에, 거대 공장과 거대 도시가 생산해낸 상품과 건물을 다수의 사람들이 자신의 도구로 거뜬히 수리하고 새롭게 재탄생시킬 수 있는 시대(세넷, 2010: 327)에, 장인과 장인 의식은 과거의 향수가 아닌 존엄한 인간의 모습을 지금 이곳에 드러내는 촉매제인 것이다. 그런 면에서 세넷은 윌리엄 모리스(William Morris)나 존 러스킨(John Ruskin)의 중세적 장인의 복원을 넘는, 후기 근대의 새로운 장인을 탄생시킨다.

세넷이 주장하는 새로운 장인의 탄생과 확산을 위해 지위(status)와 위세(prestige)의 개념은 엄격히 구분될 필요가 있다. 지위는 사회적 위계 속의 위치이며, 위세는 그 지위가 타인에게 불러오는 감정이다. 지위와 위세가 반드시 일치하지는 않는다. 높은 지위에 있더라도 경멸을 얻을 수 있다. 유럽의 직업적 위세 연구에 따르면 유용하고 독립적인 장인의 일, 예컨대 캐비닛 제작자(cabinetmaker)는 사내 정치에 매몰되고 자기결정권이 없는 기업 엘리트 중역보다 더 높은 위세를 얻을 수 있다(Sennett, 2006). 여기서 더 나아가 위세를 겉으로는 예의를 표하면서 속으로는 그 사람이 사라졌으면 하는 바람으로도 정의할 수 있다. 마음속 깊이 우러나오는 감정이 바로 위세이다. 우리는 아직 유럽처럼 지위와 위세를 잘 구분하지 못하지만, 점점 구분하게 될 수도 있다. 천박한 졸부들과 부패한 정치인들의 주변에는 사람들이 들끓지만 염려하는 친구가 없고 먹이를 찾는 승냥이들만 있어 위세가 없다. 반면 장인은 개인적인 위세를 갖추면서도 "개인적 동기와 사회 조직의 목적을 합치"시키는 유일한 '경쟁 시스템'이다. 사람은 누구나 일을 제대로 해내려고 노력함으로써만 자신의 삶이 아무렇게나 흘러가지 않도록 단단히 붙들어 맬 수 있기 때문이다(세넷, 2009).

그러나 현대사회는 장인의 능력을 내몰고 있다. 세넷은 비네(Alfred Binet)의 '아이큐'가 촉발한 '얄팍함'의 능력을 비판한다. 장인의 깊이는 얄팍하고 급박하게 처리해야 하는 회사 컨설턴트들의 능력, 즉 아이큐 검사와 같은 선상에 있는 능력과는 거리가 멀다는 것이다. 세넷은 다음과 같이 『장인(Craftsman)』을 끝맺으며 현대 자본주의의 암울한 현실과 그 속에서 자본주의 불평등을 극복하려는 흔적들을 찾는다.

높고 낮은 양극단의 능력 차가 크다는 것은 어느 누구도 부인할 수 없다고 하더라도, IQ 종형 곡선의 모양은 중간층에 대한 의문을 유발한다. 왜 중간층의 잠재력이 사각지대가 되어야 하는가? IQ가 100인 사람과 115인 사람은 능력 면에서 큰 차이가 나지 않지만, 115란 숫자는 100보다 시선을 끄는 효과가 크다. 이 문제에는 소속 불명의 악마가 속삭이는 답변이 도사리고 있다. 즉, 작은 정도 차이를 커다란 질적 차이로 부풀려서 특권 체제를 정당화하는 아주 고약한 논리다. 마찬가지로, 다수의 사람을 대변하는 중앙값을 '그리 좋지 않다'와 동일시하면 이들을 무시해도 좋다는 논리로 이어진다. 이런 논리에 연유해 영국에서는 공업 전문 대학보다 엘리트 교육에 몇 배나 많은 자원을 투여하고 있다. 또 이런 논리에 연유해 미국에서는 직업학교에 주겠다는 기부금을 구경하기가 극히 어렵다. 하지만 이렇듯 씁쓸한 논리 남용을 지적하는 것이 우리 이야기의 끝은 아니다.

일을 잘하는 능력은 모든 인간이 골고루 가지고 있다. 이 능력은 처음에는 놀이에서 발현되고, 일하면서 초점을 맞추고 질문하고 문제를 설정하는 능력으로 다듬어진다. 계몽주의는 일을 잘할 줄 알게 됨으로써 인간이 스스로를 다스릴 능력도 나아질 거라는 희망을 품었다. 평범한 인간의 지능 부족 때문에 이 정치적 과제가 막히는 것은 아니다. 감정 면에서는 약한 구석이 있을지도 모르겠다. 특히 장인을 보면 그렇다. 하지만 지능과 감정을 모두 합친 장인의 정신적 자원은 모자라서 문제인 것이 아니다. 오히려 장인은 일을 잘하려는 욕구를 감정적으로 잘못 관리하는 탓에 위태로워질 가능성이 높다. 감정 관리가 어려운 장인의 문제를 사회가 더 악화시킬 수도 있고 바로잡기 위해 노력할 수도 있다. 바로 이러한 점들이 내가 장인 노동을 완성하는 데는 재능보다 동기가 더 중요한 문제라고 주장하는 이유다(세넷, 2010: 452).

2) 협력을 숭배하다

협력은 노동의 생산성을 높여줄 뿐만 아니라 노동자들의 강력한 비공식적 연대를 통해 힘들고 고정된 작업에서 벗어날 가능성을 부여한다. 이러한 비공식적 관계는 사회적 삼각 구도를 이루는 세 요소로 구성되었다. 첫째, 노동자와 상관 사이에 불평이 섞이더라도 상호 간 존경심을 표현하는 것이다. 둘째, 노동자들은 중요한 문제를 서로 자유롭게 이야기하며, 숙취 때문이건 이혼 문제 때문이건 작업장의 동료 노동자들이 곤경에 처하면 서로 돕는다. 노동자는 동료 노동자들끼리 어려운 일에 직면했을 때 서로 돕기 위해 업무 시간 외에도 일을 한다(Cropanano, 2000: 142). 셋째, 작업장에서 일시적으로 문제가 발생했을 때 노동자들은 잔업을 하거나 일을 해주는 방법으로 동료의 자리를 대신한다. 즉, 사회적 삼각 구도는 획득된 권위, 상호 존중, 위기 속에서의 협력이다(세넷, 2013: 241).

사회적 삼각 구도는 작업 현장에서 노동자와 사장 사이의 예절과 예의, 상호 인정을 만들어낸다. 이러한 사회적 삼각 구도하에서 물건 만들기와 수리하기, 그리고 기술을 통한 리듬과 의례를 배운다. 이 모든 것이 작업장 수준에서의 인간관계를 복원하는 매개체가 된다. 중요한 것은 거대 기업에 충성하는 협력이 아닌, 작업장 수준에서의 협력과 이것의 활용이다. 눈에 보이지 않는 카우보이 스타형 사장을 위한 협력이 아닌 작업장 수준의, 즉 서로 눈에 보여 몸짓과 동작을 이해하고 신체를 접촉할 수 있는 사람 사이의 협력이다. 이는 한때 첼리스트였던 세넷의 개인적 체험이 담긴, 악기 장인 작업장에서의 협력과 같은 것이다.

움직임, 얼굴 표정, 소리는 오감으로 느껴지는 생명을 부여한다. 현악기 가게 안에서 획득된 권위, 믿음의 도약을 필요로 하는 신뢰, 억압하에서의 협력은 신체의 경험으로 변환된다. 수리공 다섯 명은 현악기의 앞면과 뒷면을 이루는 나무판을 자르고 모양을 만드는 가장 까다로운 작업을 유능하게 수행하는 데서 자부심을 느낀다. 그들의 권위는 모두 재단기에서 나온다. 이 작업장에서는 분통을 터뜨릴 일이 없다. 다른 사람들도 모두 비슷한 정도로 숙련되어 있기 때문이다. …… 나는 악기 장인 한 명이 나무토막을 의자 가장자리에 두드리면, 그 두드리는 소리가 다른 사람들을 두들겨 깨우는 효과를 낸다는 것을 알아차렸다. 그들 모두 하던 일을 멈추고 그에게 다가와서 조언을 하거나 그 저 안됐구나, 하고 함께 걱정해주는 것이다(세넷, 2013: 329).

직조공과 염색공이 각기 다른 작업장과 길드에 소속되어 있었던 중세에 그 전통을 깨고 융합됨으로써 분과를 넘나드는 통합적인 사유라 부를 만한 것이 강조된 과정도 유사하다(세넷, 2013: 183). 작업장 자체를 대화적 소통과 비공식적 연합의 장소로 만든 것은 윈-윈 교환, 즉 협력의 중요한 예이다. 이 는 현대적 엔지니어링 작업장에도 적용된다. 일본은 집단적 장인 의식 덕분 에 작업장에서의 관리자와 종업원 사이에 민감한 상호 교류가 이루어졌다. 그것은 현대의 리눅스(LINUX) 공동체와 비슷하다. 일본의 일터는 수직적 위 계가 분명한데도 솔직한 발언이 일상화되어 있다. "일본의 공장 안에서는 유 능한 관리자가 예의와 격식에 신경 쓰지 않고 잘못된 일이나 충분치 못한 작 업을 곧바로 경영진에게 전달할 수 있었다. 이런 식으로 최고 의사결정권자 에게 진실을 말하는 것이 가능했다"(세넷, 2010: 62). 개발 과정에서의 협력은 좋은 작업 성과를 거두는 데 큰 의미가 있다. 이동전화와 리눅스만이 아니라 이제는 게임 개발과 무인 자동차 개발 등 새로운 분야 개척에 "문제를 같이 해석하는 공동체"(세넷, 2010: 64)를 육성하는 것이다. 그것은 '좋은 엔지니어' 를 창출하며, 현대 자본주의하에서 점차 자아를 잃어버리는 개인들에게 자신 의 아노미적 소외를 치유할 수 있는 공동체적 통찰력을 부여한다.

그러나 불평등이 심한 곳에서 협력의 가능성은 더욱 줄어든다. 특히 아이 들의 삶에서부터 불평등은 내면화된다. 빈곤 가정의 아동은 식사할 때, 잠들 기 전에, 심지어 등교 전까지도 오랫동안 혼자서 텔레비전을 본다. 이런 사실 은 모두 빈곤 가정의 아동이 부유한 가정의 아동에 비해 모니터 앞에서 더 많 은 시간을 보낸다는 것을 말해준다(세넷, 2013: 235). 오늘날의 아이들에게서 사회관계는 점점 더 온라인으로 옮겨가고, 또 연극적으로 소비된다. 온라인상의 사회성은 젊은이들이 계급 경계선을 넘나들면서 이루게 될 사회적 상호작용을 위축시키는 것으로 보인다(세넷, 2013: 237). 결국 불평등은 협동적 삶을 더욱 축소시킨다.

협동적 삶이란, 맨 꼭대기에서 내려오는 지시에서 해방된 삶이다. 그런 근대성의 약속에 무슨 일이 일어난 것인가. 라투르(Bruno Latour)는 우리가 결코 근대인이었던 적이 없다고 했다. 사회라는 것이 그 자신이 만든 테크놀로지를 제대로 장악하지 못했다는 뜻이다. 세넷 또한 우리는 아직 근대인이 아니라고 강변한다. '몽테뉴의 고양이' ─ 내가 고양이를 데리고 노는 것인지, 고양이가 나를 데리고 노는 것인지를 묻는 ─ 는 사회가 아직 더 길러내야 하는 인간의 능력을 대변한다(세넷, 2013: 440). 신자유주의는 인간이 도구를 다루는 능력을 빼앗았을 뿐 아니라 인간이 서로 관계를 맺는 '사교적 능력(social skill)'까지 빼앗았다. 근대인의 완성은 인간이 스스로 독립적으로 존립하는 것이며, 이것은 인간 간의 협력, 즉 개인이 사교적 능력까지 취득했을 때 실현된다. 사교적 능력이란 다른 사람들과 살아가는 능력이다. 다시 말해 다른 사람을 존중하고 그들을 대할 때 육화된 예절이 우러나는 것을 뜻한다. 사교적 능력 덕분에 다양성이 존립하며, 그래서 다양성과 사교적 능력은 상호 의존하며 또 공존해야 한다. 그러한 사교적 능력이 서로 다른 것과 공존하는 대화적(dialogic) 사회를 만든다.

대화적인(dialogic) 교환에는 전혀 다른 차원이 또 있다. 그 경험이 경쟁을 완화시킬 수 있다는 것이다. '다르다'는 것이 반드시 더 낫거나 더 못하다는 뜻은 아니다. 다르게 생겼다는 느낌이 반드시 차별화하는 비교를 유발하지는 않는다. 나는 이 원칙에 대한 확신이 햄프턴 기술학교와 터스키기 기술학교에 활기를 불어넣었고, 그들의 위대한 영광을 대변한다고 생각한다. 두 기술학교에서는 매일 일과를 끝내면 기도 시간을 가졌다. 기도를 통해 구성원 개개인이 그날 성취한 바를 공개적으로 알렸다. 세련된 외부인들에게야 하찮게 보이겠지만, 그래도 구성원 개개인이 그날 뭔가를 달성했다고 거명되는 자리였다. 기도문의 공식은 '우리 자매 메리가 오늘 치즈 10파운드를 만든 일을 축하합시다'라는 식이었다. 작업장의 역사를 보면 이와 같은 종류의 의례가 오래전부터 능력의 차이라는 문제를 해결해왔음을 알 수 있다. 중세의 모든 길드의 모든 작업장에서는 하루 일과를 끝낼 때 이런 기도문과 비슷한 것을 읊었다. 매일 일과가 끝날 때 각 개인이 공동체에서 공동의 선을 위해 기여한 바를 의례를 통해 부각시킨 것이다(세넷, 2013: 144).

대화적 방법의 핵심은 상대방에 대한 존중(respect)과 겸손(civility)이다. 반면 서로 다른 것을 하나로 종합하려는 변증법(dialectic)적 방법은 결국 게토(ghettos)와 철문 공동체(gated communities)로 귀결되고 만다. 퍼트넘(Robert Putnam)의 '사회적 자본론'의 한계는 바로 여기에 있다. 제2차 세계대전에서의 인종 혼성 부대(mixed-race units)가 인종주의를 감소시켰다는 새뮤얼 스토퍼(Samuel Stouffer)의 발견처럼 서로 다른 것들이 한 공간에 엮일 수 있는 개방적 연대성이 공동체의 내부 단결성보다 인간들이 함께 살아가고 평화롭게 공존하는 데 훨씬 더 중요하다.

3) 도시를 새롭게 엮다

르코르뷔지에(Le Corbusier)는 노출 콘크리트로 유명한 건축가가 되었지만 세넷은 놀이터를 좋아하는 판 에이크(Aldo Van Eyck)를 더 선호한다. 기계 미학의 선구자 르코르뷔지에는 거리 생활을 적대시했다. 잘해봐야 지저분한 잡동사니일뿐더러, 잘못되면 건축에 쓸 대지를 난장판으로 망친다는 것이다. 그는 지역 내 거리와 주거 공간을 밀어버리고 순수한 교통 흐름의 공간으로 바꾸었다. 그러나 판 에이크는 건축을 사람들이 도시를 학습하는 배움터로 바라봤다. 그가 배려했던 벤치와 기둥의 위치, 디딤돌의 높이, 분명치 않은 모래와 잔디와 물의 구분은 모두 모호함 속에서 학습하는 배움의 도구들이다. 도시에 대한 이러한 세넷의 견해는 이탈로 칼비노의 도시와 흡사하다. 도시는 건축 모양이 아닌, 도시 공간의 크기와 과거 사건들 사이의 관계로 이루어진다. 도시는 기억으로 넘쳐흐르는 파도에 스펀지처럼 흠뻑 젖었다가 팽창한다(칼비노, 2007: 17). 그런 도시에서는 배움이 넘친다. 기억과 흔적이 많은 도시에서는 배울 것 또한 많기 때문이다.

   도시의 동네와 동네 사이의 접경에서는 문화적 다양성도 싹튼다. 저항을 다스리며 일하기에 더 생산적인 환경은 접경이다(세넷, 2010: 370). 그런 접경에서 다양성이 싹트는 공간의 원형은 놀이터와 미로이다. 미로에서는 사람들이 방향을 잃더라도 거기서 무언가를 배울 수 있고 모호한 공간이 흥미를 유발하는 가운데 사람들은 공간 활용에 능숙해진다. 판 에이크는 전쟁 후 암스테르담의 빈 공간을 그렇게 놀이 공간으로 바꾸었다. 그곳 놀이터는 모래터와 잔디밭이 엇비슷하게 섞여 있었다. 모래와 잔디의 경계를 두지 않은 것이다. 모호한 무경계는 탐색과 호기심을 자극하고 그곳에서 모든 아이들은 뒤섞여 놀게 된다(세넷, 2010: 373). 그래서 세넷이 지향하는 '열린 도시(open city)'(Sennett, 2013)의 원형도 미로와 놀이터이다. 열린 도시는 경계가 분명치 않은 개방적인 디오니소스적 도시이며 폐쇄적인 지역성을 강조하기보다는 규모를 키워(scale-up) 개방성을 확장시키는 도시이다. 이러한 열린 도시는 서로 다른 사람들과 뒤섞이고 상호 존중하며 이를 지속시키는 건축의 원칙을 지켜내는 도시이다. 비정형 건축의 대가 피터 아이젠먼(Peter Eisenman)의 블러드존(blurred zone)처럼 서로 다른 사람들이 여러 장소에서 우연히, 그리고 빈번하게 만나고 접촉하는 역동적인 균형(dynamic equilibrium)이 활발히 일어나는 곳이다. 이러한 세넷의 도시 공간은 이미 『살과 돌(Flesh and

Stone)』에서의 아테네와 베네치아로 잘 나타났다. 고대 아테네인들에게는 자신을 드러내는 행위는 시민으로서의 위엄을 확인하는 과정이었다. 노출과 나체는 도시의 편안함을 의미하는 행위였던 만큼, 도시는 자기 육체처럼 친밀했다. 베네치아도 몸으로 느끼는 도시였다. 세넷은 러스킨을 끌어와 베네치아를 말한다.

러스킨이 연결하고자 했던 세계, 그것은 수제품을 만드는 장인의 세계였다. 러스킨은 이탈리아 — 특히 베네치아 — 를 둘러보는 여행 초기에 성글게 다듬어진 중세 건물에서 예상 밖의 아름다움을 봤다. 이무깃돌, 아치형 출입문, 창문 등 석공들이 쪼아 만든 물건들이 후기 르네상스의 추상적인 기하 문양이나 18세기 고급 가구 제작자들의 완벽한 솜씨보다 더욱 매력적으로 다가왔다. 그는 이 성긴 물건들을 보면서 일었던 감흥을 그 자리에서 그림으로 그렸다. 자유자재로 선을 그어가는 그의 손끝은 베네치아의 돌들이 발산하는 아름다운 불규칙성을 담아냈다. 이렇게 그림으로 그리면서 촉감이 주는 즐거움을 맛봤다. …… 그가 뿜어내는 호소력을 요즘 말로 한다면 아마도 '몸으로 느끼라'가 적당할 것이다. 휘갈기듯 써내려가는 그의 글을 보면, 해묵은 돌덩이의 축축한 이끼를 만진다거나 햇빛에 반짝이는 먼지를 보는 것처럼 살갗을 파고든다. 연구가 깊어지면서 과거와 현재를 대비하는 그의 시선은 점점 더 신랄해졌다. 이탈리아의 대성당을 영국의 공장과 대비하는가 하면, 이탈리아 사람들의 노동에 담긴 자기표현을 영국 산업 현장의 지루한 일과와 대비하기도 했다. 1850~1860년대 옥스퍼드 대학교에서 러스킨은 '몸으로 느끼라'는 자신의 주장을 행동에 옮겼다. 상류층 자제들이 다니는 이 학교의 학생들을 데리고 교외로 나가 도로 건설 현장에서 같이 일하기도 했다. 힘겨운 일의 고통, 손에 생기는 굳은살을 느끼면서 현실의 삶과 연결된 보람의 증거를 체험하도록 한 것이다(세넷, 2010: 180~181).

도시를 지칭하는 그리스어 '폴리스(polis)'는 모든 사람들이 통합을 이루는 편안한 장소의 의미를 지닌다. '아고라(agora)'는 매일 다양하고 열정적인 삶에 접속하는 곳이었다. 그러나 권력은 돌을 필요로 한다는 로마인의 관념이 침투하면서 도시는 권위를 극대화하는 격자형 방식으로 조직되었다. 세넷의 인용에 따르면, 어떤 다른 문명도 공화정 후기와 제정 시대의 로마만큼 강박관념에 사로잡혀 도시와 시골 그리고 군대의 편제에 변함없고 획일적인 형태를 적용하지 않았다(세넷, 1999: 116). 베네치아의 유대인 게토도 기독교 커뮤니티를 지향하면서도 자본주의를 포기할 수 없었던 유럽 부르주아들의 자기 분열이 극적인 형태로 드러난 경우일 뿐이다(세넷, 1999). 분열은 경계가 명확해지는 것이며, 이는 고립된 게토 지역이 물길로 분리된 베네치아에 유일하게 자리 잡게 된 이유이기도 하다.

그래서 세넷의 도시는 로마와 베네치아를 극복하며 그리스적인 것을 복구하는, 즉 개인성이 보장되면서도 사회자본이 넘치는 제이콥스(Jane Jacobs)의 '인도의 발레(sideway's ballet)'를 넘어(Jacobs, 2010) 멈퍼드(Lewis Mumford)의 고차원적 도시, 즉 사회적 교류와 상호작용이 고차원적 인간의 잠재력과 활동으로 이어지는 도시이다. 세넷의 세 번째 호모 파베르 프로젝트(homo-faber project)인 '도시'는 이동하는 인간들이 더욱 많이 이동하게 되면서 오히려 역으로 서로 더 만나기를 원하는 욕구를 파악해 이러한 욕구를 충족시키며 개인을 발달시켜줄 수 있는, 상호 존중과 자기의존(self-reliance)의 방향성으로 나아가는 도시에 대한 새로운 마스터플랜이 될 것이다.

4. 의의와 한계: 불평등 사회 속의 상호 인정을 위해

세넷은 『불평등 사회의 인간 존중(Respect in a World of Inequality)』에서

불평등이 일상에서의 인간 존중과 어떻게 엮이는가를 즐거운 친구들과의 저녁 식사 후 식사비를 낼 때 그 즐거웠던 시간들이 산산조각 났던 경험을 통해 주목한다. 돈 많다고 자랑하는 친구가 저녁 식사비를 내면 다른 사람들은 의기소침해지거나 때로는 굴욕감도 느낀다. 반면 정확하게 '엔분의 일'을 한다는 것은 마지막 디저트 티라미슈를 놓고도 서로를 흘겨보는 상황에 처하게 할 수도 있다. 위계가 인간 존중을 망치기도 하지만 추상적인 공정성(abstract fairness)도 상호 존중의 분위기를 망친다(Tonkin, 2003). 이러한 메커니즘은 바로 복지 지원 시스템에서 더 극명하게 드러난다. 복지 수혜자의 의존성이 가져오는 수치심과 복지 공여자가 가지는 생색내기(condescension)가 결국 인간의 상호 존중과 상호 인정(mutual recognition)의 여지를 없애버리는 것이다. 그래서 세넷은 새로운 복지 시스템으로서 '공감의 건축'을 하자고 제안한다. 공여자는 '생색내기 없기', 수혜자는 '자기의존 갖기'를 통해 상호 인정을 회복하는 것이다. 물론 그것이 불평등의 불쾌감을 완전히 없앨 수는 없겠지만, 불평등의 해악을 공격만 하는 것으로는 상호 존중을 낳지 못했던 역사에 대한 반성은, 이제 약자로 남을 수밖에 없는 사람들에 대한 존중의 시작으로 이어져야 하는 것이다. 주는 사람은 겸손을 가장하고 받는 사람은 고귀함을 연기하는 일본의 '타노무(頼む)'가 그런 의미를 잘 실현한 겸손함의 의식이라고 할 수 있다. 타노무 행위는 무력감(helplessness)의 표현을 극화한 것으로, 살짝 짓는 공손한 웃음(weak deferential smile), 호소하는 듯 손을 내미는 행동이 그것이다. 거리에서 방향을 묻거나 쇼핑 중에, 또는 바 같은 곳에서 이방인이 상호 소통하고 싶어 할 때 그런 행동을 할 수 있다. 이러한 타노무를 행하는 사람과는 서로 모르는 사람이어도 즉각적인 관계를 맺어야 한다. 이것을 정신 치료학자 도이 다케오(土居健郎)는 '수동적 대상애(passive object-love)'라고 불렀다. 이러한 타노무를 행하는 것은 절대 수치스러운 일이 아니다. 오히려 수치(shame)는 그것을 보고도 못 본 척하며 반응하지 않

는 사람들이 느낀다. 수치란 무관심한 개인들이 느끼게 되는 것이다(Sennett, 2004). 수치와 상호 의존(dependency)은 타노무에서 서로 엄격하게 분리된다. 타노무처럼 세넷은 "사회적 동물인 인간에게는 기존의 사회적 질서가 보여주는 것보다 더 깊이 협력할 능력이 있다"고 말한다. "사람을 보는 우리 자신의 생각을 처음으로 일깨워주는 것(즉, 계몽해주는 것)은 이성이 아니라 상상력을 동원해서 교감하고 공감하는 행위"이기 때문이다(세넷, 2010: 156).

그러나 현실은 정반대이다. 신자유주의가 초래한 불평등의 심화는 수치심을 증폭시키고 존중감에 상처를 줄 뿐이다. 오늘날 노동자들의 기업에 대한 신뢰, 고용주에 대한 충성, 작업장에서의 공동체 문화와 업무 책임감은 줄어들고 그들이 불안과 공포, 불신, 지루함, 냉소, 박탈감 등을 경험하는 경향은 강해지고 있다(Terkel, 1972; 박형신·정수남, 2013). 특히 유연화에 의한 불평등은 개인 대 집단 간 관계의 문제를 노정한다. 세넷은 『신자유주의와 인간성의 파괴(The Corrosion of Character)』에서 각축적 경쟁 체제하에서의 사회관계의 쇠퇴 현상을 통찰력 있게 진술하는데, 이를 김문조(2001)는 다음과 같이 논평한다. "유연성과 리스크가 증대하는 제도 영역의 변화로 직무에 대한 헌신, 조직에 대한 충성, 동료 간 신뢰 관계가 상실되는 현상이 세넷의 핵심 주제였다. 팀워크와 단체 문화를 강조하는 현대 조직에서 구성원 간의 강한 연대가 소실되고 있다는 점은 역설적 현상이 아닐 수 없다. 유연성은 작업과 동료에 대한 관심과 애착의 필요성을 제거한다. 직무에 집착하고 문제를 해결하려는 끈질긴 노력보다는 네트워크 형성이 더 중요해지기 때문이다. 이는 작업 동기가 높은 사람에게나 그렇지 않은 사람에게나 마찬가지이다. 따라서 유연성은 조직에 대한 헌신을 감소시킨다. 또 직무에 만족을 느끼지 못할 경우, 기존 직장에서 분투하는 대신 미련 없이 직장을 떠날 가능성이 높다. 즉, 새로운 직무에 신속하게 초점을 맞추는 능력이 경험의 축적보다 더욱 중요해진다." 유연화로 개인의 충성심은 해체되고, 사기는 저하되며, 개인의 능력은 조직 내에서 빠르고 영민하게 자기 이익을 계산할 수 있는 '얍삽함 (agility)'에 집중되는 것이다.

또한 세넷에게 불평등의 문제는 바로 개인 간 관계의 문제도 노정한다. 세넷의 주장은 현대사회가 경제적 불평등만큼이나 시민적 불평등으로 고통받고 있다는 것이다. 상호 인정은 명령이나 제도에 의해 발생하지 않는다. 그것은 협상되어야(negotiated) 한다. '타노무'와 '사교적 능력'처럼 현실의 일상 세계, 대면 세계에서 실현되고 반복되어야 하는 것이다. 그러나 감정노동은 그 모든 가능성을 파괴하고 감정노동자는 마음에 상처를 안고 살아간다. 세넷은 『계급의 숨겨진 상처(The hidden injuries of class)』에서 이렇게 말한다.

이 등급에서 가장 하위에 있는 것은 공장 노동자가 아니라 개인이 개인적으로 누군가를 위한 일을 수행해야 하는 서비스 직종인 것으로 나타났다. 바텐더는 광산 노동자보다 낮은 지위에 위치하고 있고, 택시 기사는 트럭 운전사보다 지위가 낮다. 우리는 이런 직업이 다른 사람에게 더 의존적이고 그 기능이 다른 사람들의 마음대로 좌우된다고 생각하기 때문에 이런 현상이 나타난다고 본다(Sennett & Cobb, 1972).

이러한 세넷의 통찰은 복지 시스템에도 그대로 적용될 수 있다. 복지는 거대 시스템에 의해 돌아가지만, 복지 수혜를 받는 사람들이 자기의지와 자기존중 모두를 얻어낼 수 있다는 기대는 점점 줄어들고 있다. 복지 시스템은 그들에게 그런 기회를 별로 제공하지 않는다. 복지 시스템은 그들이 스스로 성인이 될 수 있는, 즉 에릭슨이 말한 '성인 발달 기회'를 제공해야 하지만, 그들은 의탁과 감시의 대상이 될 뿐 결코 성인이 될 기회, 즉 '자기의존'이 가능한 기회가 주어지지 않는다. 그것을 실현하기 위해서는 개인의 숙련과 사교적 기술 그 모든 것이 그들의 생애와 일상에 스며들어야 한다. 세넷 스스로가 카브리니 공영주택을 빠져나올 수 있었던 것이 그의 음악적·학문적 재능 덕분이었고, 그 재능으로 그가 성인이 될 기회를 얻었던 것과 같은 기회가 그들에게도 제공되어야 하는 것이다.

따라서 세넷에게 그런 재능은 '위로 올라가기' 위한 재능이 아니라, 자기 스스로에게 의존하며, 서로의 재능을 연결하며, 타인을 존중하고 상호 인정하는 재능이다. 그래서 그는 팀 동료를 무시하는 스포츠 스타들과 협연자를 깔보는 솔로이스트(soloist)를 경멸한다. 진정한 솔로이스트는 스스로 자기 일에 대한 능력과 보람을 느끼는 동시에 다른 사람과 어떻게 협력하는지를 아는 연주자이다. 세넷은 한 인터뷰에서 자신의 경험을 말한다.

나는 한때 훌륭한 첼리스트인 재클린 뒤 프레(Jacqueline du Pre)와 연주할 일이 있었지요. 그녀는 오케스트라 단원들에게 이렇게 말하더군요. "저는 그냥 지나치다 잊힐 사람이에요. 저는 여기서 그리 중요하지 않습니다. 그냥 열심히 연주에 집중하도록 해요." 그런 자비심은 정말 경이로운 것이죠. 생색내기가 전혀 없어요. 난 그걸 잊지 못하겠더군요(*Chicago Tribune*, 2003.3.23).

이러한 세넷의 상호 존중은 디디 위베르만(Georges Didi-Huberman)의 단역들의 형상과 상통한다. 영화가 스타를 빛내는 예술이고자 할 때, 엑스트라라 불리는 단역들은 '영화의 밤'으로 간주된다. 디디 위베르만은 위대한 작가들의 영화 속 아카이브에 산발적으로 출현하는 단역들의 모습을 발굴해낸다. 이들은 대중(mass)이 아닌 공동체를 이루는 무리로 나타난다. 즉, 무리의 공동체를 이루는 인민의 이미지를 직조하면 그것은 명멸하는 반딧불의 이미지이다(이나라, 2015). 세넷의 상호 존중과 인정은 그렇게 강력한 자기의존과 스스로에 대한 존중, 그리고 타인에게 인정을 베풀 수 있는 '반딧불적 개인'으로부터 출발한다. 그리고 그 개인은 스스로 자기 인생의 이야기를 완성함으로써 독립적인, 그리고 자기만의 '인격'을 완성한다. 서사적 서술이 서사적 인생으로 직결되는, '삶의 도구로서의 예술'에서 '삶 그 자체를 예술로' 가져 가려는, 외적인 것에 대한 의지 없이 오직 스스로의 내적 의지와 용기로 자신을 거듭나게 하는 자기배려의 모델을 세넷에게서 확인할 수 있는 것이다.

세넷의 저서들을 보면 그가 수행한 세심한 관찰과 심층 인터뷰, 그리고 글쓰기는 그 자체가 하나의 실기(craft)인 듯 보인다. 그는 그러한 고도의 실기로 사회적 구별을 제거하고 상호 존중의 사회 모델을 만드는 마스터플래너의 역할을 수행하고 있다. 그런 실기를 통해 스스로에 대한 존중과 타인에 대한 인정을 실천하고 있는 것이다. 경영학의 대가로 불리는 마이클 해머(Michael Hammer)로부터 세넷의 책은 실증적 자료에 대한 구체적인 근거뿐 아니라 소비자의 우월성에 대한 고려도 결여된 채 기업과 관리자를 비판한, 그래서 그의 주장(argument)은 주장이 아닌 불안(angst) 상태를 표현한 것일 뿐이라는 비판 아닌 비난(Hammer, 1999)을 받았다. 그럼에도 세넷은 상대방에 대한 존중과 인정의 윤리를 버리지 않고 자신의 의견을 펼친다. 모든 혁명이 실패로 끝났던 이유는 자기 혁명이 없었기 때문이다. 그런 면에서 세넷은 상당히 진보적인 학자이지만 자기 혁명까지 할 줄 아는 우리 시대의 몇 안 되는 사회학자 중 한 명임이 분명하다.

참고문헌

김문조. 2001. 『동북아시아의 평화와 번영(제1권)』. 제주평화연구원/동아시아재단.

_____. 2008. 『한국사회의 양극화: 97년 외환위기와 사회불평등』. 집문당.

김홍중. 2013. 「연대를 넘어 협력으로: 사회적인 것의 재구성」. 리처드 세넷 지음. 『투게더: 다른 사람들과 함께 살아가기』. 김병화 옮김. 현암사.

박형신·정수남. 2013. 「고도 경쟁 사회 노동자의 감정과 행위 양식: 공포의 감정동학을 중심으로」. ≪사회와 이론≫, 23집, 한국이론사회학회.

브뤼제마이스터, 토마스(Thomas Brusemeister). 2011. 「불필요한 자아: 신자본주의에서 개성의 상실에 대한 리처드 세네트의 해석」. 우베쉬 만크(Uwe Schimank) 외 지음. 『현대 사회를 진단한다』. 논형.

세넷, 리처드(Richard Sennett). 1999. 『살과 돌: 서구문명에서 육체와 도시』. 임동근 외 옮김. 문화과학사

_____. 2002. 『신자유주의와 인간성의 파괴』. 조용 옮김. 문예출판사

_____. 2004. 『불평등사회의 인간존중』. 유강은 옮김. 문예출판사.

_____. 2009. 『뉴캐피털리즘: 표류하는 개인과 소멸하는 열정』. 유병선 옮김. 위즈덤하우스.

_____. 2010. 『장인: 현대문명이 잃어버린 생각하는 손』. 김홍식 옮김. 21세기북스.

_____. 2013. 『투게더: 다른 사람들과 함께 살아가기』. 김병화 옮김. 현암사.

_____. 2014. 『무질서의 효용: 개인의 정체성과 도시 생활』. 유강은 옮김. 다시봄.

유승호·선원석. 2014. 「장인문화에 대한 해석적 접근」. ≪인문콘텐츠≫, 32호.

이나라. 2015. 「조르주 디디 위베르만: 이미지의 불안과 저항」. ≪현대시학≫, 1월호.

제이콥스, 제인(Jane Jacobs). 2010. 『미국 대도시의 죽음과 삶』. 유강은 옮김. 그린비.

칼비노, 이탈로(Italo Calvino). 2007. 『보이지 않는 도시들』. 이현경 옮김. 민음사.

호네트, 악셀(Axel Honneth). 1996. 『인정투쟁』. 문성훈·이현재 옮김. 동녘.

Chicago Tribune. 2003.3.23. "Music, Life and Playing together."

Cropanzano, Russuell(ed.). 2000. *Justice in the Workplace: From Theory to Practice*. Taylor & Francis, Inc.

Erikson, Erik. 1993. *Childhood and Society*. New York: W.W. Norton & Company.

Hammer, Michael. 1999.8. "Is Work Bad for You?" *The Atlantic*.

Sennett, Richard. 1998. *The Corrosion of Character*. New York: W. W. Norton.

_____. 2004. *Respect: The Formation of Character in an Age of Inequality*. Penguin

Books, Limited(UK).

_____. 2006. "*Respect in a world of inequality*, Extracts sentences by Laurent Ledoux, providing interesting insights on contemporary managerial issues." http://www.philosophie-management.com/docs/2012_2013_Leading_with_Wisdom/Sennett_-_Respect_in_a_world_of_inequality_-_selected_sentences_by_Laurent_Ledoux_-_2006_12_30.pdf.

_____. 2006. *The Culture of the New Capitalism*. London: Yale University Press.

_____. 2013. *Open City*. Harvard Lecture.

Sennett, Richard and Jonathan Cobb. 1972. *The Hidden Injuries of Class*. New York: Knopf.

Terkel, S. 1972. *Working: People talk about what they do all day and how they feel about what they do*. New York: Pantheon Books.

Tonkin, B. 2003. "An architect of sympathy faced by brutal reality." *The independent*.

03

이매뉴얼 월러스틴의 세계체계론

/

자본주의의 모순과 인식론적 혁명

김철규

나는 세계체계론은 이론이 아니며, 간과된 쟁점과 거짓된 인식론에 대한 저
항이라고 주장해왔다. 그것은 지적 변화 또는 내가 한 책의 제목으로 표현했
던, 19세기 사회과학을 '벗어던지기(탈피)'를 요청하는 것이다. 그것은 지적
과제이며 동시에 정치적 과제여야 하는데, 진리에 대한 탐구와 선에 대한 탐
구는 동일한 것이기 때문이다(http://www.iwallerstein.com/intellectual-
itinerary/).

1. 머리말: 비판, 전복, 변혁

이매뉴얼 월러스틴(Immanuel Wallerstein)은 이미 여러 권의 저서들을 통
해 한국에 잘 알려진 학자이다. 세계체계론 또는 세계체계 시각의 창시자이
자 대표적인 학자인 월러스틴은 80대 중반을 바라보는 고령임에도 여전히
정열적인 집필 활동을 하는 미국의 대표적인 지식인이다.

1930년에 태어난 이매뉴얼 월러스틴은 자신의 출생지이자 성장지였던 뉴욕의 진보적인 정치 문화에 많은 영향을 받은 것으로 평가받는다. 또한 정치적으로 '의식화'되었던 가정, 전후 매카시즘과 이에 대한 성찰, 1960년대의 급진적인 정치 문화 속에서 지적인 성숙을 이뤘다고 할 수 있다. 1947년에 컬럼비아 대학에 입학한 뒤, 월러스틴은 학부와 대학원을 모두 같은 대학에서 마치게 된다. 1954년에 컬럼비아 대학에서 미국의 매카시즘에 대한 논문으로 석사 학위를 취득했고, 1959년에는 아프리카에 대한 논문으로 박사 학위를 받았다.

이후 월러스틴의 긴 학문 여정에 영향을 끼친 학자로는 카를 마르크스(Karl Marx), 지그문트 프로이트(Sigmund Freud), 조지프 슘페터(Joseph Schumpeter), 칼 폴라니(Karl Polanyi) 등이 있다. 더불어 이후 그가 사고의 도약을 하는 데 도움을 주었던 학자로는 프란츠 파농(Frantz Fanon), 페르낭 브로델(Fernand Braudel), 일리야 프리고진(Ilya Pregogine) 등이 있다고 고백한 바 있다. 특히 파농으로부터는 세계체계에서 배제된 사람들이 지적인 가치 판단에 대해서도 자신의 목소리를 가진다는 점을 배웠고, 브로델은 시간과 공간이 사회적으로 구성된다는 점을 일깨워주었다고 밝히고 있다. 프리고진으로부터는 새로운 과학적 인식론과 확정성이 존재하지 않는 지식 세계에 대한 영감을 제공받았다고 밝혔다(월러스틴, 2013: 83).

1958년부터 모교인 컬럼비아 대학에서 교편을 잡았는데, 월러스틴의 지적 여정에 큰 영향을 준 68혁명을 둘러싸고 교내 교수들과 정치적 갈등을 겪기도 했다. 이후 1971년에는 캐나다 몬트리올의 맥길 대학으로 직장을 옮기게 되었다. 월러스틴은 1976년 이후 뉴욕 주립대 빙햄턴 캠퍼스 사회학과에 재직하며 세계체계론의 학문적 성과 축적과 확산에 크게 기여했다.

월러스틴의 학문 활동은 대학 내의 페르낭 브로델 센터(Fernand Braudel Center for the Study of Economies, Historical Systems and Civilization at

Binghamton University in New York)를 중심으로 이뤄졌다. 브로델 센터는 '장기 역사적 시간에 걸친 대규모 사회변동에 대한 분석'을 목표로 했으며, 이 센터를 통해 세계체계론 관련 연구들이 활발하게 진행되었고, 관련 학자들이 대거 모여들었다. 브로델 센터는 문자 그대로 세계체계론의 메카로 자리 잡게 되었던 것이다. 브로델 센터를 통해 학문적 성과를 발표하거나 연구를 진행한 학자로는 조반니 아리기(Giovanni Arrighi), 테런스 홉킨스(Terence Hopkins), 군더 프랭크(Gunder Frank), 비벌리 실버(Beverly Silver), 파샤드 아라기(Farshad Araghi), 필립 맥마이클(Philip McMichael), 무토 이치요(武藤一羊), 백승욱, 이재광 등 무수히 많다. 세계체계론자들의 학문적 업적은 월러스틴이 초대 편집위원장을 지냈던 학술지 ≪리뷰(Review)≫를 통해 축적되었다.

월러스틴은 1999년까지 뉴욕 주립대 빙햄턴 캠퍼스 사회학과 교수로 재직했고, 퇴임 뒤에는 예일 대학교의 수석 연구위원(Senior Research Scholar)으로 재직 중이다. 고령임에도 불구하고 여전히 집필 활동을 하고 있으며, 지난 몇 년간은 진보적 인터넷 사이트인 에이전스 글로벌(Agence Global)에 시사평론을 게재하고 있다(www.agenceglobal.com).

대표적인 저서로는 그를 유명하게 만든 『근대세계체계 I(Modern World System I)』이 있는데, 이 기념비적인 저작은 이후 세 권이 더 출간되어 현재 4권까지 시중에 나와 있다. 그의 주요 저작들을 연도별로 정리해보면 다음 〈표 3-1〉과 같은데, 초기에는 아프리카에 관한 연구로 출발한 뒤, 이후 세계체계, 자본주의, 사회과학, 반체계운동 등으로 지적 지평이 넓어진 것을 알 수 있다.

〈표 3-1〉 월러스틴의 주요 저작

저서명	연도	출판사
아프리카: 독립의 정치(Africa: The Politics of Independence)	1961	Vintage Books
독립을 향한 여정: 가나와 아이보리 코스트(The Road to Independence: Ghana and the Ivory Coast)	1964	Mouton
아프리카: 통합의 정치(Africa: The Politics of Unity)	1967	Random House
혼란에 빠진 대학: 변화의 정치(University in Turmoil: The Politics of Change)	1969	Atheneum
아프리카: 전통과 변화(Africa: Tradition and Change)(공저)	1972	Random House
근대세계체제 I: 자본주의적 농업과 16세기 유럽 세계경제의 기원(The Modern World-System, Vol. I: Capitalist Agriculture and the Origins of the European World-Economy in the Sixteenth Century)	1974	Academic Press
자본주의 세계경제(The Capitalist World-Economy)	1979	Cambridge University Press
근대세계체제 II: 중상주의와 유럽 세계경제의 공고화 1600~1750년(The Modern World-System, Vol. II: Mercantilism and the Consolidation of the European World-Economy, 1600-1750)	1980	Academic Press
세계체계 분석: 이론과 방법론(World-Systems Analysis: Theory and Methodology)(공저)	1982	Sage
세계적 위기의 동학(Dynamics of Global Crisis)(공저)	1982	Macmillan
역사적 자본주의(Historical Capitalism)	1983	Verso
세계경제의 정치학: 국가, 운동, 그리고 문명들(The Politics of the World-Economy: The States, the Movements and the Civilizations)	1984	Cambridge University Press
아프리카와 근대 세계(Africa and the Modern World)	1986	Africa World Press
근대세계체제 III: 자본주의 세계경제의 거대한 팽창의 두 번째 시대 1730~1840년대(The Modern World-System, Vol. III: The Second Great Expansion of the Capitalist World-Economy, 1730-1840's)	1989	Academic Press
반체계운동(Antisystemic Movements)(공저)	1989	Verso
혁명의 전환: 사회운동과 세계체계(Transforming the Revolution: Social Movements and the World-System)(공저)	1990	Monthly Review Press

저서명	연도	출판사
인종, 국가, 계급: 모호한 정체성들(Race, Nation, Class: Ambiguous Identities)(공저)	1991	Verso
지정학과 지리 문화: 변화하는 세계체계에 관한 고찰(Geopolitics and Geoculture: Essays on the Changing World-System)	1991	Cambridge University Press
사회과학으로부터의 탈피(Unthinking Social Science: The Limits of Nineteenth Century Paradigms)	1991	Polity
자유주의 이후(After Liberalism)	1995	New Press
역사적 자본주의 / 자본주의 문명(Historical Capitalism, with Capitalist Civilization)	1995	Verso
유토피스틱스: 또는 21세기의 역사적 선택들(Utopistics: Or, Historical Choices of the Twenty-first Century)	1998	New Press
우리가 아는 세계의 종언: 21세기를 위한 사회과학(The End of the World As We Know It: Social Science for the Twenty-first Century)	1999	University of Minnesota Press
미국 패권의 몰락: 혼돈의 세계와 미국(Decline of American Power: The U.S. in a Chaotic World)	2003	New Press
지식의 불확실성(The Uncertainties of Knowledge)	2004	Temple University Press
세계체계 분석: 서설(World-Systems Analysis: An Introduction)	2004	Duke University Press
대안들: 미국과 세계의 갈등(Alternatives: The U.S. Confronts the World)	2004	Paradigm Press
유럽의 보편주의: 권력의 수사학(European Universalism: The Rhetoric of Power)	2006	New Press
근대세계체계 IV: 중도 자유주의의 승리 1789~1914년(The Modern World-System, Vol. IV: Centrist Liberalism Triumphant, 1789-1914)	2011	University of California Press
불확실한 세계: 변화의 시대의 분석(Uncertain Worlds: World-Systems Analysis in Changing Times)(공저)	2013	Paradigm Publishers
자본주의는 미래가 있는가?(Does Capitalism Have a Future?)(공저)	2013	Oxford University Press

2. 세계체계, 세계경제체계, 역사적 자본주의[1]

잘 알려진 바와 같이 월러스틴의 핵심 개념은 '세계체계'이다. 세계체계는 지역적 분업 구조를 중심으로 역사적으로 구성되어 변화해온 것으로, 이와 구별되는 이전의 사회체계를 월러스틴은 '소체계(mini-system)'라고 명명했다. '소체계'는 생산력 수준이 낮은 소규모의 사회체계로서, '단일의 문화체계'를 가지고 '단일의 노동 분업' 아래 통합되어 있었다. 하지만 소체계는 더이상 존재하지 않는다(Wallerstein, 1974a: 390). 이러한 소체계를 지배하는 생산양식을 월러스틴은 상보적·혈연제적 생산양식으로 본다. 소체계와 뚜렷이 구별되는 '세계체계'는 '이질적인 문화체계'를 가진 여러 개의 사회·문화적 단위들이 '단일의 노동 분업'으로 묶여 있는 형태의 사회체계이다. '단일의 노동 분업'이란 "그 체계 안의 모든 부문·지역들이 그들의 생존을 위해서는 체계 안의 여타의 부문·지역들과의 경제적 교환 관계에 의존하지 않을 수 없는 상황"을 말한다(Wallerstein, 1974b: 349). 세계체계는 그 지리적 경계가 매우 넓고 많은 사회적 단위를 포괄한다.

월러스틴은 세계체계를 '세계제국(world-empire)'과 '세계경제체계(world-economic system 또는 world-economy)'의 두 가지로 나눈다. '세계제국'이란 '단일의 정치 구조' 아래 그 구성원들의 경제활동이 정치적으로 통합되어 있는 경우의 세계체계를 말한다(Wallerstein, 1976: 346). 세계제국은 이전 시대의 소체계와는 달리, 생산력 수준의 향상으로 상당한 규모의 농업 잉여가 존재하고 비노동계급이 광범위하게 존재하는 등 사회적 불평등이 구조적으로 뿌리내린 체계이다. 세계제국에서는 생산된 경제적 잉여가 공납의 형태로 생산자에서 국가 관료 계층에게 강제 이전된다. 월러스틴은 세계제국의 예로

---

1 세계체계적 시각의 개념들에 대한 논의는 김철규(2002)를 수정한 것이다.

고대 중국, 이집트, 로마 제국, 봉건 유럽 등을 들고 있다.

 '세계경제체계'가 '세계제국'과 다른 점은 '단일의 정치 구조'가 존재하지 않는다는 것이다. '세계경제체계'는 복수의 문화체계와 복수의 정치체계를 가진 여러 사회적 단위들이 '단일의' 노동 분업의 틀 안에서 상호 연관되어 있는 사회체계이다. 인간은 그들의 생산 행위와 분배·소비 행위를 통해 자신들의 필수적 욕구들을 충족시키는데, 이런 욕망 충족을 위한 경제활동이 세계체계의 노동 분업 틀 내에서 완전한 총체성을 가지고 이뤄진다(Wallerstein, 1974b: 347~348).

 '단일의 정치 구조'가 없는 세계경제체계에서는 잉여의 전유와 재분배가 전부 '시장' 메커니즘을 통해 이루어진다. 월러스틴은 '세계체계'란 용어를 주로 '세계경제체계'를 의미하는 것으로 사용하고 있으며, 이하에서도 따로 언급하지 않는 이상 '세계체계'란 용어는 '세계경제체계' 또는 '역사적 자본주의'를 의미하는 것으로 사용된다.

 일반적으로 월러스틴은 신마르크스주의자로 분류되며, 마르크스의 영향이 적지 않다. 하지만 월러스틴에 대한 마르크스의 영향은 훨씬 우회적이거나 제한적인 것으로 보인다. 예컨대 월러스틴의 동시대 역사학자인 페리 앤더슨(Perry Anderson)과의 대조가 분명하다. 앤더슨이 역사적 단계를 중시한다는 점에서 훨씬 고전적인 마르크스주의자라면, 월러스틴은 자본주의 세계경제가 '사건들의 우연적인 동시적 발현'에 의해 등장했다고 본다는 점에서 '고전적' 또는 '정통적' 마르크스주의자는 아니라고 할 수 있다(Williams, 2013: 203). 또한 월러스틴은 마르크스의 역사적 방법론과 비판 정신을 계승했지만, 자본주의에서의 임노동 위치에 대해서는 분명한 입장 차이를 보인다.

 월러스틴은 '자본주의'와 '세계(경제)체계'를 동일한 역사적 실체로 본다. 그에 따르면, 자본주의는 그 시작부터가 한 사회 또는 국민국가의 문제가 아니라 세계체계의 문제였다. 다시 말해 '자본주의'는 '자본주의 세계체계'로서만 존재 의의가 있는 것이다. 이러한 '자본주의(세계체계)'는 그 자체가 하나의 전체(totality)로서 내적으로는 상호 관련된 여러 부분들로 이루어져 있다. 또 그 내부를 관통하는 어떤 구조가 있어서 부분들은 구조적인 연관성으로 서로 엮인 '역사적 체계'이다(Wallerstein, 1980a: 743; 1983a: 7~8).

월러스틴은 자본주의가 역사적·경험적 사실이라는 점을 명확히 한다. 따라서 자본주의를 선험적·논리 - 연역적 모델로 물화해 이를 구체적·역사적 사실에 그대로 대입하려는 시도를 거부한다. 이러한 교조적인 시도는 마르크스가 『자본론』 전 3권에서 분석한 자본주의의 이상형을 중요한 준거점으로 삼아, 이 움직이지 않는 이론 틀(주형)에다 살아 움직이는 자본주의라는 역사적 실체(주물)를 부어 고형화하려 한다는 것이다. 그러나 월러스틴은 '자본주의'란 결코 선험적·논리적으로 구성할 수 있는 이론적 구조물이 아닌 통시적(diachronical)·경험적 관찰에 의해 분석될 수 있는 구체적 흐름의 총체라고 지적한다.

그에게 자본주의는 어떤 완성된 형태로 존재하고 있는 체계가 아니다. 자본주의는 16세기에 출현한 이래 오늘날에 이르기까지 어떤 시기에도 완성된 형태로 우리 앞에 존재했던 적이 없다(Wallerstein, 1983b: 8~9). 자본주의는 처음에 생성된 이래로 끊임없이 완전한 형태를 향해 변화해가는, 자기완성을 지향하는 유동적 실체이다. 즉, 마르크스가 『자본론』에서 분석했던 자본주의는 아직 우리가 경험하지 못한 더 완전한 형태의 자본주의이다. 역설적이지만 마르크스가 분석하는 자본주의는 자본주의가 멸망하는 순간에나 우리가 경험할 수 있는 그런 추상적 실체라는 것이다. 자본주의가 그 자체의 논리를 철저히 관철시켰을 때에는 이미 자본주의 세계체계의 위기가 심화되어 체계의 붕괴가 시작될 때이고 오히려 자본의 논리가 불철저한 형태가 자본주의의 보편적 모습이라는 것이다.

이러한 미완성으로서의 '자본주의 세계체계'에 고유한 '자본주의적' 본질은 무엇인가? 월러스틴은 그것을 "끊임없는 자기 증식을 지상 명제로 삼는 자본의 존재"라고 설명한다(Wallerstein, 1979a: 285; 1983a: 13~19). 자본가에게는 자본의 객관적 목적, 즉 가치 증식(valorization)이 유일한 주관적 목적이자 행동의 동기가 된다(Marx, 1977: 254). 월러스틴은 바로 이러한 자기 증식을 유일한 존재 의의로 삼는 자본과 자본가의 존재가 자본주의의 핵심이라고 본다. 이때 지속적인 자본 축적이라는 명제에 충실하지 못한 개별 자본가는 시장 메커니즘의 작용에 의해 경쟁에서 밀려남으로써 더 이상 자본가로 남을 수 없게 된다(Wallerstein, 1979a: 285; 1979b: 271; 1983a: 18).

이처럼 무한정으로 자기 증식하는 자본의 존재를 위해서는 몇 가지 필요조건이 있다. 월러스틴에 따르면 그것은 광범위한 교환경제·화폐경제의 발달, 생산된 상품에 대한 유효한 구매력을 가진 소비자의 존재, 그리고 끊임없이 자기 증식되는 자본에 상응하는 노동의 확보 가능성 등이다. 이는 자본순환의 전 과정(교환·생산·분배·투자)의 광범위한 상품화를 뜻한다. 이들 제 조건은 서로 긴밀히 연관되며, 이러한 조건들이 충족되지 않고서는 자본의 순환이 제대로 완결되지 않고 자본의 가치 증식은 불가능해진다.

그러나 이러한 상품화는 완전할 필요가 없다. 역사상 존재해온 자본주의 세계체계에서는 상품화의 정도가 불완전한 상태가 오히려 정상적이었다. 적절하게 불완전한 수준의 상품화는 자본의 자기 증식에 순기능적으로 작용해왔다는 것이 월러스틴의 관찰이다. 상품화의 정도가 점점 증가하고 있지만, 여전히 완전한 상품화와는 거리가 있다.

노동력의 완전한 상품화, 즉 임금노동의 보편화 또한 자본주의의 본질적 특성을 구성하는 필수 불가결한 요소는 아니다. 월러스틴에 의하면, 임금노동은 자본주의의 여러 노동 방식들 가운데 하나에 지나지 않는다(Wallertein, 1979b: 271). 그는 자본주의 세계체계가 생성된 이래 400년이 흐른 오늘날에도 완전히 프롤레타리아화된 노동, 즉 임금노동은 세계적으로 50%에도 미치지 못한다고 지적한다(Wallerstein, 1983a: 23). 다시 말하지만 자본주의의 본질적 특성은 임금노동의 존재가 아니라 끊임없는 자기 증식을 지상 명제로 하는 자본의 존재이다. 끝없는 가치 증식을 위해서는 불완전한 노동의 상품화 또는 반(半)프롤레타리아트(semi-proletariat)의 존재가 더 유용하다는 것이다. 그리고 임금노동의 보편화는 자본주의의 최후 단계에서나 볼 수 있는 현상으로 그 자체가 자본주의의 근본적 위기를 의미하는 것이라고 주장한다.

3. 세계체계의 구조와 동학

1) 경제구조의 동학

월러스틴에게 자본주의 세계체계는 기본적으로 두 가지 이분(二分, dichot-omy)을 중심으로 이루어진다. 자본가계급과 노동자 계급이라는 계급적 이분과 중심부(core)와 주변부(periphery)라는 공간적 이분이 그것이다. 노동에 의해 창출된 잉여가치는 이 두 가지 경계를 통해 전유되고, 두 전유의 연결망이 상호 복합적으로 결합되어 있는 것이 자본주의 세계체계의 특성이다(Wallerstein, 1976: 350~351).

자본주의 경제체계는 무엇보다도 자본·노동 간의 관계에 기초한 잉여가치의 생산과 이의 전유에 근거하고 있다. 현존 자본주의 세계체계에서 노동력은, 이미 언급한 대로 어느 정도의 임금노동과 여타 비임금노동의 혼합으로 이루어져 있다. 이러한 임금노동과 비임금노동의 혼재가 자본의 자기 증식에 훨씬 더 유리하다는 것이 월러스틴의 논지이다. 그에 따르면 가계소득 중 임금 소득이 차지하는 비중이 낮은 반(半)프롤레타리아 가계(semi-prole-tarian household)는 '수용 가능한 최저임금 한계선'이 낮다. 즉, 반프롤레타리아 가계는 적은 임금을 받더라도 기꺼이 일하려는 태도를 가지고 있으므로 이들의 존재는 자본가들에게 매우 유용하다. 따라서 자본가들은 가능한 한 프롤레타리아화의 진전을 늦추기 위해 여러 가지 정치적·이데올로기적 수단을 동원한다. 여성의 임금노동자화를 억제하고 이들을 가사노동에 묶어두려는 성차별의 이데올로기(sexism)를 제도화하는 것이 한 예이다(Wallerstein, 1983a: 25).

자본주의 세계체계의 생산과 유통의 과정은 전부 월러스틴이 '상품 연쇄 (commodity chains)'라고 부르는 일련의 연결 고리를 따라 이루어진다. 자본주의 경제에서 대부분의 교환 행위는 중간재의 형태를 띤, 생산물을 사고파는 중간 생산자들 사이의 거래이다. 원료 구입에서부터 최종 소비에 이르는 생산과 유통의 전 과정은 여러 중간재의 구매·판매가 하나의 사슬처럼 이어진 형태를 띠고 있다. 이러한 점에서 월러스틴은 자본주의 세계체계를 상품 연쇄들이 상호 교차적으로 연결된 통합적 연결망이라고 보았다(Wallerstein, 1979b: 270~271). 이러한 상품 연쇄 위에서 이루어지는 수많은 거래의 거래 주체들 가운데 누가 상대적으로 더 많은 이득을 가져가느냐 하는 것은 시장 기제를 조작할 수 있는 힘에 달려 있다. 이는 대개 시장에 대한 독점적 지배력의 형태를 띤다. 거래에서 어느 한 당사자가 다른 당사자들에 비해 상대적으로 더 큰 시장 왜곡력을 가지고 있으면 여기에는 잉여가치의 불평등한 흐름이 일어난다. 이를 '부등가 교환'이라고 한다. 이때 이들 사이에 교환되는 상품은 서로 다른 양의 사회적 노동(가치)을 담고 있다(Wallerstein, 1984: 15).

상품 연쇄상의 부등가 교환은 한 국가 안의 개별 자본가들 사이에서 이루어지기도 하고, 산업의 제 부문 간, 그리고 여러 지역 간에 이루어지기도 한다. 월러스틴이 가장 중요하게 취급하는 것은 국가 간의 경계를 넘나들며 이루어지는 국제적인 부등가 교환이다. 그가 보기에 자본주의 세계체계의 중요한 특성 중 하나는 상품 연쇄상의 힘의 불평등이 세계체계 내 지리적·공간적 위계질서로 발전한다는 점이다(Wallerstein, 1983a: 30). 세계체계 내 개별 국가 사이의 상품 연쇄상 힘의 차이, 시장 지배력의 차이는 자본주의가 진행되면서 점점 더 확대·증폭되어 공간적 위계 구조의 양극화로 나타난다. 시장에서의 가격 기제를 조작할 수 있는 지배력을 가진 국가는 중심부 국가가되고, 그렇지 못한 국가는 주변부 국가로 남게 된다.

중심부에서는 중심부에 적합한 생산 활동이 이루어지고 주변부에서는 주변부에 맞는 생산 활동이 이루어진다. 각 지역의 생산 활동은 이처럼 지역적으로 전문화된다. 중심부적 생산 활동과 주변부적 생산 활동은 항상 고정되어 있는 것은 아니고 자본주의 세계체계의 발전과 더불어 변화한다. 즉, 어떤 생산 분야 또는 생산물이든지 나름의 수명이 있어서 어느 때는 중심부적인 것이 나중에는 주변부적인 것으로 변화한다(Wallerstein, 1983a: 34). 끊임없는 과학·기술의 발달로 새로운 산업 분야·상품이 계속 개발되고 하나의 산업 분야도 복잡하게 세분화되는 상황에서, 과거에는 없었던 새로운 중심부적 생산 활동이 계속 등장한다.

중심부의 생산물은 지속적인 생산성 향상을 바탕으로 주변부와 똑같은 사용가치를 생산하는 데 월등히 적은 노동량이 들어간다. 중심부의 생산물은 그와 교환되는 주변부의 생산물에 비해 더 적은 가치가 내재되어 있다. 이처럼 부등가 교환을 통해 주변부에서 추출된 잉여가치의 상당 부분이 중심부로 이전된다. 부등가 교환을 가져오는 기제는 여러 가지가 있겠으나 월러스틴이 가장 강조하는 것은 국가기구다. 겉으로 보기에는 공정한 경제적 원리와 자율적인 시장 기제가 작동하는 것처럼 보이지만 실질적으로는 편파적인 경제 외적인 힘이 시장 기능을 왜곡시킨다. 월러스틴은 시장 기제의 정치적 왜곡을 '자본주의 세계체계'의 핵심적 요소로 간주하는 것이다. 따라서 다음으로는 시장 왜곡과 부등가 교환을 가져오는 정치 구조에 대해 살펴보도록 한다.

2) 정치 구조의 동학

자본주의 세계경제체계의 정치적 상부구조를 이루는 것이 '국가 간 체계(inter-state system)'이다. 국가 간 체계는 이른바 '주권국가(sovereign states)'들의 집합체이다. 개별 '국가'들은 국가 간 체계와 더불어 자본주의 발전 과정에서 창출·강화되어온 제도이다. 국가는 자본주의 세계체계의 형성 과정에서 파생된 것이자 자본주의 세계체계의 생성과 발전을 가능하게 한 역사적 실체이다. 자본주의 세계체계 안의 국가는 기본적으로 자율적·자기조정적 시장 기능을 제약하고 이를 왜곡하는 역할을 한다. 이러한 시장 기능의 제약은 의도한 것이든 아니든 어떤 특정 집단에게 더 유리한 결과를 가져온다. 예컨대 개별 국가의 국가기구는 먼저 자국 내 생산관계에 직접 관계되는 국가 정책을 통해 잉여가치의 배분에 영향을 미친다. 이는 한 집단의 소득을 다른 집단에 강제 이전하는 결과를 가져온다. 국가는 조세정책, 특혜 금융, 정부 재정 지원, 연구 개발 비용에 대한 국가 부담 등을 통해 특정 자본가들을 도와준다. 또한 사회간접자본의 공급과 개별 자본가의 파산을 막아줌으로써 자본주의 시장체계를 왜곡시킨다. 국가는 자국 영역뿐 아니라 국가와 국가 사이의 생산요소 흐름에 통제권을 행사함으로써 시장의 가격 기능을 제약한다(Wallerstein, 1975: 367~368; 1979a: 291~292; 1980b: 745~746; 1983a: 48).

부르주아지는 국가의 이러한 시장 왜곡 기능을 적극적으로 자신들에게 유리하게 이용해왔다. 각 국가의 개별 자본가들은 '국가기구'를 활용함으로써 다른 자본가들과 노동계급에 대해 자신들의 이익을 확보하려는 시도를 계속해왔다. 국가의 기능에 대한 부르주아지의 요구가 커짐에 따라 국가기구의 지속적인 강화가 진행되었다.

국가기구가 자신의 기능을 수행하는 능력과 힘에는 국가 간 차이가 있다. 중심부 국가기구는 시장에 개입하는 능력이 큰 반면, 주변부 국가기구는 상대적으로 약하다. 이러한 시장 왜곡력의 차이가 자본주의 세계체계 내 각 개별 국가들 간 정치적 힘의 위계 구조를 형성하는 바탕이 된다. 이렇듯 자본주의 세계경제체계의 상부구조로서 위계적 정치 구조가 바로 국가 간 체계다.

국가 간 체계는 각 주권국가들을 규정한다. 즉, 그들에게 정당성을 부여하고 그들의 행동반경을 설정한다. 그러므로 주권국가의 '주권'이라는 말은 형식적일 뿐 각 국가는 실제적으로 국가 간 체계에 그 자율성을 제한받는다. 국가 간 체계는 각 주권국가들의 상대적 힘의 차이에 따라 위계 구조를 이룬다. 국가 간 체계의 위계질서와 경제구조상의 위계질서는 거의 일치한다.

강력한 국가기구의 존재는 어느 국가가 국가 간 체계 안에서 중심부가 되느냐를 결정하는 데 매우 중요한 요소이다(Wallerstein, 1972: 95~101). 부등가 교환을 통해 중심부에 자본이 집중되며, 이는 다시 더욱 강한 국가기구를 창출할 '재정적 기초와 정치적 동기'를 부여한다. 이처럼 세계체계 안에서 경제적 힘과 정치적 힘은 상호 상승 과정을 통해 중심부를 재생산한다.

중심부의 부르주아지는 국가기구를 이용해 "자국 내 노동자계급의 경제적 요구를 적절히 봉쇄하고 이를 완화시키며, 세계시장을 그들의 이익에 부합되는 방향으로 편성하고, 세계시장 내의 잉여가치의 흐름을 그들에게 유리하도록 조절하며, 새로운 지역을 세계경제체계에 강제로 편입함으로써 새로운 주변부를 지속적으로 재창출하는 등"의 역할을 한다(Wallerstein, 1984: 20). 중심부의 강력한 국가는 주변부로 하여금 저임금 노동력을 계속 유지하게 만들고, 반(半)프롤레타리아 가계가 다수를 차지하는 구조가 지속되도록 한다. 이렇게 함으로써 중심부 국가는 주변부 국가에게 부등가 교환을 강제한다. 또 중심부 국가는 주변부 국가의 국내 상황에 개입함으로써, 자유로운 시장 기능에 의해서 형성될 수 있는 세계적 분업의 패턴을 강제적으로 변경하기도 한다(Wallerstein, 1979a: 292). 세계적 규모의 노동 분업이 순수하게 시장에 의해서 이루어진 예는 역사적으로 없었다.

자본주의 세계체계의 진행과 더불어 주변부 국가의 국가기구도 계속 강화되어나가는 추세를 보이지만 중심부 국가의 국가기구는 상대적으로 더 강화된다. 그리하여 중심부 국가와 주변부 국가의 힘의 차이는 더욱 늘어난다. 국가 간 체계는 이처럼 체계 안의 국가 간 힘의 양극화를 특징으로 한다. 그런데 이러한 국가 간 체계의 양극화 경향과 모순되는 존재가 바로 '반주변부'이다. '반주변부'의 개념은 월러스틴의 세계체계론에서 매우 독특한 위치를 차지한다.

　월러스틴은 중심부 국가와 주변부 국가 사이에 반주변부 국가가 존재한다고 본다. 반주변부 국가로는 스페인·포르투갈·이탈리아·그리스·노르웨이·핀란드 등의 유럽 외곽 지역의 국가, 인도·인도네시아·터키·이스라엘·사우디아라비아 등의 아시아 국가, 그리고 오스트레일리아와 뉴질랜드 등이 포함된다. 그 밖에 동유럽 국가 대부분과 중국, 북한, 베트남, 쿠바 등 이른바 '사회주의' 국가들도 자본주의의 반주변부 국가로 분류된다(Wallerstein, 1976b: 465).

　반주변부는 세계적 차원에서의 정치적 역할 때문에 중요하다. 반주변부는 중심부와 주변부 사이의 투쟁을 완화하는 완충 작용을 바탕으로 체계 전체의 안정과 통합을 유지하는 데 '필요'한 존재이다(Wallerstein, 1974c: 1~26). 이러한 반주변부에 대한 개념화에서 우리는 월러스틴의 세계체계론이 지닌 기능주의적(functionalist) 경향을 엿볼 수 있다. 그의 반주변부 개념은 자본주의 세계체계의 역사적 전개 과정에서 귀납적으로 확인된 개념이라기보다는 자본주의 세계체계에 관한 이론화 과정에서 연역적으로 도출해낸 개념에 가깝다. 월러스틴에 따르면 중심부는 반주변부를 창출해내기 위해, 주변부는 반주변부를 없애고 국가 간 체계를 양극화시키기 위해 정치적·이데올로기적 투쟁을 전개한다.

　이러한 중심부·주변부·반주변부의 공간적 위계 구조가 항상 고정되어 있는 것은 아니다. 국제분업의 위계 구조 속에서 개별 단위들은 이동이 가능하다. 개별 국가는 중심부에서 주변부로 전락할 수도 있고, 주변부에서 중심부로 상향 이동할 수도 있다. 개별 국가 수준의 '국가 발전(national development)'이란 실은 세계체계의 위계 구조에서 상향 이동하려는 노력이다(Wallerstein, 1979a: 293; 1984: 16). 물론 이러한 개별 국가의 체계 내 이동은 세계체계 구조 자체를 변화시키는 것이 아니라 내적인 재배열을 의미할 뿐이다.

'국가 간 체계'의 최고 운영 원리는 '세력균형(balance of power)'의 원리이다. 어떠한 단일 국가도 '세계제국'을 건설할 정도의 능력을 가지지 못하는 힘의 균형 상태, 그것이 '국가 간 체계'인 것이다. 그러나 한 국가가 '세계제국'을 건설할 정도의 절대적 지배력은 가지지 못하더라도 다른 국가들에 비해 상당한 능력을 가지는 상황은 역사적으로 여러 번 존재했다. 특정 국가가 '상대적 지배력' 또는 헤게모니를 가지는 상황을 자본주의 세계체계의 역사에서 관찰할 수 있는 것이다. 월러스틴에 따르면 1620~1650년에는 네덜란드, 1815~1873년에는 영국, 그리고 1945~1967년에는 미국이 각각 헤게몬(hegemon)으로 세계체계의 중심에 있었다(Wallerstein, 1980a, 1983a, 1983c).

헤게모니의 기간에 세계체계 내 '국가 간 체계'의 유지는 헤게모니 국가의 힘을 통해 이루어진다. 이 기간에는 자유무역정책에 기반을 둔 '비공식적 제국주의(informal imperialism)'가 자본주의 세계체계의 구조를 이룬다. 그런데 이러한 자유무역을 기반으로 한 헤게모니의 작동은, 정확히 이야기하면 세계체계 전체가 아닌 헤게모니의 영향권 안에서만 이루어진다. 제2차 세계대전 이후의 자본주의 세계체계는 미국이라는 헤게모니 국가의 영향권 안에 있던 지역과 미국의 헤게모니적 힘이 미치지 못하던 구소련권 지역으로 나뉘어 있었다. 헤게모니 영역 안에서는 미국에 의한 자유무역이 강제된 반면, 그 영역의 밖에서는 보호무역 정책이 적용되었다고 볼 수 있다. 월러스틴은 구소련이 '중상주의적' 정책을 통해 세계체계 내 위계 구조에서의 상향 이동을 추구하는 국가 발전 전략으로 헤게모니 국가인 미국에 맞섰다고 본다(Wallerstein, 1974a: 402).

비헤게모니의 기간에는 무엇이 자본주의 세계체계를 지배하는 원리일까? 이 기간에 중심부는 다극(多極)체계가 된다. 중심부 안의 여러 강력한 국가들 사이에는 경쟁 관계가 존재하고 보호무역주의가 주를 이루게 되며, 식민지의 직접 경영에 기반을 둔 '공식적 제국주의'가 지배적인 흐름이 된다. 이러한 헤게모니 체제와 비헤게모니 체제의 차이는 19세기 중엽의 영국이라는 헤게모니 국가에 의한 '비공식적 제국주의' 체제와, 19세기 말에서 제2차 세계대전까지의 제국주의 침략 전쟁과 식민지 쟁탈전을 특징으로 하는 '공식적 제국주의' 체제를 비교해보면 뚜렷이 구별된다.

4. 자본주의 세계체계의 변동과 위기

자본주의 세계체계의 경제는 호황과 불황, 팽창과 침체 등의 변동을 주기적으로 되풀이한다. 경제의 침체가 발생하는 원인을 월러스틴은 세계적 수준에서의 수요와 공급의 불일치로 본다. 수요와 공급의 불일치는 궁극적으로 개별 자본가의 이해관계와 자본가계급 전체의 이해관계가 서로 일치하지 않기 때문에 발생한다(Wallerstein, 1974a: 414; 1984: 16).

개별 자본가는 이윤 극대화와 지속적인 확대·재생산이라는 자본의 지상 명령에만 복종하는 개별 자본의 인격체에 지나지 않는다. 이러한 개별 자본가의 이윤 극대화 추구는 자본 일반의 불이익을 초래할 수 있다. 개별 자본가는 전체적인 수요·공급의 균형에 대한 고려 없이 자신의 이윤을 극대화하는 수준에서 생산물의 공급량에 대한 결정을 한다. 반면에 생산물에 대한 수요는 개별 생산자·기업가들의 생산량 결정과는 상관없이 이루어진다. 전체적인 수요는 상당히 정치적으로 결정된다. 이는 각국에서 이루어지는 노사 협약과 같은 일련의 정치적 타협과 계급투쟁의 영향을 받는다. 그리고 개별 기업의 임금 수준이나 고용 규모 결정은 대중의 구매력을 감소시킴으로써 전체적인 유효수효를 줄이는 의도하지 않은 결과를 가져오기도 한다. 이것이 수요와 공급의 불일치를 가져오는 주요 원인이다.

장기적으로 볼 때 세계 전체의 공급 수준은 일관되게 지속적으로 상승하는 경향을 보이나, 이의 실현을 위한 유효수요는 비탄력적으로 대응하고 중·단기적으로는 고정적인 경향을 보인다(Wallerstein, 1980b: 168). 이러한 생산(공급)의 무정부성과 수요의 사회적 결정성이 복합적으로 작용해 과잉생산과 수요 부족 현상을 가져온다. 자본과 국가는 미봉책을 통해 이런 문제에 대응하지만, 문제가 장기적으로 누적되면서 체계의 전반적인 불황이 야기되는 것이다(Wallerstein, 1976a: 349).[2]

경기 침체는 자본주의 세계체계에 여러 가지 영향을 미친다. 경기 침체는 경쟁력이 약한 일부의 자본가들을 도태시키고 상당수의 노동자들을 실업으로 내몬다. 그리고 경기 침체로 피해를 입은 소부르주아지와 프롤레타리아에 의해 격렬한 계급투쟁이 일어난다고 한다.[3] 월러스틴은 경기 침체를 호흡 기제에 비교하면서 이것이 자본주의 세계체계를 정화하는 효과를 가져온다고 본다. 즉, 부등가 교환으로 인한 경제적 비효율성을 제거하고 상품 연쇄를 재

---

2 과잉생산과 유효수요의 부족이 자본주의 체제에서 경기 침체와 공황의 원인이 된다는 견해는 마르크스 이래로 많은 사람들에 의해 제기된 매우 오래된 것이다. 경제 위기에 대한 이러한 견해는 룩셈부르크(Rosa Luxemburg), 스위지(Paul Sweezy) 등을 거쳐 '과소 소비론'으로 정리되었다. 월러스틴의 이론이 스위지에게서 여러 가지로 크게 영향을 받았다는 점을 알 수 있다.

3 이는 특히 중심부에서 그러하다. 월러스틴은 경기 침체로 가장 피해를 덜 입는 지역은 반주변부라고 본다. 특히 반주변부의 부르주아지는 경기 침체로 인해 상대적으로 가장 큰 이익을 얻는 반면, 중심부의 부르주아지는 가장 많은 손해를 본다고 한다(Wallerstein, 1980b: 169; 1983a: 35; 1984: 16~17).

구성함으로써 경제적 효율성을 재확보하는 결과를 가져온다는 것이다. 경기 침체 시에 개별 자본가는 이를 극복하기 위해 생산과정들의 네트워크를 재구성하고, 생산과정들의 기초가 되는 사회적 관계를 재구성하려는 장·단기 대응책들을 시도한다. 먼저 중심부의 개별 자본가들은 기존의 중심부 생산 분야·생산물에 대해서 기계화·자동화를 통해 생산 비용을 줄이려고 한다.

그러나 월러스틴에 따르면 이러한 기술 개발의 효과는 장기적이지 못하다. 여러 자본가들에 의한 계속적이고 경쟁적인 기술 개발 노력은 특정 자본가에게 일시적인 초이윤만 확보해줄 뿐이며, 어느 한 자본가가 초이윤을 누리다가도 곧 새로운 기술 개발에 성공한 다른 후발자에 의해 추월되고 만다는 것이다(Wallerstein, 1980b: 169~172). 또한 중심부의 개별 자본가들은 기술혁신을 통해 새로운 중심부적 생산 분야나 생산물을 개발해냄으로써 침체를 극복하고자 한다. 이 경우도 일시적 독점이 가져다주는 단기 초이윤의 확보가 가능하다. 그리고 종래의 생산 분야나 생산물을 저임금의 반주변부 또는 주변부로 재배치함으로써 생산 비용을 줄인다.

이러한 '개별' 자본가에 의한 '단기적' 대응과는 좀 더 다른 차원에서 경기 침체를 극복하고 이를 다시 팽창 국면으로 전환시키려는 세계체계 내적 기제가 있는데, 이는 다음에서 살펴볼 세계체계의 장기적 추세와 관계가 있다.

주기적인 경기 침체를 극복하기 위한 자본가계급 전체의 대응 방안은 크게 두 가지로 나누어볼 수 있다. 첫째, 전 세계적 규모의 프롤레타리아화이다. 자본가는 경기 침체를 비임금노동의 임금노동으로의 전환을 통해 극복하려고 한다. 임금노동시장에 참가하고 있지 않은 가계 구성원까지 임금노동시장에 편입시키고 자급자족적인 생산자들도 임금노동자로 전환시키는 등 프롤레타리아화를 통해 경제 위기를 타개하려고 한다. 단기적으로 볼 때 이러한 임금노동의 창출은 유효수요를 증대해 가치 실현을 지원한다.

둘째, 지리적·공간적 영역을 확대해 새로운 직접 생산자들을 자본주의 세계체계의 궤도 안으로 흡수함으로써 위기에 대응한다. 즉, 세계체계의 '외부지역'을 체계 내로 편입하는 것이다. 허약해진 자본주의 세계체계에 싱싱한 피가 수혈되듯이 새로운 노동력은 체계에 활력을 불어넣는다. 반(半)프롤레타리아적인 상태에 있는 저임금의 노동력은 막대한 착취의 잠재력을 지니고 있기 때문이다. 중심부 자본가의 입장에서 프롤레타리아화의 진전으로 인한 이윤율의 저하는 새로운 주변부의 창출로 상쇄될 수 있었으며, 이는 경기 침체를 극복하고 새로운 성장으로 나아가는 밑바탕이 되는 것이다.

이러한 방법을 통해 지금까지 자본주의 세계경제의 침체 국면은 극복되어 팽창 국면으로 전환되곤 했다. 그러나 월러스틴은 세계체계의 이러한 회복 기제 – 혹은 항상성(homeostasis) – 가 더 이상 작동하지 못하는 상황, 즉 세계체계의 구조적 위기가 도래하고 있다고 진단한다. 세계체계 전체가 본질적인 변화 혹은 붕괴에 직면하게 되는 그런 상황이 다가오는 것이다. 이러한 주장의 근거로 우선 자본주의 세계체계의 공간적 확대는 이미 그 한계에 거의 도달했으며 프롤레타리아화도 이번 세기 안에 한계점에 도달할 것이라는 점을 내세운다(Wallerstein, 1984: 23).

월러스틴은 이러한 경제적 위기에 다음과 같은 정치적 위기가 중복되면서 체계가 붕괴될 것으로 본다. 먼저 반체계 운동(antisystemic movement)의 지속적인 전개를 들 수 있다. 월러스틴은 19세기 이래 사회주의 운동(혹은 노동운동)과 민족운동의 두 가지 형태를 띠고 전개된 반체계 운동이 향후 지속적으로 강화·확산되리라 예상한다.

그는 지금까지의 반체계 운동이 몇 가지 점에서 한계를 지닌다고 지적한다. 첫째, 운동 자체의 조직적 생존을 중요한 가치로 추구함으로써 관료제화의 심화와 민주성의 상실을 초래했다. 둘째, 반체계 운동들이 개별 국가 안에서 국가권력의 장악을 가장 중요한 전략적 목표로 상정했다는 점이다. 이는 개별 국가 단위의 정치에만 집착하도록 만들었다. 셋째, 국가권력 장악 후에는 세계체계의 위계 구조상에서의 상승 이동을 목표로 하는 '발전 지향적' 노선을 취함으로써, 반체계 운동 자체의 궁극적·공식적 지향점인 '사회주의 세계 질서'의 건설에서 벗어나 변질되었다. 이는 변혁 대상이었던 자본주의 세계체계를 오히려 강화하는 결과를 가져왔다(Wallerstein, 1974a: 402).

그럼에도 지속적으로 진행되는 프롤레타리아화와 이들 프롤레타리아 계급에 의한 반체계적 투쟁 의지와 능력의 상승은 반체계 운동의 가능성을 열어놓고 있다. 여러 나라에서 진행되는 반체계 운동들은 서로 자극하고 ─ 기존의 혹은 다른 반체계 운동의 전략적 실패나 성공에서 교훈을 얻고 자극받으면서 ─ 격려하는 등 상호 상승 작용을 일으켜 자본주의 세계체계를 변혁하려는 반체계 운동은 계속 강화될 것이라고 본다(Wallerstein, 1983a: 70).

세계체계의 정치적 위기를 가져오는 또 다른 요인은 피지배층에 대한 '관리'와 관련된다. 자본주의 체계의 지배층은 하부 계층을 억압하는 데 중간 계층을 이용한다. 예컨대 지배층은 국가기구에 관여하는 중간층이 생산계급을 통제하도록 하며 그 대가로 일정한 규모의 잉여를 지불한다. 그런데 자본주의 체계의 진전과 더불어 이러한 관리 비용이 지속적으로 상승하는 반면, 그 효과는 계속 감소하고 있다. 이렇듯 지배층이 피지배층을 억압하는 능력은 점점 약화되며, 이는 체계의 정치적 위기를 심화시킨다(Wallerstein, 1976b: 351~352). 정치적 위기가 앞서 설명한 경제적 위기와 상호 복합적으로 작용하면서 자본주의 세계체계는 심각한 구조적 위기를 맞게 된다는 것이다.

월러스틴은 자본주의 세계체계가 종국에는 붕괴할 것이며 새로운 체계로 대체될 것이라고 주장한다. 특히 현시점이 미국 헤게모니 체계의 쇠퇴기이며 2000~2025년의 시기는 상승 주기인 콘드라티에프(kondratieff cycle) A 국면의 양상을 띠지만, 이전과는 전혀 다른 중요한 분기점이 될 것이라고 보았다. 그는 2050년 또는 2075년 이후에 우리가 전혀 새로운 체계에 살게 되겠지만, 그것이 어떤 것인지는 알 수 없다고 예측한다. 그 결과는, 개인의 결정과 구성원들의 행동이 커다란 영향을 줄 수 있는 분기점에 위치한 우리에게 달려 있다는 것이다(월러스틴, 1996: 42~69). 그는 새로이 도래하는 세계 질서가 더욱 인간적인 삶, 인간의 궁극적인 해방을 약속해주는 체계가 되기 위해서는 끊임없는 노력과 행동이 필요하다고 주장한다(Wallerstein, 1974a, 1983b).

5. 맺음말: 탈피, 개방, 희망

돌이켜보건대 월러스틴의 학문적 기여는 인식론과 방법론 부분에서 두드러진다. 기존 사회과학의 전제들을 되돌아보고 비판하며 새로운 학문적 기획을 시도했던 것이다. 이를 세 가지 정도로 정리해볼 수 있다.

첫째, 사회과학의 법칙 정립주의에 대한 비판이다. 사회과학의 법칙 정립주의 추구는 근대사회의 등장과 함께한 분과 학문화, 즉 경제학·정치학·사회학으로의 분화 과정에서 나타났다. 좀 더 정확하게는 이들이 근대적 학문으로 대학 제도 속에 자리 잡는 와중에 비롯된 자연과학, 즉 베이컨적 자연과학에 대한 열등감과 흉내 내기의 산물이다. 월러스틴은 실증주의적 사회과학이 다음과 같은 심각한 문제들을 낳았다고 주장한다.

자연과학을 모델로 삼으면서 보편주의적 형태의 서술로는 도저히 충족할 수 없는 것으로 입증된 세 가지 종류의 기대를 키웠던 것이다. 즉, 예측이라는 기대, 관리라는 기대, 그리고 이 둘이 믿고 서 있었던 수량화할 수 있는 정확성이라는 기대 등이었다. 인문학의 영역에서 논란거리가 가끔 연구자의 주관적선호에 따라 달라질 수 있다고 간주된 반면, 법칙 정립적 사회과학은 사회적성취가 측정될 수 있다는 전제, 그리고 측정 자체가 보편적으로 합의될 수 있다는 전제 위에 구축되었던 것이다. 법칙 정립적 사회과학이 보편적 지식을 생산해낼 수 있다는 판단은 우리가 돌이켜볼 때 사실상 아주 위험스러운 것이었다(월러스틴 외, 1996: 71).

둘째, 보편의 수사로 포장된 유럽 중심주의에 대한 성찰과 극복 노력이다. 베버에 의해 제기된, 서구는 무엇이 달랐기에 자본주의가 성장했는가라는 문제 제기 방식은 이후 역사학과 사회학의 중요한 화두였다. 다양한 형태로 유사한 질문들이 던져졌고, 이는 기본적으로 유럽의 우월성을 전제로 했다(백승욱, 2006: 131). 19세기에 공고화된 유럽 중심적 보편주의는 제2차 세계대전 이후 탈식민화 과정에서 비서구 세계에 확산되며, 학문 세계의 헤게모니를 장악했다. 이와 관련해 월러스틴은 다음과 같이 주장한다.

서구 제도들은 서구에서 발전된 사회과학 학문들을 보편적이고 규범적인 것으로 받아들일 것을 설파했다. 정치 지도자나 종교 지도자 못지않게 사회과학자들도 사명을 가진 것이다. 그들은 특정한 학문적 실행의 보편적 수용을 모색한다. 그렇게 하는 것이, 진실을 아는 것과 같은 특정한 목적을 얻어낼 가능성을 최대화할 것이라는 믿음 속에서 말이다. …… 이 기간에 서구의 사회과학은 강력한 사회적 위치를 계속 고수했고, 서구가 가진 경제적 우위와 서구의 정신적 탁월성을 활용해 서구적 관점들을 모범적 사회과학으로 선전했다. 게다가 서구 사회과학의 이 같은 사명은 비서구 세계의 사회과학자들에게 엄청나게 매력적인 것으로 입증되었다. 비서구 세계의 사회과학자들은 서구의 관점들과 학습들을 채택하는 것을 보편적 학문 공동체에서 소속되는 것으로 인식한 것이다(월러스틴, 1996: 74~75).

월러스틴의 세계체계론적 '시각'은 그런 의미에서 서구 사회과학의 유럽 중심주의에 대한 도전이었고, 인식론적 전복을 시도한 것으로 평가될 수 있다. 또한 비서구 세계의 적지 않은 학자들이 세계체계론적 접근을 바탕으로 새로운 역사과학의 구성에 열정을 보인 것도 이런 맥락에서 이해할 수 있다. 특히 대표적인 종속이론가이자 월러스틴의 지적 동료라고 할 수 있는 군더 프랑크의 『리오리엔트(Reorient)』는 이러한 유럽 중심주의 문제를 정면으로 돌파하고자 했다.

셋째, 제2차 세계대전 이후 세계를 풍미하던 근대화 이론에 대한 비판과 대안적 시각의 제시이다. 이는 분석 단위의 문제로 수렴된다. 기존 사회과학이 당연한 것으로 여기고, 근대화론이 전제로 했던 '사회', 즉 '국민국가'가 결코 적절한 분석 단위가 될 수 없음을 강력하게 주장한 것이다. 이는 1974년에 나온 그의 기념비적인 논문인 「자본주의 체계의 등장과 미래의 쇠락(The rise and future demise of the capitalist system)」에 선명하게 드러난다. 이와 관련해 월러스틴은 『사회과학으로부터의 탈피(Unthinking Social Science)』에서 이렇게 적고 있다.

> 지난 150여 년 동안 우리는 국가들을 ─ 시기별로 하나씩 또는 뭉뚱그려 ─ 서로 비교해왔다. 우리는 차이점들을 설명하려고 애써왔다. 우리는 이런 식으로 질문을 던졌다. 왜 영국이 산업혁명을 경험한 최초의 국가가 되었을까? 왜 이탈리아는 프랑스혁명과 같은 종류의 부르주아혁명을 경험하지 못했을까? 하지만 국가들 사이의 차이점들에 대한 탐구는 그것들 자체가 자리 잡고 있는 역사적 체계의 연속성을 가려왔다. 만일 우리가 좀 더 장기적인 범위의 실체들, 즉 역사적 체계에 대한 좀 더 체계적인 비교 ─ 예컨대 하나의 전체로서의 자본주의 세계경제와 봉건적 유럽 및 중국 세계제국(Chinese world-empire)과의 비교(이들 각각은 구조적·유기적 발전을 보이는 하나의 역사적 체계로서 간주된다) ─ 를 우선(적어도 아울러) 시도한다면, 우리의 분석은 더욱 풍요로운 결실을 맺을 것이다(월러스틴, 1994; Wallerstein, 1991: 83~84).

월러스틴의 세계체계론은 기존의 사회과학 논의의 한계였던 국민국가 혹은 사회를 분석 단위로 취급하는 경향을 넘어서고자 했다는 점에서 높이 평가될 수 있다. 또한 사회변동을 장기적인 틀 속에서 역사적으로 이해함으로써 기존 사회과학의 방법론적인 한계를 넘어서고 있다. 그러나 그의 분석 틀은 한편으로 기능주의적인 경향을 보이며, 다른 한편으로는 짧은 기간에 국지적으로 급격히 일어나는 사회변동들을 간과하기 쉽다. '세계체계적 시간'으로 실제 역사 연구에 임할 때, 세계체계 개념 틀이 지니는 이러한 문제점들을 염두에 두어야 한다. 최근 들어 월러스틴의 세계체계적 시각과 각 지역·사회의 역사적 특수성을 함께 고려하는 바람직한 연구 성과들이 나오고 있다. 이와 같은 새로운 연구들은 월러스틴의 세계체계적 시각으로 무장하는 한편, 그가 간과한 개별 역사 사실들로부터 역사 변동의 진정한 의미를 읽는 작업을 수행한다. 방법론적으로 월러스틴의 연구는 중요한 함의를 지닌다. 즉, 개별 국가에서 일어나는 현상들의 국제적 맥락에 대한 관심을 독려하는 것이다.[4]

연로한 중에도 월러스틴은 새로운 세계의 기획을 꿈꾸며, 에이전스 글로벌(Agence Global)에 기고하는 평론을 통해 변혁에 일조하고 있다. 2011년 이후 그가 올린 글들을 목록으로 정리한 것이 다음의 〈표 3-2〉이다. 이러한 글들을 통해 월러스틴은 미국의 헤게모니 쇠퇴 국면에서 발생하는 다양한 '사건'들의 의미를 읽어내고, 변화의 큰 흐름을 바라보려고 노력한다.

---

4   이러한 방법론적 정신을 좀 더 강조한 것이 맥마이클에 의해 제시된 '통합적 비교(incorp-orated comparison)'이다(McMichael, 1990). 통합적 비교는 개별 국가에서 진행되는 사회변동의 국지적 맥락성에 민감하면서, 다른 한편으로 그 변동이 역사적 자본주의의 구성 과정임을 보여주는 장점을 갖는다. 이러한 방법론은 구조와 과정, 보편과 특수, 전체와 부분 사이의 밀접한 관계를 강조함으로써, 개별 국민국가의 사회변동을 분석하는 데 많은 시사점을 제공해준다.

〈표 3-2〉 월러스틴의 최근 시사평론

독일 메르켈의 역설적 힘(The paradoxical strength of Germany's Merkel)	2014.12.15
중동에서의 미국의 입지(U.S. standing in the Middle East)	2014.12.1
세계 평화의 위협 NATO(NATO: Danger to world peace)	2014.11.15
브라질에서의 좌파 승리: 세계에 미칠 영향(Left Victory in Brazil: World Consequences)	2014.11.1
시리아: 터키의 양면성(Syria: Turkish Ambivalence)	2014.10.15
아프가니스탄: 끝없는 외부의 개입(Afghanistan: Unending Outside Interventions)	2014.10.1
충돌을 향해 달리는 미국(The United States Heading for a Crash)	2014.9.15
메르켈과 푸틴: 우크라이나 외교(Merkel and Putin: Ukrainian Diplomacy)	2014.9.1
캘리프조 대 모든 다른 세력(The Caliphate vs. Everyone Else)	2014.8.15
하마스 대 이스라엘: 외교적 게임 이기기(Hamas vs. Israel: Winning the Diplomatic Game)	2014.8.1
독일과 미국: 전례 없는 불화(Germany and the United States: Unprecedented Breach)	2014.7.15
공격받는 고등교육(Higher Education Under Attack)	2012.3.1
시리아 난국(The Syrian Impasse)	2012.2.15
빈 라덴의 덫(The Bin Laden Trap: One Down, One to Go)	2012.2.1
중국과 미국: 라이벌, 적국, 협조자?(China and the United States: Rivals, Enemies, Collaborators?)	2012.1.15
2011년 이후의 좌파 세계(The World Left After 2011)	2012.1.1
미국 대 모든 다른 세력(The United States versus Everybody)	2011.12.15
세계 사회정의 운동의 제2차 물결(The Second Wind of the Worldwide Social Justice Movement)	2011.12.1
파리-베를린-모스크바 축의 회귀(The Paris-Berlin-Moscow Axis Back Again)	2011.11.15
이라크에서의 미국 철수와 패배(U.S. Withdrawal and Defeat in Iraq)	2011.11.1
'월스트리트를 점령하라'의 환상적인 성공(The Fantastic Success of Occupy Wall Street)	2011.10.15

알 카에다는 자신의 성과를 어떻게 평가할까?(How Would al-Qaeda Assess Its Achievements?)	2011.10.1
사회민주주의의 환상(The Social-Democratic Illusion)	2011.9.15
자코뱅주의의 종식? 소수자, 국가, 그리고 폭력(The End of Jacobinism? Minorities, States, and Violence)	2011.9.1
미국 쇠퇴의 세계적 결과(The World Consequences of U.S. Decline)	2011.8.15
구조선으로 달리기: 유로화는 성공했는가?(Racing for the Lifeboats: Did the Euro Make It?)	2011.8.1
그 어느 때보다 취약한 미국-파키스탄 동맹(The U.S.-Pakistan Alliance: Ever More Shaky)	2011.7.15
페루에서의 우말라의 승리: 미국의 패배(Humala's Triumph in Peru: America's Defeat)	2011.7.1
이스라엘 쓰나미가 오는가?(The Coming Israeli Tsunami?)	2011.6.15
버락 오바마의 정치적 곤경(The Political Quandary of Barack Obama)	2011.06.1
오사마의 죽음: 그것이 무슨 차이를 만드는가?(Osama is Dead: What Difference Does This Make?)	2011.5.15
미국의 전쟁 피로(War-weariness in the United States?)	2011.5.1
중동: 동맹국 간의 혼란(The Middle East: Allies in Disarray)	2011.4.15
거대한 리비아 혼란(The Great Libyan Distraction)	2011.4.1
리비아와 세계의 좌파(Libya and the World Left)	2011.3.15
변화의 바람: 아랍 세계와 그 너머(The Wind of Change: in the Arab World and Beyond)	2011.3.1
세계사회포럼, 이집트, 그리고 전환(The World Social Forum, Egypt, and Transformation)	2011.2.15
제2차 아랍 혁명: 승자와 패자(The Second Arab Revolt: Winners and Losers)	2011.2.1
인민의 자기결정? 누가 '자기'인가?(Self-Determination of Peoples? Which Self?)	2011.1.15
경기 후퇴의 종료? 누가 누구를 놀리는가?(End of the Recession? Who's Kidding Whom?)	2011.1.1

자료: www.agenceglobal.com

예를 들면, 2014년 12월 15일에 올린 글에서 월러스틴은 독일 총리 앙겔라 메르켈(Angela Merkel)이 보여주는 강력한 리더십과, 그녀가 영국과 미국의 기회주의적 접근을 비판한 점을 지적한다. 그리고 강력한 경제를 기반으로 하는 메르켈의 중도 보수적 접근이 상당한 효과를 발휘한다고 본다. 그럼에도 그 한계를 다음과 같이 분명히 짚는다.

메르켈은 중도 보수주의자이며 어떤 의미에서도 급진주의자는 아니다. 그녀가 해온 것은 다른 강대국들과 그 지도자들이 중도 보수적 성과를 얻고자 한다면 그녀의 방식으로 게임에 참여할 것을 가르치려 한 것이다. 물론 이는 세계체계의 기본 구조 자체가 위협받지 않으며, 독일이 경제적 측면에서 지속적으로 강건해야 한다는 전제를 기반으로 한다. 나는 이에 대해 회의적이다. 내 생각에 독일은 수년 내에 세계체계가 모든 국가들에 부과하는 더 많은 악조건들에 굴복할 가능성이 매우 높다(Wallerstein, 2014b).

80대 중반의 진보적 노학자는 여전히 지적인 호기심을 가지고 매일의 '사건'들을 관찰하며, 이를 '구조'의 변동과 연결시켜 이해하고 해석하려 노력하는 것이다. 더불어 구조적 위기라는 현 국면에서 새로운 기획을 통해 어떻게 더 나은 사회를 만들 것인가에 대한 희망을 잃지 않는다. 월러스틴은 역사에 민감한 위대한 사회학자로서, 그리고 새로운 세계를 꿈꾸며 현실 개입에 치열한 열정적 지식인으로서 기억될 것이다.

그의 삶의 궤적과 저술들이 한국의 사회학계에 던지는 메시지가 적지 않다. 특히 지난 20여 년간 신자유주의적 전환을 겪으며 보수화되고 있는 국내 사회학자들에게 성찰을 요구한다. 첫째, 방법론적으로는 실증주의적 헤게모니에 대해 되돌아볼 필요가 있다. 대학, 학과, 연구자들에 대한 신자유주의적 평가는 사회학자들을 논문을 쓰는 기술자로 만들고 있다. 이에 따라 연구 주제에 대한 고민과 사회 변화에 대한 민감성은 사라지고, 극도로 양화된 방법론을 통해 현실과 괴리된 논문이 증가하고 있다. 둘째, 정치적 보수화와 무관심의 증대이다. 논문 기술자로서의 사회학자가 양산되면서, 심화되는 사회적 불평등과 부정의에 대한 무관심은 더욱 커지고 있다. 현실의 질곡과 문제에 대해 고민하지 않고 침묵하는 것은 중립이 아닌, 기존 질서와 기득권을 정당화하는 것과 다름없다. 따라서 월러스틴이 그의 삶을 통해 보여준 현실에 대한 관심과 개입에서 배워야 한다. 셋째, 사회 전체의 구조와 변화라는 큰 그림에 대한 관심이다. 연구자들 각자의 연구 소재와 주제에 대한 전문화된 접근도 필요하지만, 더 나아가 이를 바탕으로 한국 사회의 구조와 자본주의 체계 전체를 고민하는 것이 필요하다. 모두가 역사사회학자나 세계체계론자가 될 필요는 없지만, 월러스틴이 제기한 기존 사회과학에 대한 비판과 그가 제안한 역사적 사회과학에 대한 강조는 21세기를 살아가는 한국의 사회과학도들이 귀하게 받아들여야 하는 고언이다.

미래는 누구의 것인가? 무엇을 어떻게 할 것인가? 세계사회포럼에 대한 적극적 지지를 아끼지 않았던 월러스틴은 신자유주의의 '증기'가 빠지기 시작했음을 지적한다. 새로운 전환의 정치가 관찰된다는 것이다. 구체적인 예로 월러스틴은 1994년에 멕시코 치아파스 주에서 일어난 네오 사파티스타(neo-Zapatista) 봉기, 1999년에 미국 시애틀에서 일어난 반세계화 운동, 그리고 2001년에 브라질의 포르투알레그리에서 개최된 세계사회포럼 등을 들고 있다(월러스틴, 2013: 55). 월러스틴은 복잡계와 같은 현시점에서 미래를 예측하는 것은 어렵지만, 우리가 무엇을 하느냐가 미래를 바꿀 것이라는 점에 대해서는 확신을 가진다. 그의 결론은 다음과 같다.

우리가 할 수 있는 말은, 이런 투쟁 속에서 '역사'는 그 어느 누구의 편도 아니라는 겁니다. 우리 모두는 우리에게 중요한 가치를 추구할 최상의 정치적 전술을 채택하는 데 실패할지도 모릅니다. 미래의 어느 시점에서 돌이켜봤을 때, 정치적으로 어떻게 행동했는지와 관련해 저지른 잘못들을 놓고서 후회하게 될 수도 있습니다. 외재적인 이유가 아니라 내재적인 이유에서 결과는 예측 불가능하기 때문에, 우리가 선호하는 유형의 세계체계가 이뤄질 확률은 기껏해야 50 대 50입니다. 그러나 이 정도면 상황을 비관하는 만큼이나 낙관할 만한 이유가 되기에 충분합니다(월러스틴, 2013: 63).

참고문헌

김철규. 2002. 『한국의 사회변동과 자본주의 발전』. 고려대학교 출판부.

백승욱. 2006. 『자본주의 역사강의』. 그린비.

월러스틴, 이매뉴얼(Immanuel Wallerstein). 1994. 『사회과학으로부터의 탈피』. 성백용 옮김. 창작과 비평사.

_____. 1996. 『자유주의 이후』. 강문구 옮김. 당대.

_____. 2013. 『문명변환의 정치』. 경희대학교 출판문화원.

월러스틴(Immanuel Wallerstein) 외. 1996. 『사회과학의 개방』. 이수훈 옮김. 당대.

Marx, Karl. 1977. *Capital*, Vol. 1. New York: Vintage.

McMichael, Philip. 1990. "Incorporating comparison within a world-historical perpective." *American Sociological Review*, 55.

Wallerstein, Immanuel. 1972. "Three paths of national development in sixteenth-century Europe." *Studies in Comparative International Development*, 7(2).

_____. 1974a. "The rise and future demise of the capitalist system." *Comparative Studies in Society and History*, 16.

_____. 1974b. *The Modern World System I*. New York: Academic Press.

_____. 1974c. "Dependence in an interdependent world." *African Studies Review*, 17.

_____. 1975. "Class formation in the capitalist world-economy." *Politics and Society*, 5(3).

_____. 1976a. "A world-system perspective on the social sciences." *British Journal of Sociology*, 27.

_____. 1976b. "Semi-peripheral countries and the contemporary world crisis." *Theory and Society*, 3.

_____. 1979a. "Class conflict in the capitalist world-economy." *The Capitalist World-Economy*. Cambridge: Cambridge University Press.

_____. 1979b. "World networks and the politics of the world-economy." in Amos W. Hawley(ed.). *Societal Growth: Processes and Implications*. New York: Free Press.

_____. 1980a. "The states in the institutional vortex of the capitalist world-economy." *International Social Science Journal*, 32.

_____. 1980b. "The future of the world-economy." in T. Hopkins and I. Wallerstein(eds.). *Processes of the World-System*. Beverly Hills: Sage.

_____. 1983a. *Historical Capitalism.* London: Verso.

_____. 1983b. "Nationalism and World transition to socialism: Is there a crisis?" *Third World Quarterly*, 5(1).

_____. 1983c. "The three instances of hegemony in the history of the capitalist world-economy." *International Journal of Comparative Sociology*, 24.

_____. 1984. "Patterns and prospectives of the capitalist world-economy." *The Politics of the World-Economy.* Cambridge: Cambridge University Press

_____. 1991. *Unthinking Social Science.* Cambridge: Polity Press.

_____. 2014a. "The Development of an Intellectual Position." http://www.iwallerstein.com/intellectual-itinerary(검색일: 2014.11.29).

_____. 2014b. "The paradoxical strength of Germany's Merkel." http://www.agenceglobal.com/index.php?show=article&Tid=2801(검색일: 2014.12.30).

Williams, Gregory. 2013. "Retrospective on the Origins of World-Systems Analysis: Interview with Immanuel Wallerstein." *Journal of World World-Systems Analysis*, 19(2).

2부

네트워크, 위험, 유동성

04

정보시대의 진지한 탐색자, 마누엘 카스텔의 네트워크 사회학

김남옥·박수호

1. 서론

'정보'를 키워드로 한 마누엘 카스텔(Manuel Castells)의 방대한 논저는 독창적 개념, 기술과 사회의 복잡한 상호작용에 대한 광범위한 경험적·심층적 탐구의 결과들을 담았으며, 탁월한 학문적 통찰력으로 현시대에 대한 풍부한 진단과 처방, 그리고 유용한 분석적 도구를 제공한다. 또한 찰나적이고 카오스적이며 변화무쌍한 '변화의 시간'을 따라가며 쉼 없이 담금질하는 현재진행형의 탐사 여로를 좇다 보면, 그가 새롭게 제시하게 될 지적 프레임에 대한 기대는 점차 커져간다.

지난 몇십 년간 우리는 '종말'의 유령이 배회하는 세기말의 시기를 살아왔다. 이데올로기[벨(Daniel Bell)], 역사[후쿠야마(Francis Fukuyama)], 이론[앤더슨(Chris Anderson)], 예술[단토(Arthur C. Danto)], 근대문학[가라타니 고진(柄谷行人)] 등 수많은 '종말'의 흉흉한 소문들이 범람했다. 이는 탈산업(공업)사회, 탈근대사회, 정보사회, 액체사회, 기술사회, 개인화 사회, 미디어 사회 등 새로운 시대의 도래를 선포했던 요란한 풍문들의 또 다른 얼굴이라 할 수 있다. 이러한 문명적 전환의 변곡점에서 횡행했던 무수한 종말론은 근대적 삶의 규범이 더 이상 유효하지 않다는 놀라움과 불안 심리의 결과였다.

그러나 이러한 소문들은 더 이상 놀랍지 않다. 이미 새로운 시대는 시작되었고, 우리는 새 시대의 규범을 어느새 체화했다. 균열, 복잡성, 카오스, 무일관성, 불일치, 리좀, 이동성, 탈중심성 등의 가치는 이제 기이한 괴물도, 파괴의 신도 아닌 새 시대의 교리이자 삶의 규범이 되었다. 지금 우리는 '종말론'의 변곡점을 넘어 '불일치의 미덕들'[1]을 내세운 새로운 문명의 구성체가 축조되고 있음을 목도한다. 이원적 대립과 총체화, 동일성의 논리, 합리성의 교의를 전파하며 인간의 삶을 양분하던 근대 산업문명에 균열이 생긴 것이다.

균열의 진앙은 정보기술혁명이다. 카스텔의 주요 관심은 바로 이 지점이다. 컴퓨팅, 유비쿼터스, 이동통신, 생명공학의 혁명적 발전, 전자적으로 통합된 지구적 금융시장, 가상과 현실의 융합 문화, 다양한 플랫폼, 미디어 컨버전스 등은 20세기의 끝자락에 일어난 정보기술혁명이 몰고 온 새로운 풍경들이며 일상적 삶의 조건들이다. 정보기술혁명은 우리가 생각하고 꿈꾸며 소통하고 사랑하는 방식을 변모시켰고, 우리가 생산하고 소비하며 거래하고 관리하는 방식, 살고 죽는 방식을 변화시켰다(카스텔, 2003b: 11~12). 또한 색깔도 무게도 없는, 그러나 빛의 속도로 여행하는 정보라는 DNA(네그로폰테, 2007: 15)가 첨단 기술들을 융합하고, 인간·비인간의 '동맹'을 추동하며, 우주나 산업 현장을 넘어 생명체 내부 기관과 세포들을 잘라내고 땜질하고 두드리고 조립하고 대체하면서 생명의 진화 운동을 부추긴다. 무한대의 우주와 무한소의 생명체 내부를 온통 전자 커뮤니케이션화함으로써 우주, 지구, 신체를 전자적 통신 매체로 전환시키는(김문조, 2013: 87) 또 다른 혁명의 시대

---

1   보르헤스(Jorge Luis Borges)의 단편소설인 「황당무계한 사기꾼 톰 카스트로」의 소제목.

인 것이다.

정보화의 격랑, 즉 기술의 혁명적 진전으로 '고삐 풀린' 세계로 치닫는 현실을 진단하고 미래를 예측하기 위한 탐색은 1990년대에 이르면서 더욱 활기를 띠게 되었다. 카스텔은 이러한 맥락의 중심에 있는 인물이다. 그러나 그는 방대한 자료를 통한 자신의 정교한 분석이 현실을 기반으로 함을 강조하는 동시에, 미래 예측에 대한 강한 거부를 드러냄으로써 미래학과는 분명하게 선을 긋는다. 웹스터(Frank Webster)는 '정보시대' 3부작(1996~1998)을 통해 카스텔이 현대사회의 특성에 관한 선도적 사상가로 인정받는 것과, 심지어 그를 마르크스(Karl Marx), 베버(Max Weber), 뒤르케임(Emile Durkheim) 등의 고전 사회학자들과 같은 반열에 올려놓는 데 공감을 표한다. 카스텔의 저작이 현대 세계의 주요 특성과 동학에 관해 가장 명쾌하고 독창적이며 지적으로 엄밀한 설명을 제시하며, 정보가 사회변동과 변동의 가속화, 사회변동의 향방에 어떻게 관련되어 있는가를 이해하기 위한 지침서로서의 필수적 조건을 갖춘다고 보기 때문이다(웹스터, 2007: 191~192).

이 글의 목적은 '정보'를 키워드로 하는 카스텔의 주요 사상을 소개하고, 그의 이론이 지닌 사회학적 함의를 가늠해보는 것이다. 이를 위해『정보도시(Information City)』, 정보시대 3부작『네트워크 사회의 도래(The Rise of the Network Society)』, 『정체성 권력(The Power of Identity)』, 『밀레니엄의 종언(End of Millennium)』]과『인터넷 갤럭시(The Internet Galaxy)』, 『커뮤니케이션 권력(Communication Power)』, 『분노와 희망의 네트워크(Networks of Outrage and Hope)』, 그리고 공저『여파(Aftermath)』와『네트워크 사회: 비교문화 관점(The Network Society: A Cross-Cultural Perspective)』에 수록된 글, 학술지에 발표된 몇몇 논문을 중심으로 초(超)복잡성을 특징으로 하는 현대 문명의 특성과 동학을 이해하는 데 도움이 되는 그의 학문적 특징과 주요 개념들, 문제의식과 핵심 논점을 짚어나갈 것이다.

2. 생애와 학문적 경향

현재 서던캘리포니아 대학교 애넌버그 커뮤니케이션 대학 커뮤니케이션 교수 및 월리스 애넌버그 석좌교수, 카탈루냐 개방대학교 연구교수로 재직 중인 마누엘 카스텔은 1942년에 스페인의 소도시 라만차(La Mancha)에서 태어났다. 그는 1958년에 바르셀로나 대학에 입학해 1962년까지 법학과 경제학을 전공했으나 반(反)프랑코 반(反)독재 투쟁에 연루돼 프랑스로 망명하면서 졸업은 하지 못했다. 1964년에 망명지였던 프랑스 파리의 소르본 대학에서 공법과 정치경제학 학사 학위를 받았고, 알랭 투렌(Alain Touraine)의 지도하에 르페브르(Henri Lefèbvre)와 교류하면서 쓴 논문으로 1967년에 박사 학위를 취득했다. 박사 학위 취득 후 카스텔은 곧바로 파리 대학 낭테르 캠퍼스의 교수로 임용되었으나 1968년 대학생을 중심으로 전개된 사회운동에 교수 신분으로 참여해 또다시 위기에 처하게 된다. 1970년에 『도시문제(The Urban Question)』를 집필하기 위해 프랑스로 돌아올 때까지 그는 한동안 프랑스에서 추방당했기 때문이다. 차츰 명성을 얻게 된 그는 1979년에 캘리포니아 버클리 대학의 교수가 되었고, 유럽 각국의 15개 대학 방문교수를 거쳐 현재에 이르게 되었다(존스, 2012: 95; 메리필드, 2005: 259).

카스텔은 스페인 민주화 투쟁과 68혁명에 적극 가담한 급진적인 지식인이다. 그의 사회이론은 현실 문제에 깊숙이 발을 들여놓고 있다는 점에서 여전히 '정치적'이다. 또한 그는 매우 활발한 저술 활동을 이어가는 열정적인 학자이다. 지금까지 20권의 저서와 100편 이상의 논문을 발표했고, 15권 이상의 공동 저술 또는 편저를 내놓았다. 그의 작업 대부분은 국제적인 비교 연구가 주를 이루며 수십 개의 언어로 번역·소개되고 있으며, 스스로도 방송에 출연해 자신의 학문적 견해를 피력하거나 유튜브 등 다양한 매체를 통해 글 또는 강연을 공개하고 있다. 카스텔은 1983년에 찰스 라이트 밀스 상(Charles

〈표 4-1〉 카스텔의 지적 여정

구분	연구 분야	주요 저서
1기 (1970~1980년대)	도시화	『도시문제: 마르크스주의적 접근(The Urban Question: A Marxist Approach)』(1972) 『도시와 민중(The City and the Grassroots)』(1983): 찰스 라이트 밀스 상 수상 『정보도시(The Informational City)』(1989)
2기 (1990년대)	정보사회	『네트워크 사회의 도래(The Rise of the Network Society)』(1997) 『정체성 권력(The Power of Identity)』(1997) 『밀레니엄의 종언(End of Millennium)』(1998)
3기 (2000년대 이후)	미디어	『인터넷 갤럭시(The Internet Galaxy)』(2001) 『이동통신과 사회(Mobile Communication and Society)』(2009, 공저) 『커뮤니케이션 권력(Communication Power)』(2009/2011/2013)

Wright Mills Award)을 수상했으며, 1998년에 커뮤니티와 도시사회학에 대한 공로를 인정받아 로버트 헬렌 린드 상(Robert and Helen Lynd Award)을 비롯한 수많은 학술상을 받은 탁월한 학자이기도 하다. 그의 지적 여정은 편의상 〈표 4-1〉과 같이 3단계로 구분할 수 있다. 이는 카스텔이 도시사회학자이자 정보사회학자이며 미디어(커뮤니케이션) 이론가라는 칭호를 얻게 된 것과 대응된다.

얼핏 보기에 그의 학문적 궤적은 단절과 이행의 경로를 밟은 것처럼 보이지만, 그의 작업은 '연속적 확장'을 특징으로 한다. 자본주의, 도시, 정보(기술)는 상호 연관되어 있으며, 그가 일관되게 천착하는 연구 주제이다. 『정보도시』는 도시계획 분야에 지대한 영향을 미친 초기 저작 『도시문제』에서 다룬 관심의 연장이다. 정보화로 인해 발생하는 도시 내부의 분화 등은 여전히 '도시문제'의 맥락에서 이해할 수 있는 것으로, 도시에 관한 초기 업적을 종합하고 확장한 것이기 때문이다(웹스터, 2007: 192~193). '정보시대' 3부작은 정보기술의 정치경제학을 다룬 『정보도시』에서 구축된 이론적 토대와 독창적인 개념어를 중심으로 자본주의 위기와 재구조화 과정의 제반 문제를 논의한다는 점에서 『정보도시』의 연장이자 확장이다. 또한 2000년대 이후 이동통신, 인터넷, 커뮤니케이션 등으로 이어지는 연구 주제 역시 그가 명명한 '정보기술 패러다임'에 상정되어 있는 것이기 때문에 『정보도시』는 '정보시대'와 분리 불가능하다.

이렇게 볼 때 카스텔에게 정보사회 이론의 시발점이 되는 『정보도시』는 그의 지적 여정에서 매우 중요한 의미를 지닌다. 도시사회학과 정보사회학을 잇는 가교 역할을 하며 '정보사회' 분석을 위한 이론적 밑그림을 제시한 저서로 평가할 수 있기 때문이다. 특히 기술 변화와 경제 재구조화를 분석하기 위해 제시하거나 창안한 이론적 전제들과 몇몇 개념들은 그의 높은 학문적 독창성과 자질을 드러낸 것으로 평가된다. 여기서 세워진 이론적 뼈대는 '정보시대' 3부작을 비롯한 일련의 후속 작업에서도 핵심적인 분석 틀로 활용되며, 지속적 발전을 거쳐 카스텔 고유의 색깔을 지닌 이론적 축조물을 지탱하는 주춧돌이 되었다.

카스텔의 학문 경향은 마르크스주의 전통과 관련이 깊다. 알튀세르(Louis Althusser)의 구조주의와 풀랑저스(Nicos Poulantzas)의 국가론을 바탕으로 '도시문제'를 분석한 『도시문제: 마르크스주의적 접근』에서 알 수 있듯이 카스텔은 마르크스주의자로 출발했다. 그러나 『도시와 민중』에서 그의 마르크스주의적 사고는 균열을 보인다. 이는 "정치적으로 가장 왕성했던 시기인 1975년과 1979년 사이에 마르크스주의자가 되는 것을 포기했다. …… 마르크스주의를 통해서는 젠더 문제나 도시사회운동을 이해할 수 없었다. …… 마르크스주의를 떠나면서 더 정치적이 되었다"는 카스텔의 진술과 맞물린다(웹스터, 2007: 193). 그러나 그의 사고는 여전히 마르크스주의의 영향을 받고 있다. 그가 제안한 정보적 발전양식, 자본주의의 역할과 기술, 경제와 노동과정과 같은 구조적 문제에 대한 강조, 지구화된 자본주의 경제 또는 네트워크 사회에서 적극 이용되어야 할 사회운동에 대한 강조, 총체주의적 관점[2] 등에는 마르크스주의의 흔적이 진하게 배어 있다. 그뿐만 아니라 카스텔은 정보기술혁명의 문화적 결과들을 다채롭게 그려내는 데 여전히 마르크스주의 방법론과 통찰력을 주요하게 적용한다.

따라서 카스텔의 저작들에서 그려지는 '네트워크 사회'의 이론화는 마르크스주의적 역사 인식의 틀 위에서 인류사의 궤적을 아우르는 문명론적 분석의 결과로서 '문명론 ⊃ 네트워크 사회학'의 공식으로 압축될 수 있다.

카스텔의 학문적 여정은 사회 구석구석에 스며 있는 새로운 논리를 추출해내고 이를 중심으로 사회 전반에 걸쳐 발생하는 변화 양상을 탐색하는 과정이다. 카스텔은 그렇게 추출한 '네트워크'를 키워드로 자신의 학문 세계를 구축해왔다. 네트워킹 논리가 사회의 모든 부분에서 어떻게 작동하고, 어떤 힘을 만들어내며, 우리의 삶의 방식을 어떻게 바꾸고 있는지를 탐색하는 것이다. 카스텔의 학문 세계를 일목요연하게 파악하는 것이 쉬운 일은 아니지만, 그의 '네트워크 사회학'은 사회의 발전과 정보기술의 수렴이 새로운 문명론적 전환과 물질적 기반을 만들어냈고, 경제·사회·문화·정치·생활 방식·자아에 이르기까지 구석구석 영향을 미치고 있음을 주장하는 것이다.

3. 문명의 전환: 정보문명론

마르크스와 같이 상대주의적 역사주의의 입장에 서 있는 카스텔은 '정보시대'를 역사적으로 일시적인 상황에 만들어진 산물로 간주한다. 또한 사회란

---

2 카스텔의 역사관은 세계의 움직임을 제대로 설명하기 위해서는 사회적·경제적·정치적 특징들을 상호 연관된 요소로 검토해야 한다는 마르크스주의의 총체주의적 가정과 맥이 닿아 있다(웹스터, 2007: 194).

문화적·경제적·정치적·기술적 요인의 복잡한 상호작용을 통해 발전하고 변화한다는 구성주의적 관점을 취하면서도 기술에 중요성을 부여한다. 그에 따르면 특정 사회에서 발전하고 확산되는 기술은 물질적인 구조를 형성하며, 사회 변화의 기본 동인이다. 이는 마르크스가 역사적 현상을 수많은 요인들이 상호작용한 결과로 인정하면서도 경제적 생산양식을 독립변수로 확정시킴으로써 경제적 범주를 사회변동의 주요 동인으로 강조한 것에 상응한다(코저, 1997: 74~76; 카스텔, 2001: 20; 2002: 203).

이러한 관점은 카스텔이 새로운 사회구조의 출현과 사회 변화를 읽기 위한 기본 전제이자 『정보도시』, '정보시대'를 비롯한 여타의 '정보화 사회이론'을 관통하는 가장 큰 밑그림으로, 또 다른 '유물론적 역사관'이다. 아울러 '발전양식'이라는 개념적 도구와 네트워크 사회를 규정하는 기술·경제 패러다임 개념은 그가 직조해내는 '대서사(grand narratievs)'의 핵이다. 즉, 카스텔의 핵심 개념인 발전양식, 기술(그리고 경제) 패러다임은 문명의 진전 과정을 수사(修辭)하기 위한 상호 연관된 개념들이다.

1) 생산양식, 발전양식, 기술 패러다임

카스텔에게 기술은 사회구조와 사회 변화의 기본 차원이다. 따라서 그에게 역사상 흔치 않은, 특별한 기술혁명은 문명적 전환을 촉발하는 근본적인 힘으로 간주된다. 그가 『정보도시』에서 제안하고 그의 작업에 지속적으로 전제된 '발전양식'은 카스텔식 유물론적 사관을 풀어내기 위한 하나의 '신화소'이다. '발전양식(mode of development)'은 마르크스주의 사회학의 주요 개념인 '생산양식(modes of production)'을 원용해 만든 카스텔의 고유 개념이다. 그리고 이 둘은 대립적인 개념이 아니라 보완적인 개념으로 이해된다.

생산양식은 생산력과 생산관계에 의해서 결정되는 것으로 이해된다(코저,

〈표 4-2〉 발전양식, 기술 패러다임

	농업문명	산업문명	정보문명
발전양식	농업적 발전양식	산업적 발전양식	정보적 발전양식
잉여(생산성) 증가 요인	생산수단의 양적 수단 증가	신(新)에너지원 도입과 에너지 사용의 질	지식의 질(지식 생산, 정보처리, 상징 커뮤니케이션)
기술 패러다임	전 산업주의	산업주의	정보화주의
수행 원리	좀 더 많은 노동량과 생산수단 동원 지향	경제성장(산출의 극대화) 지향	지식과 정보 지향

1994: 76~77; 잘레, 2006: 12~15). 생산의 사회적 관계를 함축하는 생산양식에는 사회적으로 복잡하게 얽힌 생산과정, 그를 통해 생산된 산출물을 둘러싼 사회적 관계에 대한 논제들이 담겨 있다.

카스텔에 따르면 생산과정에서의 노동과 물질 간 관계는 에너지, 지식, 정보 등을 이용해 물질을 가공하는 생산수단의 이용을 필연적으로 수반한다. 기술은 이런 관계의 특수한 형태이다. 생산과정에서 나온 생산물은 소비 또는 잉여의 형태로 사회적으로 이용되며, 사회구조는 잉여의 전유, 배분, 사용에 대해 결정함으로써 생산과정과 상호작용한다. 바로 이 규칙들이 생산양식의 구성 요소가 되며, 이 양식들에서 사회 계급들이 나오는 것이다. 결국 생산양식의 특징은 곧 잉여가 전유되고 통제되는 구조적 원리에 의해 결정된다. 카스텔은 바로 이 부분에서 발전양식 개념의 필요성을 제기한다. 잉여의 전유와 배분, 그리고 사용은 생산양식에 의해 결정되지만, 여전히 잉여의 수준에 관한 근본적 문제는 남아 있기 때문이다. 카스텔은 잉여의 수준이 특정한 생산과정의 생산성에 의해 결정된다고 보았다. 생산성의 수준은 노동과 물질의 관계에 좌우되며, 그 관계는 에너지와 지식을 이용하는 생산수단의 함수로 표현된다. 따라서 발전양식은 생산성 수준을 높이기 위한 기술적 배열이며, 궁극적으로는 잉여 수준을 결정하는 것이다. 요컨대 생산의 사회적 관계가 생산양식을 규정하고, 생산의 기술적 관계가 발전양식을 규정한다는 것이다(카스텔, 2001: 26; 2003a: 38~39).

카스텔이 상정한 발전양식 개념은 '기술혁명'을 핵심 동력으로 한 역사의 변천 과정을 기술하기 위한 나름의 전략이며, 궁극적으로는 정보통신기술이 주도하는 현대 문명의 특성을 설명하기 위한 도구이다. 흔히 인류사를 '농업문명 → 산업문명 → 정보문명'으로 기술한다. 이것은 각각 농업혁명, 산업혁명, 정보기술혁명의 결과이다. 카스텔의 서술 방식도 이와 크게 다르지 않다. 그는 각 국면에 상응하는 새로운 발전양식의 출현을 제시한다. '농업적 발전양식(agricultural mode of development) → 산업적 발전양식(industrial mode of development) → 정보적 발전양식(informational mode of development)'으로 도식화된 카스텔의 발전양식론은 생산의 기술적 관계가 각 문명의 특성을 산출한다는 그의 인식을 담고 있다. 각각의 특수한 발전양식에서 잉여의 증가 또는 생산성을 촉진하기 위한 조건은 상이하다. 농업적 발전양식에서는 노동과 토지를 포함한 생산수단의 양적 증가에 따라, 산업적 발전양식에서는 새로운 에너지원의 도입 및 에너지를 생산과 순환과정에 분산·이용할 수 있는 능력에 따라, 정보적 발전양식에서는 지식의 질(지식 생산, 정보처리, 상징 커뮤니케이션의 기술)에 따라 잉여와 생산성의 수준이 결정된다. 그뿐만 아니라 각 발전양식은 구조적으로 결정된 상이한 목적 또는 수행 원리를 지니며, 이를 중심으로 기술적 과정들이 유기적으로 조직된다. 이는 각 발전양식에 함축된 이데올로기로 이해해도 무방하다. 카스텔은 이를 산업주의, 정보화주의로 칭하는데, 산업주의는 경제성장(산출의 극대화)을 지향하고, 정보화주의는 기술적 생산함수를 결정하는 지식과 정보를 추구한다는 특징을 지닌다. 카스텔은 농업적 발전양식의 수행 원리에 해당하는 개념을 명시적으로 제시하지 않았는데,[3] 이에 대한 그의 설명에 기대어 유추한다면 농업적 발전양식의 수행 원리는 좀 더 많은 양의 노동량과 생산수단의 동원을 지향한다고 해석할 수 있다(카스텔, 2001: 27; 2003a: 40~41; 2009: 27). 카스텔에게 각각의 수행 원리는 기술 패러다임과 동의어로 표현된다.

이러한 이론적 설계의 목적은 정보기술을 기초로 하는 새로운 기술 패러다임의 출현으로 구성된 정보적 발전양식의 파급력을 분석하는 데 있다. 즉, 전 세계를 순식간에 연결하는 네트의 논리가 지배하는 새로운 문명의 얼굴을 세밀하게 그려내려는 것이다. 그렇기 때문에 웹스터는 카스텔이 '정보사회'의 등장을 주장하는 것이 아니라고 이해한다(웹스터, 2007: 196).

2) 정보기술 패러다임

카스텔은 정보기술혁명을 중심으로 사회의 재구조화가 일어나는 일련의 변화 지형을 기술 패러다임으로 인식한다. 이는 정보기술혁명이란 어떤 혁명이며, 무엇이 새로운가에 대한 이해를 도울 뿐만 아니라 연구의 범위를 확장해나갈 수 있는 가능성을 제공한다. 카스텔은 『정보도시』에서 정보기술 패러다임의 형성으로 정보적 발전양식이 등장했다는 주장과 함께 정보기술 패러다임의 핵심적인 특징을 소개한다. 이어 『네트워크 사회의 도래』, 협력 프로젝트 결과물인 『네트워크 사회: 비교문화 관점』의 서문, 리누스 토르발스(Linus Torvalds) · 페커 히매넌(Pekka Himanen)과의 공저 『해커, 디지털 시대의 장인들(Hacker ethic)』의 에필로그, 『커뮤니케이션 권력』 등을 통해 그는 쿤(Thomas Kuhn)에서 유래하는 '패러다임' 개념을 체계화 · 정교화하고 그것이 자신의 핵심적인 이론 틀임을 재확인한다.

---

3 카스텔이 자신의 이론을 알랭 투렌과 대니얼 벨과 연관 지으면서 전기 산업주의, 산업주의, 정보화주의(또는 후기 산업주의)라는 용어를 쓴 사례가 있다(카스텔, 2003a: 37).

쿤이 제안한 과학적 '패러다임' 개념은 과학자 사회가 자신들의 이론·연구를 가능케 하는 도구와 문제의 총체로서, 과학자들에게 다양한 문제를 다루고 해결하는 하는 방법을 제공해준다. 또한 어떤 문제에 대한 가이드라인을 제시하며, 표준적 방법으로 중요한 문제를 풀 수 있다는 확신을 줄 뿐만 아니라 실험과 측정에 의미를 부여해준다(쿤, 2008: 246; 김남옥, 2012: 50; 홍성욱, 2007: 223). 이 같은 쿤의 패러다임 개념은 과학혁명과 지식 변화의 상관관계를 설명하기 위한 것이다. 카스텔은 쿤의 과학적 패러다임 개념을 차용한 프리먼(Christopher Freeman), 페레스(Carlota Perez), 도시(Giovanni Dosi) 등의 기술 패러다임 개념을 자신의 이론 틀에 결합하려 한다. 이들을 통해 카스텔은 자신의 핵심적 논제인 네트워크 사회의 물질적 토대로서 정보기술 패러다임[4] 개념을 설정해 사회 변화를 따라가는 여정의 안내판을 마련하고자 했다(카스텔, 2002: 201; 2003a: 106~107; 2009: 27). 네트워킹 형태가 사회구조 전체에 파급되도록 하는 물질적 기반을 제공하고 나아가 권력의 흐름보다 흐름의 권력이 우선시되는 정보기술 패러다임 개념을 통해, 지배적인 기능과 과정은 점차 네트워크를 둘러싸고 조직되는 것이 새로운 역사적 추세라는 자신의 핵심 주장을 뒷받침하려고 했기 때문이다(카스텔, 2003a: 605).

카스텔은 패러다임을 실행의 표준을 설정하는 개념 유형이자 개별 구성요소들의 상호작용을 통해 시스템의 부가가치를 높여나가는 자기조직적 응집계(coherent system)로 정의하고, 기술 패러다임을 하나의 핵심을 중심으로 일련의 새로운 기술적 발견과 개별 특수 기술의 실행을 향상시키는 관계 시스템을 조직하는 것으로 규정한다. 예컨대 산업적 패러다임은 산업혁명의

---

4 그는 쿤과 기술 패러다임 개념을 만들어낸 프리먼, 페레스, 도시 외에도 굴드(Stephen Jay Gould), 캐프라(Fritjof Capra), 매즐리시(Bruce Mazlish), 그리고 복잡계 이론, 시스템 이론, 행위자 네트워크 이론 등의 다양한 이론의 도움을 받아 정보기술 패러다임의 논거를 마련했다.

핵심인 에너지를 중심으로 여러 기술이 화학 엔지니어링·교통·통신, 궁극적으로는 생명과학과 그 응용에 이르기까지 각종 분야로 집적되고 융합되어 나타났다. 이 같은 산업적 패러다임의 기술적 하부구조는 새로운 유형의 생산과 소비, 사회조직을 만들어내는 힘이었다(카스텔, 2002: 202; 2009: 27~28; 김문조, 2013: 58). 카스텔이 본격적으로 탐구하려는 정보기술 패러다임은 극소전자 기반의 정보기술을 중심으로 수많은 특정 기술들이 수렴함으로써 정보 시스템 속으로 확장되는 '과정'으로 표현된다.

카스텔은 현재의 정보기술혁명의 태동 시기를 1970년대로 잡는다. 이는 그가 정보기술 패러다임의 기본적인 기술 분야로 극소전자공학과 유전자공학을 함께 고려하는 맥락과 관련이 있다. 물론 제2차 세계대전을 전후한 시기에 최초의 프로그램 가능한 컴퓨터와 트랜지스터의 발명 등 기술적 약진이 일어났음에도 그가 정보기술혁명이 1970년대에 태동했다고 주장하는 것은 '패러다임' 개념에서 상정한 바와 같이 그 시기가 다양한 핵심 기술들 간의 시너지 효과를 포함한 기술적 발견과 확산의 자율적 역동성이 급속하게 분출된 시기라는 판단 때문이다. 카스텔은 정보기술의 시너지 효과를 마이크로프로세서의 발명과 보급으로 인한 개인용 컴퓨터 개발, 애플 II(Apple II) 시판, 마이크로소프트사의 마이크로컴퓨터 운영체제의 생산 시작, 산업용 전자 스위치 개발, 디지털 스위칭 개발과 상업적 확산, 산업용 광섬유의 생산, VCR 기기 생산 판매, 인터넷의 발명 등 1970년대에 전광석화처럼 이루어진 결과들에서 찾고 있다. 그뿐만 아니라 1970년대는 생명공학의 기술적 토대가 된 유전자 접착과 DNA 재조합 기술을 사용하게 된 시기로, 이후 유전자 복제기술, 유전공학을 사용한 치료와 예방, 유전자 데이터베이스 구축 등 대규모 '유전 혁명'으로 이어지는 질적 도약을 이루게 한 분기점이라는 점을 덧붙인다(카스텔, 2003a: 57~58).

이처럼 카스텔은 다른 사회학자들과 마찬가지로 정보기술에 극소전자공학, 컴퓨팅(기계와 소프트웨어), 원격통신·방송, 광전자공학에서 수렴되는 일련의 기술을 포함시킨다. 그러나 여기에 유전공학에 기반을 둔 생명기술을 정보기술에 포함시킴으로써 다른 사람들과 입장을 달리한다. 그는 유전공학을 극소전자공학과는 완전히 무관한 분야로 간주하는 것을 거부한다. 유전공학 기술들은 명백한 정보기술이라는 것이다. 첫째, 서로 격리되어 작동하지 않는 세포들이 커뮤니케이션 네트워크라면, 생명체의 유전정보를 분석하고 조합하는 유전공학 기술은 정보를 다루는 커뮤니케이션 기술이기 때문이다. 또한 정보기술과 유전공학 기술은 일반인들이 생각하는 것보다 훨씬 밀접하게 연관된다. 정보기술의 발전 덕분에 '인간 게놈 프로젝트'의 완성이나 유전자 위치 확인과 같은 결정적 진보가 이루어질 수 있었는데, 바이오칩과 DNA 기반 컴퓨팅 과정에서 유도되는 나노 기술의 확산 같은 방법론적 연계는 유전공학을 정보기술로 보는 두 번째 이유이다. 세 번째 이유는 네트워킹, 복잡성, 자율 조직, 창발적 속성에 기반을 둔 분석 패러다임을 둘러싼 유전공학과 정보기술 분야 사이의 이론적 융합에서 찾는다. 구체적으로 카스텔은 정보를 생산·저장·검색·처리·전달하는 공통의 디지털 언어를 통해 기술 분야 사이에 공유 영역을 만들어냄으로써 현재의 기술 변화 과정이 기하급수적으로 확장되는 현상에 주목한다(카스텔, 2002: 208~209; 2003a: 56, 88~89, 108~109; 2009: 32~33).

이와 같은 카스텔의 주장을 따르면 정보기술 패러다임은 정보통신기술 외에도 현대사회를 주도하는 생명공학 기술, 나노 기술, 인지과학 기술, 로봇공학 등 수많은 기술들이 접합되고 융합되며, 그 접점에 또 다른 발견물들이 산출·수렴되어 형성되는 거대한 기술 시스템이 된다. 이는 자기조직화 구조의 출현, 비선형 역학 관계를 강조하는 '관계 시스템', 특히 유인자(attactors), 위상 초상(phase portraits), 창발적 특성(emergent properties) 등의 새로운 개념들로 표현되는 '자기발생적' 특성을 강조한 다양한 이론들의 논점과 연결되는 지점이기도 하다(카스텔, 2003a: 114). 결국 카스텔이 정보기술에 유전공학 분야를 포함시키고 나노봇(nanobot)의 확산을 전망하면서, 정보기술 패러다임은 휴즈(Thomas P. Hughes)가 규정한 '거대 규모의 복잡성을 지닌 고도의 열린 시스템'(휴즈, 2008)의 성격을 갖게 된다. 그렇기 때문에 현대의 기술적 지형은 상이한 기술들이 긴밀하게 연결되고 수렴되어 융합되며, 다시 창조되는 과정을 반복하면서 그 시스템이 더 복잡해지고, 더욱 거대해지는 끊임없는 '과정'의 기술로 묘사된다. 이러한 카스텔의 이론 작업은 그가 다룬 바 있는 경제, 정치, 사회운동, 문화, 정체성 등의 주제 외에 인간 신체의 영역에까지 새로운 시각으로 연구를 확장해나갈 가능성을 제공한다.

이처럼 거대 규모의 복잡성을 지닌 기술적 수렴이 일어나는 현상은 새로운 정보통신기술이 지닌 특별함에 기인한다. 카스텔은 전기, 전화 등 이전의 정보통신기술과 비교해볼 때, 새로운 기술이 ① 용량, 복잡성, 속도 면에서 자체 가공을 확장하고 커뮤니케이션하는 능력, ② 디지털화와 재현 커뮤니케이션을 기초로 재결합하는 능력, ③ 디지털로 된 네트워킹의 분배 유연성과 상호작용 능력 등에 있어서 차별화된다고 본다. 즉, 새로운 정보통신기술은 모든 투입물을 공통의 정보체계로 변형시킴으로써 잠재적으로 어디에나 존재할 수 있는 검색과 분배 네트워크를 통해 더욱 빠르고 강력하며 저렴한 가격으로 정보를 처리할 수 있는 특유의 내재적 논리를 가지며, 전 세계를 연결하는 능력을 지닌다는 것이다(카스텔, 2003a: 58; 2009: 28~29).

카스텔은 정보기술 패러다임의 특징을 ① 정보가 기술에 영향을 줄 뿐만 아니라 정보에 영향을 미치는 기술이 출현한다는 점에서 정보를 패러다임의 원재료로 인식하고, ② 새로운 기술 매체에 의해 개인적·집합적 존재의 모든 과정이 형성되는 신기술 효과의 파급성, ③ 복잡성 증가와 관련된 네트워킹 논리, ④ 재구성 능력에서 드러나는 유연성, ⑤ 고도로 통합된 시스템으로서 개별 기술들이 수렴되는 재료나 방법론적 측면에서의 상호 의존이라는 다섯 가지로 요약한다(카스텔, 2003a: 106~115).

카스텔은 이와 같은 정보기술 패러다임이 그가 '네트워크 사회'로 지칭하는 새로운 사회의 물질적 토대이며, 이는 네트워크가 사회구조의 기반이 되는 네트워크 사회로 확장되고 있다고 주장한다.

3) 네트워크 사회의 기원

카스텔은 정보기술혁명이 새로운 사회의 물질적 토대인 정보기술 패러다임을 야기했고, 이를 기초로 새로운 형태의 네트워크 사회가 출현했다고 주장한다. 그럼에도 그는 네트워크 사회가 결코 기술혁명의 일방적인 결과만은 아니라고 강조한다. 역사적으로 새로운 형태의 사회가 등장하고 소멸하는 것은 우연이며, 대부분은 이유를 알 수 없는 사회 투쟁의 결과인 경우가 많다는 것이 그의 논리다. 결국 카스텔에게 기술혁신은 고립된 사건이 아니다. 산업혁명의 사례에서 알 수 있듯이 기술혁신은 기존의 지식수준, 기술적 문제를 정의하고 해결하는 데 필요한 기능의 사용 여부, 비용 효율성을 추구하는 경제적 사고방식, 학습된 경험을 누적적으로 소통할 수 있게 하는 생산자와 사용자의 네트워크 등 많은 요인들이 응축되어 일어난 결과인 것이다(카스텔, 2009: 35; 2003a: 63~64). 이처럼 특정한 기술혁명은 여러 다양한 사회적 요소들이 얽혀 있는 역동적 과정의 결집체이며 우연의 소산인 경우가 많다는 것이다.[5]

카스텔은 네트워크 사회의 기원을 1960년대 말부터 1970년대 중반까지 동시적으로 발생한 독립적인 세 가지 과정에서 찾는다. 그 과정이란 정보기

---

5 이러한 주장을 토대로 카스텔은 자신이 기술결정론적 관점을 거부하고 구성주의적 관점을 견지하고 있음을 강조한다.

술혁명, 산업사회의 경제 위기와 그에 수반된 재구조화, 그리고 자유주의·인권·페미니즘·환경주의와 같은 문화적 사회운동이다. 카스텔은 국가 지원의 거시적 연구 프로그램과 거대 시장, 기술적 창조성의 문화에 자극받은 혁신과 빠른 개인적 성공이라는 역할 모델 사이의 공유 영역에서 정보기술혁명이 일어날 수 있었던 것으로 본다. 또한 산업적 발전 모델의 위기를 극복하는 과정에서 국가 통제주의는 정보기술혁명의 내재화와 이용에 한계를 드러낸 반면, 자본주의는 정보 생산성, 탈규제, 민영화, 자유화, 세계화 등의 개혁 정책과 더불어 정보기술의 대대적 활용을 통해 재구조화에 성공했다. 또 자유 지향적 운동은 국가와 무관하게 개인의 자유와 사회적 자율 문화를 지지하는 문화적 운동을 추구한다. 카스텔은 이 과정들 사이의 상호작용을 통해 정보기술 패러다임, 지구적 정보화 경제, 신문화와 현실적 가상성의 문화가 분리 불가능한 양태로 출현했다고 본다.

카스텔은 여기에 내재된 논리가 지구 곳곳에서 사회 활동과 제도의 기반이 된다고 주장한다. 요컨대 근원이 다른 세 과정들이 상호작용하면서 새로운 사회조직인 네트워크 사회가 출현했다는 것이다(카스텔, 2003b: 451; 2003a: 36; 2009: 45).

4. 네트워크 사회학

'네트워크 사회' 개념을 중심으로 한 일련의 저작들로 강렬한 인상을 남기면서 '네트워크 사회'의 전도사로 회자되는 카스텔은 '정보사회', '지식사회'라는 단어를 '네트워크 사회'로 대체해야 한다고 주장한다. 지식과 정보의 중요성이 우리 시대만의 특별한 것으로 간주될 수 없다는 게 핵심적인 이유다. 지식과 정보는 어느 시대를 막론하고 생산성과 권력, 부, 수단 등 사회의 모든 측면에서 결정적인 요소였다. 변화한 것은 기술 패러다임(정보화주의)을 토대로 정보통신기술을 통해 에너지가 공급되고 사회적 네트워크로 이루어진 새로운 사회구조가 등장했다는 것이다. 이러한 새로운 시대의 본질은 네트워킹 논리가 인간 활동과 경험의 영역 전반에 걸쳐 영향을 미친다는 것이다(카스텔, 2009: 25, 73; 웹스터, 2007: 197).

카스텔이 '정보사회' 개념을 거부하는 또 다른 이유는 이 개념이 '유목사회 → 농경사회 → 산업사회 → 정보사회'로의 연속선상에 위치함으로써 이성에 의해 인도되는 진보의 대장정과 유사하다는 것이다. 카스텔은 이러한 역사 인식에는 갈등이나 모순이 들어설 자리는 없고, 오로지 기술적으로 이미 결정된 변화와 변화에 대한 저항만 있을 뿐이라고 비판한다. 그렇기에 그는 산업사회의 기술적 외연에 불과한 정보 또는 지식사회 개념과 네트워크 사회를 구별할 것을 요구한다. 조직 변환과 지배·반지배의 과정, 그리고 전 세계의 상호 의존성이 고도화되는 사회구조의 등장에 강조점이 놓여 있는 네트워크 사회가 이에 좀 더 부합하는 개념이기 때문이다(카스텔, 2009: 74~75).[6]

같은 맥락에서 카스텔은 '정보사회(information society)'와 '정보화 사회(informational society)' 사이의 구분을 강조한다. '정보사회'라는 개념은 사회에서 정보의 역할을 강조하는데, 정보와 지식의 중요성은 시대와 사회를 초월하기 때문에 우리 시대를 규정하는 개념으로는 적합하지 않다. 반면 '정보화'라는 용어는 역사적 시기에 발생한 기술 조건으로 인해 정보 생성·처리·전송이 생산성과 권력의 근원이 되는 사회조직의 특수한 형태를 지칭하기에 '정보화 사회', '정보화 경제' 등이 현대사회의 변화를 좀 더 정밀하게 포착할 수 있다고 본다. 한편 '네트워크 사회'는 네트워킹 논리가 지배적인 '정보화 사회'의 핵심적 특징 중 하나이다(카스텔, 2003a: 45).

6 　이때 분석의 초점은 기관, 조직, 사회 행위자(의) 네트워킹 능력에 맞춰져야 한다.

네트워크는 "상호 연결된 노드들(nodes)의 집합"으로 정의된다. 노드는 선들이 상호 교차하는 지점이다. 네트워크에는 중심은 없고 노드들만 존재한다. 이는 서로 다른 지점에 있는 노드들이 상호 소통을 통해 새로운 노드들을 통합함으로써 무한히 뻗어나갈 수 있는 역동적·개방적 구조라는 것을 의미한다. 네트워크는 개방성·유연성·종합성·복잡성·네트워킹의 특성을 포괄하는 개념으로, 상호 소통성과 다중 노드 원리를 특징으로 한다. 네트워크에서는 모든 노드가 중요하지만, 상대적 중요성은 네트워크의 목표에 기여하는 능력에 따라 달라지는 가변성을 지닌다(카스텔, 2003a: 606~607; 2009: 21).

네트워크는 서로 협력 또는 경쟁하며, 포함과 배제의 이진법적 논리로 작동한다. 네트워크 사이의 의사소통에 기초하는 협력과 경쟁은 네트워크 사회의 동학을 이해하는 데 도움이 된다. 협력은 실행이나 협력 역량의 효율성이 우수해 타 네트워크를 능가하는 능력을 가진다. 네트워크 스위처를 혼란시키거나 커뮤니케이션 프로토콜에 지장을 줌으로써 파괴적 형태를 취할 수 있는 경쟁은 네트워크 사회의 역동적이고 복잡한 구조를 만드는 힘이다. 특히 포함과 배제의 논리는 경제적 불평등, 사회적 배제가 서로 뒤얽히는 과정을 설명할 수 있는 핵심 기제라는 점에서 중요하다.

네트워크는 새로운 사회의 지형을 구성하는 힘이다. 카스텔은 네트워크의 존재 유무, 네트워크 간 역학 관계가 지배와 변화의 핵심적인 원천이 되고 있다고 주장한다. 젠더 관계, 정체성 형성, 사회운동, 정치적 과정의 변화, 정보 시대에서의 국가 위기 등 사회 전반의 역학 관계에 대한 이해는 이러한 네트워킹 논리를 기반으로 한다. 카스텔이 우리 시대의 사회를 네트워크 사회라 명명하는 것이 마땅하다고 생각하는 또 다른 이유이다(카스텔, 2003a: 605~606).

카스텔은 생산관계, 경험 관계, 권력관계의 변화를 통해 새로운 사회의 출현을 관찰할 수 있다고 주장한다. 이런 변화는 시간과 공간의 사회적 형태를 크게 조절하고 새로운 문화를 출현시킨다는 것이다(카스텔, 2003b: 457). 따라서 그의 '네트워크 사회학'은 생산관계, 경험 관계, 권력관계의 범주로 나누어 살펴볼 수 있을 것이다. 각각의 범주들은 그의 다양한 연구 주제들을 포괄한다. 생산관계는 경제체제와 거기서 파생되는 생산·노동·계급 관계 등을 아우르고, 경험 관계는 가족·젠더 등을 포함하며, 권력관계는 국민국가의 위기·민주주의·미디어의 상징조작·교섭 기관·정치 등 다양한 요소들로 구성된다. 한편 문화는 세 유형의 관계로 결정된 조건 아래 시간과 공간을 공유하는 사람들에 의해 생성되는 다양한 현상들을 통해 표출되는데, 각각의 영역은 독립적인 것이 아니라 교호적·교차적·중첩적이다. 이러한 카스텔의 '네트워크 사회학'을 개략적으로 도식화하면 다음과 같다.

〈그림 4-1〉 네트워크 사회학의 분석 지평

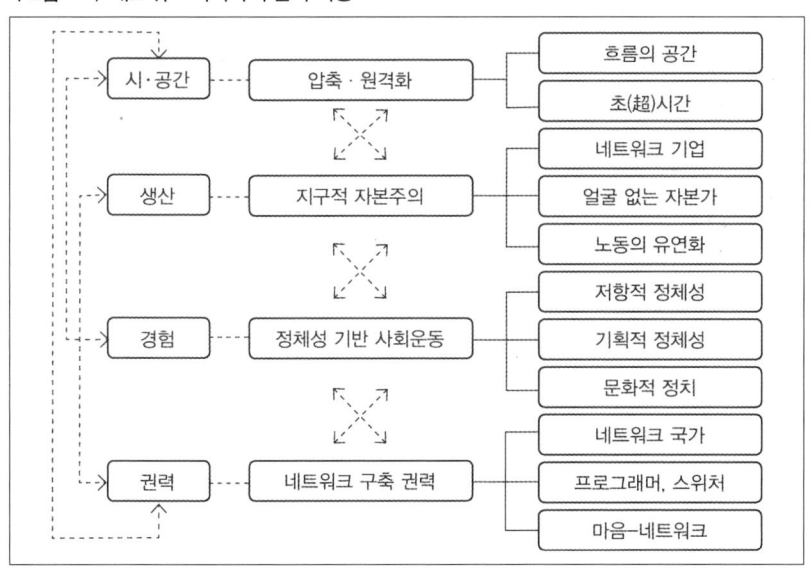

1) 장소의 공간과 '결빙된 시간'에서의 탈주: 흐름의 공간과 초(超)시간

정보기술혁명은 정주의 공간과 '결빙의 시간' 개념을 허물고 녹여내 흐름의 공간, 무시간성의 시간으로 변형시켰다. 카스텔은 이를 '흐름의 공간(space of flow)'과 '초시간(timeless time)'으로 개념화한다. 『정보도시』에서 제시된 '흐름의 공간' 개념은 카스텔이 '정보시대' 1권인 『네트워크 사회의 도래』에 이르러 이와 맞물린 시간 개념을 아우르면서 개념의 복잡성에 대한 이론적 정교화를 꾀했다.

카스텔에게 공간은 사회의 표현이다. 사회의 구조적 변환이 일어나면 공간의 새로운 형태와 과정이 나타난다. 존스(Andrew Jones)가 지적했듯이 카스텔의 공간 개념은 라이프니츠(Gottfried W. Leibniz)에서 시작된 철학적 사고에 기반을 둔 것이다. 라이프니츠는 공간이 그 자체로 존재하는 것이 아니라 '사물과 사물 사이에' 만들어질 때만 존재할 수 있다고 주장했다. 이 관점으로 보면 사회관계는 본질적으로 공간성을 띤다. 카스텔에게 이 명제는 사회관계의 변화가 공간의 특성을 변화시킨다는 것으로 이해되고, 더 나아가 공간이 동시에 발생하는 다양한 실천들을 하나로 모으기도 한다는 생각으로 발전한다. 카스텔은 시간이 공간을 지배한다는 고전 사회학자들의 가정을 공간이 사회의 네트워크 속에서 시간을 조직한다는 가설로 바꾸어놓은 것이다. 결국 카스텔에게 공간은 구체화된 시간(crystallized time)인 것이다. 또한 시간과 공간은 사회적 행위와 독립적으로 존재하는 것이 아니라는 하비(David Harvey)의 공리를 받아들임으로써 공간은 사회적 실천의 관점에서 보편적으로 정의되어야 하고, 나아가 사회적 실천의 특수성(정보화 사회와 새로운 공간 형태 및 과정의 출현, 그리고 공고화에 대한 사안들)이 구체화되어야 한다고 주장한다(존스, 2012: 100; 카스텔, 2003a: 534, 598).

요컨대 카스텔의 논리는 사회·공간·시간을 하나의 상호작용하는 결합체로 보는 관점과, 정보시대에는 흐름의 공간과 초시간적 시간을 중심으로 사회·공간·시간의 물질적인 기초가 변화하면서 조직된다는 것으로 모아진다.[7]

'흐름의 공간'은 카스텔의 독창적인 개념 중 하나이다. 흐름의 공간은 정보적 발전양식의 등장과 관련된 사회형태의 변화와 그 과정의 영향 때문에 생겨난 새로운 공간 논리를 지칭하며 장소의 공간(space of places)에 대비되는 개념이다. 휴즈는 카스텔이 텍스트, 이미지, 목소리로 구성된 디지털 정보가 즉각적으로 흐르면서 전 세계를 뒤덮은 전자 네트워크를 상상했다고 설명한다. 이 네트워크는 정보시대 이전의 철로, 고속도로, 소통 연결 장치 등을 대신하는 것으로 세계적인 제조업, 상업과 금융회사들이 이 흐름의 공간 내에서 작동한다는 것이다(카스텔, 2003a: 495; 휴즈, 2008: 146).

카스텔에 따르면 사회는 몇 가지 주도적인 흐름들로 구성된다. 자본의 흐름, 정보의 흐름, 조직적 상호작용의 흐름, 이미지·소리·상징의 흐름이 그것이다. 카스텔은 흐름을 단순히 사회조직의 한 요소로 취급할 것이 아니라 경제적·정치적·상징적 생활을 지배하는 과정의 표현으로 보아야 한다는 입장이다. 그가 이해하는 흐름은 사회의 정치적·경제적·사회적·상징적 구조하에서 원거리에 있는 사회적 행위자들 간의 목적적·반복적·연속적 교환과 상호작용이다(카스텔, 2003a: 536).

존스에 따르면 정보기술혁명으로 원거리에 있는 사람들이 시간을 공유하게 되면서 물리적 장소들 사이의 '사회적 거리'가 바뀌었다. 이는 새롭고 비선형적인 공간의 논리를 통해 세계를 하나로 연결시킨 흐름의 공간이 등장했음을 의미한다(카스텔, 2009: 66; 존스, 2012: 101). 이것이 정보기술 패러다임의 새로운 현상들과 본질적으로 일치하는 새로운 공간 논리이다. 흐름의 공간은 정보적 발전양식에서 인간 생활의 모든 측면을 조직하는 공간적 논리가 되는 것이다. 카스텔은 '흐름의 공간'이 추상적이고 은유적인 의미로만 이해되기를 원치 않는다. 그래서 여기에 내포된 물질성을 조합해 '흐름의 공간'이 설명

---

7 카스텔의 흐름의 공간과 초시간 개념은 기든스(Anthony Giddens)의 '시·공간의 원격화', 하비의 '시·공간의 압축' 공식을 수용하지만 이보다 포괄적인 의미를 지닌다고 볼 수 있다.

되어야 한다고 본다. 카스텔은 흐름의 공간에 내포된 물질적 토대를 세 층위로 구분한다(카스텔, 2003a: 537~539; 존스, 2012: 101~102; 웹스터, 2007: 209).

① 전자교환회로: 이 물질적 층위는 실시간으로 전 지구적 상호작용을 가능하게 하는 통신과 기술 인프라 구조이다. 극소전자, 원격통신, 컴퓨터 프로세싱, 방송 시스템, 고속 교통망 등 디지털 기술뿐만 아니라 사람과 재화의 이동을 용이하게 하는 고속 교통수단도 포함된다. 이는 네트워크 사회에서 전략적 중요성을 갖는 과정의 물질적 기초를 형성하기도 한다.

② 노드(nodes)와 허브(hubs): 흐름의 공간이 군집을 이루며 분포된 네트워크를 만드는 방식이다. 흐름의 공간은 그 구조적 논리에도 불구하고 특정한 장소와 연결된다. 노드에는 네트워크 내에서 핵심 기능을 수행하기 위해 일련의 지역 기반 활동과 조직을 구축하는 전략적 중요성을 갖는 기능들이 들어서 있다. 이들은 다양한 서비스가 제공되고 소비되면서 흐름의 공간의 물질적 기반을 지속적으로 재생산할 수 있도록 하고, 특정 지역을 전체 네트워크와 연결하는 기능을 한다. 몇몇 장소들은 커뮤니케이션 허브로서, 네트워크에 통합된 모든 요소들이 원활하게 상호작용할 수 있도록 조정자 역할을 담당한다.

③ 지배적인 관리 엘리트의 공간조직: 엘리트들이 네트워크에 접합되는 방식과 관련된 것으로, 사회의 비대칭적 조직이 만들어지는 층위다. 네트워크 내에서 핵심적 역할을 수행하는 지배적 관리 엘리트들은 세계주의자들인 동시에 집단으로서의 응집성을 추구한다. 이를 위해 지역적 연결을 유지해야 하지만, 거주 도시 내부에서는 다른 집단들과 분리되는 특성을 지니면서 주변의 '위험 계층'으로부터 자신들을 보호하기 위해 정교한 기술 시스템을 이용하기도 한다. 외부인 출입 제한구역은 흐름의 공간에서 나타나는 마지막 차원을 가장 시각적으로 표현한 것이라는 존스의 표현은 적실하다.

카스텔에 따르면 시간은 사건이 일어나는 순서로서, 그 순서를 배열하는 방식은 역사적으로 결정되어 구성된다. 그런데 카스텔은 오늘날 이런 선형적이고 불가역적이며 측정 가능하고 예측 가능한 시간이 방해받고 있음을 강조하면서 이를 분석하기 위해 '초시간' 개념을 도입한다.

카스텔에 의하면 전자적으로 통합된 멀티미디어 시스템과 연관된 현실의 가상성 문화는 동시성과 무시간성으로 시간 변형에 박차를 가하는데, 이는 임의적으로 시간을 압축하고 과거·현재·미래를 포함한 사회적 실행의 연속성을 무감각하게 만들면서 연속적인 시간을 무효화하고 소멸시키는 결과를 초래한다. 구체적인 사례로는 시·공간의 압축 논리가 실시간으로 작동하는 지구적 단일 자본시장의 출현, 유례없는 시간적 즉시성을 제공하며 시간의 콜라주를 만들어낸 가상성 문화, 유전공학을 비롯한 생명기술의 발전으로 인해 출산권이 발전하고 탄생·성장·교육·경력·퇴직·죽음 등으로 이어지는 순차적인 생애 주기가 붕괴되며 초래된 '생물학적 경계 흐리기' 등을 제시한다(카스텔, 2003a: 577~579). 카스텔은 이들을 무시간성의 논리가 사회구조에 뿌리내린 사례로 보고 있다. 이처럼 네트워크 사회에서는 질서정연한 시간적 연속성이 시간의 압축을 넘어 소멸되는 결과가 나타나는데, 자본이 시간으로부터 풀려나고, 문화가 시계에서 벗어날 수 있는 결정적 계기가 새로운 정보기술에 의해 만들어졌다는 것이다(카스텔, 2009: 66~67).

카스텔에 따르면 이러한 초시간 현상은 모두가 체계적으로 시제를 뒤섞는 근본적 현상이며, 흐름의 공간과 떼어서 생각할 수 없는 네트워크 사회의 특징이다(카스텔, 2003a: 599).

2) 생산관계: 정보화 자본주의 시대의 자본과 노동

카스텔은 정보화 경제가 지구적인 규모로 나타난다는 주장을 중심으로 생산관계를 둘러싼 논의를 전개한다. 카스텔에게 전 지구적 경제는 "그 핵심 요소가 전 지구적 규모로 실시간 또는 선택된 시간에 하나의 단위로 작용할 수 있는 경제"라는 점에서 세계경제와 차이가 있다. 자본주의는 늘 시간과 공간의 한계를 넘어 팽창하려는 내재적 논리를 가졌음에도, 20세기 후반에 와서야 진정으로 '지구적'이 될 수 있었다는 것이다(존스, 2012: 105). 전자회로를 통해 세계적으로 움직이는 금융시장은 이 '지구적' 경제의 요체이다.

이제 자본주의는 지구촌에서 유일한 가치의 근원이 되었다. 카스텔에 따르면 이러한 전제는 새로운 노동 분업과 그에 따른 작업, 생산성, 노동력 착취를 이해하는 데 도움을 준다. 전통적으로 노동 분업은 가치 있는 노동과 가치 없는 노동을 분리하는 것이고, 이는 생산과정의 조직 형태, 차별적 소비, 사회적 계층화를 결정하는 생산물의 분배와 관련된다(카스텔, 2009: 51).

카스텔은 신(新)경제에서 생산성과 경쟁력의 원천은 기술적 노하우, 즉 네트워킹 능력이라고 주장한다. 기업, 조직, 제도 역시 유연한 결합 구조를 가진 네트워크로 편성되며, 노동과정 또한 점차 개별화되고 여러 현장들의 서로 연관된 작업을 통해 나오는 결과들이 재통합된다고 말한다. 그리고 새로운 노동 분업은 업무 조직이 아닌 개별 노동자의 능력이 결정한다. 카스텔은 이러한 변화가 진행되고 있음에도 현대사회의 경제체계는 여전히 자본주의임을 강조한다. 다만 차이가 있다면 그 규모가 지구적이며 금융 네트워크를 중심으로 구성되어 있다는 점이다. 그의 표현대로 '브랜드가 다른 자본주의'인 것이다. 이는 자본주의적인 연속과 정보의 흐름이 우선시되는 네트워크 사회의 등장을 모두 아우르는 표현이다. 웹스터는 카스텔이 '정보화 자본주의'라는 용어를 사용한 것에 주목한다. 그는 체계적 변동을 강조하는 이론가들과 달리 '정보사회'라는 개념을 통해 자본주의라는 명사를 그대로 유지시킴으로써 이윤 추구, 사적 소유, 시장 원칙 등의 자본주의 경제원리는 여전히 지배적이라는 사실과, 이전의 자본주의와 달리 엄청나게 커진 유연성과 전 지구적으로 통합된 정보화 자본주의의 냉혹하고 약탈적인 측면을 부각시킨다(카스텔, 2003a: 608; 웹스터, 2007: 196).

네트워크 기업은 카스텔이 지구적 정보 경제의 특징을 설명하기 위해 제안한 개념 중 하나이다. 카스텔은 네트워크 기업을 '특정 목적을 달성하기 위해 구성된 수단들의 체계'로 정의하고, 이들은 목적을 가진 자율적인 체계들끼리의 상호 교류로 구성된다고 보았다. 그러므로 네트워크의 구성 요소들은 자율적인 동시에 의존적이고, 또 다른 네트워크의 일부이기 때문에 상이한 목적을 달성하기 위한 수단체계의 일부로 작동하게 된다. 네트워크 기업은 ① 효율적인 지식 창출과 정보처리, ② 지구적 경제의 다양한 기하학에 대한 적응, ③ 주변 환경의 급속한 변화에 따라 목적과 수단을 변경할 수 있는 유연성과 혁신을 특징으로 한다(카스텔, 2003a: 242).

여전히 수많은 노동자들이 산업사회적 포드주의를 기반으로 운용되는 공장에서 일하지만, 생산과정의 상층부에서 행하는 연구·개발·혁신·디자인·마케팅·경영 등의 가치 창출 활동은 제휴·파트너십·협업 중 하나로 이루어지는 네트워크 기업에 의존하게 된다. 네트워크 기업은 지식 노동자의 창조성, 자율성, 개인의 프로그램 가동 능력이 노동자의 네트워킹과 결합될 때에만 자신들의 생산성이 수익으로 창출될 수 있는 사회를 대변하는 새로운 기업형태이다(카스텔, 2009: 51, 53~54).

카스텔은 이러한 네트워크 기업의 윤리적 기초로 '정보화주의 정신'을 주창한다.[8] 카스텔이 강조하는 정보화주의 정신은 "신호를 처리하는 광전자회로 속도만큼 가속화된 창조적 파괴"의 문화를 의미한다(카스텔, 2003a: 275).

전자회로를 통해 초(秒) 단위로 운영되는 지구적 금융시장 또한 자본축적

---

8 카스텔은 '정보화주의 정신'에 관해서 베버와 슘페터(Joseph Schumpeter)의 논의를 차용하고 있다.

과 가치 창출의 원천이다. 새로운 정보 시스템과 커뮤니케이션 기술은 자본이 찰나에 각국의 경제를 왕래할 수 있도록 한다. 금융의 지구화로 인해 각국의 통화 거래가 경이적으로 증가함으로써 환율 결정에 영향을 주고 각국의 통화와 재정 정책의 자율성이 훼손되었다. ① 금융 규제 해체로 인한 초국적 거래의 자유화, ② 정보기술 시스템 등 기술 인프라의 발전, ③ 금융의 전 지구적 투기 경향, ④ 시장평가기관 등은 금융시장의 지구적 상호 의존성을 고도화시킨 요인이다. 카스텔에 따르면 금융자본의 운영과 경쟁은 정보기술에 좌우된다. 여기서 자본주의 생산양식과 정보적 발전양식 간 접합이 드러난다(카스텔, 2003a: 144~147).

이러한 맥락에서 카스텔은 자본주의 사회의 불평등 기제의 요체라 할 수 있는 새로운 자본가에 대한 언급으로 나아간다. 그는 네트워크 사회에서 자본가는 존재하지만 지구적 자본주의 '계급'은 존재하지 않는다고 주장한다. 카스텔은 자본가를 '육체를 가진 자본가'와 '얼굴 없는 집합적 자본가'로 구분 짓는데, 후자는 전자의 네트워크에 의해 작동되는 금융 흐름으로 구성된다. 지구적 경제에서 기업들은 내부적으로 점차 네트워크로 조직된다. 벼락부자 투자가, 전통적 은행가, 자수성가한 기업가, 지구적 실업계의 거물, 다국적 경영자, 심지어는 범죄 사업으로 번 돈이 금융 네트워크의 흐름에 합류한다. 이처럼 자본의 흐름과 거기서 야기되는 생산·분배·경영 활동이 네트워크를 통해 확산되는 구조에서 누가 자본가인지를 명확히 하는 것은 점차 어려워진다는 것이다(카스텔, 2003a: 610~611).

또 중요하게 고려되어야 할 부분은 고용과 직업 구조의 변화이다. 카스텔은 벨로 대표되는 후기 산업화론과 정보화론의 관점에 회의적이다. 그들은 후기 산업사회의 직업 구조가 재화에서 서비스로의 이동, 관리직과 전문직의 부상, 농업과 제조업 고용의 쇠퇴, 선진 경제에서의 정보 노동의 증가 등을 특징으로 한다고 주장한다. 그러나 이는 일면적이다. 카스텔은 정보화 사회에 이러한 일반적 경향이 존재하는 것은 사실이지만, 개별 국가들은 저마다 처한 환경이 다르기 때문에 공통성과 다양성을 함께 평가해야 한다고 지적한다. 또한 일부 비관론자들의 논의처럼 정보화가 대량 실업을 야기할 것으로도 보지 않는다. 하지만 노동과 생산의 사회적 관계는 변화할 것으로 내다본다. 자본이 지구적으로 네트워크화된다는 점을 고려할 때 노동은 개별화·다양화되며 팀워크 중심, 네트워킹, 외주화와 하청의 생산체계에 속해 있다. 이런 상황에서 노동은 차별화되고, 노동자는 분절화되며, 지구적 규모에서의 노동의 분화가 심화될 것임을 강조한다. 흐름의 공간과 장소의 공간 사이에, 컴퓨터화된 네트워크의 순간과 일상생활의 시계 사이에 서로 상이한 노동 세계가 존재한다는 것이 카스텔의 설명이다(카스텔, 2003a: 612~613).

이러한 논의는 정보화 자본주의가 네트워킹 능력을 기반으로 하며 유연하고 적응력 있는 노동력에 의존한다는 특징과 연계해 논의할 필요가 있다. 이때 정보를 특정한 지식으로 가공할 수 있는 자율적 능력은 가치 창출의 핵심요건이다. 문제는 그런 능력을 갖추지 못한 대다수의 일반 노동자들은 역할이 그만큼 축소될 수밖에 없다는 것이다. 따라서 대다수 노동자들은 기업의 필요에 부응할 수 있는 자격을 갖추거나, 기계 또는 대체 노동력에 의해 해고를 당해야 할 처지에 놓이기 십상이다. 대다수 노동자들은 가치 창출의 주된 역할을 담당하는 소수의 '정보 노동자'들의 주변을 전전하면서 근근이 생존하는 하층계급이나 새로운 배제 계급이 된다. 이들은 생계를 위해 유랑하는 '잡 노마드(job nomad)'로 전락하거나 때로는 범죄 경제의 사슬에 연루되기도 한다는 것이다.

이 또한 네트워크의 작동 원리인 '포함·배제'의 논리와 밀접하게 연관되는데, 정보시대의 지구 자본주의의 번영과 함께 지구 곳곳에 복합적인 사회 배제의 블랙홀, 즉 카스텔의 용어로 '제4세계'가 출현하게 된다는 주장과도 맞물린다. '제4세계'는 사하라 이남 아프리카 대부분과 라틴아메리카, 아시아의 가난한 농촌 지역과 같은 지구의 큰 부분을 차지하면서도, 글자 그대로 모든 국가와 모든 도시(미국의 도심부 게토, 스페인의 거대한 청년 실업자 고립 지역, 프랑스의 북아프리카인 거주 교외 창고, 아시아 대도시의 판자촌 등)에 존재한다(카스텔, 2003b: 212).

3) 경험 관계: 정체성 기반의 사회운동들

전 지구적 정보 경제의 등장이 카스텔의 '네트워크 사회' 논의에서 중요하게 다루어지는 만큼이나 경험과 권력이라는 영역 또한 핵심적으로 논의되는 변화 요소들이다(존스, 2012: 109). '권력과 대항권력의 변증법'으로 함께 범주화할 수 있는 이 두 요소들은 경제 영역과의 연관성만큼이나 매우 복잡하게 얽힌 영역들이다.

카스텔은 경험 영역의 변화를 설명할 때 사회운동에 초점을 맞춰야 한다고 주장한다. 경험 영역의 변화는 세계화, 젠더, 종교, 민족, 인종, 사회생물학 등 정체성의 힘과 국가 제도들 사이의 교호 작용에서 발생한다고 보기 때문이다. 또한 이는 사회 변화가 보통 집합적 행위자를 통해 일어난다는 믿음에 근거한다(존스, 2012: 110; 카스텔, 2008: 19, 111~113).[9] 카스텔이 특히 강조하는 것은 사람들이 가지는 의미와 경험의 원천으로서의 정체성이다. 우리의

---

9 카스텔은 구조적 모순을 드러냄으로써만 '진정한' 사회운동이 존재하는 것처럼 해석하는 것은 위험하다고 본다. 사회운동은 그 자체의 관점에서 이해되어야 한다는 것이다. 즉, 사회운동이란 스스로를 정의하는 것이고, 그 실천이 바로 자기 정의라고 생각한다. 또한 사회운동은 보수적이거나 혁명적일 수 있고, 둘 다이거나 둘 다 아닐 수도 있다고 본다. 그렇기에 '나쁜' 또는 '좋은' 운동이란 없다. 다만 그들 모두 우리 사회의 증상이며, 다양한 정도로 사회구조에 충격을 준다는 것이다. 한편 그는 투렌의 관점(사회운동들을 운동의 정체성, 운동의 적대자, 운동의 비전 또는 사회 모델의 원리를 가지고 유형화하는 것)을 논의의 출발점으로 삼는다.

세계와 삶이 세계화와 정체성이라는 상충되는 추세에 의해 형성된다고 보기 때문이다. 우리는 정보기술혁명과 자본주의 재구조화로 인해 경제행위들의 세계화가 전 지구적 차원으로 확산되는 동시에 세계화와 세계주의에 도전하는 집합적 정체성 표출의 강력한 파고가 만연하는 현실을 목격하고 있다(카스텔, 2008: 18).

카스텔에 따르면 정체성이란 행위자 자신에 대한 의미의 근원이며, 행위자 자신에 의한 개별화 과정을 통해 구성되는 것이다. 이는 "정체성이 제도에 의해 형성되기도 하지만 정체성이 제도를 형성하기도 한다"는 기든스의 이해 방식(기든스, 2010)을 기반으로 한다. 카스텔은 여기에서 비록 정체성이 지배적 제도에서 비롯되었다 하더라도 행위자들이 그 제도를 내면화해 그들 자신의 의미를 구축할 때 비로소 정체성이 형성된다는 주장을 이끌어낸다. 그리고 모든 정체성은 구성되는 것이지만 실제로 중요한 문제는 정체성의 사회적 구성이 언제나 권력관계의 맥락 안에서 발생한다는 점이라는 사실을 지적한다. 이러한 인식을 토대로 카스텔은 정체성 구축 과정을 다음과 같이 구분한 후, 새롭게 출현하는 정체성과 이에 근거한 사회운동의 맥락을 살핀다.

① 정당화 정체성(legitimizing identity): 자신의 지배를 확대하거나 합리화하기 위해 사회의 지배적인 제도에 의해 도입된다. 세넷(Richard Sennett)의 권위와 지배 이론, 다양한 민족주의 이론과 일치한다. 갈등의 요소가 함축되어 있으나 일반적으로 구조적 지배의 원천을 합리화하는 정체성을 재생산하는 결과를 낳는다.

② 저항적 정체성(resistance identity): 저항과 생존의 논리가 특징이다. 이는 지배 논리로부터 폄하 또는 배척당하는 처지에 있는 행위자들에 의해 구축되는 경향이 있다. 더 이상 견디기 힘든 억압에 항거하는 집합적 저항의 형태를 구성하는 것이다. 이는 소외감이나 불공평한 배척에 대한 분노에서

발생한다. "배척당한 자아에 의한 배척한 자의 배척"인 것이다. 인종주의적 민족주의, 종교적 근본주의, 민족주의적 자긍심, 퀴어 문화, 반세계화 운동 등의 예가 여기에 속한다. 이는 코뮌(commune) 또는 공동체(community) 의 형성이라는 결과를 낳을 수 있다.

③ 기획적 정체성(project identity): 사회 속에서 자신들의 지위를 재정의하는 새로운 정체성을 구축함으로써 사회구조적 전환을 추구하려는 의도에서 비롯된다. 이 또한 억압받는 정체성에 근거한, 대안적 삶의 기획이라 할 수 있다. 기획적 정체성은 사회의 전반적인 변화를 이끌어낼 수 있다(카스텔, 2008: 24~28).

부, 기술, 권력의 네트워크에 의해 수행된 지구화와 정보화가 세상을 변화시키고 있다는 전제는 카스텔이 일관되게 주장하는 핵심 논지다. 그런데 지구화와 정보화의 영향력은 매우 양면적 양상을 띠고 전개된다는 주장에 주목할 필요가 있다. 그들은 생산력, 문화적 창조성, 의사소통 잠재력을 향상시키는 근원이지만 동시에 사회적 권리들을 박탈한다. 카스텔은 세계시민(globa-politans)이라는 소수 엘리트를 제외한 나머지 전 세계 사람들이 그들의 삶, 환경, 정부, 나라, 그리고 궁극적으로는 지구의 운명에 대한 통제를 상실한 것에 대해 분노한다는 점을 강조한다. 따라서 저항이 지배에 맞서고 있으며, 무력감에 대항해 역량 강화(empowerment)로 반작용하며, 대안적 기획에 도전하고 있다고 주장한다. 그러면서도 카스텔이 강조하는 것은 이러한 반응과 조직이 이례적인 형식으로 나타나고, 예기치 않은 방향으로 진행된다는 것이다(카스텔, 2008: 110).

카스텔은 네트워크 사회가 도래하면서 오랫동안 견고하게 유지된 산업시대의 제도가 가진 의미와 기능이 상실되고 있다고 주장한다. 정당화 정체성의 원천이 고갈되고 있다는 것이다. 민주적 국가, 자본과 노동의 사회계약을 중심으로 구성된 시민사회의 제도와 조직이 대부분의 사회에서 사람들의 삶과 가치에 결부되는 것이 힘들어졌기 때문에 공유된 정체성의 해체에 직면해 있다는 것이 카스텔의 진단이다. 동시에 우리는 저항적 정체성과 기획적 정체성의 출현을 목격하고 있다.[10] 카스텔은 이 둘을 "사회 변화의 새로운 수단들"로 인식한다. 네트워크 사회에서 지배 유형에 대한 사회적 도전은 일반적으로 자율적 정체성 구축 형태를 취한다. 카스텔이 보기에 지구적 네트워크에 대한 논리가 팽배한 정보시대에 그들의 지배에서 벗어나는 유일한 길은 이 네트워크에서 벗어나 전혀 다른 가치와 신념체계를 바탕으로 의미를 재구축하는 것인데, 종교적 근본주의, 민족주의자, 지방주의자, 문화 공동체로 대표되는 저항적 정체성을 가진 공동체들이 여기에 해당한다는 것이다. 이들은 일반적으로 사회와 단절하고 자신들 내부로부터 제도를 재확립하려는 특성을 보인다(카스텔, 2008: 114).

카스텔이 제시한 새로운 운동의 사례는 정체성, 목표, 이데올로기, 사회와의 관계 측면에서 극도의 상이성을 보이나, 대체로 모든 국가와 사람들의 주권을 말살하는 세계 권력을 확립하려는 새로운 지구적 자본주의 질서의 주체와 기관들에 대한 저항을 중심으로 조직화한다는 점에서 적대자가 동일하다고 볼 수 있다. 억압당하고 배척당하는 인디언과 멕시코인의 정체성을 기반으로 NAFTA와 같은 지구적 자본주의와 정부에 저항한 멕시코의 사파티스타, 육체의 장소성(locality)을 극복한 신도들의 정신적 공동사회라는 정체성을 기반으로 통일된 세계정부와 일본 경찰에 대항한 옴진리교, 진정한 이슬람이라는 종교적 정체성을 바탕으로 기독교와 유대인의 전 지구적 권력과 투쟁한 알 카에다, 지구적 기업 자본주의에 대항해 지구적 민주주의라는 대안적 세계화의 기획을 강조하는 반세계화 운동 등이 대표적 사례이다. 카스텔

---

10 이것은 정보시대 2권 『정체성 권력』에 담겨 있는 핵심 주제이다.

에 따르면 이들 운동의 영향은 각각 미디어와 정보기술의 효과적 활용에서 나온다(카스텔, 2008: 117~219). 이와 같은 새로운 저항운동은 정보사회의 특징인 상징 정치의 형태로 자신들의 메시지를 쏟아내고 주장을 투영함으로써 새로운 통신기술은 이들 운동이 존재하는 데 필수적인 조직적 하부구조가 되었다(카스텔, 2008: 226).

카스텔은 이러한 저항적 정체성의 발달에서 기획적 정체성이 나타난다고 본다. 이는 새로운 정체성이 산업시대에 시민사회가 가지고 있던 이전의 정체성으로부터 출현하는 것이라는 주장을 부정한다. 물론 카스텔은 저항의 정체성을 중심으로 구축된 하나의 공동체가 반드시 기획적 정체성으로 진화하는 것은 아니라고 본다. 그것은 방어적 공동체로 남아 있을 수도 있고, 이익집단 또는 일반화된 협상의 논리와 네트워크 사회의 지배적 논리에 동참할 수도 있기 때문이다. 그러나 저항적 정체성이 자본, 권력, 정보의 전 지구적 흐름에 의해 규정된 지배적 이해관계에 저항하는 공동체적 가치를 유지하는 가운데 사회의 전반적 변형을 목표로 하는 기획적 정체성이 나타날 가능성을 강조한다(카스텔, 2008: 557). 예컨대 페미니즘, 퀴어 운동, 환경주의 운동 등이 이에 속한다.

카스텔에 따르면 경험 관계의 변화는 우선적으로 가부장제의 위기를 둘러싸고 일어난다. 가부장제의 권위는 문화적·제도적 상황에 따라 형태와 강도가 다양하지만 거의 전 세계적으로 도전을 받고 있다는 것이다. 이는 가족·젠더·섹슈얼리티·개성에 대한 재정의를 근거로 하며, 그 동인은 정보화 경제와 연계된 구조적 요인과 페미니즘, 여성의 투쟁, 성적 자유 등을 주장하는 사회운동의 영향이라고 할 수 있다. 카스텔은 억압에 맞선 여성들의 인식과 투쟁이 전 세계적으로 확산됨에 따라 가정과 경제, 사회제도에서 가부장제가 약화되고, 남성들은 특권을 버리며, 가정은 평등주의적으로 재구성되는 징후를 포착한다. 이러한 가족 형태로의 변화는 사회 전반의 젠더 관계, 즉 섹슈얼리티에 대한 근본적인 재정의의 필요성을 의미한다는 것이 그의 논리다. 환경주의 역시 환경·보건·복지에 대한 옹호로부터 종에 대한 사회생물학적 정체성에 근거한, 인간과 자연을 통합하는 생태적 기획으로 전환되고 있다는 점에서 기획적 정체성의 한 예로 제시된다. 카스텔은 이러한 정체성 기획이 세계화, 자본주의 재구조화, 조직 네트워킹, 가상현실 문화, 기술 지상주의 등 정보시대 사회구조의 핵심적인 특성 모두에 대항해 조직화되는데, 이러한 저항을 중심으로 새로운 정체성의 기획이 형성된다고 주장한다. 이러한 저항과 기획은 새로운 사회구조의 토대인 공간, 시간, 기술을 둘러싸고 방어적·공격적 투쟁에 관여함으로써 네트워크 사회의 지배적 논리와 모순적 관계에 놓이게 된다(카스텔, 2008: 558~560).

지구 자본주의의 형성은 단순한 기술 변화의 결과가 아니라 다양한 문화적 조건들과의 상호작용 결과이며, 그것의 '정치적' 결과라는 관점에서 카스텔이 주목한 것은 새롭게 등장한 사회운동, 즉 종교적 근본주의, 여성운동, 환경 운동, 반세계화 운동 등과 같은 공동체의 출현이다. 이들은 자율적인 정체성 구축의 형태를 취하는 '저항적 정체성'을 가진 공동체들인데, 이들은 저항만 할 뿐, 상호 소통을 결여한다는 점에서 한계가 명확하다. 따라서 새로운 종류의 정체성 기획으로 나아가는 것이 필요한데, 이때의 정체성 기획은 '네트'와 '자아'를 아우르면서 '문화 정치'를 기반으로 하는 상호 소통의 형태를 띠어야 한다는 것이 카스텔 주장의 핵심이다.

경험의 영역에서 사회운동에 초점을 맞춰야 한다는 카스텔의 생각은 1970년대의 마르크스적 도시 논의에서 시작되었다. 그는 사회운동을 '해방의 힘'으로 보았다. 그래서 그는 초기에 지역적 특성에서 벗어나지 못하는 사회운동이 전 지구적 정보 경제하에서 변화를 이끌 것이라는 생각에 회의적이었다. 그러나 '정보시대' 3부작에 이르러 사회운동이 지구화되었고, 해방을 이끌지는 못했지만 변화를 만드는 힘은 되었다고 평가한다. 지구화의 잠재력은 증가했으나, 지구화는 점차 장소나 지역성이 아닌 정체성에 뿌리를 두게 되었다는 것이다. 그가 보기에 정체성에 기반을 둔 사회운동은 우리의 존재, 우리의 삶의 방식에 대해 질문을 던짐으로써 사회운동의 영향력과 조직이 전 세계적으로 확장될 수 있는 요인으로 작용했다. 이러한 과정에서 정보기술, 특히 인터넷, 이메일과 기타 미디어는 매우 중요한 조력자가 되었음은 강조할 만하다. 이러한 사실들을 정보시대의 권력 구조에 대한 카스텔의 논의와 연결할 필요가 있다. 끊임없이 변화하는 권력 구조에서 '정체성이 왜 그렇게 중요하며 강력한가'라는 질문에 대해, 정체성은 경험을 둘러싸고 이해관계·가치·프로젝트를 구축하며 자연·역사·지리·문화의 특수한 연계를 확립함으로써 해체되기를 거부하기 때문이라는 카스텔의 답변이 이를 뒷받침한다 (존스, 2012: 110; 카스텔, 2008: 601).

4) 권력관계: 권력과 대항권력의 변증법

카스텔의 네트워크 사회이론에서 비중 있는 또 하나의 축은 권력의 범주이다. 그는 '정보시대' 3부작을 통해 신경제를 설명하는 주요한 요소로 권력론을 상정했고, 최근의 저서 『커뮤니케이션 권력』을 통해 이를 심화·정교화함으로써 정보시대의 권력이론에 무게감을 한층 더했다. 『커뮤니케이션 권력』은 정보시대 사회운동의 확장판이면서 권력·대항권력의 동학을 집중적으로 다룬 정보시대 권력론의 집대성이다.

카스텔에게 권력은 가장 기본적인 사회과정이며 관계적인 개념이다. 그래서 그에게 권력은 타인들의 결정에 권력을 가진 자의 의지, 이익, 가치를 관철시킬 수 있는 비대칭적 관계 역량으로 정의된다.[11] 권력은 억압 수단을 동

---

11 카스텔의 권력 개념은 베버적이다. 그의 권력이론은 『커뮤니케이션 권력』에 이르러 푸코

원해 행사되거나 사회적 행위자들의 행동에 지침을 제공해줄 수 있는 의미를 구성함으로써 행사된다. 또한 권력관계는 지배에 의해 구축되는 것이며, 지배는 사회제도에 내재된 힘이다. 그러나 권력관계는 늘 저항 가능성이 존재한다(카스텔, 2014: 67~68). 이는 '권력이 있는 곳에 저항이 있다'는 푸코(Michel Foucault)의 명제와 통하는 것으로, 비대칭적 권력관계가 늘 고착된 순응 또는 종속과 지배의 관계가 아닌 관계적 조건 변화에 따라 움직일 수 있는 유연한 것임을 말해준다. 카스텔은 저항과 거부가 순응과 권력의 용인보다 훨씬 강력해질 때 권력관계가 변환된다고 주장한다.

카스텔이 네트워크 사회이론을 주창하면서 우선적으로 강조한 부분은 국민국가의 역할과 기능에 관한 것이다. 그는 근대적 국민국가가 위기에 처한 것으로 판단한다. 시·공간에 대한 국가의 통제는 점점 자본·재화·서비스·기술·통신·정보의 흐름에 압도되고, 국가에 의한 민족적 정체성의 구성(또는 재구성)은 자율적 주체로 정의되는 다원화된 정체성들의 도전을 받는 것이다. 그래서 그는 지구적 자본주의가 번성하고 민족주의적 이데올로기가 세계 도처에서 분출하는 반면, 근대에 탄생했던 근대 국민국가는 그 권력을 상실해간다고 본다. 이것이 지구화의 본질이라는 것이다. 그러나 그것이 국가의 소멸을 의미하는 것은 아니다. 그는 국가의 역할이 정보시대에도 여전히 중심적일 것이라는 점을 강조한다. '세계화 시대의 네트워크 사회에서 국가는

의 규율 담론 구조 분석, 하버마스(Jürgen Habermas)의 정당화 과정, 투렌의 사회생산 이론과 기든스의 구조화 이론, 그리고 파슨스(Talcott Parsons)에서 아렌트(Hannah Arendt)에 이르는 다양한 학자들의 권력이론을 종합한다(카스텔, 2014). 하지만 다양한 권력이론이 결국 '타인에게 자신의 의지를 관철시킬 수 있는 힘'이라는 비대칭적 관계 역량으로 수렴된다는 점에서 베버적이다. 또 그가 세계화로 인해 권력 행사의 영토적 경계가 재정의됨으로써 베버의 고전적인 권력 개념이 도전받고 있다는 벡의 견해에 동의를 표하고 있지만, 사회를 고정된 경계가 없고 유연하나 경계를 가진 단위로 상정하고 있다는 점에서도 여전히 베버적이다.

과연 무력한가'라는 질문에 그는 결코 그렇지 않다고 주장한다. 세계 도처에서 폭력과 억압, 전쟁이 난무하고, 정보기술의 침투로 사생활이 인류 역사상 가장 크게 위협받고 있으며, 가공할 만한 기술력을 갖추고 유례없이 많은 양의 정보를 통제하는 국가가 어떻게 무력할 수 있겠느냐며 반문한다. 다만 근대에 형성된 국민국가와 동일한 유형의 국가가 아닐 뿐이다. 요컨대 카스텔은 지구화가 진척되면서 국민국가가 도전을 받는다는 점을 강조하면서도 지구화가 국민국가의 종말을 낳는다는 관점은 부정한다. 카스텔에 따르면 네트워크 사회에서 국가는 자주적이지 않고, 권력은 있되 그것을 독자적으로 행사할 수 없게 되었다는 것이다(카스텔, 2008: 391, 435; 존스, 2012: 111). 그래서 제시한 개념이 '네트워크 국가'이다.

네트워크 국가는 지구화된 세계에서 정치 관리의 실제적인 운영 단위가 국민국가, 국제기구, 국민국가의 연합체, 지방정부, 비정부기구에 의해 형성된 것으로 개념화할 수 있다. 전 지구적·국가적·지방적 쟁점들을 협상하고 관리하며 결정을 내리는 다양한 수준의 거버넌스 유형들은 네트워크 국가의 특성을 단적으로 말해준다고 본다(카스텔, 2008: 464).

실제로 지구적 네트워크 사회에서 국민국가는 다차원적 위기에 봉착해 있으나, 사라지지 않고 새로운 상황에 적응하기 위해 변화한다. 국민국가는 문화 수단과 문화 정체성의 지구화란 두 가지 과정에 의해 유발된 위기에 세 가지 주요 메커니즘을 통해 대응한다는 것이 카스텔의 논지이다. 첫째, 국민국가는 서로 연합해 국가 네트워크를 형성한다는 것이다. NAFTA, NATO, EU, ASEAN, APEC, 동아시아 정상회의, 상하이 협력기구 등이 이에 속한다. 둘째, 지구적 이슈를 다루기 위해 유엔과 같은 일반적 목적의 기관부터 WTO, IMF, 세계은행, 국제형사재판소 등과 같은 전문 기관에 이르기까지 국제기구와 초국가기관들의 네트워크 구축을 들 수 있다. 셋째, 국민국가가 권력을 지역정부와 지방정부로 이양하고 NGO의 참여 채널을 개방하는 현상을 들 수 있다. 정치적 의사결정 과정이 국가적·초국가적·국제적·공동 국가적·지역적·지방적 기관들 사이의 상호작용 네트워크를 넘어 시민사회까지 영역을 확장하는 것이다(카스텔, 2014: 103~104).

새로이 등장한 네트워크 국가는 상이한 국가와 정부 수준 사이에서 주권과 책임이 공유되고, 거버넌스 절차가 유연하며, 정부와 시민 사이의 관계에서 시간과 공간의 다양성이 더 크다는 것을 특징으로 한다. 결국 위기에 처한 국가는 새로운 연결 고리를 만들어 '네트워크 국가'가 되고, 여전히 사람들에게 영향력을 행사하지만, 지구화된 네트워크 사회에서의 국가는 자주적 독립체라기보다는 전략적 행위자로 받아들여지는 것이다(카스텔, 2009: 104; 존스, 2012: 111).

그렇다면 네트워크 사회에서 권력은 어디에 있는가. 카스텔은 우선 네트워킹 권력(networking power), 네트워크 권력(network power), 네트워크화된 권력(networked power), 네트워크를 구축하는 권력(network-making power) 형태를 구별할 것을 요구한다. 배제·포함의 원리로 작동하는 권력 형태인 '네트워킹 권력'은 지구화된 네트워크 사회의 핵심적 네트워크에 포함된 행위자와 조직의 권력으로서 네트워크에 포함되지 않은 집단이나 개인을 지배하는 권력이다. '네트워크 권력'은 배제가 아닌 포함의 규칙을 부과함으로써 행사되는 권력 형태다. '네트워크화된 권력'은 네트워크 사회의 여러 기관에 내재된 구조적 지배 역량을 근거로 지배적 행위자의 의지를 타인의 의지에 부과하는 관계 역량으로 이해할 수 있다. 각각의 네트워크(또는 사회 기관들)는 이미 프로그램된 목표에 따라 작동되는 권력관계인 것이다. 따라서 사람들의 의지와 상관없이 자신들의 삶을 결정하고 지배하는 요소가 된다. 카스텔이 가장 중요하게 생각하는 권력 형태는 '네트워크를 구축하는 권력'으로, 이는 네트워크 세계에서 다른 사람들에게 통제를 행사하는 능력과 관련된다(카스텔, 2014: 106~113).

카스텔은 네트워크 세계에서 사람들을 통제하는 능력은 네트워크에 부여된 목적에 따라 네트워크를 구성하고 (재)프로그래밍하는 능력과 다른 네트워크들과의 경쟁을 피하면서 협력을 맺는 전략적 협력 구축 능력이라는 두 가지 메커니즘에 달려 있다고 강조한다. 그는 각 메커니즘의 권력 장악자를 각각 프로그래머(programmer)와 스위처(switcher)로 칭한다. 그리고 그들은 프로젝트의 이해관계를 중심으로 조직된 인간, 즉 사회적 행위자임에는 틀림없지만 개인, 집단, 계급, 종교 지도자, 정치 지도자와 같은 단일 행위자로 간주되어서는 안 된다. 때에 따라서는 이런 메커니즘이 다양한 사회적 행위자들 사이의 인터페이스로 작동하며, 네트워크 사회에서 권력을 행사하기 위해서는 인간뿐만 아니라 기술을 포함한 다양한 요소들의 동맹 관계를 필요로 하기 때문이다. 이는 카스텔이 자신의 논지가 라투르(Bruno Latour)의 '행위자 네트워크(ANT)' 이론과 통하는 부분이라고 주장하는 근거이며, 많은 경우 권력을 장악한 행위자가 '네트워크 자체'라고 주장하는 이유이다.

따라서 네트워크에서 권력을 구축하기 위한 결정적인 요건은 네트워크 목표를 (재)프로그래밍하는 역량과 다양한 전략적 네트워크 사이를 연결해주는 지점들을 통제하는 능력이라 할 수 있다(카스텔, 2009: 59~62; 2014: 110~113).

이러한 권력 창출의 메커니즘은 권력을 장악하고 지배를 강제하는 과정, 그리고 네트워크 프로그램과 구성에서 배제되거나 제대로 반영되지 않은 이익·가치·프로젝트를 대신해 권력에 대항하는 과정으로 구성된다. 카스텔은 서로 다른 이 두 과정이 상호작용을 통해 권력 구조를 형성하며, 이들이 프로그램과 네트워크 사이 스위치의 메커니즘이라는 동일한 논리로 작동한다고 주장한다(카스텔, 2009: 62~65; 2014: 113~115).

결국 카스텔이 주장하는 바는 권력이 더 이상 국가(제도)와 자본주의 기업들과 같은 조직 또는 미디어 기업과 교회 같은 상징적 지배자에 집중되어 있는 것이 아니라, 부·권력·정보·이미지의 전 지구적 네트워크에 확산되어 있으며, 가변적인 기하학과 탈물질화된 지리 시스템에서 순환하고 변화한다는 것이다. 중요한 것은 새로운 권력이 정보의 코드와 재현의 이미지 속에 있다는 것이다. 이를 중심으로 제도를 조직하고, 삶을 구축하며 행동들을 결정하기 때문에 이러한 권력은 사람들의 마음속에 자리 잡고 있다고 주장하는 것이다. 이런 여건 아래 미디어 공간에서 주로 상징조작으로 실행되는 정보화 정치는 끊임없이 변화하는 권력관계의 세계에 잘 어울린다. 전략적 승부, 고객화된 의원, 개별화된 지도력은 산업시대 정치의 특징이었던 계급적 요소, 이념적 동원과 당의 지배를 대체한다(카스텔, 2008: 560). 이미지 메이킹에 의한 권력 창출, 스캔들 정치, 미디어 정치 등 정치가 극장이 되고 정치 기관들이 정치의 장소가 아닌 교섭 기관들이 되는 상황에서 권력은 다시 정의되지만 소멸하지는 않는다는 것이 카스텔의 주요 주장이다.

이러한 이론적 프레임은 카스텔이 권력관계가 대부분 커뮤니케이션을 통해 사람들의 마음속에 구축된다는 주장으로 나갈 수 있는 통로를 열어주었다. 마음의 형성은 위협이나 폭력으로 신체를 굴복시키는 것보다 더 결정적이고 오래가는 지배 형태라는 관점을 중심으로 마음의 정복, 프레임의 힘, 네트워크의 재프로그래밍과 마음의 재배열 등이 세계의 변화를 주도하는 힘이라는 점을 강조한다. '매스 셀프 커뮤니케이션'(예: 블로그, 유튜브 등)의 혁명적 잠재력을 강조하는 것 또한 이러한 맥락이다. 자율 문화와 맞닿아 있는 매스 셀프 커뮤니케이션을 통해 '분노와 희망의 메시지'를 교환함으로써 다중적 마음과 정신을 네트워크화할 수 있는 잠재력을 장착한다고 보는 것이다. 즉, 네트워크를 재프로그래밍하고 스위칭할 수 있는 대항권력으로서의 창조성이 발휘될 수 있는 역량을 갖추는 것이다(Castells, 2007, 2012; 카스텔, 2014).

5. 결론

카스텔은 정보통신기술의 등장과 자율적 반문화, 자본주의 재구조화의 상호작용을 기원으로 문명적 전환기를 '긴 호흡'으로 탐색한, 그리고 탐색의 여정에 있는 열정의 사회학자이다. 기술 패러다임의 문명론적 지정학의 돋보기를 통해 정보시대의 동역학을 규명하려 했고, 새로운 논리로 작동하는 복잡성의 시대, 정보시대 한복판에서 '무엇을 할 것인가'에 대한 머리 아픈 고민을 안겨준 선도적 학자 중 한 사람인 것이다. "오늘날 정보사회에 대한 분석을 시도하려는 사람은 카스텔의 저작에서부터 시작하면 실패하지 않을 것이다"라는 웹스터의 평가는 그의 업적에 대한 대표적 찬사라고 본다. 그러나 동시에 그는 정보시대에 대한 "적절한 분석은 '정보시대'에서 끝나서도 안 될 것이다"(웹스터, 2007: 234)라고 조언하는데, 이는 '정보시대'에 내장된 모순적 지점들과 넘어서야 할 이론적 한계가 있음을 시사한 것이다.

카스텔의 한계에 대한 지적은 대체로 네트워크의 비유가 지닌 모호성, 정보자본주의[12] 개념과 '정보'라는 의미의 애매성, 기술 중심적 또는 다른 요소들을 희생하면서 정보통신기술에 너무 의존한다는 비판, 계급 불평등의 중요성에 대한 과소평가, 문명의 연속성과 변동 간 관계의 모호성 등으로 요약된다(웹스터, 2007: 234; 존스, 2012: 114~116). 이는 충분히 제기될 수 있는 비판으로, 그의 네트워크 이론이 지닌 모호성에 연유한 것이기도 하다. 그리고 무엇보다 그가 역사적 상황에 대한 고정적이고 결정화된 미래의 '유토피아'를 거부하고, 프로그래밍 능력과 스위처의 역할에 따라 '악 또는 선'의 다른 결과를 야기할 수 있다는 '열린 결과'를 취하고 있다는 점과 지나치게 많은 분

---

12 정보시대 이후의 저작에서는 '정보자본주의' 용어가 점차 사라지고 그 대신 '글로벌 네트워크 사회'라는 용어를 사용한다.

량의 경험적 증거들이 오히려 애매성을 증폭시키고 기술결정론자라는 오해를 키웠다고 본다.

그런데 『정보도시』에서 핵심적 아이디어가 제시되고, '정보시대' 3부작을 통해 겨우 구체적인 네트워크 사회이론의 뼈대가 세워졌다고 이해한다면, 그리고 이후의 저작들을 통해 사회운동, 권력·대항권력이라는 권력관계의 동학, 나아가 마음의 프레이밍과 재배열 등에 대한 관심을 지속적으로 확장하고 있다는 점을 고려한다면(Castells, 2007, 2012; 카스텔, 2014), 새로운 해석의 지평을 열 수 있을 것으로 보인다.

카스텔 자신도 번역의 사회학(sociology of translation) 및 '행위자 네트워크' 이론과 자신의 권력론의 유사성에 대해 잠시 언급했듯이, 그의 이론은 '적절한' 번역을 통해 사회갈등을 최소화할 수 있는 구체적인 대안을 발견해낼 수 있을 것이라고 본다(Latour, 1987; 라투르 외, 2010; 김환석, 2006). 모든 것을 포괄하는 문명론, 즉 가장 큰 구조에서 출발해 가장 작은 개인적 차원의 마음에 이르는 카스텔의 궤적은 구조에서 탈구조의 논의로 이행해갔다기보다는 물리적 힘을 합해 마음을 얻어야 공리적 주권을 강화할 힘을 발휘할 수 있다는 권력론으로 치환할 수 있을 것이라고 본다. 집합의지의 표출이라 할 수 있는 사회운동이 다중적·다차원적 사회 격차와 사회적 부정의에 대한 개인과 집단의 분노, 오만한 기성 정치에 대한 모멸감에서 비롯되는 바이러스성이라 규정하는 카스텔의 논지는 기본적으로 지배·저항이라는 아렌트식 권력 개념을 상정하는데, 이를 '공리적 주권'의 논리로 '치환'한다면 다차원적 사회 갈등과 권력·대항권력의 투쟁 구도가 뜻과 마음이 통하는 소통적 사회구조의 구축 논리로 번역될 수 있을 것이라고 본다. 물론 '번역이 반역'이 될 여지가 있다면 사회적 부정의에 대한 '분노'의 감정을 결집시켜 '희망의 네트워크'로 변화시킬 수 있는 대항권력의 힘을 발휘해야 할 것이다.

이러한 차원에서 전자적 미디어 공간이 현대사회의 공유지가 되었다는,

즉 미디어 공간이 '정보화 정치'의 장소가 되었다는 카스텔의 논지를 기억하는 것도 의미 있을 것이다. 그는 정보를 제공받으며 의도적이고 단호한 사회적 행동을 한다면 무엇이든 변화시킬 수 있다고 확신한다. 전 세계 어느 곳에서든 능동적으로 의사소통하는 것, 기업이 사회적 책임을 다하는 것, 언론이 메시지가 아닌 메신저가 되는 것, 정치가들이 민주주의에 대한 신념을 회복하는 것, 인류가 지구상의 인간과 연대감을 갖는 것, 자연과의 조화를 이루는 것, 세대 간에 적극적으로 소통하는 것, 자아를 탐구하는 것(카스텔, 2003b: 479). 카스텔은 이런 실천들이야말로 21세기를 살아가는 우리들에게 주어진 프로젝트들이라고 단언하는 것이다.

참고문헌

기든스, 앤서니(A. Giddens). 2010. 『현대성과 자아정체성』. 권기돈 옮김. 새물결.

김남옥. 2012. 「고도기술시대의 몸에 관한 사회학적 연구」. 고려대학교 박사 학위논문.

김문조. 2013. 『융합문명론: 분석의 시대에서 종합의 시대로』. 나남.

네그로폰테, 니컬러스(N. Negroponte). 2007. 『디지털이다』. 백욱인 옮김. 커뮤니케이션북스.

라투르, 브루노(B. Latour). 2012. 『부르노 라투르의 과학인문학 편지』. 이세진 옮김. 사월의 책.

라투르, 브루노(B. Latour) 외. 2010. 『인간·사물·동맹』. 홍성욱 엮음. 이음.

메리필드, 앤디(A. Merrifield). 2005. 『매혹의 도시, 맑스주의를 만나다』. 남청수 외 옮김. 시울.

웹스터, 프랭크(F. Webster). 2007. 『정보사회이론』. 조동기 옮김. 나남.

잘레, 피에르(P. Jalé). 2006. 『자본주의란 무엇인가』. 배규식 옮김. 책갈피.

존스, 앤드루(A. Jones). 2012. 『세계는 어떻게 움직이는가』. 이가람 옮김. 동녘.

카스텔, 마누엘(M. Castells). 2001. 『정보도시』. 최병두 옮김. 한울.

_____. 2002. 「정보주의와 네트워크 사회」. 토르발스(L. Torvalds) 외 지음. 『해커, 디지털
  시대의 장인』. 세종서적.

_____. 2003a. 『네트워크 사회의 도래』. 김묵한 외 옮김. 한울.

_____. 2003b. 『밀레니엄 종언』. 박행웅·이종삼 옮김. 한울.

_____. 2008. 『정체성 권력』. 정병순 옮김. 한울.

_____. 2009. 『네트워크 사회: 비교문화 관점』. 박행웅 옮김. 한울.

_____. 2014. 『커뮤니케이션 권력』. 박행웅 옮김. 한울.

코저, 루이스(L. A. Coser). 1994. 『社會思想史』. 신용하·박명규 옮김. 一志社.

쿤, 토머스(T. S. Kuhn). 2008. 『과학혁명의 구조』. 김명자 옮김. 까치.

하비, 데이비드(D. Harvey). 2013. 『포스트모더니티의 조건』. 구동회·박영민 옮김. 한울.

홍성욱. 2007. 『과학으로 생각한다』. 동아시아.

휴즈, 토머스(T. P. Hughes). 2008. 『테크놀로지, 창조와 욕망의 역사』. 김정미 옮김. 플래닛
  미디어.

Castells, M. 1972. *The Urban Question: A Marxist Approach*. The MIT Press.

_____. 1983. *The City and the Grassroots: A Cross-Cultural Theory of Urban Social Move-
  ments*. University of California Press.

_____. 1989. *The Informational City: Economic Restructuring and Urban Development*.
  Wiley-Blackwell.

_____. 2000. "Materials for an exploratory theory of the network society." *British Journal of Society*, 51(1), pp.5~24.

_____. 2007. "Communication, Power and Counter-power in the Network Society." *International Journal of Communication*, 1, pp.233~266.

_____. 2012. *Networks of Outrage and Hope: Social Movement in the Age*. Cambridge: Polity Press.

Latour, B. 1987. *Science in Action: How to Hollow Scientists and Engineers through Society*. Cambridge.

05

울리히 벡의 위험사회론과 세계시민주의 전망

박희제

1. 서론: 울리히 벡의 생애와 위험사회론의 배경

현대사회의 주요 위험의 특징은 그것이 자연재해나 우연적인 것이 아니라 인위적으로 만들어졌다는 점이다. 현대사회의 위험은 발전소나 송전탑이든, 선박이나 항공기든 인간이 만든 과학기술과 제도를 매개로 발생한다. 그렇기 때문에 위험은 곧 그것을 생산하고 통제하는 사회제도의 문제가 된다. 울리히 벡(Ulrich Beck)은 이러한 위험의 성격과 위험을 다루는 사회제도에 대한 분석을 통해 현대사회의 성격을 설명해온 대표적인 학자다. 1986년에 출간된 그의 저서 『위험사회: 새로운 근대(성)을 향하여(Risikogesellschft: Auf dem Weg in eine andere Moderne)』는 같은 해 발생한 체르노빌 원전 사고와 맞물려 학계에 커다란 반향을 일으켰고, 1990년대 초 그의 저작들이 영어로 번역되면서 '위험사회'는 시대를 규정하는 개념으로 전 세계에 확산되었다. 한국 사회학계에도 1990년대 초반부터 위험사회론이 소개되었으니 거의 20년 동안 벡의 개념과 이론이 논의된 셈이다. 특히 1994년의 성수대교 붕괴 사고,

1995년의 삼풍백화점 붕괴 사고 등 일련의 대형 사고를 연달아 경험하면서 한국 사회학계의 관심사가 민주화와 계급·계층 중심에서 위험, 환경, 삶의 질로 급격히 확장되었고(임현진 외, 2002), 그만큼 벡의 위험사회론 역시 한국의 사회학자들에게 매력적으로 다가왔다.

벡은 어떤 학파에 속한 학자가 아니라 다양한 사상들을 절충해 자기만의 색깔을 입힌 흥미로운 사회이론가다. 그의 이론은 하버마스(Jürgen Habermas)의 담론이론, 루만(Niklas Luhmann)의 제도주의, 데리다(Jacques Derrida)의 포스트모던 이론의 중간 어디쯤에 위치 지을 수 있겠지만 뚜렷이 어떤 하나의 전통을 따른다고 말하기 어렵다. 1944년 독일 포메라니아(Pomerania, 현재 폴란드 영토)에서 태어난 벡은 하노버에 정착해 학업을 시작했다. 그러던 중 미국 교환학생 프로그램(American Field Service)의 도움으로 1962년에 미국 메사추세츠 주의 스프링필드에서 고등학교를 다녔는데, 이때 벡은 유럽과 달리 계급의식이 미약하고 기술적 낙관주의가 팽배한 미국 사회에 깊은 인상을 받게 된다. 독일로 돌아와 고등학교를 마친 그는 뮌헨 대학교에 입학했고, 그곳에서 이후 그의 반려자가 된 엘리자베트 게른스하임(Elizabeth Gernsheim)을 만나 여성, 가족, 유전자 기술의 사회적 함의 등에 관심을 갖도록 지적 자극을 받는다. 1972년에 독일과 미국 사회학에서 이론과 실천의 관계에 대한 논쟁을 다룬 논문으로 연구 박사 학위를 받은 그는 뮌스터 대학과 밤베르크 대학의 교수를 거쳐 1979년에 교수 자격 박사 학위(Habilitation) 논문을 제출한다. 이후 지속적으로 삶의 질, 사회적 경험의 의미, 자연과 인간의 특정한 상호작용으로부터 초래되는 결과에 대한 연구를 해왔고, 1980년대 후반에 '위험사회'라는 독창적인 개념을 들고 나오며 유럽에서 가장 논쟁적이고 영향력 있는 사회이론가로 떠올랐다.

2015년 1월 급작스러운 심장마비로 타계할 때까지 벡은 뮌헨 대학교 사회학과 교수이자 사회학 연구소 소장을 맡았고 엄청난 다작을 자랑해왔다. 그의 연구 주제는 위험사회뿐 아니라 결혼, 가족, 일, 세계화, 환경문제 등을 망라하지만 이 모든 저작을 관통하는 주제는 현대 사회제도 변동의 원인과 방향을 설명하는 것이다. 그동안 벡의 주요 저작들이 한글로 번역되어 독자들을 만났는데, 『위험사회』(홍성태 옮김, 1997)와 『성찰적 근대화(Reflexive modernization)』(임현진·정일준 옮김, 1998), 『정치의 재발견(Die Erfindung des politischen)』(문순홍 옮김, 1998), 『사랑은 지독한, 그러나 너무나 정상적인 혼란(Das ganz normale Chaos der Liebe)』(강수영·권기돈·배은경 옮김, 1999), 『아름답고 새로운 노동세계(Schöne neue arbeitswelt)』(홍윤기 옮김, 1999), 『지구화의 길(Was ist globalisierung?)』(조만영 옮김, 2000), 『적이 사라진 민주주의(Feindlose Demokratie)』(정일준 옮김, 2000), 『글로벌 위험사회(Weltrisikogesellschaft)』(박미애·이진우 옮김, 2010), 『세계화 시대의 권력과 대항권력(Macht und gegenmacht im globalen zeitalter: neue weltpolitische ökonomie)』(홍찬숙 옮김, 2011)이 잇달아 번역되었다. 또한 벡 스스로도 2008년과 2014년 두 차례의 방한 당시 다수의 대중 강연과 한국 학자들과의 만남을 통해 한국 사회학계와의 접점을 만들어갔다.

타계 전까지 벡은 그를 유명하게 만든 위험사회론을 더욱 발전시켜 세계위험사회(global risk society)와 세계시민주의(cosmopolitanism)를 강조했고, 방법론적 세계주의(methodological cosmopolitanism)를 기후변화 문제에 적용하는 연구를 진행했다. 이 장은 벡의 초기 이론인 위험사회론과 최근 활발히 논의되는 세계위험사회론과 세계시민주의론을 비교해 설명함으로써 벡의 이론이 어떻게 발전하는지를 분석한다. 아울러 벡의 이론과 개념이 한국 사회학계에서 어떻게 활용되고 있는지를 논의함으로써 (세계)위험사회론의 의의와 한계를 살펴본다.

2. 위험사회론

위험사회론은 1986년에 출간된 벡의 『위험사회』를 시작으로 1990년에 출판된 일련의 저작을 통해 구체화되었다. 특히 『위험사회』는 벡의 대표작이자 그의 이론체계를 아우른다. 이후 그가 추구한 개념적·이론적 발전 방향은 대부분 『위험사회』에 포함되어 있다고 해도 과언이 아니다. 이 책에서 벡은 현대사회가 과학기술과 산업화를 통해 자연을 정복하고 물질적 풍요를 추구하며 물질적 부의 분배가 사회제도의 중심이 되는 초기 근대사회로부터 새로운 시대로의 전환을 맞고 있다고 주장한다. 그가 위험사회라고 이름한 새로운 시대에서는 산업화 과정에서 과학기술과 산업화를 통해 만들어진 위험을 누가 어떻게 정의하고 분배(회피)할 것인가라는 문제를 둘러싼 갈등 해결이 사회제도의 핵심적인 과제가 된다. 즉, 위험 거버넌스(governance)가 후기 근대사회의 특징을 결정하는 것이다.

1) 위험의 성격과 사회적 함의

『위험사회』와 일련의 초기 저작에서 벡은 먼저 현대사회를 위험사회로 개념화하고 이 위험의 성격을 논의한다. 그러나 사회이론으로서 벡의 위험사회론이 갖는 가치는 새로운 위험의 성격에 대한 정의 자체보다 이러한 위험의 성격으로부터 출현하는 문제들과 이를 둘러싼 갈등을 현대사회의 제도들과 연결해 논의한다는 점이다. 위험사회론의 핵심은 위험사회를 근대 산업사회의 성공이 낳은 (비의도적인) 결과로 인식하는 것인데, 벡은 위험사회의 위험을 지진이나 폭풍우 같은 자연적인 재난이나 위해(danger)와 구분하면서 새로운 위험의 성격을 크게 세 가지로 설명한다.

첫째, 새로운 위험은 자연적 재난과 대비되는 것으로 성공적인 근대화 과정에서 인위적으로 만들어진 것(manufactured risks)이며 근대화 과정의 급진화에서 초래된 정치적·경제적·사회적·기술적 변화의 산물이다(Beck and Willms, 2004: 115). 화산재로 인한 자연재해가 전근대사회에서의 자연적인 대기오염을 보여준다면, 공장 굴뚝과 자동차에서 만들어지는 매연은 부의 생산과 편리를 위해 근대화(산업화) 과정이 만들어낸 대기오염을 보여준다. 즉, 위험사회에서 위험은 과학기술과 산업의 발전 과정에서 비의도적으로 파생된 위험이자 경제적 유용성을 목적으로 한 의도적인 '기술적·경제적 결정(techno-economic decisions)'의 산물이다(Beck, 1992: 98).

여기서 벡이 위험사회가 접하는 위험을 근대가 실패했기 때문이 아니라 성공적이었기 때문에 발생한 것으로 개념화한다는 점을 기억할 필요가 있다. 위험사회의 대표적인 위험 사례인 원자력 발전소 사고는 원자력을 이해하고 이를 이용하려는 과학자들의 성공적인 연구와 이를 발전소의 형태로 가시화한 엔지니어들의 성취가 아니면 생각할 수 없는 위험이다. 즉, 위험사회의 위험은 과학기술과 산업화가 고도로 발전해 산업적·경제적 목적을 달성했기 때문에 만들어진 것이고, 따라서 역설적이게도 위험사회는 근대의 실패가 아니라 근대의 급진화가 낳은 결과이다.

그런데 위험이 결정을 수반하고 따라서 인위적으로 만들어진 것이라는 사실은 위험을 관리하고 통제하는 사회제도의 정당성에 큰 위협이 된다. 대표적인 것이 과학기술이다. 계몽주의에 입각한 근대의 정치제도는 국민 개개인의 주권에 기초한 대의정치와 공화정을 발전시켰다. 국가의 정당성은 국민개개인의 직간접적인 참여에 의해 그들의 의사를 반영함으로써 확보된다. 반면 과학기술은 물질적 풍요와 편리를 가져다주는 힘의 원천이라는 서사에 의해 정당성을 확보해왔다. 그 결과 과학기술은 대중의 참여나 그들의 대표자로부터의 관리와 통제에서 자유로웠고, 과학과 진보에 대한 신뢰에 기초한 과학기술 전문가주의가 정당성을 얻을 수 있었다. 그러나 과학기술의 발전으로부터 파생된 위험은 이러한 정당성의 근간을 위협한다. 따라서 위험사회에서 과학기술은 위험이라는 "문제의 해결책의 원천으로서뿐만 아니라, 문제의 원인"으로 간주되기 시작한다(벡, 1997: 249).

둘째, 위험사회의 위험은 인간의 즉각적인 인식능력을 벗어나고 따라서 과학 지식의 영역에 자리 잡고 있다. 태풍과 같은 전근대사회의 재난이나 도시 오물과 같은 산업사회의 위해는 사람들의 감각기관으로 분명히 감지된다. 그러나 방사능이나 식품에 첨가된 오염 물질은 감각기관으로 잘 감지되지 않을뿐더러 그 효과도 즉각적이지 않다. 체르노빌 원전 사고로 인한 방사능 낙진이 북유럽의 대기와 토양을 오염시킬 때 그것을 감지하는 것은 사람들의 감각기관이 아니라 과학자들의 과학 지식과 측정 도구라는 것이다.

한편 이처럼 위험사회의 위험이 감각기관에 즉각적으로 인지되지 않는다는 것은 위험이 사회적으로 구성될 여지가 많다는 사실을 의미한다. 위험 문제를 사회적 공론의 장으로 불러오는 언론은 물론, 위험 유무와 허용 기준을 정하는 과학기술자와 법 전문가는 위험사회에서 핵심적인 사회적·정치적 집단이 된다(벡, 1997: 57). 앞에서 지적했듯이 특히 과학기술은 위험의 생산자이자 그 위험을 정의하는 지식 정치의 핵심적인 권력기관이다. 대표적인 예는 환경 운동에서 찾아볼 수 있다. 서로 상충하는 전문적인 위험 평가 결과는 현대 환경 운동의 선행 조건이다(Beck, 1995: 10). 대표적으로 레이철 카슨(Rachel Carson)의 『침묵의 봄(Silent Spring)』은 살충제라는 화학의 산업화 결과가 지구의 생태계에 미치는 파괴적 영향을 경고하면서 특정한 과학에 맞서는 저항 과학의 모습을 보여준다. 또 환경 운동은 석유 유출 사고나 산업 폐기물로 인한 하수 오염처럼 가시적이고 가해자가 분명한 위협뿐 아니라 기후변화나 유전자 변형 식품처럼 일반 대중이 직접 인지할 수 없고 당대가 아닌 후손들에게만 영향을 줄 수 있는 위협들을 과학기술의 개입을 통해 사회적 쟁점으로 부각시킬 수 있다.

그러나 다른 한편으로 위험사회에서 위험을 정의하는 권력기관들은 일반 대중의 도전을 받는다. 무엇보다 과학 지식의 발전으로 과거 과학 지식의 오류가 지적되면서 과학이 제시하는 위험 정의(the definition of risks)에 대한 시민들의 회의가 커지는 동시에, 과학적 지식이 진리와 위험 정의를 독점하는 데 대한 대중의 저항도 커졌다. 또 과학의 성공은 극단적인 전문화를 낳고, 이렇듯 세분화된 전문성은 전문 지식이 현장에 적용될 때 파생되는 2차적 결과들을 더욱 계산하기 어렵게 한다. 전문성이라는 과학기술의 원리가 급진화되면서 전문가들은 위험을 예측하고 설명하는 데 실패하고, 그 결과 오히려 그들의 입지가 좁아지는 것이다. 즉, 과학의 실패가 아니라 과학의 성공이 시민들로 하여금 과학을 회의하게 만든다.

또한 위험의 실재성과 위험 정의의 괴리는 위험을 관리해야 할 제도들의 무책임성을 낳는다. 우리에게 잘 알려진 예를 살펴보자. 1908년 일본 미나마타에 화학 공장이 설립된 후 중금속에 오염된 어패류를 먹은 미나마타 만 주변 주민들 중 첫 환자가 보고된 것은 1956년이었고, 과학적 연구를 거쳐 중금속에 오염된 해산물 섭취로 인한 병이라고 일본 정부가 공식 인정한 것은 무려 12년이 지난 1968년이 되어서였다. 이처럼 위험의 실재성과 위험 정의가 괴리를 일으키는 동안 위험에 노출되어 고통받는 환자들이 분명히 존재하지만, 그 위험이 무엇이고 어떻게 출현했는지 설명할 수 없는 과학·기업·국가가 이들의 고통에 책임지지 않는 조직적인 무책임이 발생한 것이다.

셋째, 위험사회의 위험은 지구화 경향을 보이며 보편성을 띤다. 체르노빌 원전 폭발 사고로 초래된 방사능 낙진은 우크라이나를 넘어 북유럽 지역을 강타하고 당시의 피폭 피해자뿐 아니라 후세대에까지 영향을 미치며, 가난한 이들과 부유한 권력자들을 포함한 모든 이들에게 영향을 줬다. 이 역시 전 지구를 실험장화한 성공적인 과학기술과 산업화의 결과이기도 하다. 물론 벡 역시 산업단지 주위의 값싼 지역에 사는 가난한 주민들이 다양한 오염 물질에 노출될 가능성이 크다는 것을 인정한다. 그러나 위험사회론에서 강조하는 위험은 산성비 때문에 황폐화된 숲이나 방사능 낙진, 우리가 미처 알지 못하는 식품의 유해 물질 같은 것들로서, 인류에게 보편적으로 영향을 미치는 환경 위험들이며 이러한 예를 통해 그는 위험 분배의 유형과 논리가 부의 분배와는 그 체계가 다르다고 강조한다. "빈곤은 위계적이지만 스모그는 민주적"이라는 은유는 위험의 보편적 성격에 대한 벡의 견해를 잘 드러낸다(벡, 1997: 77). 뒤에서 설명하겠지만 위험의 이러한 보편성은 계급 갈등, 계급 정치로 환원할 수 없는 새로운 형태의 갈등과 연대의 기초를 생성한다.

넷째, 위험사회론에서 벡은 현대 사회이론의 유행이라고 할 수 있는 포스트모더니즘과 자신을 구분한다. 벡이 비록 근대성의 부정적인 부산물로서 위험이라는 개념으로 현대사회를 규정하지만, 근대성의 기반이 된 계몽의 프로젝트를 부정하거나 전통 사회로의 회귀를 주장하는 반근대론자는 아니다. 그는 오히려 위험사회에서 사회 발전의 새로운 가능성을 본다. 그의 목표는 과거로의 회귀가 아닌 '새로운 근대성'을 제시하는 것이었다(Beck, 1995: 17). 벡은 위험사회를 성찰적 근대성의 시대로 규정하면서 미래에 대해 낙관적인 태도를 보인다. 성찰적 사회는 "더 이상 자연을 이용하거나 인류를 전통적 제약들에서 해방시키는 데에만 관심을 기울일 것이 아니라, 기술적·경제적 발전 자체에서 발생하는 문제들"에도 관심을 갖는 사회이고, 과학과 진보에 대한 믿음보다 반성과 회의에 기초한 사회다(벡, 1997: 53).

이러한 성찰적 사회의 주체는 계급도 지식인도 아닌 평범한 성찰적 개인들이다. 위험사회에서 위험의 보편성은 위험사회와 계급사회의 차이를 부각시킨다. 한 개인의 위험 노출 정도를 나타내는 '위험 지위'가 그 개인의 계급적 지위와 다르다는 인식은 위험 정치 역시 기존의 계급 정치가 아닌 새로운 논리로 이루어진다는 주장으로 이어진다. 계급 정치가 계급 위치에 따라 결정되는 이해관계를 기초로 각 계급이 부의 분배를 다투는 것이라면, 위험 정치의 주체는 계급이 아니라 대규모의 위험에 노출된 모든 개인들이다(송재룡, 2010). 현대 산업사회는 노동·여가·가족·성 영역에서 개인화를 심화시키며, 개인들은 위험사회가 드리우는 위험에 대한 '불안'이라는 공통의 동기로 연대하고 정치적 행동에 나선다. 위기의식은 현대사회의 제도들에 대한 성찰성을 낳고, 과학·국가·정치가 제공하는 제도화된 안전 약속을 신뢰할 수 없는 개인들은 과거 비정치적인 영역이었던 환경이나 건강 위험을 정치의 장으로 만드는 하위 정치(subpolitics)를 실천하는 것이다(Beck, Giddens and Lash, 1994).

2) 위험사회론에 대한 비판

벡의 개념과 이론은 '위험사회'라는 담론을 확장시키며 세계적인 호응을 받아왔다. 동시에 그의 이론에 대한 비판적 고찰도 상당수 이루어졌다. 첫째, 그의 위험사회론이 1970~1980년대 서유럽의 복지국가를 배경으로 하며, 위험사회 또는 성찰적 근대화를 사회의 보편적 발전 궤적으로 그린다는 점이다. 즉, 근대화론자들이 서구 사회가 경험한 전근대 농경사회에서 근대 산업사회로의 변화를 모든 사회가 추구해야 하는 보편적 발전 과정으로 보았듯이, 위험사회론이 '전근대-근대-성찰적 근대'로의 단선적인 변동을 보편적인 발전 과정으로 본다는 것이다(Urry, 2004). 각 사회의 다양한 발전 과정을 간과한다는 이러한 비판은 후에 벡 역시 위험사회론의 한계로 인정한다(Beck and Willms, 2004).

둘째, 전통적인 비판적 지식인들은 위험의 보편성을 강조하는 위험사회론이 위험에 대한 노출이나 대처 능력은 집단별·사회별로 다르게 나타난다는 점을 간과한다고 주장한다(Marshall, 1999). 아마 위험사회론에서 가장 논쟁적인 쟁점은 "빈곤은 위계적이지만 스모그는 민주적"이라는 은유에서 나타난 위험의 보편적 성격에 대한 강조일 것이다. 앞서 살펴보았듯 위험의 보편성에 대한 벡의 시각은 사회변혁의 주체에 대한 그의 설명과 맞닿아 있다. 위험이 계급, 성, 인종, 교육 수준 등 전통적인 사회적 범주의 경계를 무화시키기 때문에 변혁의 주체는 사회적 집단이 아니라 성찰적 개인이 될 수밖에 없다. 이러한 벡의 입장은 계급이나 사회적 피억압 계층을 사회변혁의 주체로 설정하던 전통적인 지식인들의 입장과 충돌한다.

셋째, 벡이 성찰성과 성찰적 근대사회로의 이행을 지나치게 낙관한다는 비판 역시 자주 제기된다. 특히 벡이 너무 낙관적으로 성찰적 개인을 사회 변화의 주체로 기대하고 성찰성을 지나치게 개인주의적으로 해석한다는 점이 지적되어왔다. 예를 들어 이홍균(2009)은 위험이 성찰을 낳는다는 벡의 이론은 사회의 모든 구성원에게 가해지는 성장을 향한 사회적 압력('성장의 사회압력')이 성찰을 가로막는 장애물 역할을 한다는 사실을 고려하지 않았고, 따라서 성찰성의 확산을 지나치게 낙관적으로 바라본다고 비판한다. 송재룡(2010) 역시 공동체주의의 관점에서 벡의 개인화 테제가 특정한 사회 공동체가 가진 언어적·문화적 차원의 의미를 무시하고 개인과 사회를 탈맥락화한다고 비판한다. 개인주의에 대한 벡의 지나친 강조가 문화적으로 묶인 공동체의 존재를 간과한다는 것이다.

마지막으로, 벡의 위험 개념은 구성주의적 시각과 객관주의적 시각을 혼용한다는 비판을 받아왔다. 특히 구성주의자들은 그의 위험사회론이 위험의 구성성을 제대로 이론화하지 못한 채, 실재하는 객관적인 위험을 상정하고 이론을 전개한다고 비판해왔다(Mythen, 2004). 유사한 맥락에서 노진철(2010)은 벡의 위험사회론은 위험이 사회적으로 구성되는 모습을 설명하는 데 한계를 노정할뿐더러 생태적·기술적 위험뿐 아니라 현대사회의 모든 영역을 관통하는 불확실성의 원리를 분석하는 데 실패했다고 비판한다.

3. 세계위험사회론과 세계시민주의 전망

2000년대에 들어와 벡은 위험사회론을 발전시켜 세계위험사회론을 전개하는 동시에 세계시민주의를 강조하기 시작한다(벡, 2010, 2011; Beck, 2006a, 2006b). 이것은 새로운 이론이라기보다 1980년대와 1990년대를 거쳐 그가 발전시켜온 위험사회론의 주장 중 일부를 강조하고 확장하는 방식으로 전개된 것이다. 비록 '글로벌' 위험을 강조한다는 점에서 차이가 있지만 이것을 근대성의 성공, 즉 노동의 합리화나 전문화 같은 근대성의 기본 원리들의 급진화가 초래한 결과로 본다는 점에서 위험사회론의 핵심 명제는 그대로 유지하는 것이다(벡, 2010; 한상진, 2008a). 이러한 이론의 발전 과정에서 벡이 위험사회론에 대한 학계의 비판에 적극적으로 대응하고 있음은 물론이다. 벡의 후기 이론에서의 강조점과 변화는 크게 다섯 가지 차원에서 살펴볼 수 있다.

첫째, 세계위험사회론은 벡의 이론이 다루는 위험의 종류에 변화를 가져온다. 위험사회론에서 그의 초점은 체르노빌 원전 사고나 보팔 폭발 사고와 같은 대형 재난이나 유독물의 인체 잔류로 인한 환경 위험이었다. 또한 『위험사회』의 출간 직후 1990년대에 영어로 출간된 저작들(Beck, 1992, 1995)에서 벡은 위험사회의 특징을 설명하기 위해 '생태 계몽주의(Ecological Enlightenment)'나 '생태 정치(Ecological Politics)' 같은 용어를 즐겨 사용했다. 이에 따라 미국 사회학계에서 벡의 위험사회론을 가장 적극적으로 수용했던 이들이 환경사회학자들이었다는 사실은 놀랄 일이 아니다(Bronner, 1995). 그러나 다른 한편으로는 지구적 환경 위험에 집중된 위험사회론은 빈곤, 실업, 금융 위기, 범죄, 부정부패 등 현대사회의 다양한 위험을 포괄하는 사회이론을 구축하는 데 실패했다는 비판을 받아왔다(노진철, 2010: 97)

반면 세계위험사회론은 위험사회론에 비해 위험의 범위를 크게 확장한다. 벡은 위치와 장소를 규정할 수 없고, 계산할 수 없으며, 보상할 수 없다는 특징을 중심으로 글로벌 위험을 정의하는데(벡, 2010; Beck, 2006a), 이러한 특징에 부합되는 예로 기후변화와 같은 지구적 환경 위험과 함께 글로벌 금융 위험이나 글로벌 테러 위험 같은 사뭇 다른 성격의 위험으로 탐구의 소재를 확장한 것을 들 수 있다. 또 이처럼 위험의 종류가 확장되면서 분석 대상이 되는 주요 행위 주체들도 과학기술 전문가와 개인(일반 시민)에서 국민국가, 세계 금융 기구, 다국적기업, 비정부기구 등으로 확대된다. 결과적으로 세계 위험사회론을 통해 위험사회론이 갖고 있던 환경사회학적 성격은 희석되고 현대사회 주요 제도의 모순에 대한 비판사회학적 성격은 강화되었다.

둘째, 벡은 세계위험사회론에서 위험에 대한 구성주의적 입장을 강화한다. 물론 위험사회론에서도 벡은 인간의 감각으로 지각되지 못하는 위험의 성격 때문에 위험이 사회적으로 구성될 여지가 크다고 설명하면서, 위험 정의를 둘러싼 지식 정치를 설명하는 데 많은 노력을 기울였다. 그러나 그의 위험 개념은 실재론적인 위해(danger)와 명확하게 개념적으로 구분되지 않은 채 객관적으로 존재하는 대규모 위해를 당위적으로 인정한다는 비판을 받기도 했다(노진철, 2010: 93~98). 벡은 세계위험사회론에서 위험을 명시적으로 위험 정의의 문제라고 선언하며 구성주의적 입장에 방법론적으로 한걸음 더 다가간다(Beck and Willms, 2004: 136). 이제 위험은 가능성으로 존재하는 재앙의 '예견'으로 정의된다(벡, 2010: 30). 해수면 상승으로 물에 잠긴 섬나라나 테러 희생자들의 사진과 같은 연출을 통해 기후변화나 테러 같은 미래의 가능성(위험)이 현실성을 얻게 되고, 실제로 재앙이 일어나지 않았음에도 탄소 거래 시장이나 강화된 검문검색과 같은 현실적 결과를 낳는 것이다.

하지만 벡은 여전히 위험의 물질성을 부정하는 강한 구성주의적 입장과는 거리를 두면서 소위 제도적 구성주의 입장을 옹호한다. 세계위험사회론의 초점은 단지 현실이 어떻게 구성되는가라는 질문이 아니라 "어떻게 현실 '자체' 가 제도적인 결정과 행위, 노동 맥락에서 (재)생산되는가"라는 질문이다(벡,

2010: 165). 즉, 벡의 관심은 위험의 '연출' 자체라기보다 전문가, 법, 정치제도처럼 불확실한 미래 예측과 위해의 통제를 담당하는 현대사회의 제도들이 위험 정의를 제도화하고 그 과정이 다시 대항 지식에 의해 도전받으며 정치화되는 모습이다.

셋째, 유사한 맥락에서 벡의 세계위험사회론은 위험의 문화적 인식 차이를 강조한다. '위험 문화(culture of risks)'는 "우리가 어떤 유형의 위험에 직면해 있으며 어떤 절차로 위험을 인정하는지, 또 위험이 일상생활에 미치는 결과는 어떤 것인지를 규정"한다(한상진, 2008a: 153). 세계위험사회론에서 위험문화는 두 가지 차원에서 논의된다. 하나는 시대적 변화의 차원이다. 즉, 근대사회에서는 위험 정의가 전문가와 국가에 맡겨졌다면 세계위험사회에서는 일반 시민들이 위험을 정의하는 과정에 직접 참여하는 새로운 현상이 나타나고 있다. 이는 위험을 정의하는 지식의 위계질서에 변화가 일어난다는 것을 의미한다. 기후변화, 글로벌 금융 위기, 국제적 테러와 같은 글로벌 위험을 정의하는 데 전문 지식의 한계가 명확해지면서, 과거 위험 정의에서 우월한 위치를 차지하던 전문가들의 지식과 시민들, 특히 실제 위험 피해자들의 지식과 경험이 평등한 발언권을 획득하는 것이다.

또 다른 차원은 국가별 위험 문화의 차이다. 각 국가의 역사적·제도적 경험에 따라 특정 위험에 대한 민감성이 달라지는데, 특히 위험을 과학적으로 계산할 수 없게 될수록 같은 위험이라도 국가와 문화에 따라 다른 방식으로 평가되고 다른 정도로 사실성을 획득할 가능성이 커진다(벡, 2010: 34). 일례로 유럽의 경우 사전 예방의 원칙에 따라 기후변화나 유전자 변형 식품 같은 환경 위험에 민감하게 반응하는 반면, 미국에서는 히스테리적인 반응으로 격하된다. 하지만 테러에 대해서는 미국이 오히려 유럽보다 민감하게 반응하는 모습을 보인다. 이처럼 국가별 위험 문화의 차이는 위험의 사회적 구성성을 잘 드러내는 동시에 초국가적 위험 거버넌스를 어렵게 하는 요인이기도 하다. 이처럼 벡은 위험 문화의 차이와 충돌을 세계위험사회의 주요 특성으로 강조하고 위험사회의 사회적·역사적 맥락화를 강조한다. 이러한 모습은 '전근대-근대-성찰적 근대'로 이어지는 보편적·단절적 발전 과정을 가정하던 위험사회론으로부터 세계시민주의론으로의 전환을 잘 보여준다.

넷째, 세계위험사회론은 위험사회론에 비해 상대적으로 사회적 취약성과 위험의 불평등을 강조한다. 위험사회론에서도 위험 지위에 관한 논의를 통해 위험의 불평등한 분배가 다루어졌지만, 지역적·계급적 경계를 넘어서는 위험의 보편적인 성격이 이론의 전개에서 상대적으로 더 중요한 위치를 차지했다. 이러한 위험의 보편성에 대한 논의는 위험사회론이 세계적인 주목을 받도록 한 일등공신이지만, 동시에 위험의 계급, 인종, 젠더, 지역, 국가별 불평등을 강조하는 이들로부터 위험의 위계적인 불평등에 충분한 주의를 기울이지 않는다는 비판을 받아왔다(Marshall, 1999).

반면 세계위험사회론은 글로벌 위험의 보편적 성격을 강조하면서도 위험에 노출되는 정도와 위험을 해결할 수 있는 능력이 집단별·국가별로 달라지는 상황에 주목한다. 나아가 이러한 위험에 대한 사회적 취약성의 차이를 국가 내에서나 지구적 공간에서 이루어지는 권력관계의 산물로 파악하고, 여기에서 비롯된 불평등과 갈등을 분석하는 일에 주의를 기울인다(벡, 2010: 308~310). 가난한 국가가 경험하는 글로벌 위험의 불평등은 두 가지 차원이 중첩되어 있다. 하나는 공간적 차원으로, 남북 관계에 따른 위험 불평등의 국제적 위계질서에 대한 인식이다. 벡은 이를 상류·하류 불평등이라는 은유로 설명하는데, 산업주의를 펼치는 강 상류의 부유한 국가들은 위험의 생산국이지만 강물이 상류에서 하류로 흐르듯 산업화의 부작용인 위험을 강 하류의 가난한 국가들로 수출할 수 있다. 따라서 강 하류에 위치한 가난한 국가들은 자신들이 알지도 못하고 원하지도 않은 위험을 수용하게 되는 반면, 강 상류의 경제 선진국들은 위험을 인식하고 예방책을 세울 동기가 약해진다(벡, 2010: 287~

290). 그러나 세계위험사회론에서도 여전히 사회변혁의 주체는 계급이나 사회적 피억압계층 혹은 제3세계라기보다는 성찰적 개인과 이들이 중심이 된 국제적 비정부 단체들이다.

다른 하나는 시간적 차원과 중첩된다. 아직 산업화가 덜 진전된 주변부 국가들은 현대의 도래를 기다리지만, 한편으로 이미 위험의 국제적 위계질서에 따른 글로벌 산업화의 부작용을 겪고 있다는 주장이다(벡, 2010: 322). 이는 후에 논의할 압축적 근대화 논의와 일맥상통하는 것으로서, 이 역시 위험사회론이 서구 중심의 단선적·보편적 사회발전론을 상정한다는 비판에 따른 이론 수정으로 볼 수 있다.

다섯째, 세계위험사회론은 글로벌 위험의 대두로 나타난 정치적 결과로 세계시민주의의 확산을 강조한다. 여기서 세계시민주의는 복잡한 상호 의존으로 얽힌 세계와 지구적 규모로 제기되는 공동의 위협(common threats)에 대한 성찰적 인식이 공동 책임과 국경을 초월한 협력의 필요성이라는 세계주의적 규범과 합의를 이끌어내는 것을 의미하는데, 벡은 이를 철학적 의미의 세계시민주의와 구분해 '제도화된 세계시민주의(institutionalized cosmopolitanism)'라고 이름 붙인다(Beck, 2006b: 23).

여기서 벡은 위험의 계몽적 효과를 강조한다. 벡에 따르면 글로벌 위험 자체의 성격에 따라 자동적으로 세계시민주의가 증진되는 것은 아니다. 세계시민주의는 글로벌 위험에 대한 세계적인 공론화 과정을 통해 고양된다. 이 과정은 글로벌 위험의 원인과 결과가 무엇이고 이를 어떻게 관리할 것인가에 관한 담론 갈등으로 이루어지는데, 이러한 위험 갈등은 기존의 위험 관리 질서를 뒤흔들고 새로운 위험 거버넌스 제도를 요구하는 계몽의 효과를 갖는다(벡, 2010: 112). 지구 기후변화를 글로벌 위험으로 정의한 1992년의 리우 회담은 그 대표적인 예다(Beck and Willms, 2004: 141). 세계시민사회의 전망은 개별 국민국가의 경계를 넘어서는 글로벌 위험을 맞아 위험 예방과 위험 통제라는 지구 공동의 이해관계를 탐색하고 이를 구속력 있게 제도화하는 데 필수적인 요건이다.

또한 국제적 위험 불평등과 갈등에 대한 논의는 곧 사회학이 방법론적 일 국주의(methodological nationalism)를 벗어나야 한다는 주장으로 발전한다. 벡의 세계시민주의 시각은 단지 위험 인식에 대한 비교사회학적 시각을 의미하는 것이 아니라 국제사회의 세계주의적 힘이 각 국가 내부의 제도와 어떻게 상호작용하는지를 이해하는 것이 초점이다(한상진, 2008a; Beck, 2006b; Beck and Willms, 2004). 세계위험사회에서 위험은 국경을 넘나들고, 위계적인 글로벌 권력관계에 의해 불평등하게 분배되며, 위험 정치에는 국민국가뿐 아니라 글로벌 다국적기업과 시민단체들도 중요한 역할을 한다. 사회학은 이러한 현실을 분석하기 위해 위험의 결정자와 그 결정에 따른 피해자 사이의 경계, 그리고 영토적·경제적·사회적 경계의 불일치에 주목하는 동시에, 국경을 초월해 활동하는 권력과 대항권력의 활동에 초점을 맞추는 '방법론적 세계시민주의(methodological cosmopolitanism)'로 나아가야 한다(한상진, 2008a; Beck, 2006b).

세계시민주의는 세계위험사회론이 비판이론으로 자리매김하는 데에도 중요하다. 세계위험사회론은 세계시민주의의 전망에 따라 위험 결정의 위험과 편익을 모든 국가와 지역이 비교적 평등하게 나누어 가져야 한다는 규범성을 암묵적으로 전제하기 때문이다. 세계위험사회론은 이러한 규범적 당위성에 기초해 사회의 모순을 밝히고 이를 극복하기 위한 주체와 대안을 모색하는 비판이론의 전통을 계승하며(한상진, 2008b), 방법론적 세계시민주의는 이를 위한 학술적 근거를 제시하는 데 필수적이며, 제도화된 세계시민주의는 하위 정치와 사회운동이 새로운 위험 거버넌스 제도를 구축하는 데 핵심적인 통로가 된다.

4. 결론: 벡의 (세계)위험사회론의 의의와 한계

지금까지 벡의 주요 이론적 개념들이 초기 위험사회론에서 세계위험사회론과 세계시민주의론으로 발전하면서 어떤 변화를 가져왔는지를 살펴보았다. 벡은 현대사회의 위험이 우연적인 자연재해와 달리 근대화가 고도로 진행되면서 비의도적으로 형성되었다고 개념화하며, 이 새로운 형태의 위험의 특징과 이를 생산하고 통제하는 사회제도에 대한 분석을 통해 현대사회의 성격을 설명해왔다. 벡의 위험사회론이 흥미로운 이유 중 하나는 그것이 한국의 사회학과 교류하면서 위험사회론과 한국의 사회학이 상보적으로 발전해왔기 때문이다. 1990년대에 일련의 대형 사고와 재정 위기가 발발하며 한국사회에 대한 성찰적 조망의 필요성이 대두되었고, 위험사회라는 개념은 한국사회를 분석할 새로운 개념과 이론을 찾고 있던 사회학자들에게 중요한 이론적 도구를 제공했다. 압축적 근대화의 경험이 누적시킨 위험을 논의하는 것과, 촛불시위를 하위 정치와 연결한 논의가 대표적이다.

먼저 압축적 근대화와 위험사회의 역사적 맥락화에 대한 논의를 살펴보자. 앞서 언급했듯 벡의 위험사회론이 한국 사회학계의 집중적인 관심을 받게 된 것은 이론 자체의 매력도 한몫했겠지만, 무엇보다도 성수대교 붕괴 사고, 삼풍백화점 붕괴 사고 등 1990년대 중반에 발생한 일련의 대형 사고들과 1997년의 금융 위기가 위험에 대한 사회적 경각심을 불러일으켰기 때문이다. 그러나 사회를 규정하는 거대 이론 틀로서 위험사회론을 수용한 학자들은 벡의 개념과 이론이 서구와 다른 한국의 독특한 발전 경험과 그로 인한 위험의 복합적 성격을 설명할 수 없다는 데도 인식을 같이한다. 따라서 이들은 벡의 위험사회론이 지닌 서구 중심적 한계를 지적하며 한국적 상황에 맞춘 새로운 개념을 제안했는데 '복합 위험사회'(장경섭, 1998; Chang, 1999)와 '돌진적 근대화'(한상진, 2008b; Han, 1998)가 대표적이다.

먼저 한상진은 위험사회론의 핵심적인 개념들이 한국 사회에 적용될 수 있다고 평가하면서도, 한국과 동아시아의 발전 경험이 서구의 발전 경험과 다르고 또 각 사회의 발전 단계에 따라 위험의 의미가 다를 수 있다는 점을 강조한다. 그에 따르면 한국은 최대한 빠른 속도로 경제성장을 이루기 위해 국가가 가용할 수 있는 모든 자원을 동원하는 '돌진형 발전(rush-to develop-ment)' 전략의 전형적인 사례이다. 그런데 돌진형 발전은 빠른 경제개발만을 지상 목표로 삼았기 때문에 사회 안전을 희생시키고 부정부패의 만연을 가져왔다. 한상진은 1990년대의 수많은 사건·사고가 우연한 재난이 아닌 돌진적 근대화와 기술 관료적 합리성의 부작용으로 발생한 사회구조적 위험으로 해석되어야 한다고 주장한다. 돌진적 근대화를 경험하는 한국 사회에서는 국경을 초월하는 위험과 국내적인 위험이, 산업사회의 위험과 후기 산업사회의 위험이, 그리고 객관적인 위험과 성찰적인 위험이 동시에 출현하고 있어 어떤 의미에서는 서구보다 위험사회론이 더 잘 적용될 수 있는 사회다(한상진, 1998, 2008b; Han, 1998).

유사하게 장경섭은 서구 세계가 200~300년간 경험한 근대화를 한국 사회가 20세기 후반 40~50년 동안 압축적으로 이룬 것에 주목하면서, 이러한 '압축적 근대성(compressed modernity)'이 초래한 한국의 사회구조적 딜레마로서 복합 위험사회를 설명한다. 한국 사회는 벡이 말한 선진국형 위험 외에도 후진국형, 한국 특유형 위험 요인이 혼재하는 복합 위험사회라는 것이다. 그는 한국의 성장 지상주의 정치 이념과 사회 분위기가 '선성장·후안전' 기조를 고착시켜 여전히 후진국형 재해가 빈발하게 만들고, 속도 효율에 집착하는 압축적인 산업화 과정은 납기(納期) 단축과 공기(工期) 단축을 최고의 성과 지표로 간주해 안전사고 역시 압축적으로 폭증시키는 한국 특유의 위험을 양산한다고 주장한다(장경섭, 1998; Chang, 1999).

이와 같은 한국 사회이론학계의 위험사회 개념 수용은 두 가지 중요한 특징을 갖는다. 먼저 한국의 사회이론가들은 위험사회론을 받아들이면서도 한국의 근대화 과정이 서구와는 다르다는 점에 주목해 한국 사회에서 나타나는 위험사회 양상의 독특한 성격을 부각시켜왔다. 이는 벡의 위험사회론이 서구의 경험을 일반화하고 '전근대-근대-성찰적 근대'로의 단선적 경로를 상정한다는 비판을 상기시킨다(Urry, 2004). 한국 사회의 예는 이러한 비판에 구체성을 더하며 위험사회를 역사적으로 맥락화해야 할 필요성을 부각시켰고, 최근에 벡 역시 세계위험사회론과 세계시민주의론을 발전시키는 과정에서 이를 인정한 바 있다(한상진, 2008a; Beck and Grande, 2010; Beck and Willms, 2004). 실제로, 2008년에 한국을 방문한 벡은 한국 학자들과의 교류를 통해 자신의 이론을 수정할 필요성을 인식하게 되었다고 고백한 바 있다(한상진, 2008b: 38).

또한 한국의 사회이론가들은 벡이 다룬 환경문제나 대형 기술 사고와 같은 과학기술 관련 위험뿐 아니라 금융, 범죄, 부패 등 사회 전반의 위험을 같은 위험사회라는 개념으로 논의하고 있다. 이는 한편으로 한국 사회를 종합적으로 진단하는 데 벡의 개념을 이용한다는 점에서 긍정적일 수 있으나 다른 한편으로는 그가 주목했던, 지역적·시간적·사회적 경계를 초월하는 새로운 형태의 위험과 이로부터 파생한 현대사회의 독특한 성격을 논의하는 데 불리할 수밖에 없다. 결국 한국의 사회이론가들은 현대사회의 성격을 설명하는 추상적 이론으로서 벡의 개념과 이론을 수용했다기보다 서구와 구분되는 '한국 사회'의 독특한 성격을 규정하고 이를 부각시키기 위한 개념적 도구로 위험사회 개념을 이용해왔다고 할 수 있다.

다음으로 광우병 반대 촛불시위와 위험사회의 하위 정치를 연결시킨 논의들을 살펴보자. 벡의 개념과 이론은 광우병 반대 촛불시위의 새로운 특징들을 분석하고 설명하는 도구로 널리 수용되었다(정태석, 2009; Kim, 2014). 대표적으로 정태석(2009)은 광우병에 대한 시민들의 두려움이 촛불집회를 통한 광범위한 연대를 만들었다는 점에 주목하면서 이를 위험사회론의 핵심 주장인 '불안의 연대'라는 개념으로 설명한다. 위험사회론의 중심 테제 중 하나는 산업사회에서 물질의 생산 및 분배와 연관된 '결핍의 연대'가 사회 갈등의 주축이었다면, 위험사회에서는 환경, 건강, 생명 등과 연관된 '불안의 연대'가 사회 갈등의 주축을 이룬다는 것이다. 정태석은 광우병 반대 촛불집회를 벡이 말한 불안의 연대가 한국 사회에서 표출된 사건이자, 한국의 사회구조가 위험사회로 전환되고 있음을 보여주는 상징적 사건이라고 주장한다. 먹거리가 산업적으로 대량생산되고 글로벌 무역의 대상이 되면서 각종 질병이나 위해물질들의 지구적 확산 가능성이 높아졌고, 이러한 현실에 대한 일반 시민들의 자각과 불안이 평소 비정치적인 영역이었던 식품 안전을 정치화한 사건이 바로 미국산 쇠고기 수입 반대 시위라는 것이다. 또한 벡은 식품 안전 같은 생활 밀착형 주제들이 성찰적 근대사회에서는 주요 정치적 쟁점으로 등장하고, 이러한 쟁점들에 대한 시민들의 요구가 전통적인 정치제도에서 흡수되기 어렵기 때문에 시민 단체나 시민들의 직접적인 참여를 통한 하위 정치가 구성된다고 설명하는데, 촛불집회는 한국 사회에도 벡의 주장처럼 새로운 가치와 요구가 하위 정치의 쟁점으로 등장했음을 상징적으로 보여준다(정태석, 2009).

김종영 역시 벡의 위험사회론을 수용해 2008년의 광우병 반대 촛불시위를 설명한다. 그는 위험사회 속에서 전통적인 정치가 예측과 통제가 불가능한 위험을 다루는 데 실패하면서 사회운동이 중심이 된 새로운 정치의 장이 열린다는 점에 주목한다. 이러한 위험 정치에서 시민들과 시민 단체들은 국가 관료와 전문가에 의해 지배되던 전통적인 의사결정 과정에 도전하면서 위험을 정의하는 정치적 투쟁에 직접 참여한다. 광우병 반대 촛불시위를 이끈 위험 정치의 핵심은 '누가 광우병 위험을 정의할 것인가?'라는 위험 정의를 둘러싼 투쟁이었고, 또 이 투쟁에 시민들이 직접 참여했다는 점이다. 이런 관점에서 정태석과 마찬가지로 김종영은 광우병 반대 촛불시위는 위험 정치가 처음으로 한국의 정치사에 중요하게 등장한 사건이라고 주장한다(Kim, 2014: 232).

이처럼 벡의 위험사회, 위험 정치, 하위 정치, 불안의 연대와 같은 개념들은 2008년 광우병 반대 촛불시위를 설명하는 주요 개념 틀로 사용되었을 뿐 아니라 한국의 사회구조 변동을 보여주는 것으로 해석되었다. 그러나 모든 학자들이 광우병 반대 촛불시위를 벡이 주장한 하위 정치로 해석하는 것은 아니다. 일례로 일부 학자들은 광우병 반대 촛불시위가 광우병 위험에 대한 우려에서 출발한 것을 인정하면서도, 2008년의 광범위한 시위를 10년간의 진보적 정권에서 보수적인 이명박 정권으로 국가권력이 이동하는 가운데 새로운 정부가 쏟아내는 각종 보수적 정책들에 대한 대중의 저항과 분리시켜 이해할 수 없다고 본다. 광우병 반대 시위를 놓고 벌어진 소위 진보 언론과 보수 언론의 전면적인 충돌은 이러한 전통적인 정치 갈등을 잘 표현해준다(Lee, Kim and Wainwright, 2010). 어떤 면에서는 벡이 말한 위험사회의 정치 갈등과 전통적인 산업사회의 정치 갈등이 동시에 표출되는 것이 한국적 위험 갈등의 특징일 수 있는 것이다(Bak, 2014).

한편 벡은 자신의 위험사회론을 세계위험사회론으로 확장해가면서 위험사회론에 대한 비판을 수용해나갔다. 세계위험사회론은 단지 범위의 확장뿐 아니라 위험에 대한 구성주의적 시각, 위험 노출의 국가별 차별적 성격과 불평등, 세계시민주의의 확산과 그것의 계몽적 효과를 강조한다. 그러나 벡의 후기 이론체계인 글로벌 위험사회론이나 세계시민주의 개념은 위험사회론에 비해 아직 한국 사회학계에서 충분히 논의·활용되지 못하고 있다. 이는 한국 사회가 직면한 위험의 복합성에 비춰볼 때 세계위험사회론이 초점을 맞추고 있는 글로벌 위험과 한국 사회의 핵심 쟁점들 사이에 괴리가 있기 때문이기도 하지만, 세계위험사회와 세계시민주의가 어떻게 경험적으로 연구되어야 할지에 관한 방법론적 어려움 때문이기도 하다. 벡 스스로가 세계위험 사회를 분석하기 위한 방법으로 방법론적 세계시민주의를 강조하지만 국내외 사회학계에서 그가 말한 방법론적 세계시민주의를 적용한 연구는 아직 구체적으로 찾기 어려운 것이 현실이다.

하지만 지구화의 진행과 함께 한국의 많은 사회현상이 한국 내의 정치적·사회적 요인들로만 설명되지 않는다는 것은 점점 더 명백해지고 있다. 광우병 파동이 보여주듯 위험 문제 역시 국제사회의 세계주의적 힘과 국내의 정치적·사회적 힘이 영향을 주고받으며 쟁점으로 부각되고 있고, 따라서 위험 거버넌스 구축을 위해서도 국가 안과 국제사회를 연결하는 분석이 필수적이다. 위험 거버넌스 문제가 국가적·시대적 화두로 등장한 한국 사회에서 벡의 개념과 이론은 한국의 사회학자들에게 여전히 유용하며 주의 깊게 살펴볼 가치가 충분하다.

참고문헌

노진철. 2010. 『불확실성 시대의 위험사회학』. 한울.

벡, 울리히(U. Beck). 1997. 『위험사회: 새로운 근대(성)을 향하여』. 홍성태 옮김. 새물결.

_____. 2010. 『글로벌 위험사회』. 박미애 · 이진우 옮김. 길.

_____. 2011. 『세계화 시대의 권력과 대항권력』. 홍찬숙 옮김. 길.

송재룡. 2010. 「울리히 벡의 코스모폴리탄 비전과 그 한계: 공동체주의 입장에서」. ≪현상과
인식≫, 34(4), 93~119쪽.

이홍균. 2009. 「울리히 벡의 '성찰적 근대화론' 비판 — 성장의 사회 압력에 의한 행위의 관점
에서」. ≪담론201≫, 12(1), 133~159쪽.

임현진 외. 2002. 『한국사회의 위험과 안전』. 서울대학교 출판부.

장경섭. 1998. 「압축적 근대성과 복합위험사회」. ≪비교사회≫ 2, 371~414쪽.

정태석. 2009. 「광우병 반대 촛불집회에서 사회구조적 변화 읽기: 불안의 연대, 위험사회, 시
장의 정치」. ≪경제와 사회≫, 81, 251~272쪽.

한상진. 1998. 「왜 위험사회인가? 한국사회의 자기반성」. ≪사상≫, 38, 3~25쪽.

_____. 2008a. 「울리히 벡-한상진 대담: 위험사회 여는 코스모폴리탄 전망」. ≪사회비평≫,
39, 141~155쪽.

_____. 2008b. 「위험사회 분석과 비판이론: 울리히 벡의 서울 강의와 한국 사회」. ≪사회와
이론≫, 12(1), 37~72쪽.

Bak, Hee-Je. 2014. "The Politics of Technoscience in Korea: From State Policy to Social
Movement." *East Asian Science, Technology and Society: An International Journal*,
8(2), pp.159~174.

Beck, Ulrich. 1992. "From Industrial Society to the Risk Society: Questions of Survival,
Social Structure and Ecological Enlightenment." in M. Featherstone(ed.). *Cultural
Theory and Cultural Change*. London: Sage.

_____. 1995. *Ecological Enlightenment*. Amherst, NY: Prometheus Books.

_____. 2006a. "Living in the world risk society." *Economy and Society*, 35(3), pp.329~345.

_____. 2006b. *Cosmopolitan Vision*. Cambridge: Polity.

Beck, U., A. Giddens and S. Lash. 1994. *Reflexive Modernization: Politics, Tradition and
Aesthetics in the Modern Social Order*. Cambridge: Polity.

Beck, U. and E. Grande. 2010. "Varieties of second modernity: the cosmopolitan turn in social and political theory and research." *The British Journal of Sociology*, 61(3), pp.409~443.

Beck, U. and J. Willms. 2004. *Conversation with Ulrich Beck*. Cambridge: Polity.

Bronner, S. E. 1995. "Ecology, Politics, and Risk: The Social Theory of Ulrich Beck." *Capitalism-Nature-Socialism*, 6(1), pp.67~86.

Chang, Kyung-Sub. 1999. "Compressed Modernity and Its Discontents: South Korean Society in Transition." *Economy and Society*, 28(1), pp.30~55.

Han, Sang-Jin. 1998. "The Korean Path to Modernization and Risk Society." *Korea Journal*, 38(1), pp.5~27.

Kim, Jongyoung. 2014. "The Networked Public, Multitentacled Participation, and Collaborative Expertise: US Beef and the Korean Candlelight Protest." *East Asian Science, Technology and Society: An International Journal*, 8(2), pp.229~252.

Lee, Seung-Ook, Sook-Jin Kim and J. Wainwright. 2010. "Mad Cow Militancy: Neoliberal Hegemony and Social Resistance in South Korea." *Political Geography*, 29, pp.359~369.

Marshall, B. K. 1999. "Globalisation, Environmental Degradation and Ulrich Beck's Risk Society." *Environmental Values*, 8(2), pp.253~275.

Mythen, G. 2004. *Ulrich Beck: A Critical Introduction to the Risk Society*. Sidmouth: Pluto Press.

Urry, J. 2004. "Introduction: Thinking Society Anew." in U. Beck and J. Willms. *Conversations with Ulrich Beck*. London: Polity Press.

06

유동적 현대의 비판사회학

/

지그문트 바우만의 사상과 실천

정일준

1. 머리말

지그문트 바우만(Zygmunt Bauman)은 우리 시대의 가장 뛰어난 사회학자 중 한 명이자, 세계에서 가장 영향력 있는 사회학자 중 한 명으로 자주 언급된다. 1925년 11월 19일에 폴란드에서 출생했으니 올해로 만 구순이 되는 노학자이다. 폴란드 공산 정권이 주도한 반유대주의 운동으로 추방된 후 1971년부터 영국에 거주하고 있다. 리즈 대학 사회학과에서 줄곧 가르쳤으며 지금은 명예교수이다. 바우만은 현대성(modernity)·탈현대성(postmod-ernity)과 고형적(solid)·유동적(liquid) 현대성 같은 다양한 쟁점들에 대해 집필하는 세계에서 가장 저명한 사회이론가 중 한 명이다. 그의 이런 명성에 비해 한국 학계에서는 바우만의 사상을 다룬 연구가 많지 않다(송재룡, 2000; 백승대, 2008; 김수연, 2013). 그럼에도 한국의 일반 독자층에게 그의 인기는 대단하다. 2000년대 이후 20권에 달하는 저작들이 한국어로 번역되었다.[1] 번역본은 대부분 '유동적 현대성'과 관련된 후기 사회사상에 집중되어 있다.

2000년에 『유동적 현대(Liquid Modernity)』[2]를 출간한 후 2003년에 『유동적 사랑(Liquid Love)』,[3] 2005년에 『유동적 삶(Liquid Life)』, 2006년에 『유동하는 공포(Liquid Fear)』, 2007년에 『유동적 시간(Liquid Times)』,[4] 2012년에 『유동적 감시(Liquid Surveillance)』[5] 등 '유동적 현대' 시리즈를 출간하고 있다. 특히 2013년은 한국 출판계에서 바우만 붐이 절정에 달한 해였다. 『현대성과 홀로코스트(Modernity and the Holocaust)』(1989), 『부수적 피해(Collateral Damage)』(2011), 『리퀴드 러브』, 『방황하는 개인들의 사회(The Individualized Society)』(2001), 『유행의 시대(Culture in a Liquid Modern World)』(2011), 『이것은 일기가 아니다(This is not a diary)』(2012), 『왜 우리는 불평등을 감수하는가(Does the Richness of the Few Benefit Us All?)』(2013) 등 일곱 권의 번역본이 쏟아져나왔다.[6] 이처럼 한국 독자들에게 친숙한 바우만의 사회사상은 그의 긴 지적 역정에서 세 번째 단계에 해당한다.

바우만은 1925년에 폴란드 포즈난(Poznan)의 유대인 부모에게서 태어났다. 1939년에 나치가 폴란드를 침공하자 그의 가족은 동쪽의 소련으로 탈출했다. 바우만은 소련이 통제하는 폴란드 군대에 입대해 정치 교관으로 일했다. 그는 직접 전투에 참가했고 1945년 5월 철십자훈장을 받았다. 1945년부터 1953년까지는 보안부대에서 정치장교로 일했다. 바우만은 열성적인 공산주의자였다. 그는 바르샤바 사회과학대학(Warsaw Academy of Social Sciences)에서 처음으로 사회학을 공부했다. 그러나 사회학이 당시 부르주아의 학문으

---

1 참고문헌에 제시된 바우만의 저작들과 한국어 번역본을 참조하기 바란다.
2 한국어로는 2009년에 『액체 근대』로 번역되었다.
3 한국어로는 2013년에 『리퀴드 러브』로 번역되었다.
4 한국어 번역본은 이탈리어 번역본을 따라서 2010년에 『모두스 비벤디』로 번역되었다.
5 한국어로는 2014년에 『친애하는 빅브라더: 지그문트 바우만, 감시사회를 말하다』로 번역되었다.
6 "신간 인문서 코너: 바우만 옆에 또 바우만", 《조선일보》, 2013년 8월 31일 자 참조.

로 여겨져 폴란드의 교과과정에서 제외된 탓에 철학을 배우기 시작했다. 그는 오소프스키(Stanislaw Ossowski) 교수와 호크펠트(Julian Hochfeld) 교수의 가르침을 받았다. 바우만이 보안대 소령으로 진급한 1953년, 바우만의 아버지가 바르샤바의 이스라엘 대사관에 접촉해 이스라엘로의 이민을 타진한 이후 갑작스럽게 불명예 제대했다. 제대 이후 무직 상태에서 바우만은 석사과정을 졸업하고 1954년에 바르샤바 대학의 강사가 되었다. 그의 강사 생활은 1968년까지 계속되었다. 바우만은 맥켄지(Robert McKenzie) 교수의 지도로 런던 정경대(London school of Economics)에서 영국 사회주의 운동에 대해 포괄적으로 연구했다. 이 책은 폴란드어로 1959년에 출판되었고 1972년에 수정·번역되어 영어로 발간되었다(Bauman, 1972). 바우만은 1964년에 『일상생활의 사회학(Sociology for everyday life)』을 출판했는데, 이 책은 폴란드에서 큰 인기를 얻은 후 『사회학적으로 생각하기』(Bauman, 1990)라는 영어 교재의 기초가 되었다. 초기 바우만은 정통 마르크스주의자에 가까웠다. 그렇지만 그람시(Antonio Gramsci)와 짐멜(Georg Simmel)의 영향을 받으며 점점 폴란드 공산 정권에 비판적인 태도를 갖게 되었다. 이 때문에 그는 교수 자격(habilitation)을 얻은 이후에도 교수직을 얻지 못했다. 그러나 그의 이전 스승인 호크펠트가 1962년에 프랑스 유네스코(UNESCO) 사회과학 부서 부소장이 된 이후 바우만이 사실상 그 자리를 물려받았다.

증가하는 정치적 압력과 폴란드 공산당이 주도한 반유대주의 운동에 직면해 바우만은 1968년 1월에 집권 여당인 폴란드 통합노동당 당원 자격을 포기했다. 1968년 3월에 반유대주의 운동이 정점에 이르자 많은 지식인들을 포함해 폴란드에 남아 있던 유대인들이 추방당했다. 바우만도 그들 중 한 명이었다. 바우만은 폴란드를 떠나기 위해 폴란드 시민권을 포기해야 했다. 영국 리즈 대학(University of Leeds)의 사회학 교수직을 수락하기 전 바우만은 이스라엘 텔아비브 대학(Tel Aviv University)에서 강의했다. 그러나 얼마 머무르지 않고 이스라엘을 떠났다. 영국에 안착한 이후 바우만은 영어로만 글을 쓰기 시작했고 명성을 얻었다. 바우만이 세계적인 학자로 인정받기 시작한 것은 『현대성과 홀로코스트』를 출간한 이후다(Bauman, 1989).

바우만의 지적 계보는 크게 세 단계로 나눌 수 있다. 첫 번째 단계는 정통 마르크스주의자 시기이다(Tester and Jacobsen, 2005).[7] 두 번째 단계는 현대성·탈현대성에 주목한 시기이다.[8] 세 번째 단계는 고체·유동적 현대성의 사상가 시기이다.[9] 그렇지만 이 글에서 바우만의 사상을 시기별·주제별로 모두 포괄할 수는 없다. 불가피하게 선택과 집중을 해야 한다. 여기서는 '탈현대성의 사도'(Smith, 1999)에서 '유동적 사회학'(Best, 2013; Davis, 2013b; Davis & Tester, 2010; Elliot, 2007b; Jacobsen and Marshman, 2007; Jacobsen and Poder, 2008)으로 전환하는 지점에 초점을 맞추고자 한다.

이 글은 다음과 같이 구성된다. 첫째, 바우만에게 국제적인 명성을 안겨준 『현대성과 홀로코스트』를 중심으로 현대성·탈현대성 관련 저작들을 소개한다. 둘째, 유동적 현대성을 소개하고 유동적 현대의 다양한 차원과 측면을 살펴본다. 셋째, 탈현대성에서 유동적 현대성으로의 전환을 둘러싼 학계의 비판을 살펴본다. 끝으로, 바우만이 한국 사회에 던지는 화두를 정리하려고 한다. 이를 통해서 바우만의 저작이 한국에서 널리 읽히는 까닭을 가늠해볼 것이다.

---

7 바우만이 학문 활동을 시작한 이래로 1989년까지의 시기이다.

8 대체로 1989년부터 1990년대 말까지이다. 한국 학계에서는 주로 이 시기의 바우만 사상에 대한 검토가 이루어졌다. 이 시기까지의 바우만 사상에 대한 최초의 종합적인 논의로는 Kilminster and Varco(1996)을 참조하기 바란다.

9 『유동적 현대성』을 출간한 2000년부터 현재까지의 기간이다.

2. 바우만의 현대성·탈현대성 이론: 현대성의 양가성과 탈현대성

1) 현대성의 양가성(ambivalence)

바우만은 1989년 『현대성과 홀로코스트』를 출간하면서 세계적인 석학으로 떠올랐다. 아우슈비츠나 소련의 굴라크가 주는 도덕적 교훈 중 가장 충격적인 것은 무엇인가? 그것은 우리가 방심하면 철조망 안에 갇히거나 가스실에 들어갈 수 있다는 개연성이 아니다. '적당한 조건이라면' 우리가 가스실 경비를 서고, 굴뚝에 독가스를 넣는 역할을 할 수 있다는 것이다. 악인은 평범한 사람들과 다를 바 없고, 별도의 신분증을 가지고 있지도 않다(Arendt, 1965; 아렌트, 2006). "아무도 믿지 마라"라는 말처럼 이제 사회생활의 필수 요소인 신뢰(信賴)는 무너졌다. 개인은 시민적 무관심(無關心)으로 무장하고 타인과 적당한 거리(距離)를 유지하려고 노력한다. 인간관계는 단절된다. 사람들은 구체적인 상대와 전인격적인 인간관계 맺기를 두려워한다. 신뢰하면 배신당한다. 그 대신 사이버 네트워크에 목숨을 건다. 질적 결핍을 양적으로 보충하려는 것이다. 리스크를 분산하는 양다리 걸치기다. 진정한 인간관계를 맺기는 좀처럼 쉽지 않다. 공포(恐怖)는 수그러들 줄 모른다. 자유의 아이들은 공포에 사로잡혀 살고 있다. 평생 친구와 영원한 적을 가르는 명확한 선은 이제 희미해졌다. 그 대신 드넓은 회색 지대가 드러난다. 경계(境界)는 매번 변하고 구획은 달라진다. 이 불확실성(不確實性), 불투명(不透明)함이야말로 악(惡)이 숨어 있기에 가장 좋은 거처이다(Bauman, 2006; 바우만, 2009b).

바우만은 『현대성과 홀로코스트』에서 수행하는 다양한 탐구의 목적은 전문 지식을 추가하거나 사회과학자의 특정한 주변적 관심사를 충족하는 것이 아니라고 한다. "전문가들이 발견한 내용을 사회과학의 보편적 용도에 맞게 공개하고 사회학 연구의 주요 주제에 유관한 방식으로 해석하며 우리 학문 분과의 주류에 재주입함으로써 현재의 주변적 지위에서 사회이론과 사회학적 실천의 중심 영역으로 격상시키는 것"이 목적이라고 한다(Bauman, 1989; 바우만, 2013g: 21~22).

역사가들 덕분에 홀로코스트에서 '실제로 무슨 일이 벌어졌는지'에 대한 우리의 지식은 시간이 경과함에 따라 증가했다(Hilberg, 1985; 힐베르크, 2008). 그러나 홀로코스트 지식이 현대사회에 전하는 의미를 파악하려는 주류 사회학자들과 사회사상가들의 노력은 매우 뒤처졌다. 아도르노(Theodor Adorno)나 아렌트(Hannah Arendt) 같은 저술가들이 처음 주장한 이래로 이런 노력이 진정으로 시작된 적은 없었다. 그들이 미완으로 남겨놓은 지점에서부터 작업을 진행하는 것이 바우만의 의도였다. 그는 동료 사회학자들이 홀로코스트라는 사건과 현대 삶의 구조와 논리 사이의 관계를 고려해, 홀로코스트를 현대사 안에서 기괴한 탈선 이야기로 보기를 중단하고, 현대사의 매우 연관성이 높고 온전한 부분으로서 사고하도록 권고할 수 있길 바랐다. 그에 따르면 홀로코스트라는 주제가 사회과학 담론에서 제기될 때마다, 논쟁의 진정한 주제는 역사에서 무슨 일이 일어났는지에 대한 것이 아니다. 오늘날 우리가 살고 있는 세계의 특징이 무엇인지에 대해서다. 모든 현행 홀로코스트 담론의 숨겨진 의제는 홀로코스트의 사실들이 우리에게 오늘날 삶의 숨겨진 역량들에 대해 말해줄 수 있다는 것이다.

『현대성과 홀로코스트』의 1장은 홀로코스트 연구에서 제기된 중요한 이론적·실천적 쟁점들에 대한 사회학의 응답을 전반적으로 검토한다. 2장과 3장에서는 현대화의 새로운 상황에서 발생한 경계 긋기의 경향으로부터 초래된 긴장, 전통적 질서의 붕괴, 현대 국민국가의 정립, 현대 문명의 일정한 속성들, 즉 사회공학적 야심의 정당화에 사용되는 과학적 수사(修辭)의 역할 사이의 연계, 인종주의적 형식을 띠는 집단적 적대 관계의 출현, 그리고 인종주의와 인종 학살 프로젝트 사이의 연계를 탐구한다. 그리하여 '홀로코스트는 전형적인 현대적 현상으로서 현대성의 문화적 경향과 기술적 성취를 떼어 놓고 이해할 수 없다'는 주장에 이른다. 4장에서는 다른 현대적 현상들 가운데서도 홀로코스트가 차지한 지위에서 드러나는 고유성과 정상성의 진정한 변증법적인 조합을 추구한다. 홀로코스트는 본래 평범하고 통상적인 요인들 사이의 특유한 조우가 초래한 산물이었으며, 그러한 조우의 가능성은 정치적 국가가 폭력 수단을 독점하고 대담한 공학적 야심을 보유한 상태로 사회통제에서 해방된 것이 큰 원인이 되어 발생했다고 결론짓는다. 5장에서는 희생자들이 스스로 희생자가 되는 데 협력하게 하는 현대의 메커니즘, 그리고 강제적 권위의 점층적 비인간화 효과에 필요한 조건이 되는 현대의 메커니즘을 파헤친다. 홀로코스트의 '현대적 연계' 가운데 하나, 즉 홀로코스트가 현대 관료제에서 완벽하게 발전한 권위 유형과 밀접하게 연결되는 고리가 6장의 주제이다. 7장은 이론적 종합이자 결론으로서 현재 지배적인 사회이론에서 도덕성(morality)의 지위를 검토하고 그것을 근본적으로 수정할 것을 주장한다. 그러한 수정은 사회적 거리에 사회적 조작을 행할 수 있도록 밝혀진 역량에 초점을 맞춘다. 이 책의 모든 장들은 모두 홀로코스트의 교훈을 현대성과 문명화 과정, 그리고 그 효과에 관한 주류 이론에 흡수시킬 것을 주장한다.

바우만에 따르면 홀로코스트는 현대성이 간과하거나 경시하거나 해소하는 데 실패한 오래된 긴장들, 그리고 현대의 발전 자체가 만들어낸 합리적·효과적으로 작동하는 강력한 수단들 사이의 특유한 조우였다. 설사 그러한 조우가 특유했으며 상황들의 드문 조합을 필요로 했다고 할지라도, 그 조우에서 한데 모인 요인들은 당시부터 지금에 이르기까지 여전히 편재(遍在)하며 '정상적'이다. 홀로코스트 이후 이러한 요인들의 소름 끼치는 잠재적 영향을 파악하는 작업은 충분히 이루어지지 않았고, 이러한 요인들의 잠재적으로 소름 끼치는 영향을 무력화하는 작업은 더욱 적게 이루어졌다. 바우만이 이 책을 쓴 까닭은 홀로코스트가 시간과 장소를 바꾸어 계속 발생할 수 있다고

<표 6-1> 바우만의 양가성 개념의 모호함

영역 \ 책	『실천으로서의 문화(Culture as Praxis)』	『현대성과 양가성(Modernity and Ambivalence)』	『탈현대 윤리(Postmodern Ethics)』	『유동적 현대(Liquid Modernity)』	『쓰레기가 되는 삶들(Wasted Lives)』
양가성 정의	모호함	모호함/양가성	양가성	불안	쓰레기
주목하는 초점	문화질서	사회질서	도덕질서	사회과정	사회질서
양가성의 기원	의미의 모호함	분류상의 질서	타자	현대성	사회적 분기
양가성에 대처한다는 말의 의미	의미의 제한	권위	억압	행위 기회를 제공함	소비사회의 환상을 제공함
의도	질서의 필요성	질서 변동의 희망을 부추김	도덕 규칙을 파괴함	위험 분석	사회 비판

자료: Junge(2008).

믿기 때문이다. 그에 따르면 홀로코스트는 역사의 기괴한 탈선도, 문명사회라는 신체에 자란 암덩어리도, 일시적인 광기도 아니었다. 주류 유대인 서사와 정반대로 바우만은 홀로코스트를 현대성과 정면으로 마주보게 했다. 그렇게 해서 그가 홀로코스트라는 '그림' 아닌 '창문' 너머로 본 것은 현대성이야말로 홀로코스트를 배태했고 언제 어디에서건 적당한 조건만 갖추어지면 다시 반복될 수 있다는 우울한 전망이었다.

바우만은 말한다. "홀로코스트는 우리의 합리적인 현대사회에서, 우리 문명이 고도로 발전한 단계에서, 그리고 인류의 문화적 성취가 최고조에 달했을 때 태동해 실행"되었다고 말이다. 그렇기 때문에 '홀로코스트는 현대사회와 현대 문명과 현대 문화의 문제'인 것이다. 분명 홀로코스트를 상상할 수 있게, 그리고 가능하게 만든 것은 현대성과 합리성이었다. 나치의 제노사이드는 유대인을 박멸해야 할 '해충'으로 인식시키는 극단적 인종주의가 이데올로기적 선동에 그치지 않고 '예외 상태를 상례화'시키는 법 제도와 결합되어 작동했다. 그리고 광범위한 관료제 조직과 과학기술 전문가의 결합은 효율적인 학살의 포드주의(Fordism), 죽음의 대량생산을 탄생시켰다. 그래서 더욱 희생자들을 '대상물'이라는 노골적인 물리적 특성으로 환원시키는 데 성공할 수 있었으며 이를 위한 다양한 심리적 메커니즘이 작용했다. 그 결과 '범주적 학살'이 가능했던 것이다. 이는 바로 홀로코스트의 독특성과 평범성에 대한 생각으로 이어진다. 보통 때는 따로 떨어져 있는 현대사회의 아주 평범하고 일상적인 요인들이 조건만 맞아떨어지면 한곳에서 조우해 유일무이한 파괴적 결과를 낳는다는 것 말이다. 바우만은 이를 망각하지 말고 기억할 것을 촉구한다. "악은 평범하면서 도처에 잠복해 있다."

2) 현대성·탈현대성

바우만은 현대성을 잘 알려지지 않은 것들과 불확실한 것들을 제거하는 것이라고 보았다. 이는 자연 지배, 위계적 관료제, 법과 규정, 관리와 범주화를 포함한다. 그렇지만 바우만은 그러한 질서를 만들려는 시도가 결국 실패할 수밖에 없다고 보았다. 삶을 익숙하고 관리 가능한 범주 내에 구성하고자 할 때, 거기에는 그 집단의 구성원들이 분리하거나 지배·관리할 수 없는 사회집단이 항상 존재하게 된다고 그는 주장했다. 바우만은 '이방인'이라는 범주를 통해 그런 불확정적인 사람들을 이론화하려고 했다(Bauman, 1991). 1990년대 중·후반 바우만의 책들은 탈현대성과 소비주의에 주목했다. 바우만은 20세기 후반에 사회 이행이 일어났다고 주장하기 시작했다. 그것은 생산자들의 사회에서 소비자들의 사회로의 이행이다(Bauman, 1998a; 바우만, 2003; Bauman, 1998b). 그의 사회학은 '탈현대(postmodern)'를 '현대(modern)'의 종말(end)이나 이후(after), 너머(beyond)로 보지 않는다. 현대성에 대한 성찰로 본다. 따라서 '탈현대 사회학(a postmodern sociology)'과 구별되는 '탈현대성의 사회학(a sociology of postmodernity)'이라는 것이다. 이는 '후기 현대(late modern)'를 주장하는 기든스(Anthony Giddens)나 '2차 현대(second modern)'를 주장하는 벡(Ulrich Beck)의 '성찰적 사회학(reflexive sociology)'과 궤를 같이한다.

1989년 '현실 사회주의(actually existing socialism)'의 몰락, 지구화 과정의 심화 그리고 탈현대 사회사상이 대두함에 따라 바우만은 '탈현대 윤리(postmodern ethics)'를 모색한다(Bauman, 1993). 이는 '정원사 국가(gardening state)'의 확고한 윤리를 벗어던지는 것을 의미한다(Bauman, 1987, 1991). 바우만의 도덕성에 대한 입장은 사회학의 뒤르케임적 전통과 확연히 다르다. 사회학의 주류 전통에 따르면 사회는 도덕의 담지자이고 개인은 도덕에 복종해야 한다. 홀로코스트를 목도하고 연구한 바우만은 다르다. 만일 사회가 비도덕적이라면 개인은 어떻게 해야 하는가? 개인은 때로 사회화와 사회를 신성시하려는 시도에 저항할 의무가 있다(Bauman, 1989, 1993; 바우만, 2013g). 바우만은 타자의 우선성을 주장한다(Bauman, 1993, 1995). 따라서 현재의 불완전성을 단언한다. 현재는 항상 불의(不義)하고, 언제나 내가 돌보아야 할 누군가가 있다. 따라서 법적 책임이나 한정된 의무를 다하는 데 만족해서는 곤란하다. 새로운 윤리는 새로운 정치를 요구한다. 그렇지만 바우만은 공동체주의(communitarianism)나 집단적인 사회운동을 통한 정치를 깊이 불신했다. 그는 입법 이성(legislative reason)이나 사회규범에 대한 복종도 배격하고, 파괴적인 집단의식도 경계했다. 타자에 대한 책임감은 사회적으로 함께하는 형식을 통해 배양된다. 그런데 유동적 현대성이 진전되면서 타자를 향한 윤리적 무관심과 공포심이 창출된다(Bauman, 1999, 2008; Bauman and Rovirosa-Madrazo, 2009; 바우만, 2014a). 생산자 사회에서 소비자 사회로 변형되면서 타자와 정의를 위한 책임감은 자신을 향한 책임감으로 변모한다. 바우만은 이런 추세가 1980년대부터 시작된 것으로 본다. 즉, 비정치적인 행위자들이 개인의 생활을 형성하는 데 점점 더 중요해짐에 따라 잠재적 시민은 단순한

'상품 소비자'로 변형된다는 것이다(Bauman and Tester, 2001). 바우만에 따르면 갈수록 공공 영역이 없어지거나 공공 영역을 채울 공중(公衆)이 사라진다. 권력과 정치는 점차 분리되고 간극이 넓어진다(Bauman, 1999).

바우만에게 현대성과 개인화는 동전의 양면이다(Bauman, 2000; 바우만, 2009a). 그가 보기에 유동적 현대성이 철저하게 파괴한 것이 바로 공동체다. 모든 것을 개인화하는 유동적 현대에 국가·사회·가족은, 죽었으나 살아 있는 '좀비 제도'에 불과하다. "더 이상의 사회적 구제는 없다"는 피터 드러커(Peter Drucker)의 말이나 "사회 같은 것은 없다"는 전 영국 총리 마거릿 대처(Margaret Thatcher)의 말은 그냥 나온 게 아니다. 개인화의 심화로 공동체가 텅 빈 자리에는 시민이 아닌 소비자가 괴어들고, 자본은 공적 의제가 사라진 텅 빈 광장을 공략한다.

현재 언론과 사회과학계에서 가장 빈번하게 논의되는 주제는 지구화(globalization)이다. 월드와이드웹(WWW), 텔레커뮤니케이션 등 새로운 소통 테크놀로지는 시·공간의 의미를 근본적으로 바꾸어놓았다. 바우만도 여기서 출발한다. 지구화는 인간 조건을 동질적(同質的)으로 만들기보다 오히려 양극화(兩極化)하는 경향이 있다. 지구화는 역설이다. 극소수에게는 상당한 혜택을 준 반면, 세계 인구의 대부분은 철저히 외면한다(Bauman, 1998a; 바우만, 2003). 현대사회에서 계층화를 결정짓는 것은 이동성의 정도이다. 바우만은 지구화가 낳은 유복한 소수를 관광객(tourist)이라 부르고 가난한 다수를 떠돌이(vagabond)라 부른다. 관광객은 시간에 산다. 공간은 중요하지 않다. 거리는 쉽게 극복할 수 있다. 이에 반해 떠돌이는 게토라는 제한구역에서 산다. 도망치기 어렵다. 부자들은 전자 감시 장비를 갖춘 담장으로 둘러싸인 문 안의 공동체에서 도둑과 이방인으로부터 안전한 환경에서 산다. 반면 떠돌이는 피난민과 이주자로 붐비는 위험한 지역에서 겉돈다(Bauman, 2006; 바우만, 2009b).

현대사회는 구성원들을 생산자(生産者)와 군인(軍人)으로 호명했다. 탈현대 단계에서는 소비자(消費者)와 개인(個人)으로 호명한다. 소비주의 이데올로기를 통해 신자유주의 정서가 확산된다. 소비사회에서 빈곤층은 더 이상 산업예비군이 아니다. 노동시장과 산업구조가 근본적으로 변했다. 이제 생산하는 데는 점점 더 적은 수의 노동자만 필요하다. 그것도 매우 숙련되고 규율 잡힌 노동자만 말이다. 빈곤층은 전혀 쓸모없다. 부적당한, 결점 있는 소비자일 뿐이다. 이들은 범죄자로 취급되며 우리 시대의 새로운 공포인 테러리즘과 연결된다(Bauman, 2006, 2012a; 바우만, 2009b, 2014b).

바우만은 탈현대성을 '현대성에서 환상을 뺀 것'이라고 정의했다(Bauman and Tester, 2001). 그렇지만 현대사회를 묘사하기 위해 2000년대 들어 '유동적 현대성(liquid modernity)'이라는 개념을 사용한다. 바우만은 "모든 견고한 것들이 녹아내리는" 마르크스(Karl Marx)의 부르주아 현대성 비판에 이의를 제기한다. 마르크스가 꿈꾼 혁명은 과거의 잔재가 영원히 사라질 새로운 세상을 만들기 위해서가 아니라, 새롭고도 향상된 견고한 것들이 자리 잡을 수 있도록 현장을 청소하기 위해서였다는 것이다. 부르주아 지배 질서를 송두리째 녹여버리려는 충동 뒤에 도사린 가장 강력한 동기는 지속적인 견고함을 발견·발명해내려는 바람이었다고 본다. 신뢰와 확신이 고체 현대의 구성 요소였다면 리스크와 불확실성은 유동적 현대의 징표이다. 마르크스의 시대와 지금, 또는 고체 현대와 유동적 현대를 구별 짓는 것은 안정된 제도의 부재이다. 불확실성이야말로 개인화를 촉진하는 강력한 힘이다. "뭉치면 살고 흩어지면 죽던" 시대에서 바야흐로 "흩어져야 살 가망이 있고 뭉치면 반드시 죽고 마는" 개인화 사회로 접어든 것이다(Bauman, 2000, 2001a; 바우만, 2009a, 2013b).

오늘날의 상황은 선택하고 행동할 개인의 자유를 제한한다는 혐의를 받고 있는 족쇄와 사슬이 근본적으로 녹아버린 데서 발생했다. 질서의 경색은 인간 주체의 자유가 만든 인공물이자 침전물이다(Bauman, 2000; 바우만, 2009a).

용광로에 처박힐 차례가 되어, 유동적 현대성의 시대인 현재까지도 계속 녹고 있는 견고한 것은 바로 개인의 선택들을 집단적 기획들이나 행동들과 연결시켜주던 유대 관계들이다. 그 결과 우리 시대는 개인화되며 사적으로 변했고, 모든 부담과 실패의 책임이 일차적으로 개인의 어깨 위로 떨어지는 시대가 되었다. 따라서 바우만에 따르면 '유동적 현대'의 도래가 인간 조건에 초래한 심오한 변화를 부정하거나 축소하는 것은 현명하지 못한 일이다. 현대에 들어 새롭게 획득한 유연성과 확장성 덕분에, 현대는 무엇보다도 공간을 정복하는 무기가 되어버렸다. 시·공간 사이에 벌어지는 현대의 투쟁에서 공간은 고체이고 둔감하며 고집이 세고 수동적인 것으로서, 시간의 탄력적 진보를 방해하는 존재인 탓에 그저 방어적인 참호전만을 벌일 수 있었다. 시간은 그 전투에서 능동적·역동적으로, 늘 공격자의 입장을 취하면서 침략하고 정복하며 식민화하는 힘이었다. 유동적 현대의 단계에서는 다수의 정착한 사람들이 유목적이고 탈영토적인 엘리트들에 의해 지배받는다. 유목적인 교통을 위해 길을 터주고 아직 잔존하는 검문소들을 없애는 일이 오늘날 정치, 그리고 전쟁의 가장 큰 목적이 되고 있다. 가볍게 돌아다니는 것이 이제 권력의 자산이다.

유동적 현대에 시간과 공간의 관계는 바뀌었다. 근대 권력의 속성을 가장 잘 포착한 것은 미셸 푸코(Michel Foucault)가 제러미 벤담(Jeremy Bentham)에게서 차용한 '파놉티콘(panopticon)'이다. 그러나 파놉티콘이 아무리 적은 비용으로 지배를 보장한다고 해도 지배자 또한 그곳에 묶여 있을 수밖에 없었다. 파놉티콘 건설과 유지에는 어쨌건 비용이 들었다. 현대사회에서 권력은 전자신호의 속도로 이동할 수 있다. 권력은 더 이상 공간의 저항에 발이 묶이거나 늦춰지지 않는다. 권력은 진정 공간에서 해방되었다. 이러한 탈원형 감옥 권력관계에서 인간의 상호 연대는 종말을 고한다. 원형 감옥 사회에서 지배자는 어쨌든 지척에 있었다. 탈원형 감옥 사회에서 이제 지배자는 멀리 있거나 어디에도 없다. 지금은 독재나 종속, 억압이나 노예화가 문제가 아니다. 오늘날의 유동적 공포는 선택하고 행동할 개인의 자유를 제한하는 족쇄와 사슬이 모두 녹아버렸기 때문에 초래되었다는 것이 바우만의 진단이다. 조지 오웰(George Orwell)이 묘사한 구식 빅브러더는 사람들을 학교, 군대, 공장에 포함해 정렬시키고 합하는 데 열중했다. 바우만이 말하는 신식 빅브러더의 관심은 어디 있는가? 바로 사람들을 배제하는 데 있다(Bauman, 2004a; 바우만, 2008). 그들이 있는 자리에 '어울리지 않는' 사람들을 골라내, 거기서 쫓아낸다. 숱한 도시재개발 현장에서 벌어지는 추방을 상기하자. 우리는 남들에게 추방당하지 않기 위해 남들을 추방하려고 애쓰며 사는, 리얼리티 TV 프로그램보다 더 리얼한 삶을 살고 있다.

복지국가가 정당성을 주장한 기초는 시민들이 '인간쓰레기'로 전락하지 않도록 보호해준다는 약속이었다. 이제 복지국가의 해체와 종말을 맞아 각 국가의 정부는 새로운 정당화 공식을 찾아내야 한다. 이는 어떻게 가능할까? 바우만에 따르면 개별 국가는 자국 시민들이 지구적 경제 발전의 '부수적 사상자'로 전락하는 것을 더 이상 막아낼 수 없다(Bauman, 2011a; 바우만, 2013c). 그 대신 국가는 새롭지만 다루기 편한, '적'을 발명해낸다. 국가 안팎의 '테러리스트'가 그들이다. 재개발과 강제 철거에 반대하는 평범한 주민은 '도시 테러리스트'라는 딱지가 붙는다. 국가는 이제 개인의 안전을 위협하는 '테러 음모자들'의 공포를 과장하고 이들에 대한 선제공격과 예방구금을 통해 안전을 보장하겠노라고 약속하면서 스스로의 역할에 만족한다. 국가는 공포로부터의 보호라는 초점을 사회보장(社會保障, social security)에서 개인안보(個人安保, individual security)로 이동시킨 것이다. 그러나 그에 따르면 공포에 맞선 이 영구전쟁(永久戰爭)에서 결코 누구도 이길 수 없다. 비록 몇 차례 전투에서 이긴다 할지라도 전쟁 그 자체의 승패는 이미 결정되어 있다.

3. 유동적 현대성의 다양한 측면들: 바우만의 유동적 사회학

바우만은 유동적 현대성이라는 문제 제기 아래 거시적·미시적 분석을 제시한다. 전 지구적 불평등의 심화, 사회적 저항의 약화, 민주주의의 쇠락, 국가의 약화와 같은 거시적 사회변동을 설명하는 한편, 사적 영역, 친밀성, 온라인 공간 등이 유동적 현대에 심대한 변형을 겪는 과정을 생생하게 기술한다.

1) 유동적 현대와 전 지구적 불평등: 자본과 노동의 비대칭적 상호 의존

'모든 권력투쟁은 자신의 상황을 탈구조화, 즉 비정규화하는 반면 상대방의 상황을 구조화하는 데 있다.' 권력투쟁의 적대자들이 추구하는 것은 현재 또는 미래의 하위자들에게 선택의 여지를 주지 않고 그들로 하여금 현재 또는 미래의 상급자들이 설정했거나 부과하려는 일정한 경로를 온순하게 수용하도록 만드는 것이다. 만약 그들이 실제로 그 일정한 경로를 수용하면, 그들의 행위는 '상수' 또는 위험이 없는 변수가 되며, 더 이상 불확실성의 원천이 되지 않는다. 그 결과 그들의 상급자들이 자신의 향후 수순을 계산하는 데서 전혀 중요하지 않은 존재가 된다. 물론 권력을 보유하고 추구하는 집단 가운데 가장 자유로운 집단조차도 그들이 누리는 선택의 자유에는 '타고난' 한계가 있다. 이는 그들이 활동하는 사회적·경제적 환경과 그들의 활동 내용에 의해 부여되는 한계이며, 가장 독창적이고 정교한 전략에 대해서도 면역성이 있기 때문에 사실상 침해가 불가능한 한계이다. 그리고 권력투쟁이 벌어지는 상황은 현대가 초기의 '고형적' 단계에서 현재의 '유동적' 단계로 이행하면서 참으로 강렬하고 근본적인 변화를 겪게 되었다(Bauman, 2000, 2004a, 2004d; 바우만, 2009a, 2008, 2010b).

고체 현대성에서 자본과 노동의 종속은 상호적이었다. 부와 권력은 덩치가 크고 고정된 형태였다. 그렇기 때문에 순치되고 훈련된 노동력을 경쟁자들에게 빼앗기지 않고 자신의 공장에 붙잡아두는 것밖에 다른 선택의 여지가 없었다. 한 세기 뒤의 후계자들은 달랐다. 그들은 궁극적인 '불안정성이라는 무기', 즉 자신의 부를 다른 장소로 옮길 수 있는 선택지가 있다. 아무리 저임금일지라도 그러한 임금을 위해 극도로 열악한 공장체제에서 군소리 없이 일할 준비가 된 사람들이 넘쳐나는 곳이 있다. 이전에는 자본과 노동력이 한 장소에 '고정되어' 있었다. 이러한 단단한 상호 의존이 오랫동안 지속될 것으로 예견됨에 따라, 양자는 일종의 잠정적인 타협안을 고안·협상해 준수하는 것이 자신들에게 이익이 된다는 결론에 도달했다. 즉, 자신의 행동 자유에 대한 불가피한 제한, 그리고 이해관계가 상반되는 상대방을 어디까지 밀어붙일 수 있고 밀어붙여야 하는지에 대한 불가피한 제한을 자발적으로 수용하는 공존 양식이다. 자본이 생존할 수 있는 불평등에는 한계가 있었다. 대립하는 양자는 불평등이 제어할 수 없는 상태가 되는 것을 방지하는 데 이해를 같이했다. 달리 말해, 불평등에는 '타고난' 한계가 있었다. 이는 '프롤레타리아 계급의 절대 빈곤화'라는 마르크스의 예언이 자기논박적 예언이 된 주된 이유였다. 또한 사회국가, 즉 노동을 고용 준비 상태로 유지하는 데 힘쓰는 국가의 도입이 '좌우를 넘어선' 비당파적인 문제가 된 주된 이유이도 했다. 또한 자본가들의 병적인 탐욕과 손쉬운 이윤 추구가 억제되지 않았을 때 초래되는 자멸적 결과에 대항해 국가가 자본주의적 질서를 보호해야 하는 이유였고, 국가가 최소 임금이나 노동시간 제한을 도입해 노동조합과 다른 노동자의 자기방어 무기에 대한 법적인 보호를 도입함으로써 그러한 필요에 대응해 행동해야 하는 이유였다. 그리고 부자와 빈자를 나누는 격차의 확대가 멈추거나 심지어 줄어들게 된 이유였다. 생존을 위해 불평등은 자기 제한의 기술을 개발해야 했다. 그리고 한 세기 이상 그러한 기술을 개발해 실천했다. 이는 결과적으로 그러한 추세를 일부 역전시키고 종속된 계급을 사로잡은 불확실성의 정도를 완화하는 데 기여했으며, 그로써 불확실성을 둘러싼 게임에 참여한 양자의 강점과 기회를 상대적으로 평준화하는 데 기여했다.

유동적 현대성의 단계에 들어 자본은 정치적 통제에서 해방된다. 자본을 '흐름 공간'에 풀어놓은 국가들은 전 지구적 금융이 생산한 불확실성의 대상이 되어버리는 상황에 놓였다. 전 지구적 규제가 없는 상황에 놓인 국가들은, 권력과 정치의 이혼과 불확실성의 민영화가 이루어지기 전에 자국의 빈곤층에게 제공하겠다고 약속했던 보호를 점차 줄여나갈 수밖에 없다. 그 결과 "우리는 국가 간 불평등의 증가와 국가 내 불평등의 지속 또는 감소라는 장기 추세가 국가 간 불평등의 감소와 국가 내 불평등의 증가라는 방향으로 역전되는 것을 목격하고 있다"(Bauman, 2013b). 자본은 일국의 견제와 균형에서 해방되어 전 지구적 '정치 자유' 무인지경으로 풀려났으며, '선진' 세계에서 축적된 자본은 멀리 떨어진 곳에서 자국의 '원시 축적' 시기를 지배했던 조건을 다시 자유롭게 창출할 수 있게 된다. 그러나 이번에는 그들이 고용한 노동력으로부터 수천 마일 떨어진 곳에 있는 '부재 지주'가 고용주가 된다. 고용주들은 의존의 상호성을 일방적으로 깨뜨렸고, 고용주 자신의 새로운 자유가 초래한 결과에 노출된 사람들의 수를 거리낌 없이 늘리며, 심지어 그렇게 노출되기를 열망하는 사람들의 수를 더욱 늘린다.

2) 유동적 현대와 '밑바닥 계급': 그들은 왜 저항하지 않는가?

바우만은 부와 소득의 사회적 분배에서 최하위에 놓인 인구 집단을 '밑바닥 계급(underclass)'이라 부르는 관행을 지적한다. 밑바닥 계급은 나머지 인구 집단과 달리 어떤 계급에도 속하지 않는다. 사실상 사회에 속하지 않는 개인들의 집합이다. 개개인이 소속 계급에 배정된 기능을 수행하는 데 동참할 것으로 기대되는 총체라는 의미에서 우리는 '계급사회'를 말한다. 그런데 밑바닥 계급이라는 개념은 수행하는 기능이나 사회 전체에서 차지하는 위치를 가리키지 않는다. 이 용어의 유일한 의미는 어떠한 의미 있는 계급 분류에도 '속하지 않는다'는 것이다. 밑바닥 계급은 사회 '안'에 있을지 모르지만 분명히 사회의 '일부분'은 아니다. 사회의 존속과 안녕에 필요한 어떠한 것에도 기여하지 않는다. 바우만에 따르면 밑바닥 계급은 '내부 이민', '불법 이주자', 또는 '우리 안의 외부인'의 지위이다. 사회 유기체의 불가결한 구성 부분에 속하지 않는 암종 같은 존재다. 그런데 전 세계적으로 사회 불평등의 가장 극단적이고 골치 아픈 문제인 빈곤을 법과 질서의 문제로서 재분류하려는 명백한 경향이 있다. 바우만에 의하면 특정 지역 주민의 범죄는 이윤 추구 중심의 조율되지 않고 통제되지 않은 지구화가 낳은 '부수적 피해'다(Bauman, 2011a; 바우만, 2013c).

'부수적 피해자'라는 용어는 군사행동에서 의도되거나 계획되지 않은 결과 또는 '예상치 못한' 결과임에도 똑같은 피해, 고통, 손해를 주는 결과를 가리킨다. 군사행동의 특정한 파괴적 결과를 '부수적'이라고 묘사하는 것은 그러한 결과가 작전을 계획하고 부대를 투입할 당시에는 고려되지 않았다는 뜻이다. 또는 그러한 결과가 초래될 가능성을 파악하고 숙고했음에도 군사적 목적의 중요성을 고려할 때 감수할 만한 위험으로 간주했다는 뜻이다. 위험을 감수할 가치가 있는지 결정하는 사람들은 그 위험이 초래할 결과를 겪는 사람들이 아니라는 점 때문에 훨씬 더 손쉽게, 그리고 훨씬 더 자주 이러한 견해를 취하게 된다. 수많은 명령권자는 타인의 생명(生命)과 생계(生計)를 위험에 처하게 하는 결정을 내린 것에 대해서 사후에 면책되기 위해, 어쩔 수 없었다고 말한다. 부수적 피해라는 관점에서 생각하는 것은, 권리와 기회에서 기존의 불평등을 암묵적으로 가정하는 동시에, 행동을 취하거나 단념하는 데서 초래되는 비용의 불평등한 분배를 선험적으로 받아들이는 것을 가정한다. 그런데 사회 불평등과 인위적·자연적 재앙의 피해자가 될 가능성 사이에는 선택적 친화성이 있다.

바우만에 따르면 '부수적 피해자'라는 운명을 맞이할 개연성의 상승과 불평등 사다리에서의 위치 하락을 연결하는 고리는, 한편으로 부수적 피해자의 고유하거나 인위적인 '비가시성(非可視性)'과 다른 한편으로 '우리 안의 외부인'들의 강제된 '비가시성'이 수렴된 결과이다. 부수적 피해자의 후보자를 선별할 때, 날이 갈수록 범죄화(犯罪化)되는 빈곤층(貧困層)이야말로 '타고난 적격자'이다. 그러나 바우만은 점증하는 사회 불평등과 '부수성'의 지위로 강등된 인류의 고난이라는 요소로 구성된 폭발물이, 현 세기의 인류가 직면해 해결해야 할 많은 문제들 가운데 가장 잠재적 위험성이 큰 문제라고 확신한다(Bauman, 2008, 2011a; 바우만, 2013c).

3) 유동적 현대의 국가: 국가 안보, 사회보장에서 개인 안전으로?

오늘날 국민에게 실존적 안전을 약속할 수 있는 국가의 가능성과 의지는 갈수록 줄어들고 있다(Bauman and Bordoni, 2014; 바우만·보르도니, 2014). 실존적 안전을 확보하는 과제는 갈수록 개인의 기술과 자원에 의존한다. 막대한 위험과 고통스러운 불확실성을 개인이 짊어진다는 뜻이다. 민주주의와 사회국가가 근절할 것을 약속한 두려움이 사나운 모습으로 부활한 셈이다. 오늘날 하류층에서 상류층에 이르는 대부분의 사람들은 배제되거나 도전을 이겨내기에 적합하지 않은 것으로 판명될까 봐 또는 무시당하거나 존엄성을 보장받지 못하거나 모욕당할지 모른다는 두려움을 가지고 있다. 비록 그러한 전망이 아무리 불투명하고 모호할지라도 말이다.

오늘날의 국가는 시장이 산출한 실존적 불확실성과 불안전을 놓고 과거처럼 강령을 통해 개입하지 않는다. 그 반대로 이윤 지향적 활동에 부과된 남은 제약을 하나씩 제거하는 것이 국민의 안녕을 돌보는 정치권력의 주된 과제라고 선언했다. 그러므로 이제 국가는 자신의 정당성을 내세우는 데 필요한 비경제적 유형의 취약성과 불확실성을 찾아야 한다. 최근에 '개인 안전'이라는 쟁점에서 대안을 찾았다. 즉, 현재 또는 미래에 예견되는, 공공연하거나 숨겨진, 현실적이라고 추정되는 신체·재산·주거에 대한 위협이라는 두려움이다. 이는 전염병, 건강에 나쁜 음식이나 생활 방식, 또는 '밑바닥 계급'의 반사회적 행동인 범죄행위, 최근의 전 지구적 테러리즘으로부터 생겨난다(Bauman, 2006; 바우만, 2009b).

지나치게 현실적이고 풍부하며 가시적이고 명백한, 시장에서 초래된 실존적 불안전과 달리, 국가가 구원의 기회에 대한 독점을 회복하기 위해 이용하려는 이러한 '대안적 불안'은 인공적으로 강화되거나, 최소한 고도로 각색되어 충분한 양의 두려움을 산출해야 한다. 동시에 정부는 자신의 힘이 미치지 못하는 경제적으로 산출된 불안을 부차적인 위치로 격하시키고 그보다 더 중요한 자리를 차지하게 만들려고 한다. 시장이 산출한 생계와 복지에 대한 위협과 달리, 개인 안전에 대한 위험의 심각성과 범위는 가장 암울한 색조로 제시되어야 한다. 그래서 광고된 위협과 예측된 타격, 그리고 고난이 실현되지 않는 것은 적대적 운명에 대한 정부 이성의 승리로 찬양받아야 한다.

소비 시장뿐 아니라 정치가들도 모호한 두려움에서 이득을 취하려 한다. 포퓰리즘을 추종하는 집단과 정치가들은 약화되어 사라지는 사회국가가 포기한 과제를 잡아챈다. 그러나 일단 정권을 잡으면 두려움의 총량을 확대하는 데 관심을 보인다. 대중매체에서 각광받을 수 있는 그런 종류의 위험에 대한 두려움을 확대한다. 그런데 문제는 미디어에서 떠들썩하게, 극적으로, 그리고 끈질기게 묘사하는 위협이 대중의 불안과 두려움의 뿌리에 놓인 위험과 일치하지 않는다는 점이다. 모호하고 끈질긴 불확실성과 사회불안의 진정한 원천인 현대의 자본주의 생활양식에 뿌리내린 두려움의 주된 원인은 그대로 남아 더욱 강화된 형태로 등장한다.

바우만은 민주주의가 위험에 처한 원인으로 '자유로 인한 피로(liberticide)'를 든다. 이는 우리가 힘들게 성취한 자유, 즉 사생활의 권리, 재판상 방어권, 무죄 추정 권리의 단계적인 제한 과정을 시민 대다수가 평온하게 수용하는 것을 가리킨다. 우리 '민주적 다수'는 국가가 저지르는 인권 위반은 모두 '우리'가 아니라 '그들'을 대상으로 한 것이며, 그러한 불법행위는 우리처럼 점잖은 사람들에게는 영향을 미치지 않을 것이라고 자위한다. 바우만은 그럼에도 진실은, '세계의 다른 지역들과 우리 사이에 담을 쌓고 우리 문제에만 관심을 기울여서는 이곳의 자유를 효과적으로 지킬 수 없다'는 것이라고 지적한다. 계급은 불평등의 여러 역사적 형태 가운데 하나일 뿐이고, 국민국가는 불평등의 여러 역사적 체제 가운데 하나일 뿐이며, 그러므로 '국민적 계급사회의 종언'은 '사회 불평등의 종언'을 예고하지 않는다. 우리는 이제 불평등 문제를 1인당 소득이라는 부적절한 좁은 영역을 넘어 빈곤과 사회적 취약성 사이의 치명적인 상호 견인, 부패, 위험의 축적, 나아가 빈곤과 존엄성의 부정과 같이 태도와 행동을 규정하고 집단을 통합하는 요인들, 즉 정보의 지구화 시대에 그 양과 중요성이 급격히 증대하는 요인들에까지 확대할 필요가 있다. 또한 바우만은 '권력과 정치의 단절'을 지목한다. 그에 따르면 "이제 권력은 정치로부터 자유롭고, 정치는 권력이 결여되어 있다". 권력은 이미 전 지구적이며, 정치는 애처롭게도 지역적이기 때문이다. 영토적 국민국가는 지역적으로 '법과 질서'를 대변하는 경찰 관할구역일 뿐만 아니라 지구적으로 생산된 위험과 문제들을 지역적으로 처리하는 쓰레기통이자 쓰레기 재활용 공장이다(Bauman, 2004a; 바우만, 2008). 모든 사람의 곤경이 다른 모든 사람의 곤경을 결정하는 동시에 그 역이 성립하는 지구화된 세계에서, 사람들은 더 이상 민주주의를 '따로 떼어' 보증하고 효과적으로 보호할 수 없다. 이를 위해 바우만은 '사회국가'의 전 지구적 등가물인 '사회적 행성'을 창출해야 한다고 주장한다. 이 대목에서 바우만은 "일정 시점에서 사회주의적인 '능동적 유토피아'의 핵심을 부활시키는 것이 불가결한 일이 될 것이다"라고 전망한다(Bauman, 2011a; 바우만, 2013c).

4) 유동적 현대의 프라이버시, 비밀, 친밀성, 인간 유대: 사적 영역의 공적 영역 침범

"'사적' 영역과 '공적' 영역은 서로 전시체제(戰時體制)에 있다." 두 개념을 가르는 것은 경계선(境界線)이 아니라 전선(戰線)이다. 현대 대부분의 시기에 기존의 공사(公私) 경계는 거의 '공적' 진영에서 침범한다고 예상했다. 공적 제도가 사적 영역을 식민화해서 시민의 자유 영역을 심각하게 축소시킬 것이라는 우려이다. 그런데 바우만에 따르면 유동적 현대에 이러한 추세는 역전된다. 오늘날은 사적 영역이 공적 영역을 침범한다. 공적 영역을 사적 관심사에 개방해 가벼운 유희극장(遊戲劇場)으로 전환하는 데서 생기는 프라이버시와 개인 자율성의 침해 가능성에 대한 경고는 거의 반향이 없다. 비밀은 그 정의상 타인과 공유하는 것이 거부·금지되며 긴밀하게 통제되는 지식이다. 비밀은 프라이버시라는 경계선을 그어 표시한다. 프라이버시는 자신의 소유가 되는 영역이자 개인의 분할되지 않은 주권을 행사하는 영토로서, '내가 누구이며 어떤 사람인가'를 결정할 포괄적이고 분할 불가능한 힘을 보유한 영토이자 개인의 결정을 승인·존중받기 위한 투쟁을 지속적으로 전개할 수 있는 영토이다. 유동적 현대에 우리를 두렵게 하는 것은 프라이버시를 저버리거나 위반하는 것이 아니다. 반대로 출구를 봉쇄하는 것이다. 텔레비전 토크쇼, 인터넷 홈페이지, 황색신문의 일면, 그리고 대중잡지의 표지에 나날이 매 순간 누군가의 '비밀'이 폭로된다. 그 결과 이제 공적 영역은 프라이버시에 의해 뒤덮이고 넘쳐나서 식민화된다. 비밀은 단지 자기 소유인 공간을 잘라내어 침입자와 초대되지 않은 상대로부터 자신을 분리시키는 도구일 뿐 아니라, 연대를 구축·유지하며 우리 지식과 상상력에 비추어 가장 강력한 상호 유대를 함께 시도하고 보호하는 매우 확실한 도구이기도 하다. 한 사람의 비밀을 몇몇의 선별된 '매우 특수한' 사람들에게 털어놓고 다른 사람들에게는 감춤으로써, 우정의 그물이 짜이고 한 사람의 '가장 절친한 친구'가 지명·확보되며 무한한 헌신이 출현하고 유지된다. 느슨한 개인의 집합체는 비밀을 공유함으로써 긴밀하게 짜이고 견고하게 통합되어 오래 지속될 집단으로 재구성된다. 전통적으로 섹스는 매우 사적이고 비밀스러운 활동이었다. 아마 여기에는 사람들을 묶는 강력한 힘이 있을 것이다. 성적 활동은 최근까지 친근한 비밀의 순전한 전형으로 간주되었다. 그래서 매우 신중하게 공유되었고 주의 깊게 철저히 선별된 타인들과만 경험되었다. 다시 말해 성적 활동은 인간의 가장 강력한 상호 유대를 보여주는 주요한 본보기를 제공했다. 바우만에 따르면 '오늘날 프라이버시의 위기는 인간의 상호 유대 전반이 약화되고 쇠퇴하는 것과 뗄 수 없이 연관되어 있다'(Bauman, 2003; 바우만, 2013a).

5) 유동적 현대와 온라인 공간: 자유와 인간 유대의 상보성

새로운 정보기술은 한편으로는 공동체를 해체시키면서 다른 한편으로는 공동체 형성을 촉진한다는 점에서 양가적이다. 페이스북 사용자들은 하루에 수백 명의 '새 친구'를 사귄다. 그런데 '공동체'라는 이름이 처음 만들어져 가리킨 형성물과 달리, 인터넷 '공동체'는 지속성을 전제하지 않으며, 지속 시간과 상응하지 않는다. 인터넷 공동체는 쉽게 가입할 수 있는 만큼 쉽게 탈퇴할 수 있다. 인터넷 공동체는 '접속'하고 '접속을 끊는' 개인의 결정과 충동의 중첩에 의해 구성·해체, 확대·축소된다. 그러므로 인터넷 공동체는 현저하게 변하기 쉽고 취약하며 지독하게 분열적이다. 바우만에 따르면 이것이야말로 유동적 현대의 환경에 던져진 많은 사람들이 그렇게 인터넷 공동체의 도래를 환영하고 '과거 유형의' 공동체보다 선호하는 정확한 이유다. 과거의 공동체는 구성원의 일상 활동을 감시하고, 긴밀하게 속박하며, 불충이나 비행을 조금도 용납하지 않고, 마음을 바꾸거나 탈퇴하는 결정이 불가능하거나 극히 값비싸게 한다. 현대에서 유동적 생활 형태의 바탕이 되는 유동적 환경을 고려할 때, 인터넷 공동체가 그렇게 많은 사람들에게 매력이 있는 것은 바로 그들의 영구적인 일시적(一時的) 상태, 즉 영원히 잠정적(暫定的)이기 때문에 장기적 참여나 완전한 충성, 그리고 엄격한 규율을 자제하는 임시적(臨時的) 속성을 가졌기 때문이다.

과거 유형의 공동체를 인터넷 네트워크로 대체하는 데 많은 사람들이 환호했다. 이는 개인의 선택의 자유가 엄청나게 진전된 것으로 보였다. 그런데 과거 유형의 공동체가 소멸하면 개인은 해방되지만, 해방된 개인은 공표된 자신의 자유를 현명하게 이용하는 것이 불가능할지도 모른다. 요컨대 개인의 자유를 진실한 것으로 만드는 과제는 인간의 상호 연대를 약화하는 것이 아니라 강화하는 것을 요청한다고 볼 수 있다(Bauman, 2011a; 바우만, 2013c).

6) 유동적 현대와 민주주의: 민주주의는 왜 무기력한가?

민주주의는 아고라(agora)에서 이루어지는 삶의 형식이다. 아고라는 폴리스(polis)의 다른 두 영역인 에클레시아(ecclesia)와 오이코스(oikos)를 연결하는 매개 공간이다. 민주주의의 역사는 아고라의 기억에 의해 가동되고 인도되며 유지되었다. 또한 아고라의 기억을 보존하고 소생시키는 일은 다양한 경로를 따라 여러 가지 형식으로 진행되었다. 오이코스와 에클레시아의 매개 작업을 성취하는 배타적인 유일한 방법은 없으며, 어떠한 모델도 방해물이나 장애물에서 자유롭기 어렵다. 2000년 이상이 지난 현재의 시점에서 바우만은 복수의 민주주의들(multiple democracies)이라는 관점에서 생각할 필요가 있다고 지적한다(Bauman, 1999, 2001a, 2002, 2011a; 바우만, 2013b, 2013c).

아고라의 목적은 '사적' 이익과 '공적' 이익을 부단히 조정하는 것이었는데, 이는 지금도 마찬가지다. 그리고 아고라의 기능은 이러한 조정에 필요한 핵심 조건을 제공하는 것이었다. 즉, 개인·가족 이익이라는 언어와 공적 이익이라는 언어 사이에서 양방향 번역을 수행하는 것이었다. 아고라에서 성취될 것으로 기대된 핵심적 사항은 사적인 관심과 욕구를 공적인 쟁점으로 재구성하고, 역으로 공적인 관심사를 개인의 권리(權利)와 의무(義務)로 재구성하는 것이었다. 그러므로 바우만에 의하면 어떤 정치체제의 민주주의적 성숙도는 이러한 번역의 성공과 실패, 매끄럽고 거친 정도에 의해 측정될 수 있다. 즉, 그 주된 목적을 달성한 정도에 의해 측정되어야 한다. 종종 민주주의의 필요충분조건으로 오인되는 이러저러한 절차의 준수 여부에 의해 측정되어서는 안 된다. 반대나 공개 토론을 용인하지 않는 권위주의적·전제적·전체주의적·폭압적 체제가 표현과 견해의 자유를 신중하게 존중하고 보호하는 체제보다 더 높은 투표율을 자랑할 때가 있기 때문이다. 따라서 오늘날 민주주의를 규정하는 특징을 적시할 때마다, 그 강조점이 선거 참여와 부재자투표 관련 통계보다는 이러한 표현과 견해의 자유에 관련된 기준으로 변하는 경향을 보이는 것은 당연하다.

바우만은 모든 시민에게 평등하게 주어진 민주적 권리의 형식적 보편성과, 권리 보유자가 권리를 행사할 수 있는 능력의 비보편성 사이의 모순이 민주주의 체제의 가장 악명 높은 약점 가운데 하나라고 지적한다. 이는 달리 말하면 '법률상의 시민'의 법적 조건과 '사실상의 시민'의 실제 역량을 나누는 간격이다. 선택의 자유는 결국 계산될 수 없는 무수한 실패의 위험을 수반한다. 따라서 많은 이들이 자기 능력으로는 대처할 수 없다는 두려움에 빠져 실패의 위험을 견딜 수 없는 것으로 여길 것이다. 실패의 두려움이 공동체에 의해 완화되지 않는 한, 선택의 자유라는 자유주의의 이상은 형체 없는 유령이나 헛된 꿈에 불과하다. 만약 민주적 권리와 그 권리에 수반하는 자유가 이론 상으로는 부여되지만 실제로는 획득될 수 없다면, 절망(絶望)의 고통(苦痛)보 다는 불운(不運)의 수모(受侮)가 확실히 더 크게 느껴질 것이다. 사회국가(社 會國家)가 아닌 정치국가(政治國家)에서는 개인적인 나태와 무기력에서 벗어 날 수 있는 여지가 별로 없다. 만인을 위한 사회권이 존재하지 않는다면, 정 치권은 쓸모없다. 정치권이 사회권을 제자리에 놓는 데 필요한 것이라면, 사 회권은 정치권을 '실재하는' 존재로 계속 작동하게 하는 데 불가결한 것이다. 정치권과 사회권은 자기 존속을 위해 상대방을 필요로 한다. 이러한 존속은 공동의 성취일 수밖에 없다.

바우만에 따르면 사회국가는 공동체 개념을 현대에 체현한 궁극적 형태였 다. 즉, 이 개념을 '상상된 전체성'이라는 현대적 형식에 담아 제도적으로 재 생한 것이었다. 사회권은 공동체의 상상된 전체성을 실체적이고 '경험적으로 주어진' 형태로 표현한 것이다. 이 전체성은 추상적 관념을 일상의 현실과 연 결하고 일상적인 삶의 경험이라는 비옥한 토양에 상상된 것을 뿌리내리게 한 다. 사회국가의 도입은 실제로 '좌우를 넘어선' 문제였다. 그러나 이제는 복지 국가가 제공하는 지원에 제한을 가하며 점차 줄여나가는 것이 '좌우를 넘어 선' 쟁점이 되고 말았다. 바우만에 의하면 복지국가에 대한 재정 지원이 부족 해지고 심지어 폐지되는 것은 자본주의 이윤의 원천이 공장 노동에 대한 착 취에서 소비자에 대한 착취로 이동했기 때문이다. 또한 소비 시장의 유혹에 대응하는 데 필요한 자원이 없는 빈민에게는, 소비자본의 관점에서 본 '유용 함'을 증명하는 현금과 신용 계좌가 필요하기 때문이다.

바우만은 '복지국가'라는 명칭보다 '사회국가'라는 명칭을 선호한다. 사회 국가라는 명칭은 강조의 초점을 물질적 이득의 분배에서 공동체 건설을 추진 한다는 동기로 이동시킨다. 이는 소비 시장의 본질적으로 반공동체적·개인 주의적 생활 유형, 사람들을 타인과의 경쟁에 몰아넣는 생활 유형 속에서 오늘날의 '민영화' 조류를 방지하기 위해 고안되고 장려된 기획이었다. '민영화'는 사람들 사이의 유대의 그물을 약화시키고 붕괴시킴으로써 인적 연대의 사회적 기초를 잠식한다. '민영화'는 사회적으로 생산된 문제들에 맞서 싸워 해결해야 하는 심각한 과제의 대부분을 이러한 목적에 맞는 자원이 부족한 개인들의 어깨 위에 올려놓았다. 반면에 '사회국가'는 무자비하고 부도덕한 '만인의 만인에 대한 전쟁'에서 희생자를 내지 않기 위해 구성원들을 단결시키는 성향을 띤다. '사회적'이라는 수식어가 붙는 것은 개인의 불운과 그 결과에 대해 공동체가 집합적으로 보호한다는 원칙을 장려하기 때문이다. '상상된 사회'를 만지고 느끼며 생활할 수 있는 공동체인 '진정한 전체성'의 수준으로 고양시키는 것이 바로 이러한 원칙이다. 그래서 불신과 의심을 만들어내는 '이기주의의 질서'를 신뢰와 연대를 촉발하는 '평등의 질서'로 대체해야 한다. 그리고 바로 이 원칙이 정치집단을 민주적으로 만든다. 즉, 사회 구성원을 시민의 지위로 고양시킨다. 다시 말해 정치단체의 주주를 이해관계자로 만드는 것이며, 이득의 수혜자뿐 아니라 이득의 창출과 적정한 배분에 책임지는 행위자로 만드는 것이다. 결론적으로 이들은 공동의 안녕과 책임에 대한 긴밀한 이해에 의해 규정되고 동기를 부여받는 시민이 되는 것이다. 이는 국가가 발행한 '단체 보험증서'의 견실함과 신뢰도를 믿음직하게 보증하는 공적 제도들의 네트워크이다. 이 원칙의 적용을 통해 사람들이 침묵, 배제, 굴욕의 삼중고로부터 보호받을 가능성이 생긴다. 그러나 바우만에 따르면 지금 우리는 정반대 방향으로 나아가고 있다. 개인적 자율성의 범위가 확대되면서 과거에 국가의 책임으로 간주되었으나 지금은 개인적 고려 사항으로 이전된 기능도 짊어지게 되었다. 그러므로 사람들이 아고라를 찾을 이유가 별로 없으며, 아고라의 활동에 참여할 까닭은 더더욱 없다. 자신이 보유한 자원과 재능에만 의존하게 된 개인들은 사회적으로 발생한 문제에 대해 개인적인 해법을 고안해야 하며, 이것을 개인적인 기술과 자산을 이용해 개인적으로 수행해야 한다는 기대를 받게 된다(Bauman, 2001a; 바우만, 2013b). 이러한 기대는 개인들의 상호 경쟁을 초래하며, 공동체적 연대를 부적절한 것으로 간주하게한다. 이러한 '공식적 개인화'는 제도적 개입으로 완화되지 않는 이상 개인적기회의 차별과 양극화를 불가피하게 만든다. 즉, 전망과 기회의 양극화는 자체의 동력으로 가속화된다. 그러나 바우만에 따르면 이것이 끝이 아니다. 길이와 밀도가 급속히 늘어나는 '정보 고속도로'의 네트워크 덕분에, 모든 개인은 자기 몫을 모든 다른 개인, 특히 공적 우상의 몫과 비교하라는, 그리고 삶의 가치를 겉으로 드러나는 부(富)에 의해 측정하라는 권유와 유혹과 설득, 그리고 더 나아가 강제를 받게 된다. 이와 동시에 사람들이 꿈꾸고 갈망하는 '행복한 삶'의 기준과 증표는 수렴되는 경향을 띤다. 사람들이 행동하는 원동력은 더 이상 '옆 사람을 따라 잡는다'는 현실적인 욕구가 아니라 '유명인을 따라 잡는다'는 지독하게 허구적인 기대이다. 이러한 심리는 '비현실적인 열망, 그리고 그것이 충족될 수 있다는 기대'를 조장한 탓에 발생한 것이다.

4. 바우만의 사회사상 비판: 유동적 현대성을 어떻게 볼 것인가

바우만의 저작이 지닌 사회학적 중요성에 이의를 제기하는 학자는 거의 없다. 바우만은 숱한 에피소드들, 계기들, 운동들, 아이디어들, 그리고 문화들을 연결하고 대비시켜 현대사회를 묘사한다. 이는 '사회학적 해석학(socio-logical hermeneutics)'이라는 방법을 현대사회 분석에 적용한 것이다(Bauman, 1978, 2000; 바우만, 2009a; Blackshaw, 2010). 어떤 학자는 이처럼 가벼운 터치야말로 바우만의 사회학이 비판의 날카로움을 잃지 않는 강점이라고 본다 (Beilharz, 2000). 바우만은 유동적 현대성이라는 개념을 체계적인 거대 이론 (Grand Theory)으로 제시하지 않는다. 그는 도덕성, 윤리, 지구화, 개인화,

사랑, 성, 사회적 배제, 그리고 테러리즘에 이르기까지 무수한 주제를 다루면서 이 영역들을 하나의 편린(片鱗)이나 예시로서 제시할 뿐이다. 유동적 현대성의 윤곽을 제시하면서 그는 많은 사회이론가들과 체계적인 이론적 입장들을 두루 끌어들인다. 그런데 이때 인용된 구절들은 유동적 현대성이라는 이론의 닫힌 체계를 구축하지는 않는다. 오히려 지구화·개인화, 현대성·탈현대성이라는 논쟁의 맥락에서 끊임없이 재해석해야 한다. 사실 바우만은 여러 학자들의 통찰을 빌려온다. 기든스(Anthony Giddens), 벡(Ulrich Beck), 레비나스(Emmanuel Lévinas), 세넷(Richard Sennett), 카스토리아디스(Cornelius Castoriadis) 등이 그들이다. 그러다 보니 자신의 필요에 따라 이런저런 학자들로부터 끌어다 쓰는 '이론적 절충주의자'라는 비난을 피할 수 없어 보인다. 그렇지만 여러 학자들로부터 여러 개념이나 이론을 끌어와서 자기 식으로 재정돈하고 재해석하는 솜씨는 대단하다(Tester and Jacobsen, 2005). 실로 바우만이 끌어오는 지식의 보고(寶庫)는 무척 풍부하고도 다양하다. 과거와 현재의 학자들뿐 아니라 지적(intellectual)·영적 (spiritual)·감정적(emotional) 영역을 아우르며, 사회학뿐 아니라 역사학, 철학, 문학, 정치학, 국제정치학, 경제학, 종교학 등 거의 모든 사회과학과 인문학 분야를 망라한다. 바우만이 사회학에 기여한 바는 다양한 고전 사회사상과 현대 사회사상을 통합시켰다는 데에 그치지 않는다. 그는 사회이론의 추상적 쟁점을 구체적인 사회적 쟁점과 현대의 정치적 관심사로 연결하는 데 탁월한 재능을 보인다. 바우만이 광범한 독서 대중을 확보할 수 있었던 것은 이론과 현실을 자유자재로 넘나들며 날카로운 통찰력을 제공하기 때문일 것이다. 자칫 훈고학의 완고함에 갇히거나 자기만족에 그치는 현학적 현대사상에 머물 수 있는 위험을 바우만은 날렵하게 피하고 있다. 바우만은 유동적 현대성 이론을 강화하기 위해 다양한 이론들과 개념들을 동원함으로써 사회학의 새로운 지평을 개척하는 것처럼 보인다. 바우만의 사회학적 상상력은 시적인 해석학과 열정적인 자기 성찰을 결합하고 있어 당대의 사회문제들에 극도로 민감하다. 따라서 '현대성에 대한 비구조화된 체계적 분석(unstructured systematic analysis of modernity)'을 제공한다고 할 수 있다(Elliot, 2007a).

1) 바우만의 사회이론 비판: 고체 현대성'과' 유동적 현대성'으로'?

그렇지만 바우만의 사회이론에도 많은 문제점이 있다. 여러 학자들이 탈현대성의 사회학에서 유동적 현대성의 사회학으로 이행한 바우만의 지적 행로가 얼마나 성공적이었는지 의문을 제기한다. 돌이켜보면 바우만이 왜 탈현대성에서 유동적 현대성으로 넘어왔는지를 이해하기란 어렵지 않다. 1990년대 말에 이르면 탈현대라는 말이 학계는 물론 대중문화계에서도 넘쳐났다. 바우만은 이처럼 통속화된 탈현대 개념으로부터 거리를 유지하고자 했던 것이다(Bauman, Cantell and Pedersen, 1992). 사실 바우만은 사회체계 일반으로서의 탈현대성에 대한 획기적인 인식을 제기한 바 있다. 그에게 탈현대란 현대성을 넘어선 무엇이 아니라 현대성 자체를 인도하는 가정을 성찰(省察)하는 것이었다. 그렇다면 바우만의 탈현대성이란 현대성의 원래 기획이 실현될 수 없다는 점을 인정하고 들어간 셈이다. 즉, 탈현대성이란 현대성의 불가능성과 화해하고 좋건 싫건 더불어 살기로 결심한 것을 의미한다(Bauman, 1990). 현대성·탈현대성 논쟁이 길을 잃은 이후 바우만은 '유동적 현대라는 상황'의 윤곽을 그리기 시작했다.

바우만의 저작에 대한 강한 비판(strong criticism)은 그의 유동적 현대 진단의 적합성 자체에 대한 문제 제기이다. 인간 유대의 유동화가 과연 현대사회에서 사회성(sociality)의 형식뿐 아니라 지구적 제도 변동을 분석하는 사회학의 일반 모델을 제공할 수 있겠느냐는 의문이다. 바우만의 유동적 현대성 이론은 설명력에 기초한 진리 주장이라기보다는 적절함에 근거한 메타포에

〈표 6-2〉 바우만의 고체 현대성과 유동적 현대성 유형학

	고체 현대성	유동적 현대성
해방	· 유토피아: 디자이너와 계획자에 의해 　형성된 현실 · 입법 이성 · 계급 정치 · 현실 비판 · 공적 영역이 사적 영역을 '식민화'	· 유토피아적 전망의 종료 · 개인화 · 개인의 자아비판 · 사적 영역이 공적 영역을 식민화
개인성	· 수단·목적 계산 · 확실성과 안정성	· 목적을 우선시 · 불확실성과 불안정성
시간·공간	· 영토 정복: 토지 안에서의 부와 권력 · 하드웨어, 규모 집착, 고정, 느림 · 파놉티콘적 감시	· 탈영토화, 사이버공간, '이탈' · 가벼움, 미학적, 손 닿는 대로 · 탈파놉티콘적 감시
노동	· 포드주의 · 경력 · 복지 · 자본과 노동	· 포스트 포드주의 · 급격한 이동과 변동, '불확실성 충만' · 불안정한 계약과 개인적 정체성
공동체	· 국민국가 · 지방들 · 민족주의	· 공동체들로 후퇴한 민족들 · 단명한 '공동체' · 종족 폭력과 종족 청소

자료: Ray(2007: 68).

불과하다는 것이다(Ray, 2007). 바우만이 당대의 모든 사회현상들을 유동화라는 분화되지 않은 단일한 프리즘을 통해서만 분석한다는 비판이다. 바우만의 '사회적인 것' 개념은 매우 제한적이며, 탈현대주의 이전의 현대주의적(modernist) 전제를 깔고 있다는 비판도 제기된다(Best, 1998).

　바우만에 대한 약한 비판(weak criticism)은 다음과 같다. 그가 지구화된 세계에서 자아, 사회관계 그리고 일상생활이 유동화되는 데 초점을 맞춤으로써 보다 구조화된 고체 형태의 사회성이 지속적으로 가진 중요성을 간과한다는 것이다. 현대성에는 여전히 질서를 강조하는 경향이 강하게 남아 있다. 구조, 분류, 위계, 통제 등이 당대의 사적인 인생 전략이나 사회적 실천에 여전히 필수 요소로 남아 있는 것이다. 그렇다면 바우만이 강조하는 유동화 경향은

과장되었다는 비판을 면할 수 없다. 또 유동적 현대성은 제3세계보다는 선진 자본주의 사회에 어울린다는 반론도 제기될 수 있다. 그렇지만 바우만이 그의 저작 여러 곳에서 다양한 타자들(Others)을 강조하고 있기 때문에 이런 비판은 어느 정도 수용의 여지가 있다고 할 수 있다.

유동적 현대성의 이론가로서의 바우만에 대한 이론적 비판의 핵심은 한마디로 현대사회에 대한 총체적(總體的) 인식과 분석이 미흡하다는 것이다. 그렇지만 현실을 하나의 질서로, 체계로 파악하기를 거부하는 바우만에게 이러한 비판은 별로 설득력이 없어 보인다. 바우만의 사회이론이 불편(不便)한 것은 그에게 어떤 진보적인 미래 전망이나 집합적인 실천 프로그램이 없다는 불만(不滿)이다. 그런데 바우만의 유동적 사회학은 삶의 기예(art of life)이자 해석(interpretation)인 동시에 도덕과 윤리의 사회학이다(Davis, 2013a). 요컨대 바우만의 유동적 사회학은 사회구조(social structure)보다 행위자(agency)를 강조한다고 볼 수 있다.

2) 바우만의 사회 실천 비판: 유토피아에서 판토피아(pantopia)로?

바우만에 대한 다른 비판의 갈래는 진보와 실천에 대한 확실한 전망이 없다는 것이다(Hirst, 2014; Jay, 2010; Featherstone, 2010). 그렇지만 이는 유동적 사회학자로서의 마지막 단계에만 해당하는 비난이다. 바우만은 학문 경력을 마르크스주의자로 출발했다. 그때 그는 사회주의와 문화를 유토피아로 간주했다. 초기에 바우만이 꿈꾼 것은 계급과 관련된 갈등지향적인 사회주의 유토피아였다. 그렇지만 '잊힌 희망, 등한시된 대안, 놓친 기회 되찾기' 같은 좀 더 보편적인 인문학적 열망도 들어 있었다(Bauman, 1973, 1976).

'유토피아(utopia)'라는 이름은 원래 '선한 곳'을 뜻하는 '에우토피아(eutopia)' 와 '존재하지 않은 곳'을 뜻하는 '우토피아(outopia)'라는 두 개의 그리스어를 동시에 암시하는 것이었다. 근대 이래로 수 세기 동안 세계는 유토피아를 향해 나아가는 세계였다. 이때 진보는 다음과 같은 두 가지를 의미했다. 첫째, 진보는 유토피아들의 실현이라기보다는 유토피아들의 뒤를 쫓는 것이었다. 둘째, 대개 '진보'라 불리는 움직임은 아직 경험하지 못한 유토피아를 따라잡기보다는 실패한 유토피아로부터 달아나려는 노력, '좋은 유토피아'에서 '더 나은 유토피아'로 달려가기보다는 '예상만큼 좋지 않던' 유토피아에서 도망가는 것으로서 미래의 행복보다는 과거의 좌절에 자극을 받은 결과였다. 유토피아의 '실현'이라고 선언된 현실은 꿈꾸던 낙원이 아니라 꿈의 조잡한 모사에 불과했다. 무엇보다도 유토피아는 사람들이 직간접적으로 알고 있는 세계와는 상이한 또 다른 세계에 대한 상(像)이라 할 수 있다. 나아가 전적으로 인간의 지혜와 헌신으로 고안된 세계가 유토피아다. 그러나 근대가 도래하기 전에는 인간이 현존하는 세계를 또 하나의 다른 세계, 전적으로 인간 스스로 만든 세계로 바꾼다는 생각은 거의 없었다. 꿈꾸던 유토피아가 탄생하려면 두 가지 조건이 필요했다. 우선은 이 세상이 제대로 돌아가고 있지 않으며 철저하게 뜯어고치지 않으면 바로잡을 수 없을 것 같다는, 비록 산만하고 모호하지만 강력한 느낌이 필요했다. 다음으로는 인간에게 그런 과제를 해결할 잠재력이 있다는 확신, '우리 인간은 할 수 있다'는 신념이 필요했다. 인간은 이 세상이 무엇이 잘못되었는지 감지해낼 수 있고, 병든 부분을 쇄신하려면 무엇을 이용해야 하는지 알아낼 수 있는 이성은 물론, 그런 계획을 현실에 접목하는 데 필요한 도구와 무기를 만들 능력도 갖춘 존재라는 것이다.

바우만은 유토피아를 세 가지로 구분한다(Bauman, 2007; 바우만, 2010a). 전근대의 사냥터지기 유토피아, 고체 현대의 정원사 유토피아, 그리고 유동적 현대의 사냥꾼 유토피아가 그것이다. 근대 이전에는 세상을 대하는 태도가 사냥터지기의 자세와 비슷했다면, 근대의 세계관과 관행을 나타내는 비유로는 정원사의 마음가짐이 가장 적합하다. 사냥터지기의 주요 임무는 관리하도록 맡겨진 땅에 인간이 간섭하지 못하도록 지키는 것이다. 정원사는 그렇지 않다. 그는 자기가 끊임없이 보살피고 노력하지 않으면 이 세상에는 질서가 없을 것이라고 가정한다. 고체 현대에 가장 명민하고 전문적인 유토피아 창조자(utopia-makers)가 될 수 있는 사람은 바로 정원사다. 정원은 언제나 정원사가 머릿속에서 그려낸 청사진 속의 이상적으로 조화로운 이미지에서 그 원형을 드러낸다. 이제 유동적 현대에 이르면 정원사의 태도가 사냥꾼의 자세에 자리를 내주게 된다.

사냥꾼은, 그가 토지를 소유하기 시작하기 전에 보편화되어 있었던 두 유형과는 달리, 전체적인 '사물의 균형'에 관해서는 신경을 덜 쓴다. 사냥꾼이 추진하는 유일한 일은 자루를 최대한 채울 큰 사냥감을 '죽이는 것'이다. 그들은 분명히 자신들의 사냥이 끝난 다음에도 반드시 숲에 사냥감이 어슬렁거리도록 그것을 다시 채워놓아야 할 의무가 있다고는 생각하지 않는다. 특히 사냥꾼은, 분별없이 사냥감을 마구 잡아 없앤 탓에 숲에서 사냥감이 고갈되면, 비교적 망가지지 않아 사냥감이 우글거리는 또 다른 숲으로 옮겨 갈 수 있다.

바우만에 따르면 이제 우리 모두는 사냥꾼이다. 또는 사냥꾼이 되라는 말을 들으며, 사냥꾼처럼 행동하도록 요구받거나 강요당한다. 그렇게 하지 않을 경우 사냥감으로 전락하지는 않더라도 사냥꾼 대열에서 추방될 것이다. 그런데 당연히, 대체로 사냥꾼으로 구성된 세계에서는 유토피아를 생각할 여지가 거의 없다. 예전에 '유토피아'는 요원하지만 사람들이 갈망하고 꿈꾸는 목표를 의미했다. 인간의 필요에 더 잘 복무하는 세계를 추구하는 이들이 '진보'를 통해 도달해야 하며, 도달할 수 있는, 그리고 궁극적으로는 도달하게 될 목표 말이다. 그러나 현대인의 꿈을 보면 '진보'는 개선의 결과를 함께 누리는 것이 아니라 개인의 생존을 이야기하는 담론으로 변했다는 게 바우만의 진단이다. 그런데 끊임없이 사냥에 참여하는 삶이 또 다른 유토피아라면, 그것은 과거의 유토피아와는 반대로 끝이 없는 유토피아다. 정원사에게, 유토피아는 길의 끝이었다. 그러나 사냥꾼에게는 길 자체다. 이 유토피아는 낯선, 비정통적인 유토피아(unorthodox utopia)다. 소수에게는 유토피아이지만 다수에게는 디스토피아이다. 어쩌면 바우만은 지금이 아닌 미래에, 여기가 아닌 저기 어디에 있을지도 모를 초월적 유토피아를 찾기보다 지금 여기서 어디에나 존재하는 판토피아(ubiquitous pantopia)를 이야기하는지도 모른다 (Jacobsen, 2007). 이는 위에서 아래로, 멀리 내다보고, 함께 발맞추어 나가는 유토피아 건설 프로젝트는 분명 아니다. 그렇지만 지금 여기서 누구나 참여하고 함께 만들어나갈 수 있다는 점에서 충분히 매력적이다.

5. 결론: 끝나지 않는 비판, 그리고 답변 이후의 문제 제기

바우만이라는 사상가를 한마디로 정리하자면 비판적 시각을 잃지 않는 공공 지식인(critical public intellectual)이라고 할 수 있다(Davis, 2011). 한국의 인디고연구소에서 기획한 인터뷰『희망, 살아 있는 자의 의무』(2014)에서 바우만은 사회학자의 소명이 "보통 사람들에게 자신들이 사는 세계는 어떻게 구성되었으며, 또 사회는 그 배후의 메커니즘과 어떤 연결 속에서 형성되었고 또 순환하고 있는지를 명확히 보여주는 것"이라고 말한다. 사회학자는 우리가 살고 있는 현실 세계의 전체적인 그림을 제공하는 일을 떠맡는다. 일상 생활에 매몰된 보통 사람들이 자신이 속한 세계를 인식하기란 쉽지 않다. 일상과 일정한 거리를 두면서 관찰하고, 사색하며, 대화할 수 있는 여유를 가진다는 점이 학자의 특권이다. 바우만은 부단한 글쓰기를 통해 자신이 누리는 여유를 세상에 돌려준다.

바우만의 글이 널리 읽히는 까닭은 여러 가지다. 첫째, 주제가 다양하다. 둘째, 시의적절하다. 셋째, 회고와 전망, 진단과 처방이 균형 잡혀 있다. 넷째, 사회와 역사 뿐 아니라 인간에 대한 깊은 애정과 통찰이 깔려 있다. 끝으로, 글쓰기 스타일이 유연하다. 우리는 마르크스가 『공산당선언(Manifest der Kommunistischen Partei)』에서 "모든 단단한 것들이 공기 속으로 날아가 버린다"고 쓰고 베버(Max Weber)가 '쇠 우리'라는 문학적 메타포를 사용했던 것을 알고 있다. 어떤 의미에서 주류 사회학은 과학과 문학 중간에 위치한다고 볼 수 있다. 바우만은 엄청난 학자다. 사고의 폭과 깊이뿐 아니라 다작이라는 점에서도 그러하다. 바우만의 생산성은 경이롭다. 바우만의 문제의식뿐 아니라 글쓰기 스타일도 중요하다. 분과 학문으로서의 사회학은 진리 주장을 강하게 한다. 문학은 다르다. 진리 주장을 약하게 한다(Davis, 2013).

사실 우리가 바우만을 읽는 까닭은 그를 경유해서 우리 자신을 되돌아보기 위함이다. 그의 전 지구적 시야와 역사적 안목 그리고 인간의 이성뿐 아니라 감성과 영성에 대한 깊은 성찰이 세계 속, 역사 속, 그리고 자기 속의 현대성을 보여주기 때문이다. 바우만은 자신의 성찰이 "아마도 사람들의 삶을 조금 더 좋게 만드는 데 도움을 줄 수 있을 것"이라고 생각한다. 그의 글쓰기는 정보나 지식을 전달하기 위한 것이 아니다. 또한 위로를 통해 현실 적응과 순종을 이끌어내기 위한 '힐링 서적'도 아니다. 더 나은 세상, 정의롭고 평등한 좋은 사회를 만드는 데 기여하고자 한다는 바우만은 실천적 사회학자이다. 그렇지만 그가 상상하는 실천에서 지식인이나 정치 지도자는 주체가 아니다. 궁극적으로 실천은 '각 개인에게' 달려 있기 때문이다. 그렇지만 우리를 둘러싼 문제는 단순치 않다. 따라서 기성(旣成)의 해법은 없다. 바우만은 좋은 삶에 대한 열망이 우리에게 희미하게라도 남아 있다면, 그것을 희망이라고 내세울 수밖에 없다고 말한다. 바우만은 미래에 도래할 이상적인 사회로서의 유토피아가 아닌, 지금 여기서 각자의 참여를 통해 만들어나가는 현실 개선형 유토피아를 주장한다. 함께 유토피아를 건설할지 여부는 각 개인에게 달려 있다.

바우만에 따르면 비판이론의 과제는 해방의 길에 첩첩이 쌓인 장애물들을 폭로하는 것이다. 사적인 문제들을 공적 현안으로 옮겨 쓰고, 고유하게 사적인 문제들을 그저 개인적 요소들의 총합이 아닌 더 넓은 차원의 공적 관심사로 응축해내며, '생활 정치'의 사적인 이상향들을 상기해내 다시 한 번 '좋은 사회'와 '정의로운 사회'의 전망을 얻어내려는 일들이 그것이다. 공공 정치가 자신의 기능을 벗어던지고 이를 생활 정치가 떠맡게 되면, 법률상 개인이 실제상 개인이 되려는 노력 속에서 직면하는 문제들은 도무지 서로 더해지거나 쌓일 수 없게 되고, 그리하여 공적 영역은 그저 사적 근심거리들이 토로되고 대중이 이를 열람하도록 진열되는 현장 이외에는 다른 어떤 것도 아니게 될 것이다. 같은 이유로 개인화(individualization)는 일방통행의 과정으로 보일 뿐만 아니라, 개인화가 진행되는 과정에서 과거의 목표를 수행하는 데 이용되었을 법한 모든 도구들이 파괴되고 말았다(Bauman, 2001a; 바우만, 2013b). 비판이론의 과제는 전도되었다. 과거 비판이론의 과제는 사적인 자율성을 '공공 영역'의 전진 부대로부터 수호하는 것이었다. 그러나 오늘날 비판이론의 임무는 사라져가는 공공 영역을 수호하는 것, 아니 그보다는 빠르게 비어가는 민주적 제도들이 성취할 수 있는 그 모든 것들에도 불구하고, '관심 있는 시민'의 출구와 실제적 힘이 빠져나갈 곳이 유기된 탓에 무력해진 공적 공간을 정비해 사람을 채우는 일이다. 권력은 가두와 장터, 집회장, 의회, 지방정부와 중앙정부에서 점차 멀어지고, 시민의 통제권을 벗어나 인터넷 네트워크의 치외법권 지대로 빠져나가고 있다. 지금 존재하는 권력들이 가장 애호하는 전략적 원칙은 '도피', '회피', '이탈'이다. 오늘날 진정한 해방에는 '공적 영역'과 '공적 권력'의 필요성이 더욱 요청된다(Bauman, 2000; 바우만, 2009a).

바우만에 따르면 유동적 현대에 비판이론은 새로운 청중을 맞이한다. 계몽 군주가 그 권좌와 응접실을 빠져나가자 빅브러더의 유령이 이 세상의 다락방 구석과 지하 감옥을 떠돌기를 멈추었다. 새로운 유동적 현대에서, 계몽

군주와 빅브러더는 둘 다 엄청나게 작아진 모습으로 각 개인의 생활 정치의 자그마한 축소판 속에서 안식처를 찾았다. 바로 이곳이 개인의 자율성에 대한 위협과 기회가 발견된, 그들이 자리 잡아야 하는 곳이다. 공동의 대안적 삶을 모색하는 일은 생활 정치의 대안을 고찰하는 것에서 출발해야만 한다.

한국 사회는 집단적 죽임 위에 건설되었고 개인적 죽음위에 유지, 와해, 붕괴되고 있다고 볼 수 있다. 6·25 전쟁을 겪었지만 아직도 평화체제를 구축하지 못했다. 휴전이라는 사실상의 전쟁상태인 분단체제를 살고 있는 한편, 매일 40명가량 자살하고 있기 때문이다. 그런데 2014년 4월 16일의 세월호 참사는 왜 시민들에게 커다란 충격을 주었는가? 아마도 죽음이라는 사건(事件)이 실시간 생중계로 전 국민, 나아가 전 세계인들에게 경험(經驗)되었기 때문일 것이다. 물론 경험과 체험(體驗)은 다르다. 그렇지만 침몰 현장을 생생하게 비춰준 TV 카메라 뿐 아니라, 침몰하는 세월호 내부를 보여준 학생들의 스마트폰 영상과 음성이 간접 체험을 가능케 했다. 모든 국민의 눈과 귀는 세월호 침몰 현장에 고정되었다. 그런데 이들을 구해줄 것으로 기대한 해경과 해군 등 국가기관은 한 명도 구하지 못했다! 세월호 침몰의 원인 규명과 아울러 구조에 실패한 정부의 책임 규명이 문제로 제기된다. 그런데 『현대성과 홀로코스트』에서 바우만이 제기하는 문제의식에 따르면 이 '세월호 사건'은 '한국판 홀로코스트'라 할 만하다. '유대인 학살 사건'으로서의 홀로코스트는 과거의 일이다. 또 전시(戰時)에 600만 명가량 죽임을 당했다고 하는 전대미문의 사건으로서의 홀로코스트를 평시(平時)에 300여 명 죽은 '교통사고'(!)에 불과한 세월호 사건과 비교하는 것은 건강부회처럼 보일 수 있다. 그렇지만 바우만의 홀로코스트 분석을 따라가보면 세월호 사건이 과거의 잘못된 관행이나 지도자의 광기와 무능에서 비롯된 예외적 사건이 아니라는 점을 알 수 있다. 세월호 사건은 정확히 한국 현대성의 산물이다. 이 말은 그와 유사한 사건이 전에도 있었고 지금도 일어나고 있을 뿐 아니라 앞으로도 계속 벌어지리라는 것을 의미한다. 우리는 세월호 사건 이전과 이후를 사는 것이 아니라 여전히 세월호 '안'에서 살아가리라는 전망이다.

그렇다면 우리는 바우만으로부터 무엇을 배울까? 『현대성과 홀로코스트』 2000년판 후기에 바우만은 다음과 같이 썼다. "과거를 지배하는 자가 미래를 지배한다는 오웰의 말이 옳다면, 바로 그 미래를 위해서 현재를 지배하는 자들이 과거를 제멋대로 주무를 수 없게 해야 한다." 그에 따르면 올바른 질문을 던지는 것이 운명(運命)과 도착지(到着地), 표류(漂流)와 여행(旅行)의 차이를 낳는다. 결론적으로 근대사회의 집단적 아노미보다 현대사회의 개인적 윤리지체(倫理遲滯)가 더 큰 문제라는 게 바우만의 통찰이다.

참고문헌

김수연. 2013. 「사랑과 철학은 움직이는 거야?: 지그문트 바우만과 『리퀴드 러브』」. ≪영미문학연구 안/밖≫, 35, 2013년 11월, 179~199쪽.

김용규. 2012. 「고통의 지구화와 서발턴의 연대: 지그문트 바우만의 유동적 모더니티에 대한 트랜스모던적 비판」. ≪비평과 이론≫, 17(2), 2012년 가을/겨울, 73~102쪽.

바우만, 지그문트(Zygmunt Bauman). 2002. 『자유』. 문성원 옮김. 이후.

_____. 2003. 『지구화, 야누스의 두 얼굴』. 김동택 옮김. 한길사.

_____. 2008. 『쓰레기가 되는 삶들』. 정일준 옮김. 새물결.

_____. 2009a. 『액체 근대』. 이일수 옮김. 강.

_____. 2009b. 『유동하는 공포』. 함규진 옮김. 산책자.

_____. 2010a. 『모두스 비벤디』. 한상석 옮김. 후마니타스.

_____. 2010b. 『새로운 빈곤: 노동, 소비주의, 그리고 뉴푸어』. 이수영 옮김. 천지인.

_____. 2013a. 『리퀴드 러브』. 권태우·조형준 옮김. 새물결.

_____. 2013b. 『방황하는 개인들의 사회』. 홍지수 옮김. 봄아필.

_____. 2013c. 『부수적 피해: 지구화 시대의 사회불평등』. 정일준 옮김. 민음사.

_____. 2013d. 『왜 우리는 불평등을 감수하는가: 가진 것마저 빼앗기는 나에게 던지는 질문』. 안규남 옮김. 동녘.

_____. 2013e. 『유행의 시대: 유동하는 현대사회의 문화』. 윤태준 옮김. 오월의봄.

_____. 2013f. 『이것은 일기가 아니다』. 이택광·박성훈 옮김. 자음과모음.

_____. 2013g. 『현대성과 홀로코스트』. 정일준 옮김. 새물결.

_____. 2014a. 『빌려온 시간을 살아가기』. 조형준 옮김. 새물결.

_____. 2014b. 『친애하는 빅브라더: 지그문트 바우만, 감시사회를 말하다』. 한길석 옮김. 오월의봄.

바우만(Zygmunt Bauman)·메이(Tim May). 2011. 『사회학적으로 생각하기』. 박창호 옮김. 서울경제경영.

바우만(Zygmunt Bauman)·보르도니(Carlo Bordoni). 2014. 『위기의 국가』. 안규남 옮김. 동녘.

백승대. 2008. 「현대사회를 보는 바우만의 시각: 탈근대성과 유동적 근대성을 중심으로」. ≪대한정치학회보≫, 16(1), 2008년 6월, 277~301쪽.

송재룡. 2000. 「바우만의 포스트모던 윤리론: 함의와 한계」. ≪현상과 인식≫, 24(4), 2000년 겨울, 15~36쪽.

아렌트, 한나(Hannah Arendt). 2006. 『예루살렘의 아이히만: 악의 평범성에 대한 보고서』. 김선욱 옮김. 한길사.

인디고 연구소. 2014. 『희망, 살아 있는 자의 의무: 지그문트 바우만 인터뷰』. 궁리.

힐베르크, 라울(Raul Hilberg). 2008. 『홀로코스트, 유럽유대인의 파괴 1, 2』. 김학이 옮김. 개마고원.

Arendt, Hannah. 1965. *Eichmann in Jerusalem*. New York: Viking Press.

Bauman, Zygmunt. 1972. *Between Class and Elite: The Evolution of the British Labour Movement: A Sociological Study*. translated by Sheila Patterson. Manchester: Manchester University Press.

_____. 1973. *Culture as Praxis*. London: Rutledge and Kegan Paul.

_____. 1976. *Socialism: The Active Utopia*. London: Allen and Unwin.

_____. 1978. *Hermeneutics and Social Science*. London: Hutchinson.

_____. 1982. *Memories of Class: The Pre-history and After-life of Class*. London: Routledge and Kegan Paul.

_____. 1987. *Legislators and Interpreters: On Modernity, Post-Modernity and Intellectuals*. Cambridge: Polity Press.

_____. 1988. *Freedom*. Open University Press.

_____. 1989. *Modernity and the Holocaust*. Cambridge: Polity Press.

_____. 1990. *Thinking Sociologically*. Oxford: Blackwell.

_____. 1991. *Modernity and Ambivalence*. Cambridge: Polity Press.

_____. 1992a. *Intimations of Postmodernity*. London: Routledge.

_____. 1992b. *Mortality, Immortality and Other Life Strategies*. Cambridge: Polity Press.

_____. 1993. *Postmodern Ethics*. Oxford: Blackwell.

_____. 1995. *Life in Fragments: Essays in Postmodern Morality*. Oxford: Blackwell.

_____. 1997. *Postmodernity and its Discontents*. Cambridge: Polity Press.

_____. 1998a. *Globalization: The Human Consequences*. Cambridge: Polity Press.

_____. 1998b. *Work, Consumerism and the New Poor*. Buckinham: Open University Press.

_____. 1999. *In search of Politics*. Cambridge: Polity Press.

_____. 2000. *Liquid Modernity*. Cambridge: Polity Press.

_____. 2001a. *The Individualized Society*. Cambridge: Polity Press.

_____. 2001b. *Community: Seeking Safety in an Insecure World*. Cambridge: Polity Press.

_____. 2001c. "Identity in the Globalising World." *Social Anthropology*, 9(2), pp.121~129.

_____. 2002. *Society Under Siege*. Cambridge: Polity Press.

_____. 2003. *Liquid Love*. Cambridge: Polity Press.

_____. 2004a. *Wasted Lives: Modernity and its Outcasts*. Cambridge: Polity Press.

_____. 2004b. *Identity: Conversations with Benedetto Vecchi*. Cambridge: Polity Press.

_____. 2004c. *Europe: An Unfinished Adventure*. Cambridge: Polity Press.

_____. 2004d. *Work, consumerism and the new poor*. Open University Press.

_____. 2005. *Liquid Life*. Cambridge: Polity Press.

_____. 2006. *Liquid Fear*. Cambridge: Polity Press.

_____. 2007. *Liquid Times*. Cambridge: Polity Press.

_____. 2008. *The Art of Life*. Cambridge: Polity Press.

_____. 2010. "The triple challenges." in M. Davis and K. Tester(eds.). *Bauman's Challenge: Sociological Issues for the Twenty-First Century*. Basingstoke: Palgrave Macmillan.

_____. 2011a. *Collateral Damage: Social Inequalities in a Global Age*. Cambridge: Polity Press.

_____. 2011b. *Culture in a Liquid Modern World*. Cambridge: Polity Press.

_____. 2012a. *Liquid Surveillance*. Cambridge: Polity Press.

_____. 2012b. *This is not a diary*. Cambridge: Polity Press.

_____. 2012c. *On Education: Conversations with Riccardo Mazzeo*. Cambridge: Polity Press.

_____. 2013. *Does the Richness of the Few Benefit Us All*. Cambridge: Polity Press.

Bauman, Z. and C. Bordoni. 2014. *State of Crisis*. Cambridge: Polity Press.

Bauman, Z. and C. Rovirosa-Madrazo. 2009. *Living on Borrowed Time*. Cambridge: Polity Press.

Bauman, Z. and K. Tester. 2001. *Conversations with Zygmunt Bauman*. Cambridge: Polity Press.

Bauman, Z. and L. Donskis. 2013. *Moral Blindness: The Loss of Sensitivity in Liquid Modernity*. Cambridge: Polity Press.

Bauman, Z., T. Cantell and P. P. Pedersen. 1992. "Modernity, postmodernity and ethics: An interview with Zygmunt Bauman." *Telos*, 93, pp.133~144.

Bauman, Z. and T. May. 2001. *Thinking Sociologically*. Blackwell.

Beilharz, Peter. 2000. *Zygmunt Bauman: Dialectic of Modernity*. SAGE.

Best, Shawn. 2013. *Zygmunt Bauman: Why Good People do Bad Things*. Ashgate.

Best, Steven. 1998. "Zygmunt Bauman: Personal Reflections within the Mainstream of Modernity." *British Journal of Sociology*, 49(2), pp.311~320.

Blackshaw, Tony. 2005. *Zygmunt Bauman*. London: Routledge.

_____. 2010. "Bauman's Challenge to Sociology." in M. Davis and K. Tester(eds.). *Bauman's Challenge: Sociological Issues for the Twenty-First Century*. Basingstoke: Palgrave Macmillan.

Carleheden, M. 2008. "Bauman on politics — stillborn democracy." in M. H. Jacobsen and P. Poder(eds.). *The Sociology of Zygmunt Bauman: Challenges and Critique*. Aldershot: Ashgate.

Crone, M. 2008. "Bauman on ethics — intimate ethics for a global world?" in M. H. Jacobsen and P. Poder(eds.). *The Sociology of Zygmunt Bauman: Challenges and Critique*. Aldershot: Ashgate.

Davis, Mark. 2008. *Freedom and Consumerism: A Critique of Zygmunt Bauman's Sociology*. Aldershot: Ashgate.

_____. 2011. "Bauman's compass: navigating the current interregnum." *Acta Sociologica*, 54(2), pp.183~194.

_____. 2013a. "Liquid Sociology: What For?" in M. Davis(ed.). *Liquid Sociology: Metaphor in Zygmunt Bauman's Analysis of Modernity*. Ashgate.

_____(ed.). 2013b. *Liquid Sociology: Metaphor in Zygmunt Bauman's Analysis of Modernity*. Ashgate.

Davis, M. and K. Tester(eds.). 2010. *Bauman's Challenge: Sociological Issues for the Twenty-First Century*. Basingstoke: Palgrave Macmillan.

Elliot, Anthony. 2007a. "Chapter 1. The theory of liquid modernity: A critique of Bauman's recent sociology." in A. Elliot(ed.). *The Contemporary Bauman*. London: Routledge.

_____(ed.). 2007b. *The Contemporary Bauman*. London: Routledge.

_____. 2009. *Contemporary Social Theory*. London: Routledge.

Featherstone, Mark. 2010. "Event Horizon: Utopia-Dystopia in Bauman's Thought." in M. Davis and K. Tester(eds.). *Bauman's Challenge: Sociological Issues for the Twenty-First Century*. Basingstoke: Palgrave Macmillan.

Hilberg, Raul. 1985. *The Destruction of the European Jews*. New York: Holmes & Meier.

Hirst, Benjamin Adam. 2014. "After Lévinas: Assessing Zygmunt Bauman's 'ethical turn'." *European Journal of Social Theory*, pp.1~15.

Jacobsen, Michael Hviid. 2007. "Chapter 8. Solid modernity, liquid utopia — liquid modernity, solid utopia." in A. Elliot(ed.). *The Contemporary Bauman*. London: Routledge.

_____. 2008. "Bauman on Utopia: Welcome to the Hunting Zone." in M. H. Jacobsen and P. Poder(eds.). *The Sociology of Zygmunt Bauman: Challenges and Critique*. Aldershot: Ashgate.

Jacobsen, M. H. and P. Poder(eds.). 2008. *The Sociology of Zygmunt Bauman: Challenges and Critique*. Ashgate.

Jacobsen, M. H. and S. Marshman. 2007. *Bauman beyond Postmodernity: Critical Appraisals, Conversations and Annotated Bibliography 1989-2005*. Aalborg University Press.

Jay, Martin. 2010. "Liquid Crisis: Zygmunt Bauman and the Incredible Lightness of Modernity." *Theory, Culture & Society*, 27(6), pp.95~106.

Junge, M. 2001. "Zygmunt Bauman's poisoned gift of morality." *British Journal of Sociology*, 52(1), pp.105~119.

_____. 2008. "Chapter 2. Bauman on Ambivalence — Fully Acknowledging the Ambiguity of Ambivalence." in M. H. Jacobsen and P. Poder(eds.). *The Sociology of Zygmunt Bauman: Challenges and Critique*. Ashgate.

Kilminster, R. and I. Varco(eds.). 1996. *Culture, Modernity and Revolution: Essays in Honor of Zygmunt Bauman*. London: Routledge.

Poder, P. 2008. "Bauman on freedom — Consumer freedom as the integration mechanism of liquid society." in M. H. Jacobsen and P. Poder(eds.). *The Sociology of Zygmunt Bauman: Challenges and Critique*. Aldershot: Ashgate.

Ray, Larry. 2007. "Chapter 2. From postmodernity to liquid modernity: What's in a metaphor." in Anthony Elliot(ed.). *The Contemporary Bauman*. London: Routledge.

Smith, Dennis. 1999. *Zygmunt Bauman: Prophet of Postmodernity*. Cambridge: Polity Press.

Tester, K. and H. Jacobsen. 2005. *Bauman Before Postmodernity: Invitation, Conversations and Annotated Bibliography 1953-1989*. Aalborg University Press.

07

니클라스 루만의 사회체계

/

현대사회이론의 다중 패러다임 전회

김종길

1. 문제 제기

  니클라스 루만(Niklas Luhmann)은 경제, 과학, 법, 예술, 정치, 교육, 종교, 사랑 등 거의 모든 사회 영역과 주제들을 아우르는 통합적인 거대 이론, 즉 일반체계 이론을 구상하고 구축한 현대 독일 사회학의 대표 주자이다. 그는 고전 철학의 존재론과 형이상학, 주체 중심의 인식론과 상호주관성 이론 등 예전의 유럽 이론 전통을 배격하고 사회이론가들에게 생경한 사이버네틱스 (cybernetics), 인지생물학, 현상학 등에서 도출된 개념과 아이디어를 차용하고 버무려 '체계/환경 차이' 이론, 나아가 '자동생산' 체계이론을 창안한 혁신적 사상가로 자리매김하고 있다. 루만 사후 독일어권은 물론, 영미권과 아시아권의 사회과학계에서 루만 이론을 해독하고 그로부터 현대사회적 활용 가치와 학술적 함의를 발굴하려는 노력이 배가되는 것도, 또 사회과학계를 넘어 인문학과 자연과학 분야에서 제각기 루만의 이론적 성과를 자신의 연구 분야에 적용하고자 부심하는 것도 모두 이 때문이다.

1990년대 초반 한국 사회에 처음으로 루만 이론이 소개된 이래 국내 학계에서도 사회학, 법학, 철학, 언론학 분야를 중심으로 그의 이론과 사상에 주목하는 저작들이 다수 발표되었는데, 그중에는 가치 있는 연구 성과도 적지 않다. 하지만 산출된 저작의 양에 비해 대체로 루만 이론의 학문적 소구력과 현실적 활용 잠재력이 충분히 소진되지 못하고 있다는 것이 중론이다. 구체적으로 루만 이론이 오늘날의 주요 현안들을 포착하고 이해하는 효과적인 방편이 될 수 있는지, 또는 오늘의 한국 사회를 분석하고 진단하는 유효적절한 이론 모형이 될 수 있는지에 대한 고민과 성찰이 미진했다고 본다.

이 글은 루만 사회이론의 주요 내용과 학술적 성과, 국내 논의 현황을 점검하고 발전적 활용 가능성을 모색한다. 첫째, 구성론·등가기능론·자동생산 체계이론·탈인본주의로 표상되는 루만 체계 이론의 논리 구조와 주요 내용을 정리한다. 둘째, 글로벌화·정보화·복잡화가 특징인 현대사회에서 루만 체계이론이 갖는 색출적 잠재력을 확인하고 현대사회적 의미를 탐색하며 활용 가능성을 타진한다. 여기서는 루만 이론이 세계사회, 정보사회, 위험사회의 궤적이 뒤엉킨 오늘의 시대를 거시 사회적이고 진화론적인 시각에서 해석하고 전망할 수 있게 하는 유용한 진단 도구가 될 수 있다는 점에 각별히 주목할 것이다. 셋째, 지금까지 국내 학계에서 이루어진 루만 관련 연구 성과들을 개관하고 그 한계와 의의를 살펴본다.

2. 사회의 이론과 계몽의 계몽

루만은 1969년 빌레펠트 대학교에 제출한 연구 계획서에서 자신의 향후 연구 계획과 관련해 "연구 프로젝트: 사회의 이론, 수행 기간: 30년, 비용: 없음"이라고 재치 있게 기재했다(Nehrkorn, 2001: 122). 당시 공언한 대로 그는

30년 동안 법, 경제, 정치, 예술, 종교, 생태계, 매스미디어, 사랑을 포함한 다양한 주제들에 대해 70권 이상의 저서와 450편에 달하는 학술 논문, 총 1만 5000쪽에 달하는 방대한 출판물을 남겼다.[1] 그가 설파한 이론과 사상은 복잡다단한 오늘의 사회를 해석하고 이해하는 개념 프리즘으로서 독일어권은 물론이고 남부 유럽, 동유럽, 동아시아 등지에서 큰 반향을 불러일으켰다. 사회과학, 문학, 철학, 신학에까지 그의 저서와 논문을 인용하거나 언급하지 않는 정신과학 연구가 거의 없다고 할 정도로 그의 이론이 현대 학문체계 전반에 미친 구심력과 원심력은 엄청나다.

그런데 그가 독일에서 왕성하게 활동할 시기만 해도 독일어권 이외의 지역에서 그의 이론은 상대적으로 덜 주목을 받았다. 그 주된 이유는 난해한 문체, 생소한 용어와 더불어 주로 독일어로 출판된 방대한 분량의 루만 저작들을 다른 언어로 번역해 자국 학문체계에 유효적절히 투하하는 것 자체가 난제였기 때문이다. 일부에서 루만의 체계이론을 출구를 찾기 힘든 '개념 미로', 가시권에서 벗어난 '구름 위 비행', 또는 접근이 허용되지 않는 '비선형 복잡계'에 빗댄 것도 이 때문이다. 일각의 이러한 부정적 시선에 대해 루만은 자신의 이론이 '너무 성급하게' 이해되는 것을 방지하기 위해 의도적으로 텍스트와 문체를 수수께끼처럼 구성한 측면이 있다고 응수한 바 있다(Luhmann, 1981a: 199). 여하튼 그의 수많은 저작들에 내포된 공통적 의미론을 찾아내고 그 외연을 추적하는 것은 사회학 전공자를 포함해 독일어권 학자들에게조차 쉽지 않은 도전이었다. 이 점은 루만의 후학들 중 일부에게서 목도되는 지식

---

1   1997년에 출간된 『사회의 사회(Die Gesellschaft der Gesellschaft)』 서문에서 루만은 이 책의 출판과 함께 30년 전에 기획했던 자신의 연구 프로젝트가 종료되었음을 선언하고 당시 자신이 수행 기간을 정확하게 산정했음에 만족감을 표했다. "1969년 개설된 빌레펠트 대학교 사회학과 교수로 초빙되었을 때 앞으로 수행할 연구 프로젝트를 지정하라는 요구를 받았다. 당시 그리고 그 이후 나는 '연구 프로젝트: 사회의 이론, 수행 기간: 30년, 비용: 없음'이라는 애초 연구 목표를 일관되게 고수했다"(Luhmann, 1997: 11).

엘리트주의적인 행태, 그리고 루만 이론에 함축된 정치적 보수주의 혐의와 더불어 그를 현대 인문·사회과학계의 가장 논쟁적인 인물들 중 하나로 만들었다.

잘 알려져 있다시피 루만은 '거대 이론(supertheorie)'의 주창자였다. 하지만 그가 기댄 것은 오랜 유럽 전통의 '철학적 토대이론(philosophical foundationalism)'이나 '포스트모던' 학자들에 의해 비판적으로 조명되던 '메타 내러티브(meta-narrative)'가 아닌 사회적 삶의 다기한 편린과 일상적 사건들을 보편적인 이론 틀 내에서 처리하고 해석하는 '일반체계이론'이었다. 그에 따르면 오늘의 사회는 어떤 중심도, 정점도, 위계도 용인치 않는 복잡계이다. 그런 만큼 오늘의 사회를 몇 개의 핵심 키워드로 압축하거나 몇 개의 계층 또는 집단으로 재단하는 것은 원천적으로 불가능하다. 루만이 18세기의 계몽주의 철학과 근대 자연과학의 원리는 물론이요 헤겔(Georg Hegel)의 가족-시민사회-국가 도식, 마르크스(Karl Marx)의 토대-상부구조 도식, 그람시(Antonio Gramsci)의 국가-경제-시민사회 도식, 하버마스(Jürgen Habermas)의 체계-생활세계 도식 등을 유럽의 낡은 학문 전통으로 규정하고 단호히 결별한 이유다. 그가 보기에 이것들을 통해 오늘의 사회를 포착하고 설명하기에는 현대사회가 너무나 복잡다단하고 다면적이며 예측 불가하게 되었다. 복잡한 사회를 담아내기 위해서는 고도로 추상적이고 복잡한 이론이 필요한데, 루만은 자신의 체계이론이야말로 이에 가장 잘 부응하는 패러다임이라고 확신했다.

그리하여 '사회 속의 인간과 집단의 행위에 대한 학문'으로 자임하면서 위계적 질서 또는 범주적 분류체계를 발전시켜온 전통 사회학 이론은, 루만에 의해 상호 환경을 구성하는 기능적으로 분화된 체계들의 이론으로 전환되고 재구성되었다. 그는 자신의 이론을 기존의 어떤 학파나 학문 전통과도 연결 짓지 않았다. 학자가 자신의 연구 결과를 학문적 성과로 공인받기 위해서는 통상 스스로를 특정 학문 전통이나 계보에 소속시킨 후, 이를 상징하는 토템

주위를 돌면서 춤을 추는 방식으로 그 계보에의 소속을 공표하는 통과의례를 거친다. 이와 같은 전통의 토템 상징물 중 서구 학계에서 가장 오랫동안 애용된 것이 바로 '계몽'이라는 토템이었다. 그런데 계몽에 대한 오랜 유럽식 독법, 즉 '자기 채무적인 미숙성 상태로부터 빠져나오는 출구'라는 의미의 계몽은 루만에게 복잡한 현대사회의 적절한 서술과 이해를 가로막는 이념적 콩깍지에 불과했다. 그는 모든 인간이 동일한 방식으로 이성적이라는 주장 또는 의심할 바 없이 올바른 사회적 상태가 만들어질 수 있다는 계몽의 믿음을 한갓 미몽으로 보았다. 이에 대한 출구 전략으로 그가 기획한 것은 '계몽의 계몽', 즉 계몽이라는 낡은 토템을 깨부수고 정화하는 책무를 떠안는 사회이론이었다. 사회이론 구성의 핵심 동기가 더 이상 가르치고 계고하는 것, 즉 미덕과 이성을 만들어내고 전파하는 것이 아니라 그것의 이면과 후면을 폭로하고 이를 주제화하는 것이어야 한다는 것이다. 그러한 점에서 루만의 사회이론은 기본적으로 '관례적인 것을 낯설게 하는 것(Theorie als Verfremdung des Üblichen)'에 다름 아니다.

3. 다중 패러다임 전회로서의 루만 체계이론

루만의 체계이론은 현대사회의 질서에 대한 서술이 어떻게 가능한가라는 익숙한 문제의식에서 출발했고, 사회적 복잡성을 경감하는 연결 고리로서의 체계 구상에서 그 해답을 찾았다. 즉, 체계는 루만에게 복잡한 현대사회의 과정과 질서의 서술을 위한 유일하고도 명징한 개념 도구였다. 사회 진화의 가속화와 함께 현대사회는 갖가지 가능성들에 기회를 제공하는 고도로 복잡한 복잡계 사회의 면모를 띠는데, 이러한 변화에 유기적으로 대응하고 이로 인해 생겨나는 파생 문제들을 해결하기 위해서는 복잡성의 축소와 이를 담당하는 체계의 존재가 불가피하기 때문이다. 따라서 체계들이 어떻게 복잡한 현대 환경 조건들 및 그 변화를 처리하는가 하는 것은 그의 이론체계 전반, 나아가 그의 학문적 여정의 모든 기간에 동반된 핵심 논제로 자리매김했다.

루만의 체계이론 기획은 몇 단계에 걸쳐 발전했는데, 이 과정에서 그는 순차적으로 유럽의 낡은 학문 전통과 결별했고, 자신의 학문적 거점인 사회과학의 경계를 부단히 넘나들었으며, 인문학과 자연과학 분야 고유의 발견과 성과를 자신의 이론 확충을 위한 새로운 에너지로 충전했다. 그의 이론체계에 내장된 혁신성과 창의성은 구성론, 등가기능론, 자동생산, 탈인본주의로 집약되는 다중(multiple) 패러다임 전회 속에서 잘 드러난다.

1) 분석적 실재론에서 자기생산적 구성론으로

루만 이론의 얼개 개념은 '체계'다. 체계는 자신의 환경 속에서 이용할 수 있는 온갖 가능성들 중 특정의 것을 선택함으로써 환경보다 덜 복잡하고 더 안정적으로 구성되는 사건들의 연계를 말한다. 루만은 이 용어를 대규모 조직에서부터 간단한 대화 상황에 이르기까지 현실 세계의 수많은 관심 대상들을 포착하고 설명하는 데 활용했다. 루만이 출발점으로 삼는 질문 역시 무엇이 상이한 체계들을 작동하도록 만드는가, 체계들은 어떻게 스스로를 유지하며 여타 체계들과 관계하는가 하는 것이었다(Luhmann, 1984).

루만은 애초 한때 자신의 이론적 멘토였던 탤컷 파슨스(Talcott Parsons)의 영향으로 사회체계이론에 입문했지만 오래 지나지 않아 파슨스와 이론적 차별화를 꾀했다. 결별을 위한 첫 번째 계기는 파슨스가 체계를 단순히 사회 내에서 진행되는 특정 과정들을 이해하는 분석 도구로 간주했던 반면(Parsons, 1937), 루만은 이를 구성적으로 이해했다는 점에 있다. "스스로를 생산하고 재생산하는 체계들이 존재한다"는 간단명료한 시발 명제에서 엿볼 수 있듯이 루만은 '분석적 실재론(analytical realism)'으로 알려진 파슨스의 체계 패러다임을 자기생산적 구성론으로 불릴 수 있는 체계-환경 차이 패러다임으로 대체했다. 파슨스에게 체계는 단지 분석을 위한 개념 도구에 불과했던 데 비해 루만 이론에서는 통제 불가능하고 변화무쌍한 환경 속에서 자신의 아이덴티티(identity)를 스스로 만들어내는 체계가 실제로 존재한다고 전제되었다 (Luhmann, 1970: 115).

파슨스 이론과의 또 다른 변별점은 파슨스가 특정 하위체계들이 전체 사회의 기능에 어떻게 기여하는지에 관심을 가졌던 반면, 루만은 세계의 복잡성을 경감하는 체계의 기능에 주목했다는 점이다. 루만이 사회의 가장 중요한 과업으로 상정하는 복잡성의 경감은 오로지 체계의 선택 기제를 통해 이루어진다. 구체적으로 체계는 일부 가능성을 다른 가능성들보다 더 개연적으로 만듦으로써 상황을 상대적으로 예측 가능하게 하고 이런 과정을 통해 복잡성을 적정 규모로 축소시킨다. 예를 들어 한류 문화 또는 인도 음식 문화에 대해 대화할 가능성은 '자동차 판매'라는 사회체계 상황에서는 원칙적으로 배제된다. 이처럼 체계와 환경의 차이, 그리고 내부와 외부의 분화를 통해 스스로 구성되는 체계는 세계의 복잡성을 경감하고 조절하는 일종의 개념적 만능열쇠로 루만 이론에 장착되었다.

2) 인과기능론에서 등가기능론으로

루만은 1970년대 후반까지 체계 개념을 정교화하고 '모든 사회적인 것'의 서술에 활용 가능하도록 유연화하는 데 연구 역량을 집중했다. 루만이 이를 위한 첫 번째 연결 고리로 삼은 것은 파슨스의 인과기능론이었다. 주지하다시피 파슨스의 사회체계이론에서 각별한 위상을 갖는 개념은 '구조'와 '기능'이었다. 파슨스에게 '구조'는 주어진 것, 정태적인 것으로 가정되었으며, '기능'은 이러한 구조의 존속 유지에 기여함으로써 종국적으로 체계 유지에 일조하는 것으로 상정되었다(Parsons, 1951: 9). 다시 말해, 파슨스 이론의 최종 지향점은 체계 내적인 것, 즉 구조와 기능을 매개로 한 체계의 존속 유지에 있었다. 이는 구조 A로부터 기능 B가 나온다는 식의 논리 전개, 즉 구조를 언제나 기능 앞에 세웠던 그의 일관된 이론 구성 전략에서 어렵지 않게 유추할 수 있다. 체계이론의 문법으로 돌려 표현하면, 체계가 자신의 주어진 구조 속에서 유지되려면 이에 필요한 기능적 성취들이 반드시 체계에 의해 수행되어야만 한다(Willke, 1991: 3). 이에 따라 파슨스의 체계에는 체계 기능들이 적응해야만 하는 집합적이고 구속력 있는 가치 또는 규범들이 전제될 수밖에 없었고, 사회이론의 핵심 과제도 보편적이며 대체 불가능한 체계 특성을 발굴하는 것으로 귀결될 수밖에 없었다. 이처럼 구체적인 기능과 체계 존속 유지 간에 불가피한 인과적 연계를 상정하고 있는 파슨스 이론은 '인과기능론(Kausalfunktionalismus)'으로 불렸다.

루만은 이 같은 인과기능론을 인과적 필연성을 전제로 한 보편주의로의 회귀 시도로 보고 강하게 비판했다. 파슨스의 경우 사회체계가 광의의 '문화'로 해석될 수 있는 특정 구조, 규범 또는 가치들을 전제한다는 것에서 출발했던 반면, 루만은 구조 자체를 문제화할 수 있는 여지의 확보에 전략적으로 유의했고 이러한 여지는 오로지 기능이 구조 개념에 앞서는 것으로 가정함으로써만 확보 가능하다고 보았다(Luhmann, 1970: 113~114). 그리하여 루만의 체계이론에서는 언제나 포괄적 체계 구조의 전제 없이 그것의 기능에 대해 질문하는 것이 가능하다. 기존의 기능주의가 기능을 '야기되는 어떤 결과'로 파악한 데 비해, 루만에게 기능은 기능적 변수의 틀 내에서의 등가(等價)들의 확인을 위한 조정 원칙에 다름 아니다. 루만이 보기에 A나 B가 문제 P를 해결할 수 있다면 이것들은 기능적 등가이다(Luhmann, 1985b: 89; 1984).

이제 루만의 체계는 존속 요건으로서 특정 성취에 의존하지 않는다. 더 이상 효력을 발하지 않는 성취는 언제든지 다른 것으로 대체될 수 있기 때문이다. 이는 체계 구조가 가변적이며 어떤 불변의 가치나 규범을 가질 필요가 없다는 것을 의미한다. 루만의 관심사는 어떤 기능들이 어떤 체계 성취를 잠정적으로 담보하는지, 나아가 어떤 기능적 등가 가능성이 이것들을 대체할 수 있는가 하는 점이었다. 루만의 공식으로 바꾸어 표현하면 기능은 Y가 X의 등가물이라는 사실의 확인을 위한 착안점으로, 즉 기능이 X 변수들의 변이의 착안점으로 작용할 때의 변수 X와 Y의 관계이다(Luhmann, 1958: 95~96). 루만이 초기에 설파했던 기능주의는 파슨스의 인과기능론에 빗대어 '등가기능론(äquivalenzfunktionalismus)'으로 불렀다. 이러한 등가기능론의 주안점은 체계와 환경의 분화 동학 및 세계와 환경 간 관계를 포착·분석하는 것이다. 루만은 '인과기능론'에서 '등가기능론'으로의 패러다임 전회를 통해 사회과학이 특정 원인과 특정 결과를 결부 짓고 확정하는 소모적인 작업보다는 오히려 문제 해결을 위해 가능한 모든 변수들의 등가 여부를 확인하는 생산적 대안 발굴 전략에 이론적 시야를 돌려야 함을 역설했다(김종길, 1993).

3) 전체/부분 패러다임에서 자동생산 패러다임으로

1970년대 말 루만의 체계 패러다임은 다시 한 번 전회했다. 그 출발점이 된 것은 복잡성의 무한 증가라는 엄정한 시대 현실이었다. 시간이 지나면 지날수록 사회는 한층 더 복잡해진다. 기능적 분화의 가속화로 사회집단들 간 차이는 점점 더 확연해지며, 수많은 하위체계들이 새로이 생겨나거나 재생산되거나 사라진다. 체계 구성을 이끄는 선택 과정 역시 한층 더 까다로워진다. 이와 함께 복잡성 경감이라는 체계 고유의 과업 수행은 자기준거적 체계들, 즉 자기 자신에 대해 숙고하고 되돌아보는 체계들에 의존하게 된다.

루만이 자신의 이론화 작업 성과 중 최고 걸작으로 평가되는 『사회체계이론(Soziale Systeme)』(1984)에서 '자동생산' 체계의 개념을 제안한 배경도 여기에 있다. 자동생산은 애초 생물학자 마투라나(Humberto R. Maturana)와 바렐라(Francisco Varela)가 생명현상 이해를 위해 고안한 개념이었다(Maturana and Varela, 1980). 이들은 살아 있는 체계의 자동생산 과정, 즉 자동생산적 구성물은 자신의 요소들을 스스로 재생산함으로써(재귀성) 자신을 유지한다는 점에 주목했고 이러한 현상을 '자동생산'으로 번역될 수 있는 '오토포이에시스(autopoiesis)'로 표상했다. 살아 있는 체계는 스스로 규칙을 부여하고 스스로를 조직화하며, 자기 자신에 관계하고 자신의 환경으로부터 스스로를 분화시킨다. 이러한 자기 조종 과정, 즉 "동작을 통한 자신의 조직 생산"(Willke, 1991: 191) 과정을 통해 체계는 자기준거적 폐쇄성을 띠고 자신의 환경으로부터 독립적이며 자율적이게 된다. 하지만 동시에 살아 있는 체계들은 개방적인 성격을 띤다. 이것들은 물질적 교환이나 에너지 교환처럼 자신의 환경과 조율된 접촉 속에 있기 때문이다. 바꿔 말해, 체계이론에서 폐쇄성과 개방성은 상호 배타적인 것이 아니라 서로를 규정하고 조건 짓는 것이다. 오로지 자기준거적이고 폐쇄적인 자동생산 체계들만이 자신의 환경과 경계를 만드는 동시에 그것과 일정한 접촉 관계를 맺는 것이 가능하다.

루만은 자동생산 체계의 개념을 한층 더 공고히 하고 확장했다. 마투라나와 바렐라가 자동생산 개념을 오직 살아 있는 체계, 즉 생명 유기체에 국한했던 반면, 루만은 이를 일반화해 심리체계, 사회체계 등 다양한 영역의 체계 유형들에 확대 적용했고, 나아가 이들 체계에서 생명체의 세포들과 기능적으로 등가인 요소들을 찾아내고자 부심했다. 루만에 따르면 심리적 체계들의 구성 요소는 의식이고, 사회적 체계들의 구성 요소는 커뮤니케이션이며, 이러한 의식 과정과 커뮤니케이션 과정을 매개하는 연결 고리는 의미(Sinn)이다. 즉, 루만에 의해 의식은 생각의 의미적 자동생산으로, 그리고 사회는 커뮤니케이션의 의미적 자동생산으로 새롭게 각색되고 재정립되었다.

사회학자로서 루만의 주된 관심사는 사회체계였다. 루만에게 사회는 신념의 공유에 의해 통합된 개인들의 연결망이 아닌 모든 커뮤니케이션의 총체이다. 사회체계는 커뮤니케이션으로 구성되며 커뮤니케이션을 통해 재생산된다. 이는 현전하는 인간들 간에 행해지는 주제 연관적 상호작용뿐만 아니라 멤버십을 기반으로 하는 조직, 그리고 '포괄적 사회체계'로서의 전체 사회에 모두 적용된다. 사회체계의 자기준거성 또는 자동생산성이란 이처럼 커뮤니케이션들의 유의미한 연속체로 간주되는 체계가 스스로의 내적 논리에 따라 지속적으로 후속 커뮤니케이션을 생산해낼 수 있음을 의미한다.

모든 사회체계는 커뮤니케이션 과정을 통해 지속적으로 재생산되는, 무엇이 의미 있고 무엇이 의미 없는지에 의존하는 고유의 아이덴티티를 창조한다. 체계가 이러한 아이덴티티를 유지할 수 없다면 그 체계는 하나의 체계로서 존속하는 것을 멈추는 것이며, 해체되어 그것이 발원했던 세계로 되돌아가는 것을 의미한다. 복잡한 환경 속에서 사전 필터링된 요소들로부터 쉼 없이 자기 스스로를 생산하고 재생산하는 과정이 바로 자동생산이다. 이처럼 자동생산 개념에는 조직의 유연화, 동학, 해체 및 재구성 능력에 대한 루만의 통찰과 이론적 편애가 녹아 있다. 그것은 "항시 새로운 조합, 항시 새로운 차이를 시도해볼 수 있는 가능성"(Luhmann, 1992: 22)을 포함한다. 이렇게 함으로써 사랑이나 신뢰와 같은 미시적 주제에서부터 전 지구적 환경문제에 이르기까지 오늘날 현안이 되는 모든 논제들이 체계이론의 관점에서 포섭되고 분석될 수 있다.

루만의 자동생산 사회체계는 전체-부분 관계를 상정하는 파슨스류의 사회체계와는 근본적으로 다르다. 개별 사회체계는 엄격하게 자기 자신의 고유한 이항 코드에 따라 작동하며 여타 체계들이 그들의 환경을 어떻게 인지하는지에 대해서는 무관심하다. 예컨대 경제의 모든 것은 돈에 대한 관심으로 귀결된다. 도덕과 같은 외부 관점이나 권력과 같은 상위 관점이 경제체계의 작동을 대신하거나 그 안에서 주도적 역할을 하는 것은 기대되지 않는다.

4) 인본주의에서 탈(脫)인본주의로

훔볼트(Alexander von Humboldt) 이후 유럽적 전통으로 자리를 굳힌 인본주의적 사유는 사회를 구성하는 필수 요소로서 인간을 상정하고, '유(類)적 존재'인 인간의 본유적 특성을 중심으로 세계를 해명하고 전망하는 관점이다. 루만은 복잡한 현대사회의 도래와 함께 사회를 단순히 인간들의 집합체로 파악하는 예전의 방식이 더 이상 설득력을 지니지 못하게 되었음을 간파하고, 자신의 체계 이론적 사유에 부합하는 새로운 인간상을 제시했다. 사회체계가 "일정 규모를 넘어서면, 사회체계의 구성에 유의미한 선택적 관계들은 더 이상 인간들 간 관계로, 또는 개별 인간의 전인격적 몰입을 요구하는 관계로 이해될 수 없다. 그것들은 이제 행위들 간의 관계로 이해되어야만 한다"(Luhmann, 1974: 530; 1972: 37). 다시 말해, 현대사회로 오면서 이런저런 사회관계들을 최종적으로 인간에 귀결시키던 인본주의적 해석 틀은 더 이상 효력을 갖기 어렵게 되었다.

루만에 의하면 신체적·정신적 체계의 합계 또는 퍼스낼리티(personality)로서의 인간이나 개인들은 더 이상 사회체계의 구성 요소가 아니다. 그것들은 사회체계의 환경에 속한다(Luhmann, 1981b: 274~275). 루만이 사회체계의 환경으로서 인간 개념을 제시하자 그의 이론이 인간의 역할과 작용을 도외시한다는 비판이 '인본주의자들'로부터 쏟아졌다. 루만은 이에 대해 오히려 "자동생산 체계이론이야말로 개인을 진지하게 다루라는 요구를 예전의 인본주의 전통보다 훨씬 더 진중하게 수용할 수 있다"고 응수했다(Luhmann, 1991: 1422). 인간은 사회체계의 주요 환경으로서 지속적으로 그것에 유의미한 영향을 미치며 때로는 사회를 변화시킬 수도 있다. 루만은 사회체계와 그

환경으로서의 인간이 상호 영향을 미치는 역동성을 충분히 염두에 두었고 이러한 역동성을 '구조적 접속(strukturelle Koppelung)'이라는 특유의 매개 개념을 통해 이론적으로 담보하고자 했다.

한편 루만의 '탈인본주의'는 주체 개념에 대한 인식의 반전, 나아가 오랜 기간 사회학의 뿌리 개념이었던 '주체'의 해체와 재구성으로 이어졌다. 주지하다시피 하버마스는 루만과의 유명한 논쟁에서 '언어 및 행위 역량을 갖춘 인간 주체'를 상정함으로써 이를 '유럽의 낡은 전통'이라며 거부한 루만과 치열하게 대결했다(Habermas and Luhmann, 1971). 하버마스의 '주체'는 다른 사람들과의 연관성 속에서 행위 및 대화 상황들을 만들어내는 인간, 즉 행위의 창출자로서의 인간이다(Habermas, 1983: 145~150). 루만은 하버마스의 이 같은 인간관을 지극히 편협한 것이라고 비판했다. 루만에게 체계가 전제되지 않는 사회적 행위는 있을 수 없으며, 주체(=인간)는 단지 체계들의 환경일 뿐이다. 주체로서의 인간(루만적 의미에서는 '퍼스낼리티 체계')은 자신의 의식과 커뮤니케이션 기여를 통해 단지 한정적으로, 그리고 역할에 따라 분산적으로만 체계 역사에 관여할 수 있기 때문이다. 이런 점에서 인간은 더 이상 행위의 '주체'가 될 수 없다(김종길, 1995).

기능적으로 분화된 사회는 인간으로 구성된 것이 아니기 때문에 인간을 중심에 둔 도덕적 통합의 노력 역시 포기되어야 한다. 계층적으로 분화된 사회체계들에서 서열 지위와 결부되었던 선·악이라는 도덕 도식(Luhmann, 1985b: 578)과 도덕적 획일주의는 기능적으로 분화된 사회에서 더 이상 적용될 수 없거나 기껏해야 제한된 수준에서만 효력을 발휘하기 때문이다. 현대 사회가 진전되면서 상이한 자기준거적 기능체계들이 가지는 고도의 복잡성, 그리고 사회체계와 퍼스낼리티 체계들 간 분리는 모든 문제들을 순수한 도덕의 견지에서 다루는 것을 용인하지 않는다. 현대 기능체계들의 작동 메커니즘은 체계 내적 자동생산 논리에 따를 뿐 인간 이성이나 도덕적인 호소에 별반 영향을 받지 않기 때문이다(Luhmann, 1985a).

이와 같은 탈도덕, 탈주체는 체계가 자신의 구성 요소를 재생산함으로써 스스로를 안정화시킨다는 주장과 더불어 비판가들이 루만의 이론에 보수주의의 외피를 덧입히는 주요 논거가 되어왔다. 그런데 루만의 이러한 발상 자체가 오늘의 사회를 포착하고 이해하는 데 한계를 노정하는 '유럽 본래의 전통'에 대한 회의와 그 대안으로 제시되었다는 점에서, 인본주의라는 열차에 몸을 누이고 있는 좌파를 오히려 왼쪽에서 추월하는 것 같은 이론적 파격을 보이는 것도 사실이다.

4. 현대사회의 분화와 진화

루만은 자체의 내적 합리성에 따라 작동하는 하위체계들로의 기능적 분화를 현대사회의 가장 두드러진 특징이자 모더니티의 기본 구성 원리로 간주했다. 다시 말해 '일차적으로' 기능적으로 분화된 사회로서 현대는 자동생산적인, 즉 자기 스스로를 조절하고 조직하는 다수의 부분 기능체계들로 이루어져 있다. 이때 경제, 정치, 학문, 법 등은 제각기 특정한 커뮤니케이션 매체들을 통해 전혀 상이한 사회적 기능들을 수행하는 사회의 주요 기능체계들이다.

이러한 기능체계들의 주요 특징을 살펴보면 첫째, 기능체계들은 개별 인간들이나 인간 행위들이 아닌 커뮤니케이션들로 구성된다. 둘째, 자동생산 체계로서의 기능체계들은 사회 전체에 대해, 그리고 서로에 대해 상대적인 자율성과 독자성을 확보한다. 셋째, 분화되고 기능적으로 전문화된 사회체계들의 안정화를 위해 부분 기능체계들은 사회적 환경의 복잡성 수준에 상응하는 정도로 자기복합성을 유지한다. 여기서 기능체계들의 높은 자기복합성이란 대안이나 변이 가능성, 체계 내의 이견(異見) 및 갈등의 허용이 담보되는 것을 말한다. 더불어 이는 체계들이 더 이상 확고한 기초, 불변적 요소 혹은 본질적 가치들에 근거해 스스로를 안정화시킬 수 없고, 오로지 변화 가능성들을 열어둠으로써 스스로의 안정을 확보해야 함을 의미한다. 넷째, 커뮤니케이션 체계로서 부분 기능체계들의 분화, 자율성, 그리고 기능적 전문화는 한편으로는 사회의 점증하는 복잡성의 결과이지만, 다른 한편으로 사회의 복잡성 수준을 높이는 역할을 수행한다(Luhmann, 1970: 160).

서로를 환경으로 간주하는 기능체계들은 '자동생산'이라고 불리는 조작적 폐쇄를 통해 출현하고 재생산되며, 이른바 '이항(binär) 코드'의 구성을 통해 자신의 정체성을 발전시킨다(Luhmann, 1986: 75~76). 다시 말해, 현대사회의 주요 기능체계들은 모두 특별히 자신에게만 통용되는 이항 코드의 구성을 통해 정보들을 처리하고 제3의 가능성을 배제하며 스스로의 정체성을 확인한다. 기능적으로 구체화된 이항 코드는 개별 커뮤니케이션이 어느 기능체계에 속하는지를 결정하는데, 정치체계에서의 여·야, 경제체계에서의 소유·비소유, 학문체계에서의 진·위 등이 잘 알려진 예들이다.

한편 루만은 현대 기능체계들 내의 '프로그램' 분화에도 주목했다. 현대의 모든 기능체계는 이항 코드와 프로그램의 구조적 분화를 통해 자신의 체계 분화에 조응하기 때문이다. 현대사회에 접어들면서 비로소 가시화된 이항 코드와 프로그램 간 분리는 "양가적 코드 속에서 불가피하게 배제된 제3의 가능성들을 체계 내에 다시 불러오며, 이런 식으로 양가적 논리의 한계를 극복할 수 있게"(Luhmann, 1987: 15) 한다. 이항 도식으로서의 코드가 주로 큰 틀에서 가능성을 방향 짓는 역할을 수행한다면, 프로그램은 올바른 동작들의 질서, 즉 올바른 행위와 올바르지 못한 것의 구분을 가능하게 한다. 학문 영역에서의 이론, 법 영역에서의 법률이나 계약, 예술 영역에서의 개별 예술 작품, 경제 영역에서의 기업 투자 등이 대표적인 예이다(Luhmann, 1985b: 25).

루만에게서 이론 구성의 높은 전략적 가치를 갖는 또 다른 개념은 커뮤니케이션 매체이다. 이항 코드나 프로그램처럼 커뮤니케이션 매체 또한 사회적 진화의 산물이다. 한 사회체계가 기능적으로 분화될수록, 그리고 현실 구성이 더욱 덜 집합적으로 이루어질수록, 다시 말해 "공동으로 경험된 체험들의 비중이 줄어드는 데 비해 타자(他者)의 체험적 행위들의 비중이 늘어날수록" (Luhmann, 1970: 259) 커뮤니케이션 매체의 중요성도 증대되기 때문이다. 루만은 현대사회의 도래와 함께 한층 더 중요성을 갖게 된 커뮤니케이션 매체로 '화폐', '진리', '사랑', '권력' 등을 들고 있다. 이러한 커뮤니케이션 매체들은 관련 체계들의 최종 과업이라고 할 수 있는 복잡성의 축소 기능을 수행할 뿐 아니라, 축소된 복잡성을 가능성들의 재고(在庫)로 유지시킴으로써 체계의 선택성을 강화하는 기능을 담당한다.

루만은 1980년대 초반까지 행정, 법, 권력, 복지국가, 계몽, 도덕, 신뢰, 사랑 등을 주제로 한 여러 저작과 논문들을 발표하면서 추후 펼칠 일반이론의 지반을 다졌으며, 1984년 자신의 첫 번째 주저 『사회체계이론』을 통해 사회적인 것 모두를 담아낼 수 있는 통합적 개념체계를 확립했다. 이후 그는 『사회의 경제(Die Wirtschaft der Gesellschaft)』, 『사회의 학문(Die Wissenschaft der Gesellschaft)』, 『사회의 법(Das Recht der Gesellschaft)』, 『사회의 예술(Die Kunst der Gesellschaft)』 등 사회이론의 각론에 해당하는 여러 연구 성과들을 저서로 발표했으며, 1997년 마침내 그의 사회이론의 완결판이라 할 수 있는 『사회의 사회(Die Gesellschaft der Gesellschaft)』를 출간했다. 사후에는 『사회의 종교(Die Religion der Gesellschaft)』, 『사회의 정치(Die Politik der Gesellschaft)』 등 주로 정치, 종교, 교육과 관련된 미발표 저작과 논문집이 순차적으로 출간되었으며, 동시에 많은 저작들이 주요국 언어로 번역·출간됨으로써 그는 일약 독일의 대표적 지성인 위르겐 하버마스에 견줄 수 있는 석학으로 발돋움했다. 『사회학적 계몽(Soziologische Aufklärung)』 등 일련의 사회이론 시리즈 이외에 생태적 위협, 위기, 미디어, 모더니티, 세계화처럼 오늘의 시대를 호출하는 쟁점들도 그의 주된 연구 관심사였다.

5. 정보사회, 세계사회, 위험사회, 그리고 루만 이론의 해석적 잠재력

오늘의 사회가 이념과 지역, 계층과 같은 전통적 이분법으로는 해명 불가능한 복잡계적 양상을 띠면서 루만 이론은 사회 패러다임으로서뿐만 아니라 현실 세계의 이해와 석명(釋明)을 위한 설명 모형 내지는 해석 틀로서도 주목받고 있다. 돌이켜보면 루만은 일생 동안 거대 이론의 구축 노력 못지않게 자신의 아이디어와 개념 구상의 현실 적용 가능성을 타진하고 실행한 학자였다. 하지만 동시에 그는 자신의 이론이 특정한 정치적 역할을 수행하거나 여타의 대안적 해석들을 봉쇄하는 도구로 악용되어서는 곤란하다고 생각했다. 그가 한두 가지의 기본 원리로 환원될 수 있는 정형화된 이론 모형이나 손쉽게 테스트할 수 있는 명제들보다는 복잡한 세계를 이해하고 분석할 수 있는 포섭적 패러다임을 개발하는 데 매진했던 이유도 여기에 있다. 루만의 이론적 명제와 진술은 일견 고도로 추상적이고 기술적인 개념들로 이루어진 것처럼 보이지만 꼼꼼히 속을 들여다보면 대개는 일상 세계의 관찰과 현실 세계의 소소한 경험을 기반으로 하고 있음을 알 수 있다. 루만 스스로도 자신의 체계이론을 우리 주변의 경험적 관찰과 현존하는 역사적 자료들을 추상적인 이론 언어로 '번역'한 결과로 이해했다. 그가 보기에 이제 오로지 이론적 추상화를 통해서만 사회의 복잡성을 포착하는 동시에 이를 적정 규모로 축소하는 것이 가능한 시대가 되었기 때문이다.

체계이론의 다중 패러다임 전회를 선도했던 루만의 이론은 오늘의 세계가 제기하는 갖가지 도전에 대한 유효적절한 응전으로 활용될 수 있는 잠재력이 충분하다. 먼저, 루만의 이론이 융합과 통섭이라는 학문체계의 새로운 연구 조류를 선도하고 매개하는 중추적 기능을 할 것이라고 기대할 수 있다. 융합 공학이 발달하면서 인간 중심의 사회 시스템이 해체되고 기술 시스템과 인간·사회 시스템의 공진화를 근간으로 한 새로운 디지털 융합사회가 출현하고 있다. 이에 따라 컨버전스(convergence), 하이브리드(hybrid), 퓨전(fusion), 크로스오버(crossover)와 같이 융·복합을 표상하는 용어들이 과학기술 영역을 넘어 문화 예술과 사회과학 영역에서 활발하게 회자되며, 그 조건과 전개 양태 및 사회적 파장에 대한 연구 관심도 커지고 있다. 그뿐만 아니라 근대 학문의 중요한 진화적 성취 중 하나인 과학과 비(非)과학, 과학과 직관의 구분이 모호해지고 있으며, 분과의 경계를 뛰어넘는 학제 간(interdisciplinary) 연구 또는 융합 연구가 학문체계의 새로운 시대정신으로 굳어지고 있다. 앞서 살펴보았듯이 루만의 체계이론이 미치는 학문적 영향력의 크기와 범위는 사회과학, 인문학, 자연과학 분야를 두루 포괄하며, 그러한 점에서 그의 이론은 "현대사회에 대한 통찰과 조망에 일조하는 해체와 재구성의 능력을 지닌 이론" (Kneer and Nassehi, 1993: 9)으로 평가된다. '전공 칸막이주의', '전공 불가침' 으로 특징되는 현대 학문체계에서 루만의 자동생산 체계이론은 다양한 전공, 학문 분야, 학자, 연구 기관들 간의 생산적인 연구 협업을 위한 실행 모형으로서 충분한 유용성과 효과성을 발휘할 수 있다고 본다.

한편 오늘의 사회는 시간과 공간의 제약에서 해방된 새로운 커뮤니케이션 시대로 나아가고 있다. 인터넷과 사회관계망 서비스(Social Networking Ser-vices)가 광범위하게 확산되어 인류의 보편적인 커뮤니케이션 매체가 되고 그 기능이 나날이 갱신되면서 일종의 커뮤니케이션 혁명이 전개되고 있으며, 세계화와 지방화가 동시에 진행되면서 '글로컬(glocal)' 커뮤니케이션의 중요성이 증대하고 있다. 또한 과학과 기술의 발달, 전 지구적 생태 위험과 환경 문제의 확산에 따른 '계산된 위험성'이 증폭되면서 생태 커뮤니케이션의 본질에 대한 해부와 응전이 인류 생존의 필수 요건으로 다가오고 있다. 정보사회, 세계사회, 위험사회의 커뮤니케이션에는 한결같이 복잡성과 다양성, 패러독스와 모순, 우발성, 예측 불가능성, 뒤섞임과 뒤바뀜이 내장되어 있는데, 루만이 이와 같은 커뮤니케이션 모드를 섬세하고 예리하게 분석할 수 있는 이론 모형을 제안한다는 점에서 그의 이론 패러다임은 최근의 사회 변화상을 진단하는 이론 도구의 역할을 넘어 사이버 커뮤니케이션, 글로벌 커뮤니케이션, 생태 커뮤니케이션과 같은 복잡계 커뮤니케이션의 감지자 또는 새로운 연구 프런티어의 개척자가 될 수 있다고 본다.

루만은 현대사회의 모든 영역을 기술하고 그 구조적 맥락 속에서 이를 이해할 수 있도록 하는 이론체계를 제안했고, 수차례의 패러다임 전회를 통해 그 기본 골격을 완성했다. 이를 통해 그가 희구한 것은 유일하게 올바른 것을 제공하는 '참된' 이론이 아닌 어떤 규범적 가치를 부여하지 않고도 세계를 그 전체 맥락 속에서 포착하고 설명할 수 있는 일반 이론을 제시하는 것이었다. 특정 원인을 특정 결과와 연결 짓던 전통적인 인과론, 자연법과 사회계약, 이성과 합리성 모델 등 전통적인 발상의 대안으로 그가 제안한 복잡성, 우연성, 패러독스, 커뮤니케이션, 자동생산 체계 등은 정보화, 세계화, 생태계 위기처럼 글로벌 차원을 갖는 오늘의 사회 현안을 이해하고 해석하며 문제 해결을 모색하는 데 유용한 변곡점을 제공한다.

6. 함의 및 결론

루만의 일반체계이론이 정치, 경제, 법, 사회, 과학, 교육, 종교 등 현대사회의 주요 체계들을 모두 아우르는 '거대 이론'을 표방함에 따라 그의 이론이 미치는 영향력의 동심원은 행정이론, 법이론, 국가이론, 조직이론, 정치이론,

정책이론, 경제이론, 과학이론, 예술이론은 물론이요, 의사결정론, 미디어론, 커뮤니케이션 이론, 시간이론, 종교이론, 교육이론, 음악이론, 언어이론에 이르기까지 거의 무한대로 확장되었다(노진철, 2000: 196). 이처럼 그의 이론에 주제적 확장성과 내용적 포용성이 더해지면서 루만은 독일어권과 유럽 학계를 넘어, 그리고 사회학의 경계를 넘어 인문·사회과학계, 더 나아가 자연과학과 예술 영역을 두루 아우를 수 있게 되었다.

그뿐만 아니라 루만은 다중적 패러다임 전회를 통해 체계이론의 해석적 유연성과 다학제적 생산성을 제고함으로써 그 이전의 어떤 사회이론이나 사상에서도 전례를 찾기 힘든 이론적 독창성을 확보했다. 첫째, 분석적 실재론에서 자기생산적 구성론으로의 인식론적 전회를 통해 자기구성적 존재로서의 체계 정체성을 확립했고 이러한 체계를 얼개로 한 거대 이론의 구축에 성공했다. 둘째, 인과기능론으로부터 등가기능론으로의 패러다임 전회, 즉 특정 원인을 특정 결과와 결부 짓는 방식에서부터 문제 해결을 위한 등가의 다양한 변수들의 확인을 강조하는 방식으로의 방법론적 전회를 통해 모든 것이 모든 것과 연결되고, 특정 원인이 무수한 원인의 결과가 되는 동시에 특정 결과가 수많은 새로운 결과들의 원인이 되는 오늘날의 복잡계 사회를 유효적절하게 포착하고 이해할 수 있는 열쇠를 제공했다. 셋째, 닫히고 열린 체계 개념의 구상, 즉 '외부' 또는 '상위'에 좌우되는 타자 의존적 체계로부터 스스로를 창조하는 자동생산 체계로의 전회를 통해 루만은 유기체는 물론, 심리체계와 사회체계를 모두 포괄하는 체계적 확장성, 체계의 정학과 동학을 동시에 담보하는 시간적 초월성, 나아가 모든 사회적인 것을 두루 아우르는 이론적 보편성을 확보했다. 넷째, 유럽의 낡은 전통으로 치부된 주체와 도덕 개념을 해체·재구성하고 오랫동안 모든 것의 중심이었던 인간을 사회의 환경에 배치하는 탈인본주의적 파격을 통해 서구 이론의 오랜 인간중심주의적 편향과 도덕주의적 한계를 극복하는 데 일조했다. 루만은 이와 같이 체계이론의 다중 패러다임 전회를 성공적으로 성사시킴으로써 독일어권은 물론이요 북미, 남유럽, 동아시아 학계의 체계이론의 학문적 르네상스에 기여했다. 그가 이전의 학문 전통과 이론 조류의 대안으로 제시한 복잡성, 우연성, 패러독스, 커뮤니케이션, 자동생산 체계 등은 정보화, 세계화, 생태계 위기처럼 오늘날 우리가 맞닥뜨린 화급한 현안들을 진단하고 해석하며 그 결과로 생겨나는 해법을 모색하는 데 유용한 분석 틀로서 각별히 음미할 만하다.

최근 20여 년 동안 국내 인문·사회과학계에서도 루만의 체계이론적 독법을 이해하고 이론적 유용성을 가늠하며 그가 제안한 현실 해석 대안의 유효성을 검증하려는 시도가 다각적으로 행해졌다. 국내 학계에 루만의 이름이 본격적으로 등장하기 시작한 것은 1990년대 초반이다. 누리미디어(dbpia.co.kr), 학지사(newnonmun.com), 한국학술정보(kiss.kstudy.com), 교보문고스콜라(scholar.dkyobobook.co.kr), 학술교육원(earticle.net) 등 5개 국내 학술지 온라인 데이터베이스에 접속해 루만 관련 학술 논문들을 검색하고, 국회도서관 사이트(nanet.go.kr)를 통해 지금까지 출간된 루만 관련 저서, 역서, 학위논문 등을 취합 분석한 결과, 2014년 2월 현재 국내 학계에서 루만 이론을 논문 제목으로 한 연구 재단 등재지 논문이 51편, 루만 이론을 주요 내용으로 다루는 논문이 25편, 국내 학자의 루만 관련 저서가 4권, 루만 저서의 번역서는 8권, 루만 관련 저작의 번역서가 3권, 박사 학위논문이 3편, 석사 학위논문이 9편 산출되었다.

주요 게재 학술지들을 검토한 결과, 주로 인문·사회과학 분야의 전문 학술지들을 중심으로 루만 이론에 대한 총괄적 소개에서부터 그 실천적 활용 가능성 타진에 이르는 다각적 연구가 행해지고 있었다. 루만 이론의 이해와 수용 측면에서 국내 루만 연구 동향 추이를 분류해보면, 크게 루만 이론의 주요 개념과 내용을 정리·소개하는 유형(김종길, 1993; 이남복, 2007), 루만 이론을 긍정적으로 평가하면서 그 이론적·학술적 가치의 발굴에 매진하는 유형(노진철, 2000; 이철, 2010, 2011; 정성훈, 2009), 루만 이론에 대해 비판적으로 접근하는 유형(서도식, 2002; 서영조, 2002b), 루만 이론을 사회 현안 또는 현실 문제의 진단을 위한 방편으로 활용하는 유형(노진철, 2009; 조철주, 2013) 등으로 나뉜다.

초기에는 주로 독일에서 수학한 사회학 전공자들이 중심이 되어 당시까지만 해도 생소했던 니클라스 루만의 체계이론을 국내 학계에 개괄적으로 소개하거나(김종길, 1993), 사회학자들에게 친숙한 위르겐 하버마스와의 비교 분석을 통해 루만 이론의 학술적 가치를 부각시키는 논문들(김성재, 1996; 김종길, 1995; 이홍균, 1995; 이남복, 1985)이 다수를 차지했다. 루만 이론의 본격적인 논의와 수용은 2000년 들어 이루어졌다. 사회학 이외에 법학, 철학, 윤리학 분야에서도 루만의 이론체계와 개념 장치들을 소개하고 평가하는 연구들이 선을 보였으며(은숭표, 2000b, 2001; 서영조, 2000, 2002a), 시민 불복종의 구조를 루만의 체계이론 관점에서 해석하는 연구(은숭표, 2003), 루만 이론의 교육학적 수용 측면을 다루는 연구(최재정, 2003), 양형 개혁에 대한 법체계의 반응을 사회체계이론의 관점에서 분석하는 논문(신동준, 2003), 나아가 생태계 위기를 루만의 시각에서 해석하고 평가하는 논문(노진철, 2002, 2004)도 연이어 발표되었다. 2000년대 중반 이후부터는 루만 연구의 지평이 정치학(서영조, 2008, 2011, 2013; 서영조·김영일, 2009), 종교학(문영빈, 2005; 최광현, 2006; 문정환, 2010), 음악학(우혜언, 2011), 독문학(전동열, 2011), 언론학(김무규, 2012) 분야로까지 확대되는 경향을 보이고 있다.

이처럼 최근 국내 루만 연구가 루만이 제기한 이론적 문제와 분야별 쟁점을 중심으로 각론화하는 경향이 뚜렷해지고 있지만 연구 분야의 다각화, 연구 내용의 심화, 관련 논의의 업그레이드 측면에서는 적잖은 한계를 노정하고 있는 것도 사실이다.

첫째, 루만의 이론적 관심사가 다양한 전공과 주제를 포괄하는 만큼 국내의 루만 연구도 이에 부응해 여러 학문 분야에서 이루어지고 있으나, 학문 분야별 주요 관심사를 중심에 둔 채 이와 관련한 루만의 저작이나 논거를 단순 소개하는 경우가 대부분이다. 물론 현대 한국 정치(김용직, 2012), 인권 문제(홍성수, 2010; 정성훈, 2010), 현대성의 위기(정성훈, 2010), 양형 개혁(신동준, 2003), 환경문제(노진철, 2004, 2009), 사이버스페이스와 매스미디어(은숭표, 2000a) 연구 등에서 보듯, 최근 일부 전문 연구자를 중심으로 현실적인 이슈들을 루만 이론에 기대어 해부하거나 진단하는 성과들이 제시되고 있기는 하다. 하지만 절대다수의 연구가 관련 주제에 대한 단발성 또는 일회성 연구에 머물고 있어 루만 연구의 심화 발전이라는 측면에서 분발의 여지를 남기고 있다.

둘째, 일부 전공과 주제에 편중된 연구 관심이 두드러진다. 유럽의 경우 루만에 대한 관심이 사회과학계는 물론이요 인문학과 어문학, 예술 영역에서도 광범위하게 퍼져 있는 반면, 우리나라의 경우 사회과학 분야에서는 사회학과 법학, 인문학 분야에서는 서양철학계를 중심으로 주된 논의가 이루어지고 있다. 이는 루만 이론이 포괄하는 주제들이 상대적으로 사회학, 법학, 철학 분야에 더 넓고 깊게 걸쳐 있는 것도 한 이유가 되겠으나 기본적으로 사회학의 경우 루만이 현대 독일 사회학계의 대표적인 학자로 자리매김했고 법학과 철학의 경우는 독일에서 수학한 국내 학자들 중 다수가 법학과 철학을 전공한 것에 기인하는 측면이 크다고 본다.

셋째, 이론은 다양한 학자들 간 활발한 논쟁과 비판 또는 검증 과정을 거치면서 성장하고 발전하는 것이 통례다. 루만만 해도 당대 여러 학자들과의 일련의 논쟁에서 쟁점이 되었던 문제들을 다각적으로 반추하고 이를 자신의 후속 연구에 생산적으로 차용함으로써 체계이론의 완성도와 이론적 품격을 높였을 뿐만 아니라 사회학을 넘어 정치학·교육학·언어학 등에서도 활용이 가능하도록 변조했다. 그런데 아쉽게도 국내 루만 연구는 일부 연구자의 시론적 논의를 제외하고는(이철, 2010) 마치 연구자들 간에 암묵적으로 상호 불가침조약이 체결된 듯 공표된 연구 성과에 대한 토론과 비판이 미미한 상황이다. 연구자들 간 쌍방향 대화나 생산적 토론보다는 연구자가 자신의 루만 독법을 학술 지면을 통해 드러내는 단순 독백형 연구가 주를 이루고 있는 것이다. 즉, 연구의 성과와 이론 해석, 현실 쟁점에 대한 적용과 활용을 둘러싸고 활발한 토론과 상호 비판·검증을 거치면서 관련 연구가 심화·발전될 수 있는데 대다수 연구가 일방향적인 독백형 연구에 머묾으로써 논의의 질적 도약에 제약 요인이 되고 있다.

넷째, 이론과 현실 간 대화가 부족하다. 잘 알려져 있다시피 오늘날 많은 연구자들이 서구 이론의 무비판적 수용 관행을 국내 학계의 가장 큰 문제점으로 꼽고 있다. 앞서 살펴보았듯이 루만 이론 역시 발 빠르게 국내 학계에 소개되었고 시간이 지나면서 관련 논의가 양적으로 확대되었다. 하지만 루만이 국내 학계에 소개되고 논의된 지 20여 년이 지난 지금도 여전히 다수 논의가 이론적 담론 전개와 쟁점 소개에 머물 뿐, 세계 사회의 공간적 분절(segment)이라고 할 수 있는 한국 사회의 현실을 파고들고 문제를 진단하는 데 적극 활용되지는 못하고 있다. 한국 사회의 현실 속에서 루만 이론의 해석적 잠재력을 확인하고 적실성을 검증하는 토착화의 노력이 기존의 담론에 더해질 때 루만 연구의 수준이 격상될 뿐만 아니라 국내 학계의 이론적 감수성도 한층 더 풍부해질 것으로 본다.

누구나 수긍하듯이 오늘의 사회는 갖가지 것들이 얽히고설킨 복잡한 시대이다. 보통 사람의 상식으로는 이해하기 어려운 일들, 우리의 예측과 기대를 벗어난 사건들, 서로 모순되거나 충돌하는 현상들이 세계 곳곳에서 날마다 벌어지고 있으며, 그럴 것 같지 않은 것, 잘 어울리지 않는 것, 이질적인 것들이 동시에 공존한다. 이러한 현상이 어느 한 분야에 국한된 것도 아니다. 정치, 사회, 경제, 문화, 과학, 종교, 교육 등 모든 분야에서 동시다발적으로 목도된다. 자본주의와 사회주의, 보수와 진보, 성장과 퇴보, 질서와 무질서라는 낡은 이분법에 길들어 있는 우리들로서는 도무지 알 수 없는 미지의 세상이 되어버린 것이다. 복잡한 세계에는 복잡한 이론이 불가피함을 역설한 루만의 이론이 세계 여러 곳에서 새삼 각광을 받고, 국내에서도 관련 분야의 연구자들을 중심으로 활발하게 논의가 이루어지는 배경 역시 여기에 있다. 루만이 던진 연구 의제, 설명 모형과 해석 방법, 해법 제안에 대한 연구자들의 다각적인 발제, 활발한 상호 토론, 연구 성과의 공유와 확산, 비판적 성찰과 주체적 담론 형성, 더 나아가 토착화 노력이 국내 학계에서 한층 더 심화되기를 기대한다.

참고문헌

김무규. 2012. 「소통을 위한 성찰: 체계이론의 관점으로 살펴본 성찰적 커뮤니케이션 이론 연구」. ≪한국언론정보학보≫, 58, 178~200쪽.

김성재. 1996. 「이중의 우연성과 커뮤니케이션: 파슨스, 미드, 설, 하버마스 그리고 루만의 커뮤니케이션이론을 중심으로」. ≪언론과 사회≫, 13, 6~36쪽.

김용직. 2012. 「현대한국정치와 체계이론 분석: 이론과 적용사례 검토」. ≪한국정치외교사논총≫, 34(1), 113~146쪽.

김종길. 1993. 「니클라스 루만(N. Luhmann)의 일반 체계이론: '복합성'을 극복하고자 하는 시도」. ≪한국사회학≫, 27, 25~51쪽.

_____. 1995. 「'동의'냐 '차이'냐: 허버마스-루만 논쟁의 쟁점들」. ≪사회학연구≫, 8, 323~357쪽.

_____. 2009. 「'기능적 분화'로서의 모더니티: 사회적 현실인가 사회학적 신화인가?」. ≪사회와 이론≫, 15, 39~77쪽.

노진철. 2000. 「루만의 자기준거적 체계이론과 성찰적 현실진단」. ≪과학사상≫, 35, 195~218쪽.

_____. 2002. 「사회이론의 패러다임 전환 – 루만의 생태학적 합리성을 지향하여」. ≪환경사회학연구 ECO≫, 2, 33~62쪽.

_____. 2004. 「위험사회학 – 위험과 사회의 관계에 대한 사회이론화」. ≪경제와 사회≫, 63, 98~125쪽.

_____. 2009. 「2008년 촛불집회를 통해 본 광우병 공포와 무지의 위험소통」. ≪경제와 사회≫, 84, 158~182쪽.

루만, 니클라스(Niklas Luhmann). 2001. 『복지국가의 정치이론』. 김종길 옮김. 일신사.

_____. 2002. 『현대사회는 생태학적 위협에 대처할 수 있는가? 니클라스 루만의 생태학적 커뮤니케이션』. 이남복 옮김. 백의출판사.

_____. 2006. 『대중매체의 현실』. 김성재 옮김. 커뮤니케이션북스.

_____. 2007. 『사회체계이론』. 박여성 옮김. 한길사.

_____. 2012. 『사회의 사회』. 장춘익 옮김. 새물결.

_____. 2014. 『예술체계이론』. 박여성·이철 옮김. 한길사.

문영빈. 2005. 「종교인본원리와 신의 형상 – 니클라스 루만의 시스템이론적 관점」. ≪종교연구≫, 38, 31~60쪽.

문정환. 2010. 「니클라스 루만의 기능적 분화론의 관점에서 본 종교 참여」. ≪종교와 사회≫,

2(1), 81~102쪽.

서도식. 2002. 「시스템과 인간」. ≪대동철학≫, 17, 49~66쪽.

서영조. 2000. 「니클라스 루만의 윤리학 비판과 도덕의 기능 분석」. ≪현상과 인식≫, 24(3), 65~86쪽.

_____. 2002a. 「루만의 '사회학적 도덕 이론'과 그 도덕 철학적 의미」. ≪한국사회학≫, 36(5), 1~27쪽.

_____. 2002b. 「근대를 보는 두 시각: '잃어버린 낙원(Paradise Lost)'인가 '잃어버린 패러다임(Paradigm Lost)'인가?」. ≪21세기정치학회보≫, 12(1), 89~104쪽.

_____. 2008. 「니클라스 루만의 정치체계론」. ≪한국시민윤리학회보≫, 21(1), 49~74쪽.

_____. 2011. 「정치와 사회 조종: 루만의 '조종 비관주의'를 중심으로」. ≪현상과 인식≫, 35(1/2), 15~41쪽.

_____. 2013. 「자기생산체계로서의 정치체계: 루만의 새로운 정치이해」. ≪사회와 철학≫, 25, 263~304쪽.

서영조·김영일. 2009. 「니클라스 루만의 권력이론: 소통수단으로서의 권력」. ≪21세기정치학회보≫, 19(2), 11~28쪽.

신동준. 2003. 「양형 개혁에 대한 법체계의 반응: 미 연방 양형지침서의 사회체계이론적 분석」. ≪한국사회학≫, 37(2), 201~230쪽.

우혜언. 2011. 「체계이론에서의 음악: 음악의 의미와 사회학적 해석에 대하여」. ≪서양음악학≫, 14(1), 11~38쪽.

은숭표. 2000a. 「사이버스페이스와 매스미디어의 역할 − 루만(Luhmann)의 헌법사회학적 관점에서 본 정보사회와 매스미디어시스템의 자체서술」. ≪헌법학연구≫, 6(3), 125~152쪽.

_____. 2000b. 「루만의 시스템이론적 관점에서 본 법원의 헌법상 지위」. ≪법철학연구≫, 3(1), 211~234쪽.

_____. 2001. 「헌법상 平等의 원칙−루만(Luhmann)의 시스템이론적 입장에서 본 법시스템의 자체서술 형식 및 정의의 법기술적 작동양식으로서의 평등」. ≪헌법학연구≫, 7(4), 124~155쪽.

_____. 2003. 「헌법상 사회운동(시민불복종)의 구조 − 루만(Luhmann)의 시스템이론적 관점에서」. ≪헌법학연구≫, 9(2), 273~308쪽.

이남복. 1985. 「하버마스이론과 루만이론의 비교적 고찰」. 성균관대학교 사회과학연구소. ≪사회과학 24≫, 129~148쪽.

_____. 2007. 「루만의 구성주의 체계이론−실재론과 관념론을 넘어서」. ≪담론201≫, 10(2), 151~193쪽.

이철. 2010. 「루만의 자기생산 체계 개념과 그 사회이론사적 의의」. ≪담론201≫, 13(3), 81~106쪽.

_____. 2011. 「구조/행위 대립 극복으로서 루만의 커뮤니케이션 체계」. ≪한국사회학≫, 45(5), 143~167쪽.

이홍균. 1995. 「체계의 확장과 근대·탈근대 − 하버마스, 루만, 벡의 이론에서」. ≪현상과 인식≫, 19(4), 71~91쪽.

전동열. 2011. 「루만의 체계이론과 퍼얼스의 기호학 비교 − '관찰'과 '해석작용'을 중심으로」. ≪독일문학≫, 119, 163~186쪽.

정성훈. 2009. 「루만 체계이론의 비판 잠재력」. ≪철학논구≫, 37, 237~261쪽.

_____. 2010. 「형이상학 이후의 인권이론 모색 − 루만과 하버마스로부터」. ≪고려법학≫, 58, 113~149쪽.

_____. 2013. 「루만의 사회이론에서 현대성의 한계」. ≪담론201≫, 16(3), 5~33쪽.

조철주. 2013. 「루만의 체계이론적 관점에서 본 계획의 한계와 대안적 사고」. ≪한국지역개발학회지≫, 25(5), 1~24쪽.

최광현. 2006. 「니클라스 루만의 사회체계이론과 목회신학」. ≪신학사상≫, 135, 231~257쪽.

최재정. 2003. 「니클라스 루만의 '체계이론'과 그 교육학적 수용의 문제」. ≪교육철학≫, 29, 165~196쪽.

홍성수. 2010. 「인간이 없는 인권이론? 루만의 체계이론과 인권」. ≪법철학연구≫, 13(3), 251~280쪽.

Habermas, H. 1983. *Moralbewußtsein und kommunikatives Handeln*. Frankfurt am Main: Suhrkamp Verlag.

Habermas, J. and N. Luhmann. 1971. *Theorie der Gesellschaft oder Sozialtechnologie − Was leistet die Systemtheorie*. Frankfurt am Main: Suhrkamp Verlag.

Kneer, G. and A. Nassehi. 1993. *Niklas Luhmanns Theorie sozialer Systeme*. München: W. Fink Verlag.

Luhmann, N. 1958. "Funktionsbegriff in der Verwaltungswissenschaft." *Verwaltungsarchiv*, 49, pp.95~105.

_____. 1970. *Soziologische Aufklärung 1. Aufsätze zur Theorie sozialer Systeme*. Opladen: Westdeutcher Verlag.

_____. 1972. "Religiöse Dogmatik und gesellschaftliche Evolution." in K. W. Dahm, N. Luhmann and D. Strooth. *Religion − System und Sozialisation*. Neuwied: Luchterhand.

_____. 1974. *Gesellschaftstheorie.* Vervielf. Manuskript, Bielefeld.

_____. 1975. *Soziologische Aufklärung 2: Aufsätze zur Theorie der Gesellschaft.* Opladen: Westdeutscher.

_____. 1981a. *Soziologische Aufklärung 3: Soziales System, Gesellschaft, Organization.* Wiesbaden: VS Verlag.

_____. 1981b. *Gesellschaftsstruktur und Semantik. Studien zur Wissenssoziologie der modernen Gesellschaft*, Bd. 2. Frankfurt am Main: Suhrkamp.

_____. 1984. *Soziale Systeme: Grundriß einer allgemeinen Theorien.* Frankfurt am Main: Suhrkamp.

_____. 1985a. "Die Soziologie und der Mensch." *Neue Sammlung*, 25, pp. 33~41.

_____. 1985b. "Kann die moderne Gesellschaft sich auf ökologische Gefährdungen einstellen?" *RWAkW G*, 278, pp. 17~31.

_____. 1986. *Ökologische Kommunikation. Kann die moderne Gesellschaft sich auf ökologische Gefährdungen einstellen?* Opladen: Westdeutscher.

_____. 1987. *Soziologische Aufklärung 4: Beiträge zur funktionalen Differenzierung der Gesellschaft.* Opladen: Westdeutscher.

_____. 1991. "Operational Closure and Structural Coupling: The Differentiation of the Legal System." *Cardozo Law Review*, 13, p. 1422.

_____. 1992. *Beobachtungen der Moderne.* Opladen: Verlag für Sozialwissenschaften.

_____. 1997. *Gesellschaft der Gesellschaft.* Frankfurt am Main: Suhrkamp.

Luhmann, N. and K. E. Schorr. 1979. *Reflexionsprobleme in Erziehungssystem.* Stuttgart: Suhrkamp.

Maturana, H. and F. Varela. 1980. *Autopoiesis and Cognition.* Dordrecht, Holland: D. Reidel Publishing Company.

Nehrkorn, S. 2001. "Systemtheorie: Niklas Luhmann." Veranstaltung der Humboldt-Gesellschaft am 19. 08. 2001.

Parsons, T. 1937. *The Structure of Social Action.* New York: McGraw-Hill.

_____. 1951. *The Social System.* Glencoe, Illinois: The Free Press.

Welker, M. 1992. *Gottes Geist: Theologie des Heiligen Geistes.* Neukirchener Verlag: Neukirchen.

Willke, H. 1991. *Systemtheorie. Eine Einfürung in die Grundprobleme der Theorie soziale Systeme.* Stuttgart/New York: UTB GmbH.

3부

개인, 합리성, 소비

비대칭 사회와 합리적 선택이론

제임스 콜만의 사회이론

이재혁

1. 들어가며

미국의 사회학자 제임스 콜만(James S. Coleman)은 교육사회학과 정치사회학, 수리사회학과 방법론, 그리고 사회학 이론 등의 영역에서 매우 독창적이고도 독보적인 업적을 남긴 학자이다. 콜만은 사회현실의 여러 문제들에 늘 주의와 관심의 끈을 놓지 않는 '사회학도'로서의 본령에 충실하면서도, 동시에 사회학의 학문 범주를 넘어 사회과학계 전반에 큰 영향을 미친 종합적 사회이론을 제시한 사회학 거장 중 한 명이다. 콜만은 1960년대에 수리사회학(Coleman, 1964)의 영역을 개척하고, 게임 시뮬레이션 방법의 사회과학적 응용에서도 선구적인 업적을 남겼으며, 무엇보다 '콜만 리포트'(Coleman et al., 1966)로 미국 사회에 커다란 반향을 일으키며 미국 교육제도에 변혁을 몰고 오기도 했다. '콜만 리포트'와 관련해서는 후에 간략하게 이야기하겠지만, 콜만이 남긴 다양하고도 방대한 업적을 포괄적으로 충분히 소개하는 것은 지면의 제약에 앞서 무엇보다 필자의 전공 지식과 역량을 한참 벗어나는 일이다. 따라서 이 글에서는 콜만의 사회이론, 특히 합리적 선택이론 소개에 논의를 국한하고자 한다. 곧 설명하겠지만 콜만은 매우 정교하고도 분석적인 이론을 제시한 학자이다. 다소 이상하게 들릴지 모르지만 '이론'을 말할 때 이론 그 자체를 위한 이론, 또는 개념 그 자체를 위한 개념 구성으로 파악한다면 콜만은 '이론 전문가'가 아니다. 나중에 다시 언급하겠지만, 만일 콜만을 단순히 합리적 선택이론의 이론가로만 파악한다면 이는 현실적 문제의식에 투철한 '사회학도'로서의 콜만의 진면목을 상당히 왜곡하는 것이고 우리가 사회학자 콜만에게서 배울 수 있는 상당 부분을 놓치는 것이 된다. 이러한 단서를 미리 달아놓으면서, 필자는 콜만의 합리적 선택이론과 그에 관련된 콜만의 사회사상을 소개하려고 한다.

먼저, 콜만이 제기하는 사회이론의 기준을 실타래 삼아 합리적 선택이론에서의 방법론적 개체주의, 미시-거시 연계의 문제, 행위 합리성의 가정 등에 대해 주로 메타이론적 차원에서 논의한다. 그다음, 본격적으로 콜만이 제시하는 합리적 선택론을 요약적으로 소개한다. 콜만 버전의 합리적 선택이론이 갖는 균형론적 특성을 살펴보고, 그것에 따르는 분석적 강점과 함께 여러 내재적 한계들에 대해 논의할 것이다. 이 논의는 콜만의 비대칭 사회론과 사회적 자본의 주제에 대한 논의로 이어지며, 여기서는 콜만 이론의 밑바탕에 깔린 계약론적 사상의 특성을 소개하면서 그러한 계약론적 세계관과 그의 균형론적 분석 틀 간의 간극에 대해 언급한다. 그 후, 콜만의 교육 연구를 간략하게 소개하면서 현실 문제에 민감한 '사회학자' 콜만의 면모를 간략하게 스케치할 것이다. 마지막으로, 콜만의 비대칭 사회론이 한국 사회에 갖는 함의에 대해 고찰한다. 글 말미에서는 콜만의 간략한 약력을 소개할 것이다.

2. 합리적 선택이론의 메타이론적 얼개

콜만은 합리적 선택이론(Rational Choice Theory: RCT)을 대표하는 사회학자이며, 고전 이론가들과 파슨스(Talcott Parsons) 등을 이어, 20세기의 마지막 사회학적 거대 이론(grand theory)을 시도한 학자이기도 하다. 콜만이 자신의 가장 중요한 연구로 꼽은 『사회이론의 정초들(Foundations of Social Theory)』(1990, 이후 *FST*로 약칭)은 합리적 선택론의 이론 틀을 갖고 사회의 주요 현상들을 체계적으로 설명해 내려는 그의 야심이 집대성된 작업물이다. 비록 콜만이 합리적 선택이론의 대표적인 학자 중 한 명이지만, RCT 진영 내부에도 여러 상이한 관점들이 병존한다. 그의 이론관은 이를테면 그와 시카고 대학에서 함께 재직하며 RCT 프로그램을 운영했던 정치학자 엘스터(Jon Elster)나 경제학자 베커(Gary Becker) 등과도 꽤 다르며,[1] 이 글에서는 '콜만 버전'의 RCT를 소개한다는 점을 말해둘 필요가 있다.

합리적 선택이론을 소개하는 자리에서 콜만은 바람직한 사회학 이론의 기준으로서 다음 세 가지 요소를 언급한다(Coleman and Fararo, 1992: ix).

1. 이론이 설명하고자 하는 대상은 개인의 행태가 아니라 집합적 현상, 혹은 시스템 행태이다.
2. 시스템의 행태에 대한 설명은 그러나 그 시스템을 구성하는 개체(개인)의 측면에 대한 설명을 거쳐야 하는데 이는,
   가. 시스템의 거시 수준과 개체들의 미시 수준을 서로 연결하는 이론을 포함하며,

---

[1] 참고로 필자는 1990년대 초에 시카고 대학 사회학과에서 박사 과정을 밟고 있었으며, 이때 수업과 세미나 자리 등을 통해 콜만, 베커, 엘스터 등을 위시한 이른바 '합리적 모형'에 관심을 가진 여러 교수들의 의견과 미묘한 입장 차이들을 직접 들을 수 있었다.

나. 개체(개인)의 행동에 대한 모형이나 심리학적 이론을 포함하는 것을 함
   의한다.

즉, 효과적인 사회학적 이론은 먼저 설명하려는 관심의 대상을 제도나 조
직, 집단행동 등의 집합적 현상에 놓지만, 그러한 집합에 대한 설명의 방식은
그 집합을 구성하는 개인들의 행위에 대한 설명을 거쳐 이루어져야 한다는
것이다. 이를 "이론적 우선순위(theoretical primacy)는 집단에, 그러나 분석적
우선순위(analytical primacy)는 개인에 둔다"(Wippler and Lindenberg, 1987:
144)는 식으로 표현할 수도 있다. 위의 언명에서 우리는 RCT가 한편으로는
개체 단위의 설명을 포함한다는 면에서 전체론적(holistic) 설명과 다르며, 다
른 한편으로는 이론적 관심이 집합 현상에 놓여 있다는 면에서 개인 행태주
의나 심리학적 설명과도 다르다는 것을 알 수 있다. 이러한 이론적 접근법을
'방법론적 개체주의(Methodological Individualism: MI)' 또는 '방법론적 개인
주의'라고 부른다.

1) 방법론적 개체주의

방법론적 개체주의를 좀 더 쉽게 이해하기 위해 우리는 콜만이 사용한 특
정한 예 하나를 살펴보기로 한다. 유명한 '베버 테제'(Weber, 1958)에 의하면
개신교 윤리가 자본주의 경제체제의 주요한 역사적 추동 요인이었다는 것이
다. 이 베버 테제의 이론적 관심은 '개신교 윤리'라는 거시 수준의 변인이 어
떻게 '자본주의 제도'라는 또 다른 거시적 변인에 인과적으로 영향을 미쳤는
가를 설명하는 데에 있다. 콜만(Coleman, 1986)에 의하면, 만일 이 이론적 관
심이 거시 수준의 변인들 간의 관계만을 언급하는 데에 그친다면 이는 '방법
론적 전체주의(Methodological Holism)'라 할 수 있고, 〈그림 8-1〉은 이를 도

〈그림 8-1〉 거시 수준의 변수 관계: 방법론적 전체주의

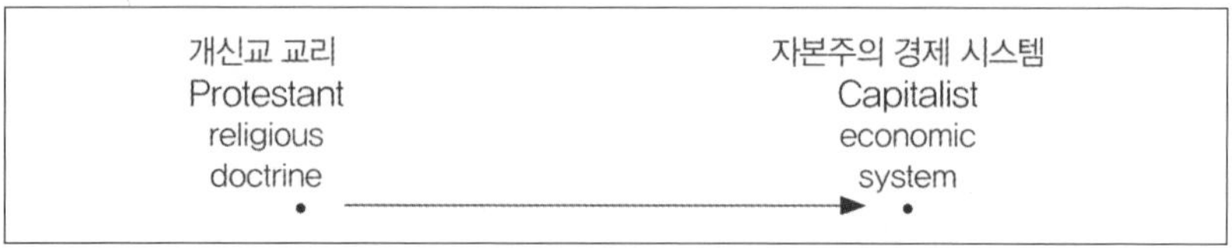

개신교 교리
Protestant
religious
doctrine
자본주의 경제 시스템
Capitalist
economic
system

자료: Coleman(1986: 1321~1322).

〈그림 8-2〉 거시-미시-거시 변수 관계: 방법론적 개체주의

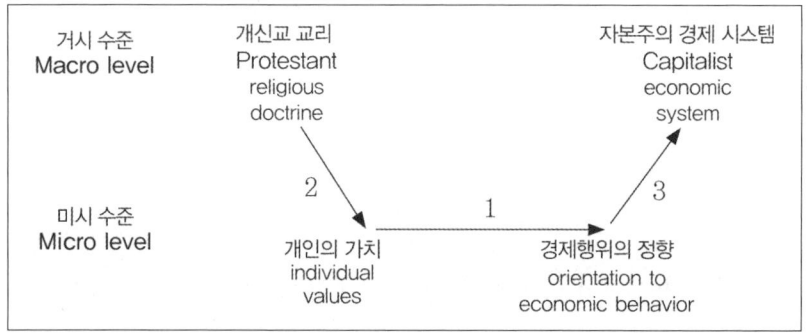

거시 수준
Macro level
개신교 교리
Protestant
religious
doctrine
자본주의 경제 시스템
Capitalist
economic
system
2
1
3
미시 수준
Micro level
개인의 가치
individual
values
경제행위의 정향
orientation to
economic behavior

자료: Coleman(1986: 1321~1322).

식적으로 나타낸 것이다. 이 역사적 주제에 대한 대안적 접근은 바로 방법론적 개체주의인데, 이에 따르면 이론가는 우선 첫 번째 거시적 변인('개신교 윤리')이 어떻게 미시적 수준에서 개인 행위자들의 동기와 행위에 영향을 미쳤고, 다시 이 미시적 수준의 행위 결과들이 어떻게 두 번째 거시적 변인('자본주의 제도')을 만들어냈는가를 설명해야 한다는 방식이다. 이러한 설명 방식은, '콜만의 사다리'라고도 불리는, 〈그림 8-2〉 에서 도식적으로 표현된다.

행위이론의 정초를 단단하게 구성하기도 했던 베버(Max Weber)는 그의 역사적 설명 방식에서도 방법론적 개체주의에 가까운 것을 채택한 것으로 볼 수 있고, '베버 테제'에서도 마찬가지이다. 그런데 바로 이 지점에서 콜만이 언급한 이론 구성의 두 가지 요소, 즉 '2-가'와 '2-나'에 대해 더 자세히 살펴볼 수 있다. 콜만에 따르면 좋은 이론적 설명은 미시-거시 연계에 관련해 세

가지 부분을 포함해야 하는데, 거시-미시(〈그림 8-2〉에서 '2'), 미시-미시(〈그림 8-2〉에서 '1'), 그리고 미시-거시(〈그림 8-2〉에서 '3')로 구분할 수 있고, 이중 가장 어려운 부분은 바로 유형 '3', 즉 미시-거시에 대한 설명이다. 콜만의 진단에 따르면, 베버 역시 개신교 윤리가 신의 은총과 직업적 소명이라는 연결을 통해 개인 신도들의 가치에 체계적으로 영향을 미치고(유형 '1'), 다시 이 개인적 가치가 세속적 금욕주의를 통해 체계적으로 합리적인 경제활동을 이끌어냈다는(유형 '2') 것은 설명했지만, 마지막 요소, 즉 어떻게 이러한 개인 수준의 경제행위들이 체계적으로 자본주의 제도를 만들어냈는지에 대한 부분(유형 '3')의 설명은 미흡한 것으로 보인다.[2]

방법론적 개체주의의 설명 방식은 개체 수준의 설명을 포함한다는 면에서 무엇보다 분석적으로 우월한 장점을 갖고 있지만, 여기서 가장 큰 걸림돌은 '미시-거시 전환'의 문제라 할 수 있다. '전체는 개체들의 단순 합과 다르다'라는 말로 느슨하게 표현할 수 있듯이, 시스템 현상이 분명 그 구성 요소인 개인들의 행위와 상호작용에서 나오는 것은 맞지만, 이 기제를 명시적으로 밝혀내는 것은 매우 어려운 일이다. 사회과학에서 가장 성공적인 케이스를 들자면 미시경제학에서의 균형가격(equilibrium price)일 것이다. 완전경쟁 시장이라는 가정 아래, (최소한 수리 모형의 측면에서는) 미시 수준에서의 개별 소비자들과 개별 공급자들의 최적화 행동들이 단순한 집산 과정을 거쳐 균형가격이라는 시스템적 현상을 만들어낸다고 볼 수 있다. 한편 애로우(Kenneth Arrow)는 개인들의 선호가 어떻게 투표 기제라는 집산 과정을 거쳐 역설적인 집합적 결과를 나타내는가를 보여준 것으로 유명하다(Arrow, 1951). 사회학 이론 내의 예로는, 개인들의 상대적 박탈감들이 모여서 혁명적 집단 봉기

---

2 '베버 테제'에 대한 콜만의 이러한 해석에 대해 흥미로운 반론과 추가 논의는 Hernes (1989)와 Swedberg(1996)를 참조할 수 있다.

로 이어진다는 다소 조악한 혁명 이론을 들 수 있는데, 물론 여기서 개인들의 박탈감이라는 심리 상태들이 어떻게 단순한 집산을 통해 혁명에 이르는지에 대해서는 매우 부실한 설명만이 제시되고 있다. 이 미시-거시 전환 문제와 관련해 콜만은 그의 *FST*에서 나름의 해결책을 제시한다. 이를 이해하기 위해 먼저 콜만의 기준에서 마지막 부분인 '2-나'에 대해 살펴보기로 한다.

2) 합리적 행위자 가정

콜만의 기준에 따르면, 미시-미시 부분의 설명(〈그림 8-2〉에서 유형 '1')을 위해 사회학 이론은 체계적인 개인 행위에 대한 가정이 필요하다. 또한 이 행위 가정의 설정에 따라 이론적 난제인 미시-거시 전환의 문제도 긴밀하게 달라진다. 여기서 우리는 대략 두 가지 전략을 생각해볼 수 있다. 첫째는 실제론적인(realistic) 접근으로서, 경험적으로 확인되는 개인의 실제적인 심리적 특성이나 본성에 충실한 행위 가정을 세우는 것이다. 둘째는 분석적 접근법으로서, 다소 비현실적이지만 이론의 분석적 필요에 따라 개인에 대한 과장되거나 단순화한 행위 가정을 세우는 것이다. 첫 번째 접근의 쉬운 예로는 다양한 심리학적 연구 결과를 적극적으로 수용하는 것으로서 소집단 연구나 질적 자료를 기반으로 한 사례연구, 그리고 민속학 또는 정신분석학에 기초한 문화이론 등에서 발견할 수 있다. 비교적 최근 경제학계 내에서 각광을 받고 있는 행태주의 경제학도 이 부류에 속한다고 볼 수 있다. 두 번째 접근의 예로는 과거 한때 유행을 탔던 '자극-반응' 식의 다소 조악한 행태주의 심리학의 모형이나, 이를 조금 더 세련되게 교정해 간단한 교환이론에 기초한 거대 이론을 만들려고 시도했던 호먼스(George Homans)의 이론 등을 언급할 수 있다(Homans, 1961). 미시경제학에서 가정되는 효용극대화(utility maximization) 또는 그 전제로서의 (초)합리적(hyper-rational) 행위자는 가장 대표적으로 떠올릴 수 있는 예이다. 물론 이러한 이분법은 다소 자의적이고 억지스러운 면이 있고, 어느 면에서는 범주가 아닌 정도(degree)의 문제라고도 볼 수 있는데, 이와 관련해서 참고로 한 가지 지적할 것은 베버의 케이스이다. 베버(Weber, 1968)는 잘 알려진 대로 네 가지 행위 유형을 구분하는데 얼핏 그의 이러한 구분은 실제론적인 것에 가까워 보인다. 이론적 설명에서 베버는 이 네 가지 행위 유형 중 '목적합리적(zweckrational)' 행위 유형을 가장 분석적 우위에 있는 것으로 꼽는다는 점에서 두 번째 접근법에 가깝다고 볼 수 있으며, 그의 '이념형(idealtypus)' 전략(Weber, 1949)도 단순화 가정을 통한 분석적 명료성의 추구라는 면에서 일관된 것이다.

콜만은 '2-나'의 행위 가정에 관련해 매우 명시적인 입장을 취한다. 개인 수준에서 콜만이 취하는 행위 가정은 '목적지향적(purposive)' 행위인데, 이것은 RCT 진영 전반에서 취하는 '합리적' 행위 가정과 거의 비슷한 내용이다. 그간 개인의 합리성 그 자체와 그러한 가정을 취하는 것이 갖는 문제에 대해 상당히 다양하고도 복잡한 논의들이 이어져왔는데, 이 글에서는 그러한 근본적이고도 복잡한 문제와 쟁점들에 대해 다루지는 않으려 한다.[3] 그 대신 이 글의 취지상 반드시 짚고 넘어가야 할 한 가지를 간략하게나마 언급하려고 한다. 아마 가장 많은 혼란이 야기되는 부분은 '합리적 개인'이라는 언명이 가진 이론적 의미와 위상이다. 간단히 이야기하면, '개인이 합리적이다'라고 가정했을 때 그 의미는 개인이 실제로 합리적이라거나 또는 경험적으로 그런 사실이 확증된다거나 하는 것을 말하는 게 아니다. 즉, '존재론적으로(ontologically)' 합리적이라는 것을 주장하는 게 아니라, 이론적 설명에서 분석적 이점을 살리기 위해, 즉 '방법론적' 취지에서 그러한 합리성을 가정한다는 것이

---

3 합리성에 대한 논의는 그야말로 철학을 비롯해 사회과학 전 분야에 걸쳐 있는 근본적인 문제인데, 가능한 수많은 참조 자료 중에서도 비교적 비중 있는 논문들을 모아놓았다고 판단되는 편집본들로 Wilson(1984), Elster(1986), Cook and Levi(1990) 등을 추천할 수 있다.

다.[4] 따라서 RCT에서 가정되는 합리적 행위자는 사실 비현실적으로 과장된 것이고, 미시경제이론에서 보이듯 '초(hyper)합리적인' 개인으로 종종 등장하게 된다. 이에 대해 콜만은 다음과 같이 지적한다.

우리가 빛이 똑바른 직선으로 나간다는 이론 가정(postulate)을 할 때만 우리는 비로소 빛이 '굽는' 현상을 볼 수 있으며, 그러한 가정에서의 일탈 현상을 설명이 필요한 것으로, 즉 이론적 문제거리로 여길 수 있게 된다. 마찬가지로, 어떤 집단적 현상이 '비합리적으로 굽는' 것, 즉 집단적으로 비합리적 결과를 낸다는 것을 아는 것은 개인들의 행동이 합리적이라는 이론 가정이 있을 때에 비로소 나오는 것이다. 그리고 그러한 진단은 모든 개인행동들이 명시적으로 합리적이라는 어떤 경험적인 일반화에서 비롯되는 것이 아니다(Coleman and Fararo, 1992: xiv).

개인 수준에서 합리성을 가정하는 설명 전략은 베버의 '이념형' 구상과 유사한 측면이 있는데, 행위에 대한 사실적 묘사가 목적이 아닌 대신 현실에 대한 일정한 이상화(idealization)와 추상을 통해 분석적 명료성을 얻자는 것이다. 한편 이러한 존재론적 합리성과 방법론적 취지로 구성된 합리성 간의 혼동은 그간 RCT에 대한 많은 오해와 초점이 잘못 맞추어진 비판들을 야기하는 이유가 되어왔다.[5] 물론 그러한 현실 왜곡의 가정을 취하는 대가로서 얻는 이점은 분석적 측면의 우월성인데, 콜만은 이를 일종의 대차 관계(trade-off)로 여긴다.

먼저 어떤 종류의 이론이건, 좋은 이론의 요건 중 하나가 바로 '효율적 단

---

4   이에 관해 좀 더 자세한 논의는 이재혁(2003)을 참조하기 바란다.
5   이에 관한 예로 Green and Shapiro(1994)를 참조하기 바란다.

순성(parsimony)'이라는 점에 대해서는 대부분이 동의한다. 간단히 말하면, 최소한의 이론적 변수 또는 파라미터(parameter)를 갖고 최대한의 현상을 설명해낼 수 있다면 좋은 이론이라는 말이다. '과학' 이론의 전범으로 종종 인용되는 많은 물리학 모형의 예들이 이런 효율적 단순성의 측면을 잘 나타낸다[예를 들면 맥스웰(James C. Maxwell)의 전자기력 공식 또는 아인슈타인(Albert Einstein)의 유명한 $E = mc^2$]. 이런 기준점에서, 방법론적 개체주의를 받아들이는 이론에서 어떤 현상을 설명하고자 할 때 그 설명에서 이론 내부의 복잡성을 취할 수 있는 곳은 두 군데로 나뉜다. 하나는 미시 수준에서 현실에 가깝도록 행위 모형을 복잡하게 만드는 것이고, 다른 하나는 거시적 변인의 측면에서 복잡성을 허용하는 대신 미시적 행위 가정은 가급적 단순하게 만드는 것이다. 콜만이 볼 때 미시 수준에서 각종 심리학적 변인들의 수를 늘려 개인 행위 측면을 현실에 가깝게 만드는 것은 결국 거시적 수준에서의 변인의 정도를 제한하며 이론의 분석력을 떨어뜨리는 게 된다[물론 양 수준 모두에서 복잡성을 늘리는 것은 해당 현상에 대한 실제적 묘사는 될 수 있으나, 효율적 단순성을 추구하지도 않을뿐더러 온갖 임시변통적(ad hoc) 요인들을 끌어들이는 것이어서 이론의 보편적 설명력 측면에서도 실패하는 것이다]. 미시경제학이나 많은 RCT의 경우와 비슷하게 콜만이 내세우는 설명 전략은 미시적 가정을 가급적 단순화하고, 그러한 현실 왜곡의 대가로서 거시 수준에서의 구조적 측면의 변인(variation)을 늘리자는 것이다.

여기서 우리가 한 가지 검토하고 넘어가야 할 논리가 있다. 비록 콜만이 명시적으로 언급한 것은 아니지만, RCT에서 다소 과장된 합리성의 가정을 사용하는 것에 대한 또 다른 옹호 논리가 있다. 그것은 일종의 통계적 논리인데, 간단히 말하면 개체 단위에서의 여러 무작위 움직임은 그 개체들이 집산될 경우, 서로 상쇄되는 가운데 집단 수준에서 매우 견고한(robust) 집합적 특징을 나타낸다는 사실이다(통계학에서의 가장 대표적인 예는 '중심극한정리'이다). 확률적 법칙이 적용되는 수많은 자연·사회현상의 예들에서 이러한 경향들은 쉽게 확인할 수 있다. 한 예로, '교육 수준이 높으면 소득이 높다'라는 간단하고도 상식적인 사회과학 명제를 생각해보자. 수많은 개인들이 제각기 다른 이유와 곡절을 거쳐 교육을 받고 또 소득을 올린다. 물론 무학력자가 재벌이 되기도 하고 박사 학위자가 빈곤선에 걸쳐 사는 경우도 얼마든지 있다. 요컨대 앞의 명제가 상식적으로 대충 맞는다면, 우리는 이 명제를 받아들이기 위해 수많은 사람들의 개인적 사연들과 심리적 곡절들을 일일이 확인하거나 알 필요조차 없다는 것이다. 이 논리를 RCT에 적용하면, 개인들이 얼마든지 합리적이지 못하거나 '제한되게 합리적(bounded rationality)'인 게 사실일지라도(Simon, 1982), 연구자의 목표가 개인들 심리의 곡절을 알려는 게 아닌 어떤 집합적 현상을 설명하는 것이라면, 불가피하게 그리고 어느 정도는 거의 필수적으로, 개인들이 '합리적이고자 하는' 그 경향성만을 단순화해서 가정하게 된다는 점이다. 이러한 단순화 가정에도 불구하고, 결국 연구자가 알고자 하는 집합적 수준에서는 위의 통계적 논리에 따라 일정한 정도로 어떤 합리적 경향성이 나타날 것이기 때문이다.[6] 금리와 돈의 수요 간의 특정한 관계는 개인들의 구구한 경제 사정이나 심리 상태를 알 필요 없이 쉽게 예측할 수 있는 것처럼 말이다. 이런 면에서 RCT가 실상은 미시 이론이라기보다는 중간 수준(meso level) 이론이라는 콜린스(Collins, 1996: 332, 339)의 지적은 타당하다. 행위 가정에서 쓰이는 합리적 행위자의 개념은 구조적 측면을 대변하고 그를 분석해내기 위해 동원되는 모형적 행위자, 즉 경제학에서 쓰이는 초합리적 '대표 행위자(representative agent)'에 가깝기 때문이다.

콜만의 이러한 설명 전략에 원론적으로는 수긍하더라도, 실제 목적합리적

---

6 이러한 경향을 콜린스(Randall Collins)는 '합리적 요동(rational drift)'(Collins, 1996: 332)이라고 표현하고 있고, 필자는 '합리적 집성 가설'(Rational Aggregation Conjecture: RAC)이라고 부른다(이재혁, 2010).

행위 가정이 갖는 왜곡이나 편향에서 오는 설명적 누수의 문제는 주제나 상황에 따라서는 매우 심각한 것이 된다. 여기서 필자가 다시 강조하는 점은, '실제로' 인간이 얼마나 합리적인지 아닌지가 문제의 주요 초점은 아니라는 것이다. 문제는 그러한 일정 정도의 과장을 감수하고라도 얻는 이론상의 분석적 이점이 상대적으로 얼마나 큰가라는 점이다. 베버에 빗대어 말하자면, 이념형의 구사가 초래하는 역사적 현실 왜곡과 그럼에도 얻을 수 있는 분석적 명료성 사이의 가늠인 것이고, 결국 이 문제는 진위 문제가 아닌 연구자 (또는 연구자 공동체)의 가치판단 문제, 즉 개신교 윤리가 자본주의 태동에 깊이 관여했다는 베버의 '이념형적' 설명이 (참·거짓의 문제가 아니라) 얼마나 '그 럴듯한(reasonable)' 것으로 받아들일 수 있느냐의 문제에 가깝다. 후에 다시 언급하겠지만 콜만의 특정한 그리고 강한 RCT 전략은 그것의 강점과 함께 수많은 이론적 난제를 안고 있다. RCT 진영에서도 목적합리성 가정을 누그 러뜨려야 한다는 주장이 설득력 있게 제기되는 상황이다. 최근 행태경제학에서의 여러 경향들(Efferson, Lalive and Fehr, 2008; Ariely, 2009; Thaler and Sunstein, 2009 등)과 함께 사회학 내부에서의 예를 언급하자면, 행위의 관계적 측면을 적극 도입해야 한다고 주장하는 린덴버그(Siegwart Lindenberg)나 행위의 감정적 측면을 부각시키며 체계적인 미시-거시 모형을 제시하는 콜린스 등을 들 수 있다(Lindenberg, 1996; Collins, 1993).

3. 콜만의 균형론적 분석 틀과 비대칭 사회론

콜만의 사상과 이론이 집대성되어 가장 잘 나타나고 있는 연구물은 그의 1990년 야심작『사회이론의 정초들(FST)』이다. 콜만은 개념적 얼개나 수리 모형에만 집착하는 이른바 탁상형 이론가(armchair theorist)와는 전혀 거리가 먼 사회학자였지만, 그의 이론관을 이해하기 위해서는 *FST*를 다루는 것이 필수적이라 할 것이다. 목적지향적 행위라는 가정과 방법론적 개체주의의 설명 전략을 토대로 콜만은 *FST*에서 사회의 다양한 주요 제도나 집합적 현상들에 대해 매우 일관되고도 분석적인 설명을 제시한다.

1) *FST* 개관

먼저 간단하게 책의 구성을 살펴보면, *FST*는 방법론적 원칙들을 제시하는 첫 장의 메타이론에 이어 총 다섯 개의 부로 나뉘어 있다.[7] 1부에서는 이론의 기본 요소들에 대한 정의와 함께 전체적인 분석 틀이 설명되는데, 행위자(actor)와 자원(resource), 이해(interest)와 통제(control)라는 네 가지 기본 요인들, 행위와 통제에 대한 권리(right)의 개념, 그리고 이를 기반으로 한(권한 이양으로서의) 권위 관계와 신뢰 관계들이 소개된다. 2부에서는 본격적으로 미시-거시 연계의 문제를 염두에 두고 다양한 집합적 현상들의 해석이 제시된다. 사회적 교환체계에 대한 분석적 설명에서 시작해 권위 관계 및 신뢰의 메커니즘과 시스템적 발현, 집단행동의 역학, 그리고 사회규범의 분석적 해명과 사회적 자본(social capital)의 주제들이 논의되는 것이다. 비록 '사회적 자본'의 개념과 논의가 1990년대 이후 사회과학 전반에 걸쳐 크게 주목받고 있지만, 필자가 특히 강조해서 주의를 요청하고 싶은 주제는 바로 사회규범에 대한 것이다. 경제학의 호모 이코노미쿠스(homo economicus)라는 '얇은' 버전의 인간상에 대비되는 사회학의 호모 소시올로지쿠스(homo sociologicus)

---

7 1000여 쪽에 달하는 *FST*의 내용을 이 책의 제한된 지면에서 자세하게 소개하는 일은 적절하지 않고, 그 대신 여기서는 거의 목차 소개 수준에서 주요 주제들을 열거한다. 참고로 *FST*의 많은 리뷰들 중에서 독자적 논문 수준으로, 그리고 경제학자의 관점에서 책의 내용을 다룬 것으로는 Frank(1992)를 참고할 수 있다.

의 '두꺼운' 인간상의 가장 큰 특색은 무엇보다 인간이 (자기 이해 말고도) 사회의 규범에 따른다는 것을 강조한다는 점일 것이다. 이는 종종 RCT의 얇은 인간상에 대한 비판점으로 제기되기도 한다(Elster, 1990). 인간이 규범적 동물이라는 이 언명은 지극히 당연한 말인데, 콜만이 보기에 문제는 막상 그러한 사회규범 자체가 막상 별다른 설명 없이 주어지는 일종의 블랙박스로 남아 있다는 점이다. 규범 자체는 왜 생성되고 어떻게 효과적으로 유지되는가? 이러한 근본적인 질문을 제기하면서 콜만은 *FST*에서 행위의 외부 효과(externality)라는 논리를 이용해 규범의 생성과 유지에 대한 매우 논리적이고 분석적인 설명을 내놓는다. 콜만의 특정한 설명이 얼마나 설득력 있는가의 여부는 물론 논란의 여지가 있지만, 콜만의 규범 논의가 사회학과 경제학, 정치학 그리고 법학과 도덕철학 등 다양한 분야에 걸쳐 상당히 근본적인 수준의 지적 도전을 던지고 있는 것은 확실하다.

앞의 두 파트들이 전형적인 RCT 이론의 사회학적 적용이라 한다면, 나머지 두 파트들에선 좀 더 사회철학적 주제들에 대한 콜만 고유의 사상적인 내용을 덧붙인다. 3부에서는 우선 개인, 즉 자연인 행위자에 대비해 근대 시기에 압도적으로 등장하는 '조합 행위자(corporate actor)' 또는 법인(法人) 행위자의 개념이 소개된다. 이는 목적지향적 성격의 공식 조직들을 주로 지칭하는 개념이다. 개인들의 권리가 체계적으로 이양되고 재분배되는 과정을 통해, 어떤 공통의 목적을 성취하기 위해 만들어진 조합 행위자의 구성과 특성을 이해하기 위해서는 자연히 '사회적 선택(social choice)'의 주제가 중요해진다. 따라서 콜만은 이전 장들에서 준비된 분석 틀에 맞추어 사회계약과 공공재, 헌정 구성(constitution)과 사회적 최적성, 그리고 혁명 등에 관련된 여러 정치철학적·정치경제학적 고전 주제들에 대해 자신의 논의를 확대한다. 4부에서는 좀 더 역사적 안목 아래 현대사회의 주요 특성과 문제들을 논의하는데, 중요하게는 개인에 대한 조합 행위자의 압도와 그로 인한 권력적 비대칭의 문제가 제기된다. 이러한 현대사회의 특성과 그로 인한 문제들에 대해 콜만은 단순한 반발이나 수동적 수용의 입장 모두를 거부한다. 그의 FST도 하나의 해당 사례로 여기면서, 콜만은 이러한 전반적인 사회 변화의 맥락에 맞게 사회과학 이론의 역할도 변하고 있고 또 변해야 한다고 주장하며, 어떻게 사회이론이 비대칭 사회(asymmetric society) 속 개인들의 복지에 이바지하면서 좀 더 합리적인 방향으로 조합 행위자의 구성과 운용에 도움이 될 수 있을지를 논의한다. 마지막으로 5부는 앞선 주요 논의들에 대응되는 수리적 모형의 결과들을 소개한다. 학부에서 화공학을 전공했고 과거 수리사회학(Introduction to Mathematical Sociology)의 정초를 놓았던 콜만은 사회학자로서는 최상의 수리적 능력을 지니고 있으며, 그의 이러한 장점은 이 마지막 수리 파트에서 잘 드러난다. 단순히 앞부분의 주요 결과들을 수리 모형적으로 다시 보여주는 것뿐 아니라, 말로 풀어서 하는 논의로서는 많은 부분 한계가 있는 예리한 분석적 함의들을 이 수리 파트에서 발견할 수 있다(물론 일반 사회학도에게는 기술적 한계 때문에 5부에 대한 접근이 제한적인 게 사실이다).

2) 균형이론적 특성과 한계

이제까지의 통상적인, 그리고 편견이 섞인 사회과학내 학문 분업 이미지에 따르면, 합리성의 세계는 경제학이, 비합리적(arational) 행위의 영역은 사회학이 각각 분담하는 식으로 발전했다고 여겨졌다. 이를 '시장적 영역' 대 '비시장적 영역'으로 구분할 수도 있다. 여기서 콜만의 FST는 일종의 새로운 사회학적 접근법을 소개했다는 데 의의가 있다.[8] 한편으로는 경제학적 분석

---

8 콜만과 대비해, 즉 경제학도로서 사회학적 영역으로의 접근으로는 콜만의 친근한 동료이기도 했던 노벨경제학자 베커의 탁월한 업적들을 참고할 수 있다(Becker, 1976, 1991). '경제학 제국주의'의 태두 격으로 비난을 받기도 하지만, "시장에서 사과를 고르는 개인과

틀을 적극 수용하면서도, 경제학에서 경제적 행위나 현상의 분석에서 사회구조의 영향을 간과하는 점에 날카로운 비판을 던진다(Coleman, 1994). 인적 자본의 형성에서 사회적 자본, 즉 커뮤니티의 사회 연결망 구조의 효과에 대해 실증 자료를 토대로 명쾌하게 선보인 연구가 그 한 예이다(Coleman, 1988).

미시 행위 차원의 단순화를 통해 상대적으로 거시 시스템 수준의 변인을 늘리자는 콜만의 설명 전략은 권위체계, 집단행동, 조합 행위자, 규범이나 사회적 자본 등 *FST*의 여러 주요 주제들 연구에서 잘 나타나며, 앞서 자신이 내세운 이론적 기준을 실현하고 있다. 그러나 다른 한편 *FST*에서 나타나는 콜만의 전체 이론관은 다소 '강한 버전'의 RCT라 할 수 있는데, 이는 그의 분석 틀 전반에 깔려 있는 경제학적 균형론(equilibrium theory)의 성격 때문이다. 이는 콜만 이론의 장점과 함께 단점을 이해하는 데 필수적인 요소로서, 간략하게나마 검토하고 넘어갈 필요가 있다.

콜만의 이론적 기본 재료는 매우 간단한 것에서 시작한다. 앞서 언급하기도 했지만, 그것은 (목적지향적) '행위자'와 '자원(또는 이벤트)', 그리고 행위자가 자원에 대해 갖는 '이해관계'와 '통제' 등 네 가지 요소들이다. 여기서 행위자 간의 사회적 작용과 관계가 시작되는데, 이는 일종의 사회적 교환 모형으로 그려볼 수 있다. 각 행위자는 자신이 가진 자원의 통제를 이용해 자신의 이해관계를 최대화하는 것으로 가정된다. 또한 자신이 관심, 즉 이해관계를 가진 자원을 타인이 통제하거나, 반대로 타인이 관심을 가진 자원에 대해 자신이 통제를 행사할 수 있기 때문에, 이러한 욕구의 상호 일치(double coincidence of wants)를 통해 교환이 일어나는 것이다[참고로 이러한 교환의 종류에는 일상적인 재화의 교환뿐 아니라 통제 및 행위에 대한 권한(right)의 일방적 이양도 포함

연애를 하고 결혼을 고민하는 개인, 인간은 과연 이렇게 전혀 다른 두 개인의 모습으로 나뉘어 산다는 말인가?"라는 베커(Becker, 1986: 119)의 질문에는 충분히 주의를 기울일 만한 가치가 있다.

〈그림 8-3〉 사회 행위 이론의 개념들 간의 관계

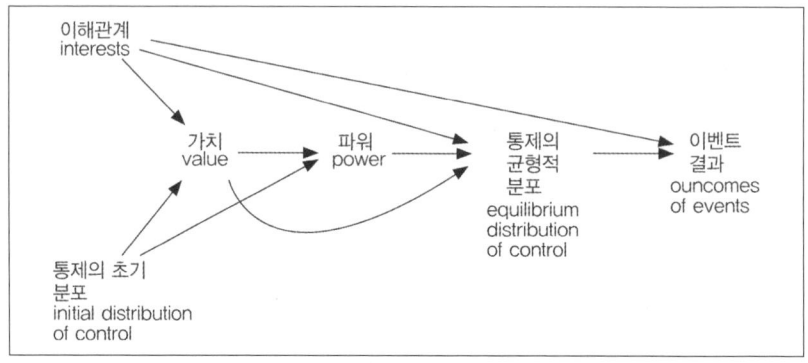

자료: Coleman(1990: 134).

된다. 행위자들의 관심의 정도와 자원의 희소성 여부에 따라 자원의 교환 비율, 즉 '가치'가 결정되고, 다시 그러한 가치에 하중된(weighted) 자원의 통제량에 따라 각 행위자가 행사하는 '파워'가 결정된다. 더 이상 (자발적) 교환이 일어나지 않는 상태는 일종의 사회적 균형이라 할 수 있다. 집합적 수준의 각종 이벤트나 그 사회적 결과들은 분석적 측면에서 이러한 사회적 균형 상태를 그 특징으로 한다. 콜만이 기본적으로 가정하는 사회적 교환과 균형의 기본적인 구도는 〈그림 8-3〉과 같은 도식으로 나타낼 수 있다.[9]

콜만의 이론 틀은 〈그림 8-3〉에서 보듯이 간단한 교환 모형에서 시작하며, 상당 부분은 기존 미시경제학의 효용 극대화 모형을 차용한다. 한 가지 중요한 차이는, 기존의 미시경제학 모형과 달리 콜만은 행위와 자원들에 대

___
9 콜만의 사회 행위 개념들은 기본적으로 미시경제학의 효용 극대화 모형과 밀접하게 관련된다. 콜만의 행위 개념들은 경제학에서 잘 알려진 콥-더글러스(Cobb-Douglas) 효용 함수로 아래와 같이 표현할 수 있다.

$$U = c_1^{x_1} c_2^{x_2} \quad \text{where } X_1 + X_2 = 1$$

행위자의 효용(U)은 C_1과 C_2 두 개의 재화에 달려 있고, X_1과 X_2는 각 재화에 대한 행위자의 상대적 이해관계(관심)이다. 결국 콜만의 '이해관계' 개념은 기존 경제학 모형에서의 선호와, '통제'는 재화의 소비와, '가치'는 재화 가격과, '파워'는 총소득과 각각 매칭할 수 있다.

한 행위자의 권리 개념을 적극적으로 도입하고, 그러한 권리의 배분과 이양, 그리고 이에서 파생하는 신뢰와 권위 관계 등을 다룬다는 점이며, 각 장의 주제는 다양한 사회적(즉, '비시장적') 상황들에 대한 심도 있고 질적인 논의들을 포함한다. 이러한 특성과 강점을 전제로 말하면서, 우리는 메타이론적 차원에서 콜만 이론에 깊이 깔려 있는 균형론의 함의와 제약들을 언급하지 않을 수 없다. 가장 우선적으로 지적할 점은 균형론이 담고 있는 근본적으로 '보수적인' 함의인데, 이는 교환 이후의 균형적 결과는 원칙적으로 교환 이전의 초기 배분 상태의 한계 내에서 이루어진다는 점을 의미한다. 〈그림 8-3〉의 도식에서 보면, 주어진 '부존자원의 상태(initial distribution of control)'가 사회적 교환 이후의 '균형적 결과(equilibrium distribution of control)'에 결정적 영향을 미치는 것으로 이해할 수 있다. 시장에서의 균형 개념을 빌려 표현하자면, 완전경쟁 시장이라는 전제에서 원칙적으로 시장을 통한 배분은 초기의 불평등 상태를 온존하는 경향이 있다는 것이다. 이를 정치경제학적으로 쉽게 말하자면, 정부의 적극적 개입이나 혁명 등이 없이 시장에서의 교환을 통해서는 결코 경제적 불평등 정도를 줄일 수 없고 오히려 늘어나게 된다는 점을 말한다.[10] 시장 기제와 마찬가지로, 콜만의 이론 틀에서도 이러한 기존 권력 상태의 온존 경향은 어느 정도 불가피한 것으로서 암묵적 함의를 가지며, 콜만은 이를 '권력 하중적 합의(power-weighted consensus)'(Coleman, 1990: 355)로 개념화한다. 여기서 오해를 피하기 위해 한 가지 부연할 것은, 비록 균형이론이 부존 배분의 온존이라는 '보수적인' 함의를 내포한다고 해서, 균형론을 이용한 연구 결과 자체가 무비판적이거나 보수적이라는 말은 아니라는 점이다. 이른바 '분석 마르크스주의'는 RCT의 틀을 이용해 여러 비판적 논의들을 보여주고 있으며, 특히 로머(John Roemer) 식의 균형론 모형(Romer, 1986)을

---

10 이에 관해 최근의 설득력 있는 실증적 논의로 Piketty(2014)를 참조하기 바란다.

기반으로 한 착취이론은 그 대표적인 예이다.

시장 기제도 그렇지만 균형론에서는 '점프'가 없다. 즉, 과격한 질적 변환이 소화될 여지가, 최소한 모형 내에서는 극히 좁다는 것이다. 어찌 보면 '점프가 없다'는 이러한 사실이 바로 앞서 언급한 (모형 내에서의) 불평등 온존 경향을 내포하는 이유가 되기도 한다. 여기서 문제점은 전략적 외부성(externality), 연결망적 외부 효과, '의도하지 않은 결과', 경로 의존성 등 한마디로 '의도'와 '결과' 사이의 여러 뒤틀리는 매칭들에 대한 처리이다. 비록 콜만은 *FST*에서 행위 외부성 문제를 규범의 형성과 연결시키거나 권리의 일방적 이양, 그리고 이러한 이양의 취소에서 오는 '권위의 폐지(revoking authority)' 등을 통해 혁명이나 집단행동 등의 주제를 일관되게 설명하지만, 우리가 역사와 사회현상 속에서 여전히 흥미롭게 관찰하는, 의도와 결과 간 여러 다양하고도 역설적인 연결 고리들을 균형론의 기본적인 틀로 담아내기에는 매우 제한적이라고 볼 수 있다.[11] 마지막으로 지적할 수 있는 사항은 균형론의 몰역사적 성격이다. 이는 미시경제학에도 똑같이 적용되는 한계라 할 수 있는데, 폴라니(Karl Polanyi)가 적절하게 지적했듯 시장 기제 자체가 바로 특정한 역사적 산물이라는 점과 함께(Polanyi, 1957), 뒤르케임(Emile Durkheim)이 언급한 '계약의 비계약적 요소들(noncotractual elements of contract)'(Durkheim, 1984: 218), 즉 (근대) 시장의 작동을 위해 선결적인 여러 정치적·법적 제도와 암묵적 사회 관행들의 요소가 전제되어야 한다는 점을 균형론 자체에서는 다루지 못한다는 것이다. 요컨대 균형론의 모형이 작동하고, 또 효과적인 설명력을 갖기 위해서는 그러한 균형론적 모형을 가능하게 하는 역사적·사회적 맥락이 먼저 설명되어야 한다는 것이다. 이러한 거시 역사적 변화의 전개 양상에 대해

---

11 물론 콜만도 자신의 이론이 갖는 균형론적 함의에 따른 제약들을 충분히 감지하고 있었고, 1990년의 *FST* 출간 이후 그의 동료 및 제자들과 활발하게 후속 작업들을 논의하고 있었는데, 유감스럽게도 콜만은 후속 논의의 결실을 보지 못하고 1995년에 타계하고 만다.

균형론은 어느 정도 침묵할 수밖에 없다.

이러한 몰역사성 문제와 관련해 조금 더 부연할 필요가 있다. 앞서 잠시 언급했듯이 *FST*의 4부 '현대사회(Modern Society)'에서 콜만은 앞부분의 균형론적 설명 틀에 크게 얽매이지 않고 역사적 변화에 대한 자신의 인식과 사회철학적 논의들을 담고 있다. 합리적 조합 행위자의 역사적 등장을 근대사회의 주요 특징이자 문제거리로 명시했듯이 콜만은 근대라는 거시 역사적 세팅에 대한 명확한 인식을 보여준다. 그러나 다른 한편 그가 생각하는 근대사회의 진전에는 서구적 근대의 계약론적 세계상이 깔려 있는 듯하다. 그의 이론에서 중요하게 설정되는 '개인의 권리(right to control)'라는 개념은 근대적 의미의 개인 소유권 체제를 전제하기 때문이다. 콜만이 *FST*의 앞의 부(part)에서 구축하고 있는 일반 이론으로서의 균형론적 분석 틀은 그의 계약론적 세계관과 별 모순 없이 어느 정도 친화적으로 맞물린다. 그러나 이러한 양자의 친화성이 근대사회가 개인 자유주의 및 계약론적 특성을 갖는 방향으로 진전한다는 믿음과 그러한 역사적 우연성에서 기인하는 것인지는 확실하지 않다. 한편으로 역사적인 현실로서의 시장의 확대와 다른 한편으로 이론이자 이데올로기로서의 신고전경제학 패러다임이 서로 친화적으로 얽히는 것처럼 말이다. 최소한 서구 산업사회의 경험에만 국한한다면, 콜만은 전반적인 사회 변화의 맥락이 자신이 내놓는 계약론적 이론관과 맞아떨어질 뿐 아니라, 나아가 그러한 새로운 성격의 사회이론을 요구한다고 보는 듯하다.[12]

3) 비대칭 사회와 사회적 자본

콜만 이론의 균형론적 성격과 그것의 역사적 맥락 간의 문제는 단지 메타

---

12 이에 관해서는 *FST* 4부 외에 Coleman(1986)을 참조하기 바란다.

이론적인 수준의 논란을 넘어 그의 이론적 설명 차원에서 매우 중요한 허점 하나를 드러낸다. 콜만은 (특히 *FST*의 3부와 4부의 논의를 통해) 당위론의 차원에서 자신의 자유주의 계약론적 세계관이 함의하는 일정한 정치적·정책적 지향들을 제시한다. 그런데 이러한 계약론적 관점과 그가 채택하는 균형이론적 이론 틀은 그가 『비대칭 사회론(Asymmetric Society)』(Coleman, 1982)에서 제기하는 정치적 문제들과 잘 들어맞지 않는다. 그 대표적인 예가 사회적 자본의 논의이다. 이론적 설명 체제의 문제를 논의하기 앞서, 콜만의 사회적 자본의 개념과 비대칭 사회론을 간단하게 정리하고 넘어가기로 한다.

콜만이 말하는 '사회적 자본'은 신뢰, 그리고 공동체의 규범이나 사회 연결망 등이 갖는 순기능적(또는 생산적) 측면들을 지칭하는데, 콜만은 이들을 주로 사회 내에서 자연적으로 발생하는 '원초적(primordial)' 구조로서 파악한다. 그에 따르면, 근대 시기에 들어 점차 인위적으로 만들어지는 목적합리적 성격의 조합 행위자가 주도적이 되어감에 따라 그에 비례해 개인에게 자연적으로 주어지는 원초적 구조들의 영향과 중요성은 점차 쇠퇴한다. 즉, 공식 조직이나 공식 제도들이 확산되고 기존의 원초적 구조들의 기능을 대체해감에 따라, 콜만이 생각하는 개념으로서의 사회적 자본은 점차 그 영향이 쇠퇴한다는 것이다.[13] 자연인으로서의 개인에 대한 조합 행위자의 권력 증대와 비대칭의 문제는 따라서(최소한 콜만에게는), 원초적 구조로서의 사회적 자본의 쇠퇴와 밀접하게 연결된 문제이다. 이 문제와 관련해서 콜만은 다소 양가적인 전망을 말한다. 먼저 콜만은 '합리화(rationalization)' 또는 공식 조직화로 나아가는 시대의 전반적인 흐름상 합리적 조합 행위자의 증대는 어느 정도 불가피하다고 보는 듯하다. 현대적 조합 행위자는 자연인의 인지적 한계와

---

13 이런 면에서 산업사회에서 사회적 자본의 쇠퇴를 진단하는 퍼트넘(Robert Putnam)의 논의와 부합하는 면이 있다(Putnam, 2000).

'제한된 합리성'을 이유로, 그에 대한 효과적인 대안으로서 태동한 측면이 있는 게 사실이다. 그러나 다른 한편으로는 이러한 추세의 역기능을 제어하기 위해 독일의 '노동자 경영 참여 제도(codetermination law)'처럼 조합 행위자에게 좀 더 민주적인 구성과 운영 등을 요청하면서, 그와 함께 자연인에게 유용한 새로운 유형의 사회적 자본의 창출, 이를테면 사회적 기업이나 공동체적 재분배 제도 등의 다양한 '미시 사회적 제도들(microsocial institution)'의 창출을 기대하고 있다.

비대칭구조의 심화 경향에 대한 콜만의 사회철학적 문제의식에서 볼 때 콜만이 '사회적 자본'으로 대변되는 여러 공동체적 구조의 가치들에 주목하는 것은 일견 당연해 보인다. 그런데 콜만의 이러한 시대 진단이나 정책적 제안 등이 얼마나 타당한가의 이슈와는 별개로, 바로 이 지점에서 콜만의 이론 체계상 허점이 노출된다. 우선 쉽게 지적할 점은 사회적 자본이 전반적으로 콜만의 이론체계에서 단지 '주어진 것'으로 취급된다는 점이다. 사회적 자본은 그 효과상 대부분 공공재에 가깝고 콜만도 이를 명시적으로 언급한다(Coleman, 1990: 315~317). 콜만의 이론에서 상당히 중요한 부분을 차지하는 사회적 자본의 개념은 공공재적 기능으로만 남아 있고, 좀 더 분석적으로 왜 그리고 어떤 기제를 통해 그러한 공공재적 구조가 창출·축적·쇠퇴하는지에 대한 설명은 제시되지 않는다는 점을 알 수 있다.[14] 이는 콜만이 규범 일반을 매우 분석적으로 접근하는 방식과 비교할 때 꽤 아쉬운 점이라 하겠다. 그런데 이 문제는 사회적 자본에 대해 단지 명시적 설명이 불충분한 상태라는 측면을 넘어, 조금 더 근본적인 면에서 콜만 이론이 안고 있는 내적 한계 한 가지를 노출한다. 린덴버그(Lindenberg, 1996)가 잘 지적했듯이 콜만이 분석적

---

14 참고로 사회적 자본 개념에 대한 경제학자들의 대표적인 불만도 왜 그것을 '자본'이라고 하느냐면서도 막상 개인 수준의 좀 더 명시적인 투자·회수의 기제가 없느냐는 것이며, 저명한 경제학자 애로우(Arrow, 2000: 4)는 아예 '비유로서의' 사회적 개념의 폐기를 언급한다.

으로 채택하고 있는 단순한 행위 가정, 즉 '합리적이고 목적지향적인' 행위자에게는, 모형 내적인 측면에서 규범이나 공동체, 신뢰 등과 같은 '원초적 구조'들이 들어설 자리가 애초에 거의 없다는 것이다. 따라서 이러한 사회적 자본의 요소들이 비록 개인적으로나 사회적으로 어떤 유용한 효과를 갖는다는 점은 말할 수 있지만, 단순 합리적 행위 가정과 순수하게 '계약론적 세계'에서는 이들이 체계적으로 발생하는 것이 아니라 단지 임의적으로(ad hoc) 더해질 수 있을 뿐이다. 즉, '비대칭 사회론'에서 보이는 콜만의 역사적·사상적 문제의식과 그가 *FST*에서 정립하고자 했던 균형론적 RCT 이론 간에는 어느 정도의 간극 또는 상충점이 존재한다는 것이다. 이러한 문제 제기들에 대해 콜만이 자신의 충분한 답변을 내놓지 못한 채, *FST* 출간 이후 비교적 일찍이 세상을 떠난 것은 매우 애석한 일이 아닐 수 없다.

4. 현실 문제를 기반으로 한 이론가: '콜만 리포트'를 중심으로

이제까지 필자는 그의 합리적 선택이론을 중심으로 콜만을 소개했다. 콜만이 합리적 선택이론의 주요 학자이고, 또 그의 야심작 *FST*에서 매우 분석적 성격이 강한 거대 이론을 시도한 이론가라는 것도 사실이다. 그런데 이러한 소개는 잘못하면 사회학자로서의 콜만의 전반적인 면모에 대해 상당히 잘못된 인상을 줄 위험이 있다. 콜만은 단순한 개념 유희(?)나 철학적 사변에 심취한 탁상 이론가가 아니라 '사회학자', 즉 현실의 구체적인 사회적 문제들에 대해 직접적·적극적으로 접근·탐색하고 나아가 그러한 사회학적 연구가 갖는 문제 해결적 함의들을 깊이 고민했던 학자였기 때문이다. 그가 평소 강조하는 '사회학적' 연구의 특징은 바로 그것이 실제 세계의 문제들의 해명과 해결에 직접적으로 기여할 수 있어야 한다는 점이었고, 이런 면에서 콜만은 미국의 실용주의(pragmatism) 정신을 철저하게 구비한 학자라고도 볼 수 있다.[15] 사회학적 설명이 가져야 할 이러한 날카로운 정책적 연관성과 함의의 측면은 다른 무엇보다 그가 평생 수행한 교육 문제의 연구에서 잘 드러난다.

미국의 교육제도에 심대한 영향을 미친 '콜만 리포트(Coleman Report)' (Coleman et al., 1966)로 기억되는 것에서 알 수 있듯이, 콜만은 평생 교육 영역의 연구에 많은 관심을 기울였고, 어찌 보면 미국 대중에게는 사회학자보다 교육학 연구자로 더 유명할지 모르겠다. 콜만이 컬럼비아 대학 박사과정을 마친 후 처음으로 독자적 연구를 시작한 영역도 교육 문제, 좀 더 정확하게는 고교생들의 하위문화에 대한 것이었고, 이 연구 결과는 1961년에 『청소년 사회(The Adolescent Society)』로 출간된 바 있다. 비록 교육 분야에 대한 콜만의 업적이 지대하지만, 이 글의 취지가 콜만의 합리적 선택이론을 소개하는 것이고, 덧붙여 필자가 교육사회학에 대한 식견이 없기 때문에 이 자리에서 콜만의 교육 연구에 대한 소개는 생략하는 것이 적절하리라 본다.[16] 그 대신 여기서는 '콜만 리포트'를 중심으로, 콜만의 학자적 특성을 보여준다고 생각되는 점을 에피소드 형식을 빌려 간략하게 소개하려 한다.

미국에서 1964년에 통과된 '시민법(Civil Rights Act)'과 그에 따른 정치적 조치의 일환으로 당시 존슨(Lyndon Johnson) 정부는 교육 불평등과 학교 제도 개선 방안에 대한 대대적인 조사를 기획했다. 미국 전역에서 3100개 중·고교의 총 60만 명의 학생들을 대상으로 하는 방대한 조사였고 이를 콜만이 주관하게 되었다. 1966년에 국회 보고서로 나온 '콜만 리포트'는 미국 사회에

---

15 콜만 교수는 실제로 필자를 포함한 자신의 제자들이 사변적 이론이나 수리 모형 그 자체에 정신없이 빠져 있을 때 종종 경종을 울려 사회학도로서의 본령을 돌아보게 했는데, 그는 중요한 것은 이론 그 자체가 아니라 현실적인 문제의식이며, 현실에서의 문제를 잘 이해하기 위해 이론이 구성되어야지 그 반대가 되어서는 안 된다는 점을 강조해서 말하곤 했다.

16 해크먼과 닐(Hackman and Neal, 1996)의 논문을 포함해 클라크(Clark, 1996)가 편집한 책의 여러 챕터들이 콜만의 교육 연구에 대한 소개로서 참고가 된다.

커다란 반향을 일으키게 되는데, 사회학적 연구가 현실 이슈에 대한 정책적 가치를 지닐 수 있어야 한다는 콜만의 평소 생각을 입증한 것이기도 했다. 이 조사는 본래 교육 관료들의 구상에 따라 중·고교 교육 프로그램에 대한 정부의 물적·인적 투입 요소들의 효과를 확인하려는 것이었지만, 콜만의 분석은 이러한 단순한 관료적 발상을 보기 좋게 뒤엎어버렸다. '콜만 리포트'에 따르면, 학생들의 학업 성취상 차별성은 정부의 기대와 달리 교육부의 여러 공식적 투입 요소의 영향을 크게 받지 않으며, 그 대신 학생들의 가정과 커뮤니티의 환경에서 더 많은 영향을 받는 것으로 조사되었기 때문이다. 특히 다양한 인종과 소득층이 섞인 학교 환경에서 오는 '동료 효과(peer effect)'가 흑인과 저소득층 가구 학생들의 성취도에 중요한 것으로 드러나면서, '콜만 리포트'는 이러한 성취도를 정책적으로 강화하기 위한 이른바 '스쿨버스 같이 타기(busing)' 프로그램 등 인종 간 비분리(desegregation) 정책을 강력하게 뒷받침하는 논거로 쓰이게 된다.

사회학자로서 자신의 연구가 사회정책과 제도에 획기적인 변화를 가져온 것은 일종의 성공 스토리일지 모르겠다. 하지만 이야기는 여기서 끝나지 않는다. 늘 현실의 문제를 예민하게 관찰하는 사회학도로서, 콜만은 후속 연구들을 통해 '콜만 리포트'가 촉발시킨 '스쿨버스 같이 타기' 프로그램과 강제적 인종 혼합의 정책이 오히려 백인 중산층들의 반발을 일으키며 그들이 아예 거주지를 옮겨버리는 이른바 '백인 증발(white flight)' 현상을 초래해 오히려 교육적 역효과를 일으킨다는 사실을 알게 되었다. 이후 콜만은 자신의 연구가 촉발시킨 학생 혼합 정책을 오히려 반대하는 진영에 서게 되고, 이로 인해 특히 진보적 시민 단체나 학계로부터 상당한 비판을 받기도 했다(소문에 의하면, 콜만이 학자로서의 비중과 명성에 비해 한참 늦은 시기인 1992년에서야 비로소 미국사회학회 회장을 맡을 수 있었던 것도 이러한 여파 때문이라고 한다). 이 에피소드를 소개하면서 필자는 두 가지를 말하고자 한다. 첫 번째는 학문적 성격의 함의로서, 콜만은 초기의 『청소년 사회』 연구부터 '콜만 리포트'와 그 후속 연구들을 통해 일관되게 '사회학적' 접근의 중요성과 가치를 잘 나타냈다는 점이다. 학교가 속한 커뮤니티의 구조, 그리고 학생들 간의 동료 관계 등이 학습 교안이나 학교 시설 못지않게 또는 그 이상으로 중요하다는 것이다. 콜만의 유명한 '사회적 자본'의 아이디어도 애초에 그의 고교 교육 연구에서 나온 것이었다(Coleman and Hoffer, 1987). 또 다른 학문적 성격의 함의는, 콜만은 초창기부터, 즉 그의 교육 분야 연구에서부터 늘 행위자, 즉 학생 본인의 능동적 에이전트로서의 측면을 강조했다는 점이다. 『청소년 사회』에서 그려진 학생들은 단순히 학교의 교육적 주입에 따라 자동으로 결과물을 산출하는 수동적 매개물이 아니라, 적극적으로 학교의 공식 틀에 반응하면서 자신들 고유의 가치와 문화를 생성하는 적극적 에이전트이다. 즉, 콜만은 행위자 동인(incentive)의 중요성과 그러한 동인의 얼개를 제도로 반영하는 것의 효과를 일찍부터 간파하고 있었고, 이는 이후 『비대칭 사회론』을 거쳐 *FST*에서의 합리적 선택이론까지 일관되게 연결되는 관점이었다. 필자가 말하고 싶은 두 번째는 개인적 성격의 사안이다. '콜만 리포트' 이후 자신의 입장을 정반대로 바꾸면서 콜만은 사회적 논란의 대상이 되고 상당한 개인적 비난을 감수해야 했다. 콜만은 오직 자신의 연구가 말하는 바에 충실하려 했고, 그것으로 인해 초래되는 개인적 비난을 감수하면서까지 지적 정직성을 지키려 했던, 필자의 표현으로는 '학자적 용기'를 지닌 인물이었다.

5. 한국 사회에 대한 함의

합리적 선택이론이 그간 미국과 유럽, 일본 등의 사회과학계에서 상당히 주목을 받아온 것에 비해 한국에서의 영향력은 상대적으로 미약하다고 볼 수 있다. 이러한 사정은 콜만의 이론도 비슷한데, 특히 한국 사회학계에서 콜만의 합리적 선택이론은 아직 널리 알려져 있지 않은 상황으로 보인다.[17] 여기에는 콜만의 이론적 주저인 FST가 아직 번역이 안 되어 있다는 비교적 사소한 이유부터, 그간 한국 사회의 정치적 격변과 맞물려 주로 거시적이고 비판적인 이론들이 담론적 주류를 이어온 한국 사회학계의 이론적 지형에도 이유가 있을 것이다. 이러한 한국 사회학의 역사적 맥락을 고려할 때 상대적으로 빈약한 부분은 오히려 좀 더 분석적인 성격의 이론 영역이라 할 수 있으며, 이 점에서 콜만의 합리적 이론관은 앞으로 어느 이론보다도 한국 사회학에 기여할 부분이 크다고 볼 수 있다. 앞서 보았듯이, 콜만의 이론은 비교적 간단한 행위 가정에서 시작해 다양한 수준과 영역의 사회적 현상들을 논리·연역적으로 설명할 수 있는 해석 틀을 제공한다. 콜만 이론체계의 힘은 필자가 느끼기에 무엇보다도 이러한 분석적 간결성(parsimony)에서 나온다. 사회학 이론에서 그간 자주 논의된 이른바 '미시-거시 연계'의 문제 또는 '행위와 구조'의 문제 등의 이론적 화두들에 대해 콜만은 나름대로 하나의 유력한 해법을 제시하는 셈이다.

콜만의 합리적 선택이론이 일종의 메타이론으로서 우리에게 일반적으로 좀 더 분석적인 관점에서 사회현상에 접근하는 시각과 설명 도구를 제공한다면, 그의 사회적 자본 및 비대칭 사회론은 좀 더 실질적이고 내용적인 측면에서 한국 사회의 변화와 문제들을 설명하는 데 유용한 도움을 준다. 최근 사회

---

17 콜만의 마지막 시절을 함께하면서 그의 합리적 이론관에 직접적인 영향을 받은 한국 사회학자로는, 시카고 대학 박사과정에 있던 염유식 교수와 콜만 직계 제자인 이재혁 교수, 그리고 비슷한 시기에 위스콘신 대학 박사과정에서 콜만 이론을 적극적으로 수용한 이성용 교수 정도를 들 수 있다. 물론 이것은 매우 개인적인 기억에 근거한 평가이고, 합리적 선택론을 연구해온 국내의 많은 사회학자들에게 양해를 구하는 바이다. 특히 콜만의 FST 발간 이후, 한국 사회학계에서 콜만의 합리적 이론은 주로 현대 사회학 이론이나 경제사회학 전공자들을 중심으로 소개되었다.

과학계 전반에서 주목을 받는 사회적 자본론은 콜만이 본격적으로 부각시키기도 했지만(Coleman, 1988), 그의 이론 틀을 받아 이탈리아의 역사적 사례를 분석한 퍼트넘(Putnam, 1993)의 연구 등 중요한 연구 성과들이 이어지면서 널리 알려지게 되었다. 여기서 사회적 자본론에 대한 리뷰를 할 여유는 없지만, 한국 사회의 최근 변화에 관한 한 가지 함의에 대해 간단하게 언급해보고자 한다. 사회적 자본은 그간 주로 사회경제적 발전론의 맥락에서 논의된 경향이 있다. 그런데 이와 조금 다른 관점에서 사회적 자본론의 함의를 생각해볼 여지가 있다. 여느 선진 산업국가들의 추세와 마찬가지로 한국 사회가 당면한 사회문제 중 하나는 바로 '1인 가구'의 가파른 증가 추세로 대변되는 이른바 '무연(無緣) 사회'의 대두이다.[18] 세대와 계층에 따라 '독거(獨居)'의 의미가 다르듯이, 좀 더 넓은 의미에서 '무연'의 의미는 세대와 계층에 따라 사뭇 다르다. 젊은 층의 경우, SNS 등의 기제를 기반으로 좀 더 '유연하고도 확장된 개인성'을 지닌 사람에게 '무연'은 개인의 연고가 혈연이나 지연 등 기존의 자연발생적이고 '원초적인(primordial)' 것으로부터 좀 더 인위적·합리적·계산적인 것으로 바뀐다는 것을 의미하기도 한다. 한국이나 일본에선 '무연 사회'의 대두가 (다소 저널리즘식의 호들갑과 함께) 마치 최근에 부상한 새로운 현상인 듯 논의되기도 하지만, 이러한 추세는 이미 개인주의가 강하게 진전된 서구 선진국에서 일찍이 드러난 현상이다. 무연 사회의 기저에는 바로 콜만이 현대사회의 전반적인 경향성으로 문제시했던 '비대칭 사회'로의 진행, 즉 자연발생적인 '사회적 자본'의 고갈과 함께 좀 더 (도구)합리적 성격을 지닌 조합 행위자의 우세라는 경향이 구조적으로 깔려 있다고 볼 수 있다. 공동체의 연결망이나 규범적 효과를 지칭하는 사회적 자본은 만일 그것이 '일반

---

18 한국이론사회학회 2014년 연례학술대회에서 '연고에서 무연으로(?)'라는 대회 주제를 갖고 이 문제를 다루었다(대회 발표 논문들 참조).

적 타자'들, 즉 시민들의 열린 결사체로서 작동한다면 사회적 '자본'이지만, 반대로 보편 원칙의 훼손을 담보로 하는 폐쇄적인 '연줄'로 작동한다면 사회적 '반(反)자본'으로 나타나기도 한다(이재혁, 2007). 비록 콜만은 다소 목가적으로(즉, 자신이 자라온 공동체적 환경의 기억 속에서) 공동체적 연결망이나 규범의 순기능에 주로 주목하면서 개인들에게 주어진 이러한 사회적 자원이 점차 유실되는 추세를 안타까워했지만, 혈연·지연·학연으로 대표되는 '사회적 반(反)자본들'의 과잉, 즉 한국 '연줄 사회'의 각종 폐단들을 겪어온 우리 입장에서는 콜만의 시대 진단이 갖는 당위론적 부분까지 동의할 수는 없을 것이다. 문제는 단순히 공동체적 성격의 사회적 자본의 양적 고갈 또는 축적이 아니라 과연 사회적 자본을 얼마나 '시민적 자본'으로 그 성격을 바꿀 수 있느냐에 있으며, 이러한 '타자들' 간의 연합 또는 '개인주의적 연대'가 자칫 또 다른 함정인 지나친 도구 합리성의 주도, 즉 파편화된 개인들에 대한 조합 행위자의 압도와 더불어 진행되는 무연 사회로의 질주를 어떻게 제어할 수 있느냐에 놓여 있다. 한국 사회의 앞길에는, 한편으로 생산적인 사회적 자본과 비생산적 연줄이 마치 동전의 양면처럼 쌍으로 놓여 있다. 다른 쪽에는 좀 더 투명하고 합리적인 제도와 파편화된 개인들의 무연사회가 또한 양면의 쌍으로 놓여 있다. 따스하지만 끈적거리지는 않고, '쿨'하지만 냉혹하지는 않은 그 사잇길을 찾아야 하는 과제이다. 이는 고장난 샤워기처럼, 온수를 틀었더니 너무 뜨거운 물이 나와서 냉수 쪽으로 돌렸더니 갑자기 얼음물이 쏟아지는 그러한 열탕과 냉탕의 반복이 될 수도 있다.

6. 나가면서

이제 제임스 콜만의 약력을 소개하고자 한다. 콜만은 1926년 5월 12일에 미국 인디애나 주의 전원적인 소도시 베드포드(Bedford)에서 출생했다. 콜만은 1949년 퍼듀 대학에서 화공학을 전공해 학사를 받고, 이후 전공을 바꿔 1955년 컬럼비아 대학에서 마틴 립셋(Seymour Martin Lipset) 교수의 지도 아래 사회학 박사 학위를 받았다. 이 시기에 콜만은 폴 라자스펠트(Paul Lazarsfeld) 교수에게서 경험 연구의 훈련을 받으면서, 자신이 평생 스승으로 여긴 로버트 머튼(Robert Merton) 교수를 만났다. 이 시절의 은사들에 대해 콜만 교수의 말을 옮기자면, "나는 립셋과 함께, 라자스펠트를 위해(프로젝트 조교로서), 그리고 머튼처럼 되려고 연구했다(I worked *with* Lipset, worked *for* Lazarsfeld, and worked *to be like* Merton)"(Swedberg, 1996: 315). 박사 학위를 마친 후 콜만은 1956년에 시카고 대학 사회학과 조교수로 잠시 재직했다가, 곧 1959년에 존스 홉킨스 대학의 '사회관계(Social relations)' 학과를 창설하며 조교수로 부임했고, 이후 '콜만 리포트' 등으로 유명세를 쌓았다. 콜만은 1973년에 '대학 대우교수(University Professor)' 지위를 대우를 받으면서 다시 시카고 대학으로 돌아왔고, 1995년에 68세 나이로 사망할 때까지 사회학과 교수로 재직했다.

콜만은 30여 권의 저술과 300편이 넘는 논문 및 챕터들을 남겼고, 그의 *FST*로 받은 미국사회학회 저서상(1992)을 비롯해 라자스펠트 연구상(Paul Lazarsfeld Award for Research, 1983), 교육 자유상(the Educational Freedom Award, 1989) 등 다수의 학술상을 수상했다. 콜만 교수는 시카고 대학에서 가장 높은 대우인 '대학 대우교수(University Professor)'로 재직했으며, 한림원(National Academy of Sciences), 대통령 과학자문위원회(President's Science Advisory Committee) 등의 멤버로 활동했고 1992년에 미국사회학회 회장을 지낸 바 있다.

이 글을 마치면서, 마지막으로 콜만 교수의 인간적 특성을 나타내는 아주 사적인 에피소드 하나를 소개하려고 한다. 콜만 교수는 필자가 시카고 대학에서 박사 과정을 공부할 때 게리 베커(Gary Becker) 교수와 함께 필자의 지도 교수였다. 콜만 교수는 1990년대 초 당시 사회학과에서는 물론이고 시카고 대학 전체에서도 매우 영향력이 있는, 이른바 '파워맨'이었고 그의 학자적 위상은 상당했다. 그런데 재미있게도 콜만 교수는, 그러한 사회적 위상과는 다소 동떨어진 채 종종 소년같이 매우 순진한 모습을 드러내는 사람이었다 (참고로 콜만 교수는 몸집도 큰 편이다). 압도적인 학자적 카리스마의 위상의 이면으로, 콜만 교수는 세미나 자리에서 학생들에게 까다로운 질문이나 비판을 받으면 소년 같은 모습으로 당황해하며 귓불이 수줍게 발개지곤 했다. 당시 거침없이 신랄한 비판을 던져서 콜만 교수를 괴롭히는(?) 사람들 중에 필자도 종종 포함되곤 했다.

언젠가 세미나가 끝난 자리에서, 아마 가족에 대한 어느 대학원생의 발표였던 것 같은데, 필자는 콜만 선생님께 다가가 그의 멘트에 대한 비판과 함께 대안적인 이론 모형의 아이디어를 제시한 적이 있다. 필자의 신랄한 코멘트에 콜만 선생님은 예의 그 귓불이 발그스레해지는 모습으로 필자의 아이디어를 더 발전시켜보라고 권하셨다[콜만 선생님이 이럴 때 늘 쓰는 표현으로 "그거 굉장히 흥미로운 아이디어인데!(That's extremely interesting idea)"가 있는데, 물론 이는 그의 언어 습관이다]. 필자는 의기양양해져서 "가족 이슈는 제가 현재 관심이 있는 분야가 아니어서, 발표한 학생에게 내 아이디어를 발전시키게 하면 좋을 것 같습니다"라는 식의 아주 건방진 말을 남기며 대화를 마쳤다. 속으로 '천하의 콜만 교수도 이건 생각 못하는 군' 하며 득의만만했다. 그로부터 1년여 후, 도서관에서 필자는 아주 우연하고도 예기치 않게 콜만 교수가 이전에 쓴 글 하나를 보고 깜짝 놀라고 말았다. 그 글에는 필자가 1년 전 콜만 선생님을 쩔쩔매게 했던 질문에 대한 답은 물론이고 필자가 미처 생각하지 못한 여러 진전된 설명들까지도 상세히 나와 있었기 때문이었다. 왜 당시에는 자신이 뻔히 알고 있었던 내 단견에 대해 아무 응답을 하지 않으셨을까?

정 귀찮으면 최소한 자신의 글을 알려주고 읽어보라고 해도 되었을 텐데 말이다. 당시 '선생님은 이것도 모르는군!' 하며 건방지게 의기양양했던 내 모습이 떠오르며, 죄송함과 창피함으로 이번엔 필자의 귓불이 화끈거릴 정도로 발개지게 되었다. 그때 왜 선생님이 어리석게 잘난 체하는 제자의 신랄한 멘트들을 수줍은 모습으로 그저 듣고만 있었는지는 아직도 의문이다.

필자의 기억 속에 콜만 교수는, 학자적 용기와 카리스마를 갖고 많은 학생과 동료들을 진두지휘하며 연구 프로젝트를 이끄는 야전 사령관의 모습과 함께, 제자들의 신랄하고도 불손한(?) 비판을 늘 기꺼이 허용하고 겸손하며 수줍은 소년 같은 순진함을 보였던 친근한 선생님으로 남아 있다.

참고문헌

이재혁. 2003. 「합리적 선택이론의 연구전략: 행위의도와 인과적 설명의 문제」. ≪사회와 이론≫, 2003년 1호, 13~77쪽.

_____. 2007. 「시민사회와 시민적 자본: 시장적 관계 모형」. ≪사회와 이론≫, 2007년 1호, 213~261쪽.

_____. 2010. 「집합적 합리성의 발현에 대한 시론적 연구: 진화론적 관점과 '일반적 교환'을 중심으로」. ≪사회와 이론≫, 2010년 1호, 7~51쪽.

Ariely, D. 2009. *Predictably Irrational: The Hidden Forces that Shape Our Decisions*. New York: Harper.

Arrow, K. 1951. *Social Choice and Individual Values*. New York: John Wiley.

_____. 2000. "Observations on Social Capital." in P. Dasgupta and I. Serageldin(eds.). *Social Capital: A Multifaceted Perspective*. Washington D.C.: The World Bank.

Becker, G. 1976. *The Economic Approach to Human Behavior*. Chicago: University of Chicago Press.

_____. 1986. "The Economic Approach to Human Behavior." in J. Elster(ed.). *Rational Choice*. New York: New York University Press.

_____. 1991. *A Treatise on the Family*. Cambridge, MA: Harvard University Press.

Clark, J.(ed.). 1996. *James S. Coleman*. London: Falmer Press.

Coleman, J. 1961. *Adolescent Society*. New York: Free Press.

_____. 1964. *Introduction to Mathematical Sociology*. New York: Free Press.

_____. 1982. *The Asymmetric Society*. New York: Syracuse University Press.

_____. 1986. "Social Theory, Social Research, and a Theory of Action." *American Journal of Sociology*, 91(6), pp.1309~1335.

_____. 1988. "Social Capital in the Creation of Human Capital." *American Journal of Sociology*, 94(supplement), pp.95~120.

_____. 1990. *Foundations of Social Theory*. Cambridge, MA: Harvard University Press.

_____. 1994. "A Rational Choice Perspective on Economic Sociology." in N. Smelser and R. Swedberg(eds.). *The Handbook of Economic Sociology*. Princeton: Princeton University Press.

Coleman, J. et al. 1966. *Equality of Educational Opportunity* ['Coleman Report']. Washington

D.C.: US Government Printing Office.

Coleman, J. and T. Fararo. 1992. "Introduction." in J. Coleman and T. Fararo(eds.). *Rational Choice Theory: Advocacy and Critique*. Newsbury Park: Sage Publications.

Coleman, J. and T. Hoffer. 1987. *Public and Private Schools: the Impact of Communities*. New York: Basic Books.

Collins, R. 1993. "Emotional Energy as the Common Denominator of Rational Choice." *Rationality and Society*, 5, pp.203~230.

_____. 1996. "Can Rational Action Theory Unify Future Social Science?" in Jon Clark(ed.). *James S. Coleman*. London: Falmer Press.

Cook, K. and M. Levi(eds.). 1990. *The Limits of Rationality*. Chicago: University of Chicago Press.

Durkheim, E. 1984(1893). *The Division of Labor in Society*. translated by W. Halls. New York: Free Press.

Efferson, C., R. Lalive and E. Fehr. 2008. "The Coevolution of Cultural Groups and Ingroup Favoritism." *Science*, 26(September), pp.1844~1849.

Elster, J.(ed.). 1986. *Rational Choice*. New York: New York University Press.

Elster, J. 1990. "When Ratinality Fails." in K. Cook and M. Levi(eds.). *The Limits of Rationality*. Chicago: University of Chicago Press.

Frank, R. 1992. "Melding Sociology and Economics: James Coleman's Foundations of Social Theory." *Journal of Economic Literature*, 30(March), pp.147~190.

Green, D. and I. Shapiro(eds.). 1994. *Pathologies of Rational Choice Theory*. New Haven: Yale University Press.

Hackman, J. and D. Neal. 1996. "Coleman's Contributions to Education: Theory, Research Styles and Empirical Research." in J. Clark(ed.). *James S. Coleman*. London: Falmer Press.

Hernes, G. 1989. "The Logic of The Protestant Ethic." *Rationality and Society*, 1(1), pp.123~162.

Homans, G. 1961. *Social Behavior: Its Elementary Forms*. New York: Harcourt Brace Jovanovich.

Lindenberg, S. 1996. "Constitutionalism versus Relationalism: Two Versions of Rational Choice Sociology." in J. Clark(ed.). *James S. Coleman*. London: Falmer Press.

Picketty, T. 2014. *Capital in the Twenty-First Century*. translated by A. Goldhammer.

Cambridge, MA: Belknap Press.

Polanyi, K. 1957. "Economy as Institute Process." in K. Polanyi, C. Arensberg and H. Pearson(eds.). *Trade and Market in the Early Empires*. New York: Free Press.

Putnam, R. 1993. *Making Democracy Work*. Princeton, NJ: Princeton University Press.

_____. 2000. *Bowling Alone: The Collapse and Revival of American Community*. New York: Simon and Schuster.

Roemer, J. 1986. "New directions in the Marxian theory of exploitation and class." in John Romer(ed.). *Analytical Marxism*. Cambridge: Cambridge University Press.

Simon, H. 1982. *Models of Bounded Rationality*. Cambridge: MIT Press.

Swedberg, R. 1996. "Analyzing the Economy: On the Contribution of James S. Coleman." in J. Clark(ed.). *James S. Coleman*. London: Falmer Press.

Thaler, R. and C. Sunstein. 2009. *Nudge*. New York: Penguin Books.

Weber, M. 1949(1904). "'Objectivity' in Social Science and Social Policy." in E. Shils and H. Finch(eds.). *The Methodology of the Social Sciences: Max Weber*. New York: Free Press.

_____. 1958. *The Protestant Ethic and the Spirit of Capitalism*. translated by T. Parsons. New York: Charles Scribner's Sons.

_____. 1968. *Economy and Society*, Vol.I. translated and edited by G. Roth and C. Wittich. New York: Bedminster Press.

Wilson, B.(ed.). 1984. *Rationality*. London: Basil Blackwell.

Wippler, R. and S. Lindenberg. 1987. "Collective Phenomena and Rational Choice." in J. Alexander et al.(eds.). *The Micro-Macro Link*. Berkeley: University of California Press.

09

레이몽 부동의 사회학과
'일상적 합리성 이론'

민문홍

1. 문제 제기

　1990년대 중반 이후 현대 사회학은 커다란 위기에 직면해 있다. 베를린 장벽의 붕괴 이후 쇠퇴하기 시작한 네오 마르크스주의(neo-marxism)와, 세속적 구조주의[1]의 학문적 대안으로 등장한 이론적 문제의식 없는 경험적 사회학은 현대사회가 직면한 문제들(이념적 양극화, 상대주의 철학의 범람과 가치관의 혼란, 의회 민주주의 체제의 위기, 공정한 사회의 실현 등)에 지속적으로 무기력한 모습을 보였다(Boudon, 2006, 2010, 2012b, 2013; 민문홍, 2011, 2012). 몇몇 사회학자들은 민속방법론(ethnomethodology)을 내세운 경험적 연구(Liberman, 2013; 김광기, 2000; 최종렬, 2011)나 합리적 선택이론 또는 네트워크 이론에서 그 출구를 찾기도 한다(Prell, 2011; 김용학, 2010; 송호근 외, 2004).

1　프랑스 학계에서 구조주의와 마르크스주의가 행사했던 영향력에 대해서는 Boudon(2012b: 269~270)을 참고하기 바란다.

그러나 이런 작업들은 현대 인문사회학이 처한 지식인 사회와 인문학의 황폐화 상황을 극복하기에는 역부족이다. 이들의 이론적 문제의식 없는 경험적·기술적(記述的) 사회학과 공리주의적 인간관은 일반 시민들은 물론 인문사회학도들의 지지와 감동을 끌어내지 못하고 있기 때문이다(Boudon, 2010: 111~113). 게다가 수백 년 동안 축적된 고전 사회학 전통을 무시하는 이러한 이론들은 수 세기에 걸쳐 고전 사회학자들이 이룩해놓은 이론적·방법론적 교훈을 간과한다(Boudon, 2000: 7~20; 민문홍, 2011).

한국 사회학 공동체에 초점을 맞춰볼 때, '현대 사회학의 위기' 문제에 대한 대안은 크게 세 방향에서 찾아볼 수 있다. 첫째, 고전 사회학의 재발견이다.[2] 둘째, 독일 현대 사회학자 니클라스 루만(Niklas Luhmann)에 대한 체계적 소개이다.[3] 셋째, 프랑스 현대 사회학자 레이몽 부동(Raymond Boudon)의 사회학 이론이다.[4] 다른 이론적 작업들은 한국 사회학자들의 다양한 노력 덕분에 비교적 한국 사회에 체계적으로 소개되어왔다. 그에 비해 평생 프랑스 사회의 이념적 양극화 문제를 연구한 레이몽 부동의 사회이론은 어쩌면 한국 사회에 가장 큰 적실성(適實性)을 지닐 수 있음에도 인문사회학 공동체에 거의 소개되지 않았다. 따라서 필자는 프랑스 사회의 이념적 양극화 해소와 현대 사회학의 재건에 노력해온 세계적 석학 레이몽 부동의 사회학 이론을 그의 '일상적 합리성 이론'에 초점을 두어 소개함으로써, 한국 사회학 공동체가 처한 위기 문제를 극복할 작은 출로를 제시하려 한다.[5]

---

2 이것의 사례에 관해서는 《사회이론》, 2014년 가을/겨울 통권 제46호(특집: 막스 베버 탄생 150주년 기념 특집호)와 한국이론사회학회 엮음, 『뒤르케임을 다시 생각한다』(동아시아, 2008)를 참조하기 바란다.

3 이것에 관해서는 《사회와 이론》, 25집 2호, 특집: 루만의 사회이론 – 위기에서 소통으로(한국이론사회학회, 2014)를 참조하기 바란다.

4 이것에 관해서는 민문홍, 『창의사회와 자유민주주의의 이념적 기초 – 레이몽 부동의 사회학을 중심으로』(경제인문사회연구회, 2014)를 참조하기 바란다.

2. 부동의 방법론과 그 지성사적 배경

1) 방법론적 개인주의

사회학자들은 통상적으로 부동의 사회학 방법론을 '방법론적 개인주의'라고 부른다. 부동은 이전의 거장 사회과학자들이 '방법론적 개인주의'라고 명명한 인식론적 입장을 더 체계적으로 발전시켰다. 이러한 관점에서 보면, 개인은 모든 사회현상을 분석하기 위한 가장 최소한의 논리적 분석 단위이며, 사회현상을 설명한다는 것은 개인이 처한 사회적 상황에서 개인들이 그러한 행동을 하는 이유를 이해하는 것이다. 그리고 사회학자들은 이러한 개별적 행위에 대한 이해를 기초로, 그들 행위의 결합이 집단적 차원에서 어떠한 사회현상을 발현적 효과로 만들어내는지 포착하는 것이다. 그런데 여기서 개인 행위들의 전체적 합이 만들어내는 발현적 효과는 종종 개별 행위자가 기대하지 않았던 결과를 가져온다. 즉, 각 개인의 행동 의도와 정반대되는 결과가 종종 나타난다는 것이다. 바로 이러한 '사회적 행위의 뜻밖의 의도하지 않은 결과'라는 이론적 틀이 부동 사회학의 이론적 기본 골격을 형성한다. 부동은 '방법론적 개인주의'에 대한 이론적 체계화를 그의 저서 『사회변동과 사회학 (La place du désordre)』에서 처음 제시했는데, 그는 이것을 좀 더 명료한 공식의 형태로 2002년의 저서에서 다시 제시한다.[6]

부동에 따르면, 모든 사회현상들은 개인 행위들의 구성에 의한 발현적 효과로 설명될 수 있다. 그런데 이러한 개인 행위들은 그들이 처한 사회적 상황에서 각자가 행동하거나 그렇게 믿도록 만드는 (합리적) 이유들 때문에 생기

---

5   필자는 지난 10여 년간 부동 이론의 전반부에 해당하는 사회학 방법론, 자유주의 이론 등을 소개해왔다(민문홍, 2008, 2011, 2012; 부동, 2011).

6   이에 관해서는 Boudon and Fillieule(2002)를 참조하기 바란다.

<表 9-1> 방법론적 개인주의의 설명 도식

$$S = f \, [a \, (r, \, C)]$$

S: 설명해야 할 사회현상

f: 발현적 효과   a: 개인 행위들   r: 각자에게 귀속되는 이유들

C: 개인이 처해 있는 사회적 상황

자료: Boudon and Fillieule(2002: 75).

는 것이다.[7]

우리는 <표 9-1>의 공식을 다음의 두 가지 의미로 읽을 수 있다. 하나는 사회학적 관점이다. 다른 하나는 사회 행위자의 관점이다. 사회학자는 설명해야 할 사회현상으로부터 출발해 행위자들의 행동을 향해 거슬러 올라가는 노력을 한다. 그렇게 함으로써 개인 행위자들이 처한 사회적 상황 속에서 그러한 행동을 하게 된 합리적 이유들을 이해하려 노력하는 것이다. 이러한 방식으로 우리는 <표 9-1>에 적힌 공식을 대문자 S에서 대문자 C의 방향(왼쪽에서 오른쪽으로)으로 따라가며 읽을 수 있다.

한편 사회 행위자는 자신이 처한 사회적 상황 속에서 특정한 행위를 시작할 합리적 이유를 가지고 있다. 그리고 이러한 행위들은 타인의 행위들과 상호작용 관계가 되면서 발현적 효과를 불러일으킨다. 우리는 오른쪽에서 왼쪽 방향(r에서 a를 거쳐 f로)으로 앞서 나온 공식을 읽을 수 있다. 여기서 개인 행

7   부동은 자신의 생각을 좀 더 명료하게 표현하기 위해서 다음과 같은 수학 공식을 활용한다. 여기서 행위자가 주목하는 사회현상(S)과 그가 처한 사회적 상황(C)은 대문자로 표현된다. 나머지 변수들(f, a, r)은 소문자로 표시된다. 그가 대문자와 소문자를 구분해서 사용한 것은 완벽히 의도적인 것이다. 여기서 설명해야 할 현상과 행위자가 처한 사회적 상황은 집단적 구성 요소인 동시에 거시 사회학적 현상들이다. 바로 이러한 이유로 부동은 이것을 대문자로 표기했다. 한편 개인적 행위자들은 합리적·개별적 이유(r)를 가지고 행동을 하는데(a), 이것들은 서로 뒤섞여서 발현적 효과(f)를 만들어낸다. 이때 이것들은 미시 사회학적인 개인적 구성 요소들이다.

<표 9-2> 사회현상과 개인 행위, 그리고 사회적 상황의 관계

사회현상(S) Phènoméne social	학업 기회의 민주화에도 불구하고 사회이동의 봉쇄 효과가 나타났다.
발현적 효과(f) effets émergents	학위 인플레이션 현상 때문에 노동시장에 진입하는 것이 더 어려워졌다.
개인 행위들(a) actions individuelles	개인들은 개별적으로 더 많은 학업을 한다.
개인적 이유들(r) raisons individuelles	개인들은 충분히 높은 수준의 학위를 마친 후, 거기에 걸맞은 사회적 위세가 있는 특정 지위를 갖기를 희망한다.
사회적 상황(C) Contexte social	사회적 출신 계급이 어떻든지, 모두에게 최선의 학업 기회가 주어진다. 그러나 사회 진출을 위한 그들의 출구는 학업 기회가 주어지는 속도만큼 진화하지는 못한다.

자료: Boudon(1979: chap.4).

위가 결합된다는 것의 의미는 사회 행위자가 집단 현상을 불러일으키는 개인으로 남아 있다는 것을 의미하며, 사회학자는 바로 이 집합적 현상을 설명하는 것이다. 여기서 사회학자에게 제기되는 섬세하고도 어려운 과제는 개인들이 그러한 행위를 하는 합리적 이유들을 이해하는 것이며, 애당초 그들이 그러한 행위를 시작했을 때의 사회적 상황을 재구성하는 것이다. 우리는 이 과정에서 관찰된 현상은 그러한 현상을 불러일으킨 행위자들이 항상 원했던 것은 아니라는 사실을 깨닫게 된다. 이 과정은 부동의 저서『사회적인 것의 논리(La Logique du Social)』(1979)의 4장 2절에 잘 요약되어 있다. 그것은 〈표 9-2〉와 같이 좀 더 간단히 살펴볼 수 있다.

여기서 부동 사회학의 목표는 크게 두 가지이다. 하나는 초개인적 원인들 – 개인들의 외적 원인들이나 개인들이 의식조차 하지 못하는 사회적·경제적·생물학적·심리적 원인들 – 로 개인의 행위를 설명하려는 기존의 설명 방식을 극복하는 것이다. 다른 하나는 개인들이 처한 구체적 상황 속에서 그들이 가진 나름의 합리적 이유들을 재구성함으로써, 개인 행위자 지향의 사회학적 설명 방식을 정립하는 것이다. 이 경우 부동의 사회학은 개인이 특정한 행위를 할 때 충분히 합당한 이유가 있으며 다른 외적인 요인들 때문에 그러한 행동을 하는 것이 아니라고 가정한다.

부동은 '아비투스(habitus)'나 '사회적 힘(social force)'과 같은 집단적 개념을 동원하는 사회학적 설명이 동어반복적이라고 주장한다. 이러한 집단적 개념들은 개인이 행동할 수 있는 자율적 능력을 부정함으로써 어떠한 진정한 설명적 능력도 갖지 못하기 때문이다. 더욱이 이러한 구조주의적 설명 방식이 아무리 개인의 행위 능력을 부정해도 개인들이 특정한 사회적 상황 속에서 행동한다는 것은 매우 확실한 사실이며, 이러한 사회적 상황은 개인의 행위를 조건 짓는 매개변수의 역할을 하기 때문이다. 부동이 『고전 사회학자들에 대한 연구(Etudes Sur Les Sociologues Classiques I, II)』(1998, 2000)[8]를 통해 제시하려 했던 테제도, 이들 고전 사회학자들이 서로 보완적 방식으로 개인 행위자의 자율적 행위와 집단 현상들 사이의 관계를 분명히 밝혀주는 통찰력을 제시한다는 점이다.

2) 사회학의 새로운 과학적 위상 정립을 위하여

부동은 현대 사회학자로서는 보기 드물게 『과학으로서의 사회학(La Socio-logie comme science)』(2010)이라는 저서를 통해, 자신이 평생 집필한 저작들에 관한 회고적 평가를 진행했다.[9] 그는 현대 사회학의 위기와 지식인 공

---

8 1권(1998)에서 다루는 학자들은 토크빌(Alexis de Tocqueville), 베버(Max Weber), 뒤르케임(Emile Durkheim), 짐멜(Georg Simmel), 파레토(Vilfredo Pareto), 라자스펠트(Paul Lazarsfeld)이다. 2권(2000)에서는 스미스(Adam Smith)의 『도덕 감정론(Theory of moral sentiments)』, 뒤르케임의 종교적 믿음에 대한 논의, 짐멜의 『돈의 철학(Philo-sophie des geldes)』에 대한 분석, 파레토의 논리적 행위와 비논리적 행위의 구분, 베버의 가치 다원주의 문제, 타르드(Gabriel Tarde)와 범죄 통계, 셸러(Max Scheler)의 사회적 가치들에 대한 논의를 다룬다.

동체의 황폐화 현상을 극복하기 위해서는, 세속적 구조주의자들이나 네오 마르크스주의자들이 주장하는 사회결정론적 과학관을 지양하고 고전 사회학 정신과 소명의식에 충실한 새로운 패러다임의 사회학을 정립할 것을 주장한다. 이때 새 패러다임의 사회학이란 인문학과 자연과학의 방법론 논쟁을 지양하고 사회학의 문학화를 극복할 수 있는 진정한 과학으로서의 사회학의 위상을 정립하는 것이다. 부동은 이 작업의 중요성을 독자에게 보여주기 위해 기존 사회학자들의 작업들을 다음의 네 가지로 분류한다. ① 과학적 작업들, ② 기술적(記述的) 작업들, ③ 에세이식 작업들, ④ 사회를 변화시키기 위한 투쟁가로서의 작업들이 그것들이다. 이 네 가지 유형의 사회학은 각각의 독특한 기능이 있다. 이들 중 특정 유형의 사회학은 사회학자가 언론의 조명을 받도록 확실하게 보장해준다. 부동은 이 네 가지 유형의 사회학자들 중, 가치중립적 입장에서 과학적 작업을 하는 사회학자들이 가장 견고하면서 가장 지속적인 학문적 연구 결과를 제공하는 사람들이라고 평가한다.

부동은 이러한 정신에 가장 충실한 현대 사회학자들로 미국 사회학 공동체에 컬럼비아 학파(Columbia School)를 만든 로버트 머튼(Robert K. Merton)과 폴 라자스펠트(Paul Lazarsfeld)를 꼽는다. 부동이 컬럼비아 대학의 라자스펠트 연구소에서 배운 이론적 통찰력은 크게 두 가지였다. 첫째, 사회학 연구에서 '중범위 이론'의 중요성과 '방법론적 개인주의'가 갖는 인식론적 장점이다. 둘째, 사회학 연구에서 구체적·경험적 사실에 대한 연구와 베버적 의미의 '가치중립적 사회학'이 중요하다는 사실이다. 여기서 그는 이론적 문제의식 없이 경험적 자료에만 몰입하는 실증주의 사회학과, 프랑크푸르트 학파(Die Frankfurter Schule)의 사회학처럼 정치적 당파성에 치우친 사회학을 동

---

9 번역서는 2015년 4월 10일 부동 교수의 서거 2주기 추모 작품 형식으로 책세상에서 출간될 예정이다.

시에 비판한다. 그리고 그 대안으로, 사회학이 제 역할을 하기 위해 과학자가 자연현상을 연구할 때처럼 당파적 정치 참여로부터 거리를 둘 줄 아는 가치 자유적 사회학이 중요하다는 사실을 강조한다. 그와 동시에 구체적·경험적 현실을 연구하는 사회학이 고전적 인문사회학 전통을 무시하고 가치 상대주의를 맹목적으로 추종해서도 안 된다고 주장한다.[10] 부동은 이러한 작업을 위해, 그에게 사회학자로서의 군건한 기반을 제공했던 대표적 저서인『기회의 불평등(Inégalité des chances)』(1973) 테제를 거의 40년 만에 재검토한다.

3) 40년 후에 다시 보는 '기회의 불평등' 테제

『기회의 불평등』은 부동에게 학자로서의 군건한 위상을 제공한 그의 대표적 교육사회학 저서이다(Boudon, 1973). 그는 이 교육사회학 고전을 자신의 자서전에서 40년 후에 다시 회고적으로 검토한다.[11] 이 책은 부르디외의 교육사회학에만 익숙하고 그것과 대립되는 정통 교육사회학으로서 부동의 교육사회학 존재 자체를 모르는 한국의 사회학도들에게 매우 유용하다. 부동은 이 책 덕분에 1970년대부터 세계 사회학 공동체에서 확고한 학문적 지위를 확보하게 되며, 부르디외와 어깨를 겨루는 학문적 명성을 갖게 되었다. 여기

---

10 그 의미는, 비록 인문사회학에서 행위자에 대한 이해의 과정이 필수적이기는 하지만, 일단 방법론적 절차를 따를 때는 자연과학과 같은 의미의 방법론을 사용해서 사회현상을 설명하려고 노력해야 한다는 것이다.

11 부동의 저서『기회의 불평등』은 당시에 교육사회학 분야에서 성서처럼 읽히던 부르디외 (Pierre Bourdieu)의 저서에 대한 커다란 학문적 도전이었다. 그리고 이 저서 덕분에 부르디외의 테제를 경험적 자료를 갖춰 비판하는 작업들이 국제 사회학 공동체에서 본격적으로 나타나기 시작했다. 이 책에서 부동은 '학교에서의 기회의 불평등'과 '사회에서의 기회의 불평등'을 '기회의 불평등에 관한 이중적 과정'으로 보고 구체적·경험적 자료를 통해 체계적으로 분석한다. 그리고 이 과정에서, 이 문제를 해결하기 위해 이제까지의 교육정책이 수행해온 '의도하지 않았던 사악한 결과(perverse effect)'에 크게 관심을 갖게 된다.

서 부동은 자신의 인식론적 입장인 '방법론적 개인주의'를 사용해 교육과 사회계층과 노동시장 변화 사이의 관계를 설명한다. 이때 그의 학문적 목표는 기존의 주류 패러다임인 구조주의적 마르크스주의자들의 설명(아비투스에 의한 사회계급의 재생산)이 사회 행위자들의 자율성과 선택 행위를 무시함으로써 과학적 타당성을 결여했음을 보여주는 것이었다. 그의 연구는 모든 학생들에게 선발 시험 없이 상급 학교에 진학할 권리를 부여한 교육의 민주화가 사회적 출신 계급과 교육 수준 사이의 상관관계에 기대만큼 영향력을 행사하지 못했다는 사실을 보여주었다. 즉, 학생이 획득한 학위가 자동적으로 사회적 지위를 개선시켜주는 것은 아니라는 새로운 발견적 사실을 제시함으로써, 1950년대 이후 교육 기회의 평등화를 통해 사회적 평등화를 실현시킬 수 있다는 정책 전문가들과 교육사회학자들의 믿음이 근거가 없음을 객관적 자료로 보여준 것이다.

부동은 교육사회학 분야의 고전이 된 이 책에서 자본주의 체제의 계급 재생산 메커니즘을 강조해온 부르디외의 구조적 마르크스주의를 체계적으로 반박할 수 있는 이론적 모델을 발전시켰다. 자신의 교육사회학 모델을 구축한 후, 부동은 연구 주제와 관련된 모든 요인들을 두 가지 범주로 나누었다. 첫째, 교육 성취에 영향을 미치는 요인으로서 학생의 인지적 능력이다. 둘째, 더 높은 수준의 교육을 계속 받을지 결정하는 데 영향을 미치는 요인들(재정적 비용, 학위 취득에 기대된 사회적·경제적 비용에 대한 출신 가족의 평가, 노동시장의 특별한 변화 상황)이다. 부동은 여기에 교육 서비스의 소비자인 개인 행위자들의 합리적 선택이라는 '역동적 요소'를 도입함으로써, 현대사회에서 사회구조의 단순 재생산은 존재하지 않는다는 사실을 경험적 자료를 통해 입증하는 데 성공했다. 그에 따르면, 특정한 교육사회학적 상황에 노출된 개인들은 특수하면서도 상황 의존적인 선호 의식을 가지고 있으며, 이러한 선호 의식은 또다시 사회구조적 차원에서 기대하지 않았던 특정 효과를 가져오게 만든다. 이를 구체적 용어로 표현하면, 국민의 평균 교육 수준의 상승이 반드시 국민 평균의 사회적·경제적 지위의 상승을 가져오는 것은 아니며, 오히려 학위 인플레이션 현상을 일으켜 학위를 가진 사람들의 사회적·경제적 지위를 낮추는 결과를 가져오기도 한다는 것이다. 이를 경제학 용어로 표현하면, 노동시장의 수요는 교육받은 노동자의 공급보다 훨씬 늦게 변화한다는 것이다.

그의 지적 자서전 『과학으로서의 사회학』의 2장 끝 부분에서 부동은 흥미로운 교육사회학 작업을 보여준다. 『기회의 불평등』에서 자신이 제기한 교육 수준과 출신 계급 사이의 관계를 1970년에서 1990년대까지의 제네바와 파리 내 교육 불평등에 관한 비교 연구 자료를 기반으로 다시 검증한 것이다. 이 연구에 따르면, 30년 동안 사회적 불평등은 제네바보다 파리에서 더 크게 늘었다. 제네바에서는 학교가 특정 학생의 상급 학교 진학을 결정하는 데 핵심적 역할을 할 뿐만 아니라, 학교 제도 자체가 파리의 학교 제도보다 능력에 따른 보상을 더 잘해주는 시스템을 갖고 있기 때문이다. 반면 파리의 경우 평준화 정책 때문에 중등학교 입학 허가는 대학 입학에서와 마찬가지로 부모와 학생들의 선호 의식(개인적 열망, 비용, 또 다른 요인들이 중요한 역할을 한다)에 의존한 것으로 드러났다.

4) '이데올로기의 사회학'에서 '인지적 합리성 이론'으로

부동은 자신의 자서전 『과학으로서의 사회학』 3장(옳은 것에 대한 믿음)과 4장(정당한 것에 대한 믿음)에서 그가 1980년대 중반에 관심을 가졌던 '이데올로기의 사회학'이라는 문제의식을 '인지적 합리성 이론'으로 발전시킨다.[12]

---

12 부동은 일상적 맥락의 행위자들이 특정한 사회현상에 대해 왜곡된 믿음을 갖거나 선입견

부동은 여기서 기존의 과학사회학 이론들을 검토하면서 원래의 목표를 더 명확히 하게 된다. 그것은 1968년 5월 혁명 이후 크게 유행했던 '새로운 과학사회학'의 과격한 상대주의적 입장을 체계적으로 비판하는 것이다. 그가 『스스로 설득되는 기술(L'Art de se persuader)』(1988)을 집필한 이유도, 이 새로운 과학사회학자들의 지식이론이 잘못된 인식론적 기초 위에 있음을 체계적으로 비판하기 위해서였다. 부동이 이들을 비판하는 가장 큰 학문적 이유는, 이들이 현대 과학을 독자적 진리를 탐구하는 학문 분과로 생각하는 것이 아니라, 사회적 상황에 의해 만들어진 단순한 문화적 생산물로 간주하기 때문이다.[13] 과학자들은 사회적 상황이나 원인 때문에 특정 사실에 대한 자신들의 과학적 판단을 함부로 바꾸지 않는다는 사실을 간과한 것이 이들의 치명적 오류였다.[14] 부동은 이러한 접근 방법을 과학사회학 분야를 넘어 도덕사회학과 정치사회학 분야의 규범적 믿음에까지 적용할 수 있다고 본다.[15] 일반적

을 가질 때, 이 행위들은 그 나름대로의 합리적 믿음의 근거를 가진다고 본다. 그는 『이데올로기론(L'idéologie ou l'origine des idées reçues)』(1986)에서 사람들이 충분한 합리적 근거를 가지고도 사물을 잘못 인식할 수 있다는 사실을 보여준다. 갈릴레오 시대의 일반인들이 지구가 평평하다고 믿었던 것, 눈의 착시 효과로 물속에 집어넣은 직각의 막대기가 휘어져 있다고 잘못 인식하는 것, 그리고 노동시간을 일주일에 40시간에서 35시간으로 줄이면 새로운 일자리를 창출할 수 있다고 믿는 것이 그러한 것들이다. 부동은 이러한 현실의 왜곡 현상을 사회학적으로 다루는 가운데 아주 중요한 방법론적 문제 제기를 한다. 그것은 앞의 상황에서 잘못된 판단을 한 개인들을 비합리적 존재로 생각하고, 틀리지 않은 판단을 한 개인들만을 합리적 존재로 생각해서는 안 된다는 것이다.

13 이들 새로운 과학사회학자들의 입장은 미국 과학사회학자 쿤(Thomas Kuhn)과 파이어아벤트(Paul Feyerabend), 그리고 프랑스 과학사회학자 라투르(Bruno Latour)에게서 분명히 나타난다(Boudon, 2006: 60, 64).

14 물론 과학자들도 때때로 지지되기 어려운 특정한 주장을 잠정적으로 옹호할 수는 있다. 그러나 이 경우 그들은 그러한 행위의 충분한 근거를 가지고 있기 때문에 만약 그 근거가 완벽히 잘못된 것으로 드러나면 그들은 자신들의 주장을 포기할 준비가 되어 있다. 이 경우 과학사회학도로서의 우리는 과학자들이 비합리적 이유 때문에 그러한 실수를 했다고 생각해서는 안 된다. 우리는 비록 이들 과학자들의 이론이 의심스럽게 보인다 할지라도, 그들이 그러한 이론을 구축할만한 충분한 합리적 이유를 가지고 있었다고 생각해야만 한다.

으로 과학자들이 '특정 현상이 옳다'고 믿을 때, 도덕주의자들이나 정치가들은 '특정 현상이 정당하거나 좋다'라고 믿는다. 여기서 우리가 주목해야 할 교훈은, 집단적 믿음(그것이 실증적이건 규범적이건 깨지기 쉬운 믿음이건 상관없이)은 사람들이 그것을 지지할 만한 충분한 합리적 이유들을 제공하고 있을 때에만 지속될 수 있다는 것이다.

부동은 이상의 문제의식을 조금씩 발전시켜, '사회적 행위에 관한 인지적 이론(cognitive theory of social action)'으로 체계화한다.[16] 이 모델은 다음의 세 가지 가정에 기반을 둔다. 첫째, 사회적 사실들은 개인들의 행위, 결정, 행동, 신념들로 설명되어야 한다는 방법론적 개인주의적 가정이다. 둘째, 이러한 행위들이 이해될 수 있다는 이해의 사회학적 가정이다. 셋째, 사회적 행위들은 그 나름대로 '합당한 이유들(good reasons)'에 근거한다는 '인간 행위의 합리성'에 대한 가정이다. 여기서 부동이 '인지적 합리성'이라는 개념을 사용한 이유는, 이 개념을 기반으로 합리성에 관한 기존의 개념들(도구적 합리성, 제한된 합리성, 가치 합리성, 전통적 합리성 등)보다 더 확장된 일반적 개념을 제시하기 위해서였다. 부동은 나중에 이 모델을 '일반적 합리성 이론'이라고 부르는데, 이 이론의 방법론적 가정은 다음과 같다. 특정 개인이 행위를 하거나 특정 현상에 대해 특정한 믿음을 가질 때, 거기에는 합당한 이유들이 있다. 이 경우 사회학은 이러한 개인적 행위와 믿음 뒤에 있는 특정 요인들(구조적 요인이나 아비투스 같은 초개인적 요인)을 행위의 원인으로 간주해서는 안 되고, 특정한 상황 속에서 인지적으로 합리적 행동을 하는 개인의 관점에서 나

---

15 이에 관해서는 Boudon(1995)를 참조하기 바란다.

16 부동은 이것을 일반적 합리성 모델(model of general rationality) 또는 일상적 합리성 이론(theory of ordinary rationality)이라고도 부른다. 이 입장이 가장 완벽하게 고안되어 소개된 곳은 부동의 저서 『이유, 합당한 이유들(Raison, bonnes raisons)』(2003)이다. 이 때 부동이 지칭하는 '인지적 합리성'이라는 개념은 책 3장의 '실증적 신념(positive beliefs, 사실에 관한 믿음)'뿐만 아니라, 책 4장의 '규범적 신념(normative beliefs)'에도 적용된다.

온 설명들을 행위의 원인으로 간주해야만 한다(Boudon, 2010: chap.3~4). 여기서 행위자들이 특정한 믿음을 갖게 되는 것은, 그 상황 속에서 다른 가능한 대안들과 비교해볼 때 그들이 특정한 믿음을 가질 '더 나은 이유들(better reasons)'을 가지고 있기 때문이다. 이 경우 개인들이 특정 행위를 선택하는 과정은 비개인적이거나 개인적인 매개변수들과 상황적으로 얽혀 있다. 이때 개인들은 편견이나 사회화나 다른 기계적 요인들 때문에 행동을 하는 것이 아니라, 그들이 가진 '합당한 이유들(good reasons)' 때문에 행동하는 것이다.

5) 민주주의의 위기에 대한 진단과 처방

민주주의 위기 문제를 다룬 부동의 가장 중요한 저서는 『민주주의를 새롭게 하기: 상식에 대한 찬사(Renouveler la démocratie: élog du sens commun)』이다(Boudon, 2006). 그가 이 책을 저술한 가장 큰 목적은, 유럽을 포함한 현대 서구 사회의 '지성의 위기'에 대한 성찰적 기초를 제공하기 위해서이다. 부동은 이 책을 통해 후기 현대사회의 특징인 '지식 공동체와 지식인 사회의 공동의 학문적 준거 틀[17]의 상실' 문제에 대한 철학적·사회학적·역사적 성찰이 담긴 종합적 대안을 제시하려 했다. 그는 이 책에서 현재 위기에 처한 인문사회학이 연구의 과학성을 보전하면서도 사회적·정치적 현상에 대해 신뢰할 수 있는 지적 설명을 제공하는 학문으로 거듭나기 위해서는 기존 인문사회학의 사회사상사적 기초를 다시 점검해야 한다고 주장한다. 우리는 이러한 작업을 위해 가장 먼저 19세기 후반 이후로 인문사회학을 위협하고 20세기 후반 이후까지 현대인들을 편견에 사로잡히게 만든 반인본주의(antihumanism) — 구조주의, 네오 마르크스주의 등 — 와 '상대주의 철학'에서 벗어나야

---

17 우리나라 상황에는 '시대정신'이라는 표현이 더 적합하다.

한다고 말한다. 그와 동시에 현대 사회학이 안주하는 기술(description) 위주의 순진한 경험주의 사회학에서 탈피해야 한다고 지적한다.

부동에 따르면, 동구권의 몰락 이후 네오 마르크스주의는 돌이킬 수 없는 큰 타격을 받고 그 허구적 실체가 드러났다. 그러나 인문사회학의 진정한 부흥을 위해 우리가 맞서야 할 그다음의 가장 어렵고 커다란 투쟁 상대는 상대주의 철학이다. 그가 볼 때 서구 사회가 모두 후기 현대사회에 진입한 이 시점이야말로, 상대주의가 지난 한 세기 동안 가져온 심각한 폐해들을 학문적·체계적으로 논의하기에 가장 적합한 때이다. 이제까지 우리는 포스트모더니즘 문화나 문화사회학이란 이름으로 우리도 모르게 상대주의 철학을 곳곳에 확산시키고 그 씨앗을 파종하는 작업에 동참해왔기 때문이다(Boudon, 2006: 325~335).

상대주의가 가져온 파괴적 효과 중 가장 무서운 것은, 인간이 자신의 선한 본성을 바탕으로 자연스러운 합의를 통해 사회적 가치에 도달할 수 있다는 인간의 가치 실현 능력을 부정하는 것이다. 이는 사회 통합을 유지하기 위해 결국 법과 힘에 의존해야만 한다는 양육강식의 생각을 우리에게 은밀히 강요하는 것이다. 애덤 스미스, 알렉시스 드 토크빌, 레이몽 아롱(Raymond Aron)의 전통을 계승한 부동은, 이러한 증후군이 사회가 암과 같은 중병에 걸렸을 때 나타나는 현상으로 진단한다. 이러한 상대주의적 가치관을 지닌 채 법과 사회적 가치와 규칙들을 만들고 고쳐나가는 것은 아주 위험한 행동이기 때문이다(Boudon, 2006: 15; 2012b: chap.9).

서구 사회에 한정했을 때, 오늘날 '인문사회학'은 고등교육 분야에서 반인본주의 사상과 상대주의 철학에 의해 독점되고 황폐화되고 있다. 이것은 현대 서구 민주주의 사회의 고등교육과 대중 교육의 장래를 심각하게 위협한다. 특히 서유럽처럼 국립대학 체제를 가지고 있는 나라들에서 이 문제는 더욱 심각하다. 이 두 가지 철학의 영향에서 비교적 자유로운 자연과학과 수학

같은 학문 분과의 경우, 고등교육 분야의 지식 생산과 전수는 비교적 온건한 어려움을 겪고 살아남을 수 있었다. 그러나 이제 인문사회학은 갱생이 어려울 정도로 심각한 고통을 경험하고 있다. 반세기 전부터 이미 존경할 만한 '고전 연구들'은 더 이상 새로운 상황에 적응하지 못하고 있다. 그리고 이 분야의 대부분 연구들은 '새로운 인문사회학'이라는 이름으로 네오 마르크스주의, 구조주의, 그리고 해체주의 경향의 인문사회학으로 대체되었다(Boudon, 2006: 21~26; 2012b: 281~293).

이러한 상황에 대한 사상사적 검토를 다시 해보면, 1960년대 초기 이후 이 분야의 사상사적 운동은 일반인들에게 단순하고 새롭다는 이미지를 부각시키며 매력을 구사하고 있었다. 여기에 덧붙여, 이 새로운 사상사적 운동은 특정한 모습의 과학관으로 자신을 정당화하면서, 자신들이야말로 인문사회학을 살릴 수 있는 유일한 과학적 대안이라고 주장했다. 그러나 반세기의 다양한 실험을 경험한 오늘날 우리는 이 주장이 환상이었다는 사실을 알게 되었다. 진정한 인문사회학이라면 주체로서의 통제 능력이 상실된 '좀비'를 연상시키는 '비인간적 이미지'에 인간을 가둔 채 인간에 대한 지식을 창조할 수 없기 때문이다. 그러나 불행하게도 20세기의 마지막 30~40년에 최고 영예의 순간을 체험했던 인문사회학의 비인간적인 흐름들은 비록 그 실패가 차후 분명함에도 여전히 큰 위력을 가지고 확산되고 있다.

현대 프랑스 민주주의 체제의 위기에 대한 부동의 사회학적 진단은 서구 문명의 이러한 반인본주의적·'좀비적' 사회 추세에 대한 사상사적 진단으로부터 시작된다. 그가 다른 사회학자들과는 달리 평생 거리를 두려 했던 정치사회학적 관심을 그의 마지막 저서에서 보여준 것도 이러한 이유 때문이다(Boudon, 2012b). 이 책의 6장에서 부동은 이제까지 서구인들이 당연시해온 자유민주주의 이념의 핵심에 대한 질문을 다시 던진다. 그것은 "국민들에게 권력을 준다" 또는 "국민에게 주권이 있다"는 것이 구체적으로 무엇을 의미하느냐는 것이다. 여기서 부동은 고전적 정치사회학적 질문[토크빌이 『미국 민주주의(La démocratie en Amérique)』에서 다수의 횡포에 의한 소수의 진실 억압에 대한 문제 제기를 한 것]이 미처 보지 못했던 또 다른 정치적 현상을 지적한다. 그것은 '잘 조직된 적극적 소수'가 다수의 이름으로 공익을 내세워 다수의 일반 대중에게 그들의 조직된 이익을 강요하는 것이다.[18] 이렇게 볼 때, 현대 민주주의 사회의 진정한 위협은 조직된 소수가 노조나 로비 집단의 형태로 시민 대다수에게 그들의 이익을 강요함으로써 '사회적 권력'을 합법적 '정치적 권력'으로 바꾸고 여론을 자의적으로 조작하는 것이다. 부동에 따르면 이러한 상황에서 진정한 민주주의를 회생시키는 길은 두 가지가 있다. 첫째, 통치 엘리트들이 더 나은 민주주의 제도를 운영하기 위해 올바른 인문사회학의 도움을 받아 그들이 사용하는 이념과 개념들을 더 명료하게 만드는 것이다. 이것이 가능하기 위해서는 국회와 지방의회가 다시 존중받는 장소가 되어야 하며, 거기에서 공익을 위한 토론과 결정들이 이루어질 수 있어야 한다. 둘째, 이들 통치 엘리트들이 그들을 뽑아준 시민들이 원하는 바를 정확히 그리고 진솔하게 수용하려 노력해야 한다. 그런데 이것은 일반 시민들이 잘 계몽되어 공익을 위해 '공정한 관찰자'적인 판단과 행동을 할 수 있음을 전제로 한다. 부동이 볼 때 이러한 양방향의 의사소통을 원활하게 하는 것만이 '진정한 민주주의'를 부흥시키는 길이다.

결국 부동이 후반기 저작 속에서 '일상적 합리성 이론'을 발전시킨 이유는, 현대 프랑스 국가의 발전을 가로막고 있는 1968년 5월 혁명의 이념과 그것을 뒷받침하던 사회이론들 — 부르디외, 알튀세르(Louis Althusser), 푸코(Michel Foucault), 해체주의 등의 이론 — 을 극복할 수 있는 새로운 이론적 패러다임을

---

18 부동은 자신의 테제를 뒷받침하기 위해 로베르트 미헬스(Robert Michels)의 '과두제 철칙' 과 멘슈어 올슨(Mancur Olson)의 "항상 조직된 소수가 대중을 지배한다"라는 주장을 인 용한다[Michels, 1971(1911); Olson, 1978(1971)].

제시하기 위해서였다. 특히 그의 마지막 저작인 『믿는 것과 아는 것(Croire et savoir)』(2012)은, 현대 유럽 사회가 직면한 문명의 위기를 놓고 다음의 세 주제에 대한 종합적 성찰을 통해 그 해법을 제시하려 했다. 첫째, 경제학의 '합리적 선택이론'과는 구분되는 '합리성에 관한 일반이론'을 체계화하는 것이다. 둘째, 이 이론을 정치·도덕·종교의 세 영역에 적용함으로써 서구 민주주의가 처한 위기에 대한 진단과 처방을 제시하는 것이다. 마지막으로, 동구권과 세속적 마르크스주의의 붕괴 이후 학문 공동체의 극심한 정체성 위기와 침체 현상을 겪는 사회학의 과학적 위상을 다시 세우는 것이다. 부동이 볼 때, 잉글하트(Ronald Inglehart)의 연구 등을 포함한 세계적 차원에서 행해진 기존의 다양한 경험적 연구들은 위의 세 가지 작업이 학문적 기반을 갖도록 했다. 이를 위한 선행 작업은 고전 사회학자들의 소명 의식과 이론적 통찰력을 현대사회에 맞게 다시 살리는 것이다. 그것은 애덤 스미스의 '공정한 관찰자', 알렉시스 드 토크빌의 '공정성' 개념, 막스 베버의 '가치 합리성'과 '가치 중립성' 개념, 뒤르케임의 사회적 가치와 사회 통합 개념을 다시 살려 인문사회학의 부흥을 위한 기초를 강화하는 것이다. 그리고 이들 고전 사회학자들의 이론적 통찰력은 현대의 인문사회학자들이 일반 시민들의 상식 속에서 일반의지와 천심(天心)을 읽어낼 수 있도록 장래성 있는 선구자적 오솔길을 개척해놓았다는 것이 부동의 메시지이다.

3. 부동의 일상적 합리성 이론

1) 이론의 등장 배경

부동의 사회학 이론 전체를 관통하는 주제는 '합리성에 관한 일반이론'이다. 부동은 그 이점을 그의 유고작에서 분명히 밝힌다(Boudon, 2013).[19] 부동은 앞의 저술들에서 자신의 입장과 반대되는 두 가지 극단적 입장을 제외시킨다. 첫 번째 입장은 인간의 행위를 물질적 원인들 - 경제적·사회적·생물학적 그리고 다양한 정신분석학적 원인들 - 로 설명하는 것이다. 두 번째 입장은 인간이 모든 것을 알며 모든 것을 할 수 있고 모든 것에 대한 조화로운 입장을 선택할 수 있다 - 제임스 콜만(James Coleman)과 게리 베커(Gary Becker)의 합리적 선택이론이 여기에 속한다 - 는 합리성에 관한 너무 순진하고 완벽한 입장이다. 부동은 이 두 가지 극단적 입장들을 함께 묶어 배제하면서, 베버의 학문적 전통을 따라 좀 더 현실적인 합리성 이론을 탐구한다.

'일상적 합리성의 사회학(sociologie de la rationalité ordinaire)'이라 불리는 그의 사회학은 일상생활 속의 상식과 양식을 찾아낼 수 있는 '인지사회학(sociologie cognitive)'의 중요성을 강조한다(Boudon, 2007: 91~95; 2010: 90~92; Assoba, 1999: chap.8). 그는 『과학으로서의 사회학』에서 자신이 평생 저술한 20여 권의 책들을 체계적으로 정리하면서 향후 현대 사회학이 지향해야 할 새로운 패러다임을 제시하는데, 그 핵심적 주제가 일상적 합리성의 사회학이다.[20]

부동은 모든 인간의 행동은 특별한 경우가 아닌 한 합당한 이유들을 가진다고 가정한다. 그리고 이제까지 '방법론적 개인주의 패러다임'이라고 불러온 자신의 행위이론을 '일상적 합리성 이론(théorie de la rationalité ordinaire)'

---

19 부동은 2000년대에 들어와서 이 주제에 대한 자신의 입장을 최종적으로 정리하는 네 권의 책을 쓴다. 첫 번째 책은 『이유, 합당한 이유들』이다(Boudon, 2003a). 두 번째 책은 『합리성에 관한 일반이론을 위한 시론(Essais sur la théorie générale de la rationalité)』이다(Boudon, 2007). 세 번째는 끄세즈(Que-sais-je?) 시리즈에서 나온 『합리성론(La Rationalité)』이다(Boudon, 2009). 그리고 마지막은 『상대주의에 대한 성찰(Le relativisme)』이다(Boudon, 2008).

20 이 입장이 가장 완벽하게 소개된 책은 부동의 저서 『이유, 합당한 이유들』이다.

이라고 수정해 명명한다(Boudon, 2010: 90~93; 2012a: chap.3).[21] 그리고 자연과학자들에게 익숙한 인지적 합리성 개념을 기반으로 합리성에 관한 기존의 개념들(도구적 합리성, 제한된 합리성, 가치 합리성, 전통적 합리성 등)을 넘어서는 일반적 개념을 제시한다(Boudon: 2012a: chap.3). 이 이론의 방법론적 가정은 다음과 같다. 특정 개인이 행위를 하거나 특정 현상에 대해 특정한 믿음을 가질 때, 거기에는 합당한 이유들이 있다. 이 경우 사회학은 이러한 개인적 행위와 믿음 뒤에 있는 특정 요인들 – 구조적 요인이나 아비투스 같은 초개인적 요인 – 을 행위의 원인으로 간주해서는 안 되고, 특정한 상황 속에서 인지적으로 합리적 행동을 하는 개인의 관점에서 나온 설명들을 행위의 원인으로 간주해야만 한다(Boudon, 2010). 부동이 볼 때 행위자들이 특정한 믿음을 갖게 되는 것은 그들이 그 상황 속에서 다른 가능한 대안들과 비교해볼 때 특정한 행동을 할 '더 나은 이유들(better reasons)'을 가졌기 때문이다. 이 경우 개인들이 특정 행위를 선택하는 과정은 비개인적이거나 개인적인 매개변수들과 상황적으로 얽혀 있다. 부동은 인지사회학적 관점에서 사회적 행위의 합리성을 다루는 가운데, 이 책의 3장에서 개인들은 특별한 일이 없는 한 편견이나 사회화나 다른 기계적 요인들 때문에 행동을 하는 것이 아니라 그들이 가진 '합당한 이유들(good reasons)' 때문에 행동한다고 주장한다(Boudon, 2010: chap.3). 부동은 그가 쓴 가장 최근의 저서들에서 이제까지 사용해오던 '인지적 합리성'이라는 개념 대신에 '일상적 합리성'이라는 더 확장된 개념을 도입하는데, 이것은 그가 인지사회학에 대해 가졌던 생각을 더 확장하고 보완해 새로운 용어로 표현한 것이다(Boudon, 2012a: chap.3; 2013: chap.2).

---

21 부동은 이것을 '일반적 합리성 모델(model of general rationality)' 또는 '일상적 합리성 이론(theory of ordinary rationality)'이라고도 부른다.

2) 경제학과 합리적 선택이론

부동의 일상적 합리성 이론은 경제학자들이 주류 패러다임으로 사용하는 합리적 선택이론에 대한 비판으로 그 차별화된 모습을 보여준다. 부동이 볼 때, 경제학을 제외한 다른 사회과학 분야들 — 사회학, 정치학, 행정학 등 — 이 서로 경쟁적으로 합리적 선택이론을 차용한 것은 이 분석 틀이 경제학의 확고한 학문적 기반(방법론적 개인주의)을 제공함으로써 사회학을 오랫동안 지배해온 방법론적 전체주의의 사고 틀을 벗어날 수 있는 이론적 통찰력을 제공하기 때문이다(Boudon, 2007: 21~33; Coleman, 1990; Becker, 1996).[22]

경제학의 합리적 선택이론은 허버트 사이먼(Herbert Simon)의 '제한된 합리성(limited rationality) 개념'을 통해 결정적 발전을 이루었다(Simon, 1983: 7~8; Boudon, 2013: 77~78). 그의 '제한된 합리성 이론'은 합리적 선택 과정에서 행위자가 정보를 얻는 비용을 고려해, 정책 결정자에게 자신의 목표 달성을 위해 선택한 수단을 설명한다는 점에서 합리적 선택이론보다 훨씬 더 현실주의적이었다. 그러나 이 이론은 개인들의 선호의 세계, 목표, 표상, 가치, 그리고 의견의 세계를 다룰 수 없다는 점에서 합리적 선택이론보다 더 낫다고 볼 수 없다. 왜냐하면 사이먼은 합리성을 배타적인 도구적 성격을 지닌 것으로 간주하기 때문이다.[23] 한편 또 다른 모형의 합리적 선택이론으로 노벨

---

22 제임스 콜만을 중심으로 하는 학자들도 현대 사회학이 직면한 위기의 탈출구로 '합리적 선택이론'을 창안하고 발전시켰다. 그런데 통상적으로 해석된 뒤르케임이나(Boudon, 2011: 225~231) 네오 마르크스주의의 선두 주자인 부르디외에게서 볼 수 있는 방법론적 전체주의에 의하면, 개인의 행동은 그를 둘러싼 사회·문화적 구조에 의해 강요된 사회적 조건의 결과로서 분석되어야 한다(Bourdieu and Passeron, 1970; Bourdieu, Chamboredon and Passeron, 1973; Boudon, 2006: 210).

23 이것에 관해 사이먼은 다음과 같이 언급했다. "이성은 완벽히 도구적이다. 그것은 우리들이 어디로 갈지를 말해줄 수 없다. 기껏해야 그것은 우리가 거기에 어떻게 갈 수 있는지를 말해줄 수 있을 뿐이다"(Simon et al., 1983; Boudon, 2013: 77~78에서 재인용).

상을 받은 게리 베커는 "특정한 실천은 문제시되는 실천을 하는 행위자의 선호를 강화하는 결과를 가져온다"는 생각을 활용함으로써, 행위자의 선호 세계에 더 가까이 접근할 수 있는 연구방법을 개발했다(Becker, 1996; Boudon, 2013: 51~52). 예를 들어, 행위자가 기타를 좀 더 열심히 연습할수록 그는 거기에 더 많은 관심을 갖게 된다는 것이다. 그러나 베커의 연구는 합리적 선택이론이 전제한 '도구적 합리성 개념' 자체가 인간 행동에 대한 좀 더 깊이 있는 접근을 포기한 것을 비난했다는 점에서 의미가 있지만, 이 개념을 넘어서는 대안을 제시하지는 못했다(Boudon, 2012a: 52).

부동이 볼 때, 사이먼과 베커의 작업은 데이비드 흄(David Hume) 이래로 철학과 경제학 분야에 확고하게 뿌리를 내린 영미의 특정한 인문사회학 전통에 순응한 것이다. 흄에서 시작된 이 전통이란, "이성은 열정의 노예이고, 노예여야만 한다"라는 주장이다. 이것을 현대적 언어로 표현하면 개인 행위의 목표는 합리성과 관계가 없는 요인들에 의해서 설명된다는 것이다. 인간의 이성은 수단만을 설명할 수 있기 때문이다.[24] 영국의 철학자 버트런드 러셀(Bertrand Russell)도 이성의 도구성을 강조한다(Russell, 1954). "이성은 당신이 달성하기를 원하는 목표에 도달할 수 있는 올바른 수단을 선택하는 것을 의미한다. 이성은 목표의 선택과는 아무 관계가 없다." 이렇게 보면, 사이먼이 사용한 이성의 개념은 흄에서 러셀에 이르는 도구적 합리성 개념으로서의 이성을 강조하는 것임을 알 수 있다(Boudon, 2012a: 52~53; 2013: 78).

그런데 이제까지 우리가 상식적으로 받아들인 영미 전통의 이성에 대한 도구적 관념은 상당한 문제점을 내포한다. 이들은 인간이 정해진 목표를 달성하기 위한 수단을 선택할 때 대개 믿음에 기반을 둔다는 사실을 무시한다.

---

24 이때 흄이 생각했던 열정이란 고전적 열정들(야망, 증오, 사랑 또는 분노)로서, 우리는 그것의 존재를 간접적으로만 관찰할 수 있다. 예를 들어, 분노는 우리 얼굴을 빨갛게 만들고 야심은 행동의 특징들 속에 반드시 드러난다.

그리고 이 믿음 자체가 또다시 특정 이론을 기반으로 하며, 이 이론들은 다시 그 이론의 전제에 기반을 둔다는 사실을 이들은 무시하고 있다. 이렇게 보면, 러셀적 의미에서 목표를 위한 수단의 정의는, 그가 말하는 올바른 수단에 정확한 의미를 부여할 수 있을 때에만 받아들여질 수 있다. 이 경우 행위 주체가 선호하는 수단 선택을 합리화해주는 믿음이 진실이기 위해서는 그 믿음이 현실에 대한 표상과 관련되어야 하고, 규범적 의미(만약 그것이 의무와 관련된 것이라면)에서 정당하거나 올바른 것이어야 한다.[25]

　부동이 볼 때, 합리적 선택이론이 가정하는 '합리성에 관한 도구적 개념'이 가져다주는 가장 심각한 문제는, 이것이 현대사회의 민주적 기초를 크게 훼손하는 상대주의적 철학에 영합하는 사고이기 때문이다. 즉, 인간의 이성을 도구적으로 생각하는 '합리적 선택이론'은 인간 행위의 절충적 관점 – 옳고 그른 것, 정당하고 부당한 것의 구분을 무시하는 – 을 지지하는 아주 심각한 결과를 가져오는 것이다. 합리적 선택이론은 인간의 목표(인간의 신념과 가치)가 합리성의 범주를 벗어나므로 결국 인간의 목표 선택을 위한 행동은 심리적·생물학적·사회적 또는 문화적 성격을 지닌 반(反)합리적 세력들의 산물이라고 보기 때문이다. 그런데 이 경우, 흄이 언급한 관찰 가능한 열정들을 제외하고 여기서 문제시되는 힘들은 그 정체가 불분명하게 남아 있을 수밖에 없다. 바로 이러한 이유 때문에 소위 1968년 5월 혁명을 낳았던 1960년대의 정치적·문화적·사회적 주제들에 대한 새로운 과학적 연구 프로그램들은, 인간이 직면한 정신분열증적 상황 – 인간의 이성은 도구적이기 때문에 자신의 목표를 선택할 수 없다 – 을 우회해 다루려는 목적으로 나타났다. 1960년대를 선도했던 학자들이 볼 때, 인간이 목표 실현을 위한 수단을 선택하는 것은 자

---

25 우리의 일상적 삶 속에서 정당한 수단을 결정하는 행위가 문제시되지 않는 경우는 특별한 사례의 경우에 해당된다(Boudon, 2012a: 52~53).

유지만, 그러한 목표와 그에 따른 믿음을 강요하는 것은 인간이 노예처럼 복종하게 되는 정체가 불분명한 힘이기 때문이다(Boudon, 2012a: 53).[26]

레이몽 부동은 이러한 '엉성한 형태의 이원론적 도구적 합리성' 이론을 극복하기 위해 '일상적 합리성' 이론으로 사회과학의 공통된 문법을 찾으려 했다. 다음에서는 그의 평생 작업이 어떤 점에서 새로운 패러다임의 사회학을[27] 준비했는지 부동의 '일상적 합리성 이론'을 중심으로 소개하려 한다.

3) 일상적 합리성 이론에 관한 정의

X가 특정한 목표, 가치, 표상, 선호, 믿음 또는 의견을 가지고 있다고 가정할 때, 우리는 다음과 같은 조건에서 X가 일상적 합리성 이론으로 설명된다고 주장할 수 있다. 즉, X를 지지하는 개인이 볼 때 X가 그것의 모든 구성 요소들이 수용할 만한 합리적 이유들의 합을 이루는 체계 S의 결과일 때, 그리고 X 외에 또 다른 대안인 'X를 선호해서 지지하게 만들 S'라는 합리적 이유 체계가 존재하지 않을 때, 사람들은 S가 개인이 X를 지지하는 원인이라고 주장한다. 과학적 믿음은 일상적 합리성에 관해 즉각적 적용이 가능한 대표적 사례를 제공한다(Boudon, 2012a: 53~54).

오늘날 현대인들은 대기 압력 때문에 기압계의 수은이 올라간다는 토리첼리(Evangelista Torricelli)의 가설을 받아들인다. 그의 이론이 등장하면서, 기압계가 올라가는 것은 자연이 진공을 혐오하기 때문이라는 아리스토텔레스

---

26 이러한 이론은 때때로 다음과 같은 표어로 요약되기도 한다. 즉, '인간이 내린 결정은 의도와 같은 궁극적 원인들에 의해서 이해될 수도 있지만, 인간의 행동은 반합리적인 역동적 원인에 의해서 설명이 되어야 한다'는 것이다.

27 부동은 구조주의와 마르크스주의가 결합한 당시 프랑스 학계의 흐름을 바꾸고자, 중범위 이론에 기반을 둔 사회학의 과학적 위상을 새로 정립함으로써 사회학의 위기 상황을 벗어날 수 있는 이론적 대안을 준비한 셈이다(Langlois, 2008).

의 신인동형설(新人同形設)적인 주장이 자연스럽게 권위를 잃었기 때문이다. 그리고 아리스토텔레스 이론은 고도에 따른 수은의 높낮이 변화를 설명할 수 없으며 자연현상과 인간 현상을 동일시하기 때문이다. 토리첼리 이론을 중심으로 확립된 이러한 집단 합의 현상은 충분한 합리적 이유들을 가지고 있다. 이 설명은 자기 충족적인데, 그것이 합리적이기 때문이다. 그리고 이 사례에서 인용된 합리성은 도구적 합리성이 아니라 '인지적 합리성(cognitive rationality)'[28]이다(Boudon, 2012a: 54).

부동의 '일상적 합리성' 이론에 따르면, 과학적 신념이 정착하는 데 원인을 제공한 합리성은, 종교·도덕·법·문화 분야에서 개인과 집단의 실증적·규범적 믿음을 정착시킨 원인이기도 하다. 그런데 여기서 우리가 내린 일상적 합리성의 정의는 이념형적 모델로서, 개인이 자신의 믿음의 확고함을 평가할 수 있는 기준을 제공한다. 스스로의 믿음이 이러한 이념형적 상황과 가까운지 또는 멀리 떨어져 있는지를 기준으로 판단하는 것이다. 실제로 우리는 일상적 합리성을 다양한 방식으로 정의하는 이상적 상황으로부터 멀어질 수 있다. 예를 들어, 적절한 정보를 갖기 위한 접근이 불가능한 상태에 처하거나 인지적 능력을 결여할 수 있으며, 모든 변호사들이 흔히 저지르는 실수처럼 사람들이 주목하는 합리적 이유들을 선택해 문제를 제기하려는 동기에 굴복할 수도 있다. 우리는 'X는 좋거나 Y는 진실'이라는 명제에 설득될 수도 있다. 그러한 판단을 유도하는 합리적 이유들과 배치되는 다른 이유들의 존재를 모를 수 있기 때문이다. 이러한 일상적 인지 과정에서의 일탈은 일상적 삶이나 과학자들의 삶에서 자주 일어나는 일들이다(Boudon, 2012a: 55~57).

---

28 이때 '인지적 합리성'이란 과학이론의 생산을 인도하는 합리성이다. 이러한 인지적 합리성은 자연과학의 경우와 마찬가지로 진실된 믿음을 낳고, 평가적 합리성은 올바른 평가를 목표로 한다(Boudon, 2006: 177, 190).

4) 일상적 합리성 이론의 중심적 주장

부동의 '일상적 합리성 이론(Théorie de la Rationalité Ordinaire: TRO)'은 다음과 같은 원칙에 기반을 둔다. "모든 행위와 모든 믿음은 (그것이 기술적 믿음이건 규범적 믿음이건) 상황에 의해 매개되는 비개인적이거나 개인적인 합리적 이유들의 결과다. 이들은 경우에 따라 있을 수 있는 대안적 이유들보다 더 강력한 이유들로 개인들에게 지각된다"(Boudon, 2013: 80~81). 이 이론은 사이먼(Simon, 1983)이나 베커(Becker, 1996)의 도구적 합리성 이론을 넘어서는 새로운 사회학 이론을 제공할 수 있다. 이때 상식적 합리성 이론은 행동뿐만 아니라, 믿음에도 적용될 수 있다. 부동이 제시한 일상적 합리성 이론(TRO)[29]은 수많은 국제적 학술회의를 낳았다(Boudon, 2010: 90~92).[30]

부동은 자신의 '일상적 합리성 이론'에 다음과 같은 다섯 가지 장점이 있다고 주장한다. 첫째, 이 이론은 이제까지 좁은 테두리 속에 갇혀 있던 사회학의 연구 영역을 넓히는 효과가 있다(Boudon, 2013: 102).[31] 즉, 다양한 사고

---

29 부동은 이 이론을 다른 저서들에서는 '합리성에 관한 일반이론' 또는 '합리성에 관한 인지적 이론'이라고 불러왔다.

30 이것에 관해서는 *Rationality and Society*(1989), *International Studies in the Philosophy of Science*(1993), *The American Journal of Sociology*(1998), *Sociologie et Société* (2002)를 참조하기 바란다. 부동은 ≪애뉴얼 리뷰 오브 소시올로지(Annual Review of Sociology)≫ 2003년판 서문에서 도구적 합리성 이론의 기초를 흔들어놓을 수 있는 비판을 했다. 즉, 일상적 합리성 이론은 개인이 선택한 수단뿐만 아니라 그의 목표와 믿음까지 설명할 수 있는 야심을 가지고 있다고 주장했다. 그 외에도 부동의 일상적 합리성 이론은 사회학을 또 다른 사회과학들(특히 경제학과 정치학)과 서로 교통하게 만든다는 학문적 흥미를 지닌다.

31 일상적 합리성 이론은 사회학의 독자적 영역을 확보하는 데 가장 중요한 심리학주의를 극복할 수 있다. 이 이론에 의하면, 'X는 진실이다' 또는 'X는 정당하다'라는 유형의 집단 신념은 비합리적인 심리학적 충동들을 작동시키지 않은 채 합리적 이유들로 설명될 수 있다. 이때 합리적 이유들은 개인 영혼의 존재나 민주주의의 바람직한 가능성이라는 것을 믿게 하는 이유들을 가리킨다.

의 전통들이 일상적 사고와 과학적 사고, 그리고 기술적 믿음과 규범적 믿음 사이에 만들어놓은 심연(深淵)을 메울 수 있다. 일상적 합리성 이론은 급변하는 상황을 넘어 도덕적·정치적·법적 생활 영역에서 우리가 관찰할 수 있는 수많은 불가역(不可逆)적 추세들을 설명할 수 있다(Boudon, 2012b: chap.4). 예를 들어 대의민주주의 제도는 1920~1930년에 수많은 나라에서 무너졌지만, 대의민주주의 제도가 모든 다른 제도들보다 우월한 제도라는 생각 자체가 무너진 것은 아니다. 이러한 불가역적 추세는 모든 사회에서 작동하고 있는 새로운 이념의 창출과 선발 과정에서 비롯되는 것이다. 물론 이 과정에는 시간과 장소에 따라 어느 정도 우호적인 상황적 요인들이 작용할 수 있다. 이런 불가역적 추세는 구체적 사실 안에서 일어나는 비우호적 상황에 의해 바뀔 수는 있으나, 그러한 추세가 사람들의 마음속에서까지 바뀌는 것은 아니다(Boudon, 2010: 91).

둘째, 일상적 합리성 이론은 현대사회의 지배적 가치로 자리 잡으며 상당한 부정적 영향력을 행사해온 상대주의 철학의 문제점을 알려준다(Boudon, 2006: chap.1~2). 이 이론에 따르면, 우리는 오스트레일리아의 원주민들이 기우제의 효율성을 믿는 합리적 이유들을 이해할 수는 있지만, 그것을 믿지 않을 합리적 근거 역시 가지고 있음을 보여준다. 이러한 성찰은 도덕적·정치적 믿음 전체로 확장된다. 우리는 어떤 사회에서는 여성이 남성과 대등하지 않은 존재로 여겨지며 프랑스에서도 여성의 참정권이 보장되는 데 1945년까지 기다려야 했다는 사실을 이해한다. 우리는 중국이 삼권분립을 받아들이지 않는다는 상황적 사실을 이해하면서도 그것이 옳지 않다고 판단할 수 있다. 일상적 합리성 이론은 '문화적 차이'라는 명분으로 '상대주의'의 약점을 감추려는 '문화적 상대주의'의 은폐된 기능을 폭로한다(Boudon, 2006: 74~91).

셋째, 일상적 합리성 이론은 사회현상을 불가사의한 원인들이나 논쟁의 여지가 많은 변수들로 설명하려는 시도들을 피하도록 도와준다.[32] 예컨대 베버는 그의 종교사회학 연구에서 영혼의 불멸성에 관한 바리새인들과 사두개인들의 서로 다른 태도를 설명한다. 그에 따르면, 바리새인들은 영혼의 불멸성을 믿었지만 사두개인들은 거의 믿지 않았다. 그 이유는 이 두 집단의 사회적 신분의 차이 때문이다. 즉, 바리새인들 대다수가 상인이었다면 사두개인들은 유대인 정치 엘리트들을 배출하는 일종의 정치 양성소를 담당했다. 상인인 바리새인들에게 공평한 교환은 가장 중요한 요구 조건이었다. 따라서 그들은 영혼불멸(靈魂不滅)의 사상을 배우는 것을 행복하게 생각했다. 그 이유는, 이 세상에서 정당하게 인정받지 못한 선행과 악행들이 천국에서 바로 잡힌 보상을 받을 수 있다고 믿었기 때문이다. 그러나 사두개인들은 그러한 생각을 믿지 않을 동일한 합리적 근거를 가지고 있었다.

베버는 여기서 현대 종교사회학자들처럼 두 가지 서로 다른 사회계층에 속한 사람들에게 가설적인 합리적 이유들을 부여함으로써, 직업 활동과 믿음 사이의 관계를 설명한다. 이 과정에서 베버는 어떠한 불가사의한 원인들(정

32 합리적 선택이론의 범주에 들어가는 이론들은 도구적 합리성 개념을 선택하는데, 이 경우 어쩔 수 없이 개인의 성향이나 지위와 관련된 논쟁의 여지가 많은 변수들(구성 틀, 분석 틀, 아비투스, 사고방식 등)을 도입해야 한다. 이는 도구적 합리성과 아무 관계가 없는 행동의 어떤 측면들을 설명하기 위한 것이다. 그런데 이 변수들은 논리적·경험적 문제들을 지닌다. 논리적인 문제란 이 변수들이 너무 쉽게 즉흥적이고 동어반복적이라는 것이다. 경험적인 어려움이란, 어떠한 심리적인 실험을 하더라도 그것은 나중에 피실험자에게 이미 주어진 반응을 불러일으키거나 아니면 그와 정반대의 반응을 불러일으킬 수 있다는 점이다. 예컨대 고통스러운 유년기를 경험한 아동은 성인이 되었을 때 아주 잔인한 태도를 보여줄 수 있지만, 아주 관대한 태도를 보여줄 수도 있다. 권위주의적인 교육을 받은 사람은 권위주의적 성격을 가진 성인만 될 수 있는 것이 아니라 자유주의적인 교육을 받은 사람처럼 상대방을 잘 이해하는 자유로운 성격의 성인이 될 수도 있다. 이상의 논의를 요약하자면, 우리는 앞서 언급한 변수들 사이에서 빈약한 상관관계만을 관찰할 수 있다는 것이다. 결국 부동은 위의 논의들로부터 다음과 같은 논리적 결론을 끌어낸다. 즉, 네오 마르크스주의자들이 자주 동원하는 개인의 성향이나 지위와 관련된 변수들은 너무 애매모호한 성격을 가지고 있어서, 잘못하면 동어반복적 설명으로 끝날 수 있다는 것이다. 현대 사회과학의 가장 취약점은 바로 이러한 변수들을 무차별하게 사용한다는 데 있다.

신적 틀, 이론적 틀, 아비투스, 구조, 문화, 사고방식 등)도 사용하지 않고 있는데, 이러한 개념들의 신뢰성은 다시 순환적으로 그리고 동어반복적으로 그 원인들이 설명하려는 현상들에 의존한다(Boudon, 2013: 104~116).[33]

베버가 자신의 분석에서 이러한 변수들을 결코 사용하지 않았던 것은 그가 이러한 문제점을 의식했기 때문이다. 사회학자는 모든 인간의 행동을 원칙상 이해할 수 있는 것으로 다루어야 한다는 그의 공리는 우리가 모든 인간의 행동을 일상적 합리성의 결과로 생각하도록 만든다. 베버는 이와 함께 인간의 행동을 논쟁의 여지가 많은 개인 성향과 관련된 변수들로 설명하는 것을 피하도록 요청했고, 특히 그 변수들이 불분명한 성격을 지닐 경우에는 인간 행동을 설명하는 변수로 사용되어서는 안 된다고까지 주장했다.

넷째, 방법론적 개인주의와 결합된 일상적 합리성 이론은 개인들의 행위를 공리적 동기를 지닌 합리적 선택이론만으로 설명하려는 유아론적 철학을 넘어선다(Boudon, 2013: 102~103). 일상적 합리성 이론은 사회적 사실에 대한 개인들의 표상과 평가가 그들이 이해하고 있는 합리적 이유들과 접목된 것으로 여기며, 따라서 사회 속의 개인들은 사회현상에 관한 특정한 생각을 공유한다고 전제한다. 그러므로 일상적 합리성 이론은 이기주의를 인간의 지배적 특징으로 생각해야만 한다는 합리적 선택이론의 전제를 부정한다. 이 이론에 따르면, 개인의 행위는 이기적 목적에 의해서도 동기화될 수 있지만 합리적 이유들에 의해서도 동기화될 수 있다. 이때 합리적 이유들이란 행동 주체에 의해 공유될 가치가 있다고 인식된 이유들을 말한다.[34]

---

33 이것에 관해 포퍼(Karl Popper)는 불가사의한 원인에 입각한 사회현상의 설명이 사회과학의 이미지에 커다란 손상을 가져왔다고 강력히 비판했다(Popper, 1976; Boudon, 2013: 73에서 재인용). 그리고 콩트(Auguste Comte)도 『실증철학 강의(Discours sur L'Esprit positif)』에서 몰리에르(Molière)의 작품을 인용하면서 이 점을 지적한다(Comte, 1974). 이러한 불분명한 원인에 입각해 사회현상을 설명하려는 시도는, 결국 사회학이 이제까지 고립되고 불신을 받아온 주된 원인들 중 하나였다.

다섯째, 일상적 합리성 이론은 하버마스(Jürgen Habermas) 이론의 특징인 절차적 이론의 약점을 피할 수 있다(Boudon, 2013: 103~104). 절차적 이론들은 다음과 같은 사실을 가정한다. 즉, 특정한 표상과 평가는 합의의 대상이 되는 절차들에 따라 형성되는 것으로 생각할 수 있는 '경우에만' 구성원들에게 공유될 수 있다는 것이다(Boudon, 2013: 103~104). 그러나 여기서 주목해야 할 사실이 있다. 과학적 표상은 과학자들 사이에 합의의 대상이 되는 절차들에 의해서 형성되지만, 이제까지 우리에게 알려진 과학사는 파레토가 지적했듯이 잘못된 생각들의 무덤으로 점철되어 있다. 하버마스의 주장과는 달리, 특정한 타당한 절차가 그 절차가 가져올 결론의 타당성까지 보장할 수 없는 것이다. 파레토의 경고는 과학적 신념뿐만 아니라 규범적 신념과 가치 합리적 신념에도 적용된다. 게다가 현대사회에서 시민들이 절차적 합리성에 열광하고, 실제적 합리성을 경멸하는 것은 현대사회에서 지배적 영향력을 행사하는 상대주의 철학의 영향력 때문이다. 그러나 긴 안목에서의 합리성은 실질적 합리성뿐이며, 절차적 합리성은 진실에 대한 접근을 촉진할 뿐이다. 진리는 합의의 결과가 아니라 합의가 진리의 산물이기 때문이다(Boudon, 2013: 100).

---

34 이러한 관점에서 보면, 일상적 합리성 이론은 공리주의 전통의 약점을 극복하려고 사회학적 인간이 타인에 대한 배려나 기부 정신에 의해서만 지배된다고 가정할 필요가 없게 된다. 그리고 이 경우 애덤 스미스나 루소(Jean-Jacques Rousseau)가 정의한 공감의 가설에 만족하는 것이 바람직하다. 현실 속에서 사회적 행위를 다룰 때, 우리는 합리적인 것과 감정적인 것을 결합시켜 다룬다. 이 둘을 대립시키는 것은 이분법적인 이데올로기의 특징일 뿐이다. 현실 속에서 특정한 행위자가 느끼는 부정의에 대한 생각이 불러일으키는 감정적 반발은 합리적 근거를 결여했다고 보기 어렵다. 오히려 이것은 일상적 인간의 행위에 감정적인 것과 합리적인 것이 서로 잘 조절되어 있음을 보여주는 반증이다.

4. 합리적 선택이론의 난관과 과제를 넘어서

이상의 논평들을 기초로, 우리는 일상적 합리성 이론의 주요 논지를 다음과 같이 기술할 수 있다. 즉, 특정 개인의 정신 속에 있는 합리적 이유들은 그의 입장 표명, 그가 내리는 결정, 그의 선호뿐만 아니라 그가 가진 규범적·실제적 신념의 원인이라는 것이다. 그리고 표상적·규범적 믿음, 사회적 합의 현상, 중·장기적인 사회적 추세, '죄수의 딜레마'[35]처럼 사회적 상황에 관한 고전적 문제들에 대한 해결책과 개인적 목표들은 합리적인 근거를 가진다는 것이다. 그리고 일상적 합리성 이론이 그 틀 내에서 사회과학과 관련된 다양한 현상들을 설명할 수 있는 효과적인 이론 틀을 제공할 수 있다는 것이다 (Boudon, 2013: 106~108).

이러한 일상적 합리성 이론의 문제 제기는 20년 가까이 표류하고 있는 현대 사회학 이론에 결정적이고도 실천적인 중요성을 지닌다. 최근 몇십 년간 사회과학들이 사용해온 인간 행동에 관한 자연주의적 관점[36]의 설명 틀은 사회현상에 관한 설득력 있는 설명을 제공하려는 사회과학의 역량을 약화시켰으며, 현대사회의 지식인들의 사고를 지배하는 '급진적 상대주의'라는 사상을 정당화시켰기 때문이다(Boudon, 2012b: chap.7). 그 때문에 '인간 행동에 관한 자연주의적 시각'은 민주주의라는 일상적 삶을 크게 훼손시켰는데, 부정적 의미로 심오한 영향을 미친 것이다(Boudon, 2006: 324~325).

부동은 '합리적 선택이론'이 '일상적 합리성 이론'의 특수한 사례로 고려될 수 있다고 본다(Boudon, 2013: 102). 예를 들어, 특정한 결정이 횡단보도를 건너갈 때 좌우를 둘러보는 것과 같은 사소한 믿음만을 담고 있을 때에는 합

---

35 Avinash Dixit and Barry Nalebuff, "Prisonners' Dilemma", *The Concise Encyclopedia of Economics*(Liberty Fund Inc., 2008).

36 인간의 행동을 행동주의, 구조주의, 유물론 등으로 설명하는 시각을 말한다.

리적 선택이론만으로 설명이 가능하다. 그런데 특정한 결정이 설명이 필요한 신념이나 의견들을 담고 있을 때, 합리적 선택이론은 더 이상 작동하지 않는다. 따라서 일상적 합리성 이론의 중요한 역할 중 하나는 합리적 선택이론이 무기력하게 직면해 있는 수많은 문제들을 해결하는 데 도움을 주는 것이다.

예컨대 게임이론은 합리적 선택이론의 공리적 전제에 기반을 두고 있지만, 우리는 게임이론의 틀 속에서는 이 문제에 대한 해결책을 발견할 수 없다. 즉, 게임이론은 거기에 참여하는 행위자에게 이미 결정된 전략을 추천할 능력이 없다는 것이다. '죄수의 딜레마'처럼 의도치 않은 결과를 낳는 고전적 상호작용의 경우도 그러하다. 이러한 상호작용 구조는 수많은 문헌들을 낳았다. 그리고 이러한 구조들은 오랫동안 합리적 선택이론이 가정한 순수한 도구적 합리성의 틀 안에서만 해결책을 찾아왔다. 그런데 위대한 사상가들은 오래전부터 이러한 구조 문제의 해결이 합리적 선택이론의 공리 자체를 포기할 것을 강요한다는 사실을 간파했다. 바로 이런 맥락에서 루소는 후대의 학자들이 '사슴 사냥게임'[37]이라고 명명한, 특정한 혁신만이 구조가 창출한 애매모호한 상황으로부터 탈출시킨다는 사실을 지적했던 것이다. 결국 루소가 제안하는 해결책은 제3의 변수인 게임 규칙을 도입해, 협동의 약속을 배반하는 행위자들을 처벌할 수 있게 만든 것이다. 올슨 역시 다음과 같은 사실을 잘 간파했다. 즉, 조직되지 않은 특정한 이익집단에 도움이 될 집단행동은 원칙상 일어나지 않을 가능성이 크다는 것이다. 행위자들이 '죄수의 딜레마' 함정에 빠져 있기 때문이다. 올슨은 이 딜레마의 문제를 해결하려면 루소의 사

---

37 이것에 관해서는 Boudon and Bourricaud(1981: 478~479)를 참조하기 바란다. 이는 루소의 저서 『인간 불평등 기원론(Discours sur l'origine et les fondements de l'inégalité parmi les hommes)』의 2부에 나오는 이야기로, 원시인들이 일상적으로 토끼 사냥을 해서 생활을 영위하다가, 사슴 사냥을 할 경우 두 원시인 간의 협력을 강제해야만 사슴을 잡을 수 있다는 에피소드를 가리킨다. 이때 각각의 원시인이 옆에 지나가는 토끼 사냥에 열중하면, 사슴을 잡는 일은 영원히 불가능해진다.

낭꾼들처럼 이 사악한 구조를 파괴할 혁신을 생각해야 한다고 주장한 것이다 (Olson, 1978).

한편 일상적 합리성 이론은 사회과학 전체가 공유할 수 있는 특정 문법을 제시함으로써 여러 학문 경계들 사이에 장벽을 낮추는 것을 도와줄 수 있다. 예를 들면 오늘날 사회학자들, 인류학자들, 사회심리학자들, 정치학자들, 경제학자들, 범죄학자들, 그리고 인식론을 연구하는 철학자들은 서로 다른 정신세계에서 살아가는 것처럼 칸막이를 치고 자기 분야에 칩거해 있다. 그런데 이러한 상황은 미래의 시민이자 젊은 인문사회학도들이 앞서 언급한 다양한 학문 영역들 속에서 전문 지식을 배우는 데 방해가 된다. 이러한 학문들 간 장벽은 사회과학의 모든 위대한 사상가들을 불편하게 했지만 오늘날까지도 여전히 특수 직업집단의 이해관계, 이데올로기적인 이해관계 또는 형이상학적인 이해관계 때문에 유지된다(Boudon, 2013: 108~109).[38]

5. 일상적 합리성, 상식, 그리고 민주주의

부동에 따르면, 특정한 생각이 사회적으로 선택되고 그것이 더 이상 거역할 수 없는 것이라는 인상을 줄 때, 이러한 선택 메커니즘은 과학적 사상의

---

[38] 한편 우리가 '일상적 합리성 이론'에 제기할 수 있는 가장 심각한 반대는 이 이론이 너무 주지주의에 치우쳐 있고, 일상적 사회관계에서 열정, 감정적인 것, 폭력, 그리고 일반적으로 비합리적인 것의 역할을 무시한다는 것이다. 그런데 부동에 따르면, 부정의한 감정에 의해서 만들어진 고통도 합리적 이유들을 결여한 것은 아니다. 가장 폭력적인 갈등의 경우도 (거기에는 나 자신과의 갈등도 포함된다) 결국은 가치와 이념에 관련된 것이다. 여기서 부동은 베버가 『종교사회학 논집(Gesammelte Aufsätze zur Religionssoziololgie)』에서 "인간 행위의 지배적이고도 즉각적인 원인은 이념이지 이해관계가 아니다"라고 주장했던 것을 인용한다(Boudon, 2012a: 114에서 재인용).

경우와 마찬가지로 특정한 이념에 대한 합의를 생산해낼 수 있다. 그리고 시민들이 이러한 합의가 더 이상 거역될 수 없다는 사실을 받아들이는 것은, 개별적인 사회 행위자가 양식이나 합리성을 지닌다는 것을 가정한다(Boudon, 2006: 323~324).[39]

수많은 우여곡절을 겪은 후 민주주의가 통치를 위한 가장 훌륭한 체제라는 생각은 사람들 사이에서 정당한 권위를 가지며 자리 잡았다. 이 과정에서 사람들은 다음과 같은 사실을 깨닫게 되었다. 즉, 민주주의 체제가 가장 우수한 통치체제인 이유는 그것이 모두의 인격적 존엄성을 존중하면서 개별 시민들에게 대등한 양의 권력을 보유할 수 있게 하기 때문이며, 민주주의라는 이념 자체는 상식의 존재를 전제한다는 것이다. 결국 민주주의 체제는 다음과 같은 생각을 바탕으로 삼는다. 즉, 모든 사람들은 투표로 자기를 표현할 권리가 있고 시민 개개인은 권력의 유일하면서도 궁극적인 원천이며, 좋은 제도나 방책은 시민이라면 원칙적으로 누구나 동의할 만한 것이어야 한다는 점이다(Boudon, 2006: 327~328).

이러한 주장은 또다시 다음과 같은 사실을 논리적으로 내포한다. 즉, 개별적 시민은 양식을 지니며, 각각의 시민은 다른 모든 시민들도 이런 능력을 가진 것을 인정해야 한다는 것이다. 이렇게 보면 민주주의라는 이념 자체는 '실제로 상식이 존재한다'는 이론적 가정 위에 기반을 두고 있다. 그리고 민주주의는 그 궁극적 기반에서 "양식과 상식이 올바르며, 인간이 넓은 의미에서 합리적이라고 가정"한다(Boudon, 2006: 326). 현재 통용되는 도구적 의미의 합리성 이론들이 어설프게 주장하는 것과 달리, 합리적 선택의 목표 자체는 합리성을 벗어나는 것이기 때문이다. 바로 이 점을 피하기 위해 1960년대에 시

---

39 부동은 『로베르 역사 사전(Robert historique de la langue française)』을 인용하면서, '상식'이라는 개념은 '양식'보다 훨씬 늦게 검증받은 개념으로서 양식이 사람들 전체에게 상식으로 되어가는 경향이 있다는 사실을 언급한다(Boudon, 2006: 323).

작된 새로운 인문사회학[네오 마르크스주의, 네오 프로이디언(neo-freudians)] 등은 인간을 기본적으로 비합리적인 존재로 기술해온 것이다. 즉, 인간이란 자신을 자신의 밖으로 투사하는 힘에 의해 동기부여되며, 이러한 힘들의 영향력 때문에 판단을 할 수 있다는 것이다. 이때 인간의 행동은 양식을 가진 인간의 판단 결과가 아닌데, 앞서 언급한 '양식'이 인간이 본래 가진 편견과 열정 및 이해관계와 갈등을 빚을 수 있기 때문이다.

민주주의 이념에 대한 위의 생각과 상식을 부정하는 인문사회학 사이의 모순은 사회과학 공동체를 지적으로 황폐화시켰다. 그리고 모든 모순이 그러하듯 이러한 모순도 결국 지적 혼란으로 끝났다. 바로 이런 이유 때문에 부동은 '일상적 합리성 이론'을 중심으로 한 '새로운 패러다임의 사회학'(Langlois, 2008)의 창설을 제안하는 것이다. 즉, 일상적 삶 속에서 X에 대해 좋다 또는 정당하다 혹은 나쁘다 등의 모든 평가적 판단을 가능하게 하는, 상식의 지지를 받으며 소명 의식과 합리적 근거에 기반을 두는 새 패러다임의 사회학 정립이 시급하다는 것이다(Boudon, 2012b: 291~293).

그에 따르면, 우리가 현대 민주주의 체제를 이제까지 알려진 가장 훌륭한 정치체제로 당연시한 것은 민주주의 체제가 다음의 세 가지 이유 때문에 시민들을 가장 잘 만족시킬 수 있는 원칙상 가장 훌륭한 체제이기 때문이다. 첫째, 민주주의는 국민에 봉사한다는 목표와 함께 권력은 누구나 평등하다고 생각하는 시민들의 의지에 의존한다는 생각에 기반을 두기 때문이다. 둘째, 민주주의 체제는 시민들이 누구나 대등한 권력을 행사하는 제도적 장치를 확립하려고 노력한다. 셋째, 그 결과 특정한 정책이나 사물의 상태에 대해 주권을 가진 국민들이 의견을 표현할 수 있도록 도와준다(Boudon, 2012b: chap.6). 이러한 민주주의 체제에서, 건전한 상식을 가진 시민이 특정한 정책을 좋거나 나쁘다고 판단할 때, 우리는 그가 열정이나 편견으로부터 자유롭고 개별적 이해관계를 무시할 수 있다고 가정한다. 이 이상적 시민이야말로 바로 합리적 추론에 필수적인 인간으로서, 애덤 스미스가 그의 저서에서 '공정한 관찰자'라고 불렀던 시민이다(Boudon, 2010: 97~98). 이는 장 자크 루소가 '일반 의지'를 말할 때 상식적이라고 가정되는 시민들의 의지이기도 하다(Boudon, 2010: 102~104).[40]

6. 맺는말

앞에서 살펴보았듯이, 현대 민주주의 사회에서 이념의 선택과 합의가 형성되는 메커니즘은 합리적 이유들의 체계를 기초로 실현된다. 그리고 이것은 시민들의 일상적 사고방식의 절차와 전문가들의 과학적 사고방식의 절차 사이에 불연속성이 존재하지 않는다는 것을 가정한다. 물론 일상적 사고가 더 즉흥적이고 통찰력을 추구하는 것이라면 과학적 사고는 더 성찰적이고 더 엄격한 방법론을 추구한다고 말할 수 있다. 그런데 여기서 중요한 것은, 규범적(또는 평가적) 신념과 사실적 자료에 관한 신념들 사이에도 비연속성이 존재하지 않는다는 사실이다. 그러나 이러한 이념의 선택 과정을 거쳐 바르고 진실된 결과가 나오기 위해서는 무엇보다 시민들이 먼저 양식을 공유하고 있어야 한다. 무엇보다도 시민들의 마음속에 상식이 존재해야 한다는 것이다.[41]

이렇게 보면, 민주주의의 기초적 원칙은 상대주의 철학과 양립할 수 없다. 상대주의 철학에 따르면, 선한 것이나 옳은 것은 현실 사회 속 힘의 관계로

---

40 루소에게 '전체의지'란 '공정한 관찰자들'인 개인의 의지와, 자신들의 열정과 이해관계에 복종하는 공정하지 못한 행위자들의 의지를 합산한 구체적 시민들의 의지이다.

41 과학적 이론들의 경우와 마찬가지로, 도덕적 문제를 다루는 이론들도 이러한 일상적 합리성 메커니즘의 검증을 받는다. 이러한 관점에서 보면, 우리는 민주주의 사회가 수많은 주제들과 관련해 진보하고 있음을 관찰할 수 있다. 이때 이러한 진보는 상식의 인도 아래 이념의 선택이 실행된 결과이다(Boudon, 2002).

결정되고 기존의 인문사회학 개념들은 힘의 관계를 은폐하는 기능을 하기 때문이다. 게다가 상대주의 철학의 치명적 약점은 인간이 사회적·문화적·심리학적·생물학적 힘들에 의해 동기부여되는 것으로 보는 '좀비적' 자연주의적 인간관을 가졌다는 데 있다. 그런데 민주주의는 이와는 상반된 다음과 같은 원칙을 기반으로 한다. 즉, 일상적 삶 속에는 개인적 판단과는 관계없이 그 자체로 훌륭한 원칙과 좋은 결론이 존재하며, 이것들은 개인적으로는 양식에 의해, 집단적으로는 상식에 의해 지지를 받는 성향이 있다는 것이다.

결국 지금 우리가 경험하는 민주주의 체제의 위기는 인문사회학의 위기와 서로 밀접하게 연관된다. 따라서 인문사회학이 심각한 위기에 처한 민주주의를 갱생시키는 데 중요한 역할을 하기 위해서는 민주주의 사회의 이념적 기초와 인문사회학 탄생 당시의 소명 의식을 잘 깨닫고 실천하는 것이 가장 시급하다. 인문사회학은 사회를 발전시키고 새로운 문명의 이상을 제시할 이념들을 길어 올릴 저수지 기능을 하기 때문이다. 언론인들의 역할은 이 이념들을 사회 곳곳에 확산시킴으로써 시민들에게 양식을 심어주는 것이며, 정치인들의 역할은 인문사회학에서 영감을 받아 통치 철학을 확립하고 공익이 이루어지는 방향으로 시민들을 계도하는 것이기 때문이다. 그런데 최근 50년간, 특히 1968년 5월 혁명 이후부터 지금까지 인문학은 그러한 기대 수준에 훨씬 못 미쳤을 뿐 아니라 오히려 거기에 역행하는 역할을 해왔다.

그런데 인문사회학이 현 상태에서 확고한 학문적 기반을 갖고 자신의 정상적 역할을 수행하지 못하는 것은, 그것이 심리적·사회문화적·생물학적 힘의 존재를 우선적으로 고려하는 '자연주의적 전제'를 가지고 연구 활동을 하기 때문이다. 여기서 인문사회학이 당면한 논리적 역설은, 이러한 전제가 수학의 공리와 같은 것이기 때문에 우리는 그것이 현실 적실성(適實性)이 있는지 여부를 판단할 수 없다는 것이다(Boudon, 2013).

그러나 사회과학 영역에서 애덤 스미스, 알렉시스 드 토크빌 또는 막스 베버가 지금까지 지속적으로 현실 적실성을 갖는 학자로 살아남을 수 있었던 것은, 이들이 현실주의적 관심과 과학적 윤리를 동시에 준수했기 때문이다. 프랑스같이 민주주의를 개척한 선진국에서 '자유주의'가 모욕적인 단어가 되었다는 사실은, 이 사회에서 반자유주의적 발상의 이론들이 지속적으로 영향력을 행사하고 있다는 확실한 증거이다. 그리고 이 사실은 또한 인문학 영역에서 지식 전달체계가 크게 파괴되었다는 반증이기도 하다. 바로 이러한 사회적 병리 상태가 시민들로 하여금 자유민주주의를 뒷받침하는 철학으로서 자유주의를, 극단적이면서 완벽하게 신화적 성격을 지닌 '경제적 자유주의'와 혼동하게 만드는 것이다. 이 상황을 극복하는 방법은 고전 사회학 전통을 중시하면서, 현대 사회학 이론 등장의 이념적 기초였던 자유주의 사상 전통이 강조하는 현실주의적 관심에 입각해 사회문제를 다루는 것이다. 이것이 바로 인문사회학 연구의 출발점인 일상적 합리성과 상식을 기초로 한 사회학을 하는 것이고, 이러한 유형의 인문사회학이 살아날 때 민주주의를 뒷받침하는 상식과 시민 의식은 더 건강하게 성장할 것이다.

참고문헌

김광기. 2000. 「고프만, 가핑켈, 그리고 근대성」. ≪한국사회학≫, 34(2), 217~239쪽.

김용학. 2010. 『사회연결망 이론』. 박영사.

민문홍. 2008. 「레이몽 부동과 자유주의」. ≪수행인문학≫, 38, 43~78쪽.

_____. 2011. 「자유민주주의의 이념적 기초와 인문사회학의 역할: 한국사회의 이념 갈등 극
복을 위한 사회학적 시론」. ≪사회이론≫, 39, 189~224쪽.

_____. 2012. 「한국사회의 이념적 정체성과 자유민주주의: 사회통합을 위한 자유 민주주의
이념의 재구성」. ≪사회이론≫, 42, 241~274쪽.

부동, 레이몽(Raymond Boudon). 2011. 『사회변동과 사회학』. 민문홍 옮김. 한길사.

송호근 외. 2004. 『한국사회의 연결망 연구』. 서울대학교 출판부.

올슨, 맨커(Mancur Olson). 2013. 『집단행동의 논리』. 최광·이성규 옮김. 한국문화사.

최종렬. 2011. 「대면적 상호작용에서 여성의 '성스러운 게임': 고프만의 시각에서」. ≪사회이
론≫, 39, 3~34쪽.

Assogba, Y. 1999. *La Sociologie de Raymond Boudon*. Paris/Québec: PUL/L'Harmattan.

Becker, G. 1996. *Accounting for Tastes*. Cambridge: Harvard University Press.

Boudon, R. 1973(2009). *L'Inégalité des chances*. Paris: Hachette, 'Pluriel'.

_____. 1979(2009). *La Logique du social*. Paris: Hachette.

_____. 1984. *La Place du désordre. Critique des théories du changement social*. Paris: PUF.

_____. 1986. *L'idéologie ou l'origine des idées reçues*. Paris: Fayard.

_____. 1988. *L'Art de se persuader*. Paris: Fayard.

_____. 1995. *Le Juste et le Vrai. Essais sur l'objectivité des valeurs et de la connaissance*.
Paris: Fayard/Hachettet.

_____. 1998. *Etudes sur les Sociologues Classiques*, Vol.I. Paris: PUF.

_____. 1999. *Le Sens des valeurs*. Paris: PUF.

_____. 2000. *Etudes sur les Sociologues Classiques*, Vol.II. Paris: PUF.

_____. 2002. *Déclin de la morale? Déclin des valeurs?* Paris: PUF.

_____. 2003a. *Raison, bonnes raisons*. Paris: PUF.

_____. 2003b. "Beyond rational choice theory." *Annual Review of Sociology*, 29, pp.1~21.

_____. 2004. *Pourquoi les intellectuels français n'aiment pas le libéralisme?* Paris: O. Jacob.

_____. 2005. *Tocqueville aujourd'hui*. Paris: O. Jacob.

_____. 2006. *Renouveler la démocratie: éloge du sens commun*. Paris: O. Jacob.

_____. 2007. *Essais sur la théorie générale de la rationalité*. Paris: PUF, 'Quadrige'.

_____. 2008. *Le Relativisme*. Paris: PUF, 'Que sais-je?'.

_____. 2009. *La Rationalité*. Paris: PUF, 'Que sais-je?'.

_____. 2010. *La Sociologie comme science*. Paris: La Découverte.

_____ (direction). 2011. *Durkheim: Fut-Il Durkheimien?* Paris: Armand Colin.

_____. 2012a. *La Rationalité*. Paris: PUF.

_____. 2012b. *Croire et Savoir*. Paris: PUF.

_____. 2013. *Le Rouet de Montaigne: Une Théorie du Croire*. Paris: Hermann.

Boudon, R. and F. Bourricaud. 1981. *Dictionaire critiqe de la sociologie*. Paris: PUF.

Boudon, R. and R. Fillieule. 2002. *Les méthodes en sociologie*, 12nd ed. Paris: PUF, 'Que-sais-je?'.

Bourdieu, P. and J. C. Passeron. 1970. *La Reproduction*. Paris: Minuit.

Bourdieu, P., J. C. Chamboredon and J. C. Passeron. 1973. *Le métier du sociologue*. Paris: Mouton.

Cherkaoui, M. and P. Hamilton(eds.). 2009. *Raymond Boudon: A life in Sociology − Essays in Honour of Raymond Boudon*, 4 volumes. Oxford: Bardwell.

Coleman, J. 1990. *Foundations of Social Theory*. Cambridge, London: Harvard University Press.

Comte, A. 1974(1844). *Discours sur l'esprit positif*. Paris: J. Vrin.

Hamlin, C. 2002. *Beyond Relativism, Raymond Boudon Cognitive Sociology*. Londres/New York: Routledge.

Langlois, S. 2008. "Trente ans de sociologie en France." *Commentaire*, 31(121), pp.349~359 ["The PUF Sociologies series: A major source of scientific knowledge in contemporary sociology." in M. Cherkaoui and P. Hamilton(eds.). *Raymond Boudon: A life in Sociology*, Essays in Honour of Raymond Boudon, Vol.IV. Oxford: Bardwell. pp.261~282].

Liberman, K. 2013. *More Studies in Ethnomethodology*. New York: Suny Press.

Michels, R. 1971(1911). *Les Partis Politiques: Essais sur les tendances oligarchiques des démocraties*. Paris: Flammarion.

Olson, M. 1978(1971). *La logique de l'action collective*. Paris: PUF.

Popper, K. 1976. "The Myth of The Framework." in E. Freeman(ed.). *Abdication of*

Philosophy: Philosophy and the Public Good. Open Court.

Prell, C. 2011. *Social Network Analysis*. Sage.

Russel, B. 1954. *Human Society in Ethics and Politics*. London: Allen & Unwin.

Simon, H. et al. 1983. *Economics, Bounded Rationality and the Cognitive Revolution*. Aldershot(U.K.): Edward Elgar.

Vautier, C. 2002. *Raymond Boudon, Vie, Œuvres, Concepts*. Paris: Ellipses.

10

조지 리처의 맥도날드화된 사회와 소비 세계

정헌주

1. 머리말

현대사회를 지칭하는 용어는 무수히 많다. 프랑크푸르트 학파의 '대중사회', 대니얼 벨(Daniel Bell)의 '탈산업사회', 장 보드리야르(Jean Baudrillard)의 '포스트모던 사회', 울리히 벡(Ulrich Beck)의 '위험사회', 존 어리(John Urry)의 '탈조직자본주의 사회', 그리고 '지구사회' 등 많은 사회학자들이 저마다 다양한 용어로 현대사회를 부르고 있다. 이 중 다수는 우리에게 친숙하고 한때 지성계를 풍미하기도 했으며 지금도 자주 언급된다. 이러한 담론들이 모두 현대사회의 특징과 모순의 정곡을 파헤치는 유용한 통찰을 제공한다는 점은 부정할 수 없는 사실임에도, 대부분은 일부 식자층이나 관심 있는 학생들을 중심으로 회자되고 일반 대중에게 잘 읽혀지지 않는 것이 사실이다. 그중 한 가지 이유는 이들이 사용하는 어휘의 상당 부분이 대중에게는 친숙하지 않은 추상적 용어나 전문적인 학술적 용어로 이루어져 있고, 또 이들의 저작이 이해하기 힘든 난해한 문장들로 쓰인 경우가 많은 데 있다.

이와 달리 조지 리처(George Ritzer)는 현대사회를 '맥도날드화(Mcdonaldiza-tion) 사회'로 지칭한다. '맥도날드' 하면 누구나 햄버거, 패스트푸드를 연상하지 아무도 그것을 전문 학술 용어나 사회 원리로 이해하지 않는다. 책을 들여다봐도 햄버거 얘기밖에 없고, 책장을 넘기면 디즈니랜드, 쇼핑몰 이야기로 전개된다. 책 중간에는 어떤 전문적인 용어도 나오지 않고 잘 모르는 학자가 거론되지도 않는다. 물론 시시콜콜한 얘기들만 들어 있다면 판을 거듭해서 출간되지도 않았을 것이고, 개정판이 나오지도 않았을 것이다. 한마디로 그 안에는 심오한 사회 원리, 현대사회의 암울함이 들어 있다. 그렇다고 비극적인 전망으로 끝나는 것도 아니다. 리처는 전문용어를 구사하지 않고서도 사람들이 늘 먹는 햄버거 하나로 사회 원리를 밝혀내는 통찰력을 발휘함으로써 사회학이 대중에게 다가갈 수 있는 길이 무엇인지를 보여준다. 리처의 통찰은 맥도날드화에서 머물지 않고 우리의 일상생활을 지배하는 소비 세계, 나아가 지구화와 맥도날드화의 관계처럼 현대사회를 특징짓는 일상적인 주제, 예컨대 디즈니랜드, 라스베이거스 같은 화두를 통해 우리 사회의 현실을 파헤친다. 이 글은 리처의 맥도날드화 테제에 대해 살펴보고, 이러한 맥도날드화가 소비 세계, 나아가 지구화에 어떻게 작용하는지를 살펴보도록 한다.

2. 죽은 사회학에서 살아 있는 사회학으로

리처는 지금껏 사회학이나 사회이론이 일반 독자층이 관심을 가지고 쉽게 접근할 수 있는 현상에 제대로 적용되지 못한 점을 통렬히 비난한다. 그는 지금까지 사회학이 메타이론이나 추상적 개념에 몰두해 사회학을 전문으로 하는 학자들만이 관심을 갖거나 접근할 수 있었고, 그로 인해 일반 독자층들로부터 점점 멀어지게 되었다고 판단했다. 리처는 사회학이 일반 독자들에게 가까이 다가가야 하고 또 그들에게 구체적인 이슈와 관련해 공론적인 대화의 장을 제공해야 한다고 주장한다. 그러나 불행하게도 지금의 현실은 이러한 시도가 극히 미미하고, 특히 미국에서는 대중의 눈에 띄는 사회학자가 거의 없을 뿐만 아니라 대중들에게 널리 읽히는 사회학적 저작이 거의 없다는 사실에 개탄한다. 리처는 사회학자들이 굳이 베스트셀러를 쓸 필요는 없지만, 최소한 전문 사회학을 넘어 일반 대중들에게 널리 읽혀지고 영향을 미칠 수 있는 책을 써야 한다고 주장한다(리처, 2007: 서문).

그래서 리처는 메타이론이나 추상적 개념에 머물지 않고 경험적 현상을 사회이론에 접목시키려 노력한다. 맥도날드화 테제도 바로 이러한 선상에서 나온 것이다. 이와 관련해 리처는 소비 영역으로 관심을 확장한다. 소비 영역 이야말로 우리가 일상적으로 겪는 경험의 장이기 때문이다. 그런데 리처는 일반 독자들의 관심이 소비 영역에 있는 데 반해 미국의 사회학은 일반적으로 소비의 사회학과 관련된 분야에 대한 저술을 회피해왔다고 주장한다. 그 이유 중 하나는 미국의 주류 사회학이 소비에 관한 책을 사회계층과 같은 전통적인 사회학적 주제들에 비해 '지엽적인' 것으로 치부한 데 있다. 일반적으로 20세기 중반까지만 해도 생산과 관련된 저작이 지배적이었던 반면 소비 분야에서의 비슷한 저작은 기껏해야 보충적인 것으로 치부되었다. 일찍이 19세기에 소비에 주목한 베블런(Thorstein Veblen)도 학계의 주목을 끌지 못했고, 20세기 후반 보드리야르에 와서야 소비 패러다임으로의 전환이 본격적으로 이루어졌지만 이후로도 소비에 관한 저술이 지배적인 담론으로 자리 잡지는 못했다. 그래서 쇼핑몰이나 디즈니월드나 라스베이거스에 대한 책은 사회학자들에게 전통적으로 자동차 공장 같은 것보다 덜 중요한 것으로 인식되었다. 실제로 리처는 공장에 대한 책은 많지만 쇼핑몰에 대한 책은 매우 적다고 지적한다(리처, 2007: 14~15). 사람들이 실제로는 공장보다 쇼핑몰에서 더 많은 시간을 소비하고 또 소비 활동에 더 큰 관심을 보이는데도, 소비와 관련된 이슈를 다룬 저작이 거의 없는 탓에 사회학자들은 대중에게 가까이 다가가지 못했다는 것이다.

리처는 지금은 메릴랜드 대학교 사회학과 교수로 재직하고 있는데, 그가 처음부터 사회학을 전공한 것은 아니었다. 그의 첫 대학 생활은 1962년에 뉴욕 시티 칼리지(City College of New York)에서 회계학을 전공하는 것으로 시작했다. 대학을 졸업한 후에는 미시간 대학교에서 MBA 과정을 거쳤고, 코넬 대학교에서 받은 박사 학위논문은 노사 관계를 주제로 한 것이었다. 이처럼 통상적인 관점에서 보면 리처는 정통파 사회학자가 아니다. 리처는 정식으로 사회학을 공부하지는 않았다. 그가 사회학을 접한 것은 순전히 독학을 통해서였다. 하지만 이러한 학문적 배경이 리처가 사회이론에 몰두하지 않고 현대사회의 특징인 소비 현상을 맥도날드화라는 독특한 테제로 파악하는 밑거름이 되었는지도 모른다. 리처는 맥도날드화 테제를 낳은 『맥도날드 그리고 맥도날드화(Mcdonaldization of Society)』[1]라는 저서로 일약 부각을 받으며 현대의 주목받는 사회학자의 반열에 올라섰지만 그의 이론적 업적은 고전 사회학에서 현대 사회학에 이르는 사회이론의 흐름에 대한 주도면밀한 탐색을 거친 결과이다.

이후 리처는 소비와 관련된 많은 저작을 남겼는데, 소비 영역이야말로 일상생활 영역이기 때문이다. 『미국의 표상: 글로벌 신용사회 비판(Expressing America: a critique of the global credit card society)』(1995), 『각성된 세계 미혹하기: 소비수단의 대변화(Enchanting a disenchanted world: revolutionizing the means of consumption)』(1999) 등을 비롯해 다수의 논문을 발표했다. 2001년에 발간된 『소비사회학의 탐색(The Consideration of the Sociology of

---

1 이 책은 1993년에 초판이 출간되고 3년 뒤인 1996년에 개정판이, 그리고 2000년에 초판의 내용을 확장한 뉴센추리판이 출간되었다. 우리나라에서는 1999년에 『맥도날드 그리고 맥도날드화』라는 제목으로 번역·소개되었고, 뉴센추리판은 2004년에 번역·출간되었다.

Consumption)』은 그동안 저술해온 맥도날드화를 비롯해 소비 관련 저작의 핵심적인 부분을 축약해놓았기 때문에 리처의 학문 세계를 이해하는 데 상당한 도움이 될 것이다.[2] 이 책은 같은 해에 발간된 『사회학 이론의 탐색(The Consideration of the Sociological Theory)』과 짝을 이루는 저서로서, 단순히 기존 저작의 핵심 내용을 축약하는 데 그치지 않고 경험적 사실과 사회이론을 접목시키려는 노력을 엿볼 수 있다. 리처가 소비에 관해 다수의 저술을 발표한 것은 리처 자신의 관심이 이동해서가 아니라 소비 현상을 맥도날드화의 연장선상에서 파악했기 때문이다.

21세기 들어 리처는 『허상의 지구화 1, 2(The Globalization of Nothing 1, 2)』(2004, 2007), 『블랙웰 지구화 시리즈(The Blackwell Companion to Globaliza-tion)』(2007), 『지구화의 기초(Globalization: A Basic Text)』(2010) 등의 저서에서 알 수 있듯이 세계화에 관련된 많은 저술을 발표한다. 리처에게 세계화는 국가, 다국적기업 등과 같은 거시적 행위자들 사이에서 이루어지는 우리와 동떨어진 과정이 아니라 우리가 늘 행하는 소비생활 속에서 이루어지는 것이다. 이처럼 맥도날드화에서 소비, 세계화로 이어지는 리처의 이론적 지평은 단절된 것이 아니라 확대·발전된 것이며 우리의 일상생활 경험을 토대로 한다.

3. 맥도날드화 테제

리처가 사회학계는 물론 일반 대중에게 주목받는 사회학자로 평가된 계기가 맥도날드화 테제라는 것은 주지의 사실이다. 우리는 '맥도날드' 하면 햄버

---

2 이 저작은 2007년에 『소비사회학의 탐색』이라는 제목으로 번역·소개되었다.

거를 떠올리고 좀 더 확장해봐야 패스트푸드의 상징쯤으로 여긴다. 한발 더 나아가 그것을 사회학적으로 문제시하는 경우에도 대개는 패스트푸드가 영양에 미치는 부정적 효과에 관한 이야기 정도에 그친다. 이런 정도의 이야기는 매스컴을 통해서도 자주 들려오곤 한다. 리처는 이를 넘어 현대사회에서 작동하는 사회적 원리를 밝혀내는 사회적 상상력을 발휘한 것이다. 리처가 주목을 받는 것은 그러한 사회적 원리를 밝혀내는 데 추상적인 용어를 사용하지 않고 – 베버(Max Weber)의 '합리화' 같은 – 사람들이 늘 애용하는 맥도날드 햄버거에 빗대어 '맥도날드화'라는 단어를 사용했기 때문이다. 리처는 그간 사회학이 대중에게서 멀어진 이유를 사회학이 바로 이러한 추상적인 용어에 매몰되었기 때문이라고 평가한다. 만일 리처가 합리화 또는 다른 추상적인 용어를 사용했다면 일부 식자층을 제외하고 큰 주목을 받지 못했을 것이다.

그렇다고 '맥도날드화'가 대중의 관심을 끌기 위한 인기 영합적인 용어는 아니다. 대중의 관심을 끌기 위한 것이라면 맥도날드 외에도 코카콜라, 나이키, 스타벅스 등 무수히 많다. 그러나 리처에 따르면, 이러한 것들은 맥도날드만큼 우리 일상생활에 혁명적 변화를 일으키지 못했다. 코카콜라와 같은 세계적 브랜드도 세계화의 첨병으로서 일상생활에 제법 변화를 가져다준 것이 사실이지만 맥도날드만큼 일상생활의 원리를 혁명적으로 변화시키지는 못했기 때문이다.

리처에 따르면, 패스트푸드 레스토랑은 최근 수십 년 동안 우리 사회가 겪은 몇몇 핵심적 측면들을 상징한다. 즉, 맥도날드 매장은 그러한 측면들을 응축적으로 집약한 곳이다. 리처가 관심을 기울이는 것은 맥도날드 매장과 그곳에서의 식사 경험이 사회 전반에 일정 정도 투영되고 있다는 사실이다. 리처는 "패스트푸드 레스토랑의 원리가 미국 사회 전반은 물론 전 세계적으로 확산되어 현대인의 생활 방식을 지배해가는 과정의 전형"(리처, 2004)이라고 주장한다. 요컨대 리처는 교육, 스포츠, 정치, 종교를 포함한 모든 사회제도가 맥도날드화 원리를 채택하고 있음을 실증적으로 보여주려고 한다(마일스, 2003: 161). 리처는 맥도날드화 테제를 현대사회의 사회적 생활 방식이 어떻게 변모하는지를 탐구하기 위한 시도로 파악한다. '맥도날드' 하면 척척 돌아가는 기기, 분 단위로 딱 맞춰 나오는 햄버거, 싼 가격에 풍성하게 나온 음식을 먹고 나가는 활기찬 도시인을 연상하게 된다. 리처는 이렇게 정확하고 편리하게 돌아가는 맥도날드가 알고 보면 인간을 더 황폐하게 만든다고 주장한다.

맥도날드화는 현대사회의 대표적 사조들인 기술주의, 합리주의, 관료제화, 소비주의 등이 결합되어 사회의 시스템에 지대한 영향을 미치는 현상을 가리킨다. 맥도날드화는 미국을 대표하는 패스트푸드 레스토랑 체인점 맥도날드가 미국식 햄버거 맛을 세계 곳곳에 확산시켜 음식의 지구화를 추구하는 데 그치지 않는다. 그것은 패스트푸드 식당을 대표하는 맥도날드 매장의 운영 원리가 근대 이래 서구가 추구해온 합리화를 소비 영역으로까지 끌어들여 현대인의 사고방식, 행동양식, 생활양식을 근본적으로 바꾸어놓는 제도적·실천적 과정이며, 궁극적으로 인간의 정신에 영향을 미치는 세계관을 형성한다(리처, 2004; 김선일, 2012: 8).

1) 맥도날드화의 네 가지 원리

맥도날드가 성공하게 된 것은 바로 간편함 때문이다. 맥도날드가 갖는 매혹적인 요소를 리처는 다음 네 가지로 꼽는다. 첫째, 효율성(efficiency)이다. 맥도날드는 소비자에게 배고픈 상태에서 벗어나 포만감을 안겨주는 최선의 방법을 제공한다. 둘째, 계산 가능성(calculation)이다. 맥도날드에서는 주문한 음식이 몇 분 만에 나올지, 양이 얼마나 될지, 돈이 얼마가 들지 정확히 짐작할 수 있다. 셋째, 예측 가능성(predictability)이다. 우리는 베이징의 맥도날드에서든, 파리의 맥도날드에서든 같은 음식이 나온다는 걸 알고 있다. 생산과정의 엄격한 표준화로 인한 결과다. 넷째, 자동화를 통한 통제(control)다. 패스트푸드 레스토랑에서는 종업원은 물론 고객까지도 통제를 받는다.

(1) 효율성

효율성이란 주어진 목표를 달성하기 위해 최적 수단을 추구하는 것이다(리처, 2004: 44). 효율성 개념은 20세기 초 미국에서 프레더릭 테일러(Frederick Taylor)가 자신이 운영하는 회사에서 생산성을 높이려고 재료와 노동력을 낭비 없이 효과적으로 사용하기 위한 이른바 '시간 동작 연구(Time and Motion Study)'를 실행하고 이를 생산 현장에 직접 이행함으로써 생산의 극대화를 추구한 데서 유래한다. 테일러는 지금까지의 주먹구구식 노동자 관리의 비효율성을 간파하고 노동자의 행동과 동선을 과학적으로 분석해 이를 합리적으로 배치함으로써 불필요한 동작을 제거한 자신의 방법을 이른바 '과학적 관리 (scientific management)'라 불렀다. 이러한 방법이 생산 현장에 널리 보급되어 실제로 자본의 성장에 상당한 기여를 하면서 테일러주의(Taylorism)라는 명칭으로 공식화되었다.

테일러는 효율성을 증대하기 위해 몇 가지 원칙을 도입했다. 첫째, 절차의 간소화이다. 테일러의 '시간 동작 연구'는 모든 규칙을 명문화하고, 각자에게 역할을 부여함으로써 불필요한 행동을 제거하는 데 주력했다. 이로써 제품의 표준화를 달성하려고 노력했다. 리처는 이러한 효율성의 원리가 생산 현장을 넘어 소비 현장에도 적용되고 있음을 간파했다. 테일러가 생산 현장에서 시간과 자원의 낭비를 줄이고 생산성을 극대화하려 했듯이, 맥도날드 매장도 창립 때부터 이미 재료의 공급, 조리, 주문에 이르는 모든 과정을 간소화하는 방법을 고안해냈다. 재료는 미리 조리해 준비된 상자에 보관해두었다가 손님이 주문하는 즉시 전자레인지에 데워 즉석에서 제공하고, 먹은 음식의 찌꺼기와 용기는 손님이 직접 쓰레기통에 버리게 하는 등 모든 과정의 시간을 절약하는 지혜(?)를 발휘했다(리처, 2004: 91~113).

둘째, 제품의 단순화이다. 맥도날드 매장에서는 음식의 조리부터 식사 절차에 이르기까지 모든 행위가 단순화된다. 메뉴는 한정되어 있으며, 주어진 조리법에 따라 누구든지 조리할 수 있도록 간편화되어 숙련노동자를 필요로 하지 않기 때문에 언제든 교체 가능한 미숙련노동력을 활용한다. 먹는 절차도 간편해 모든 음식은 손으로 집어 먹도록 되어 있고 포크나 나이프 같은 식사 도구도 필요 없으며, 음식은 종이나 일회용 용기에 담겨 있어 그냥 폐기하면 된다. 또한 매장에서 일어나는 모든 행위는 소비자에게 전가된다. 음식이 담긴 식판을 건네받는 순간 그 이후의 과정은 모두 소비자의 몫이다. 냅킨을 집어 드는 것부터 음료를 리필하는 것, 식사 후 쓰레기와 용기를 버리는 것 모두 소비자가 직접 해야 한다(리처, 2004: 113~123). 이로써 맥도날드는 상당한 비용 절감을 하게 된다. 이러한 효율성의 원리가 패스트푸드 레스토랑에만 국한되지 않고 교육, 의료 등 모든 사회 영역으로 확산되는 것이다.

(2) 계산 가능성

계산 가능성은 제품과 서비스에 이르는 모든 과정을 수량적으로 측정하고 평가하는 것이다. 제품의 질보다는 얼마나 많은 양을 신속하게 생산하느냐가 중요하다. 또한 제품의 가격은 제품의 질이 아니라 양에 따라 정해진다. 이를테면 맥도날드 매장에서 햄버거나 스테이크는 크기나 무게에 따라 비교된다. 그뿐만 아니라 맥도날드는 '지방 측정기'를 개발해 햄버거에 포함된 지방 함유량도 균일하게 유지하며 자동 음료기에서 버튼을 누르면 나오는 음료는 컵마다 한 방울의 오차 없이 일정한 양을 유지한다(리처, 2004: 151). 또한 종업원의 모든 업무를 계량화해 신속한 행동으로 시간을 절약하고 종업원 1인당

매출과 수익을 대조하는 등 모든 측면을 수리적 합리성으로 환원한다. 이 같은 수량화는 기업에게는 막대한 이익을 가져다주지만 종업원과 소비자에게 돌아오는 것은 저임금과 질 낮은 제품이다.

(3) 예측 가능성

이 원리는 어떤 제품과 서비스가 언제 어디서나, 즉 시간과 공간을 초월해 동일하다는 확신을 가지게 하는 것이다. 정보화·지구화가 진행되면서 사람들은 끊임없이 이동하며, 이동의 범위가 넓어지면서 항상 새로운 것과 마주치게 되었다. 또한 고정된 시간 속에 생활하는 것이 아니라 시간의 흐름 속에서 우리 주위의 모든 것이 끊임없이 변화한다. 그리하여 현대인은 이러한 불확실성 속에서 항상 새로운 것과 마주쳐야 하는 불안 속에 살고 있다. 한마디로 현대사회는 불확실성의 사회이다. 맥도날드는 이러한 불확실성을 깨끗하게 제거해버린다. 즉, 맥도날드 매장에 들어서면 모든 것이 예측 가능하다. 이처럼 예측 가능성을 가능하게 한 것은 표준화이다. 어느 매장에 가더라도 인테리어, 조리 기기, 종업원의 복장, 조리법, 메뉴, 가격, 맛 등 모든 것이 표준화되어 있다. 또한 손님을 맞이하는 종업원의 서비스도 한결같다. 이러한 예측 가능성 때문에 우리는 서울에 있든 런던에 있든 나이로비에 있든 안심하고 맥도날드 레스토랑을 찾게 된다.

예측 가능성의 원리는 표준화를 바탕으로 하는데, 이는 원래 효율성을 극대화하기 위한 자본주의적 생산과정에서 도입되었다. '시간 동작 연구'를 통해 작업을 표준화한 테일러주의, 기계에 의한 노동의 실질적 포섭을 달성한 포드주의(Fordism)가 그 전형이고 이로 인해 고도의 근대화를 달성할 수 있었다. 맥도날드 매장에서는 이러한 생산의 표준화 원리가 고스란히 드러나며, 이러한 원리는 맥도날드 매장을 넘어 모든 소비 영역에 침투하고 있다.

(4) 통제

통제의 원리는 맥도날드 매장 내에서 이루어지는 서비스의 불확실성을 줄이기 위한 것이다. 고객은 매장에 들어설 때 제품에 대한 불확실성뿐만 아니라 서비스에 대해서도 의구심을 가진다. 맥도날드 매장에서는 그런 불확실성이 말끔히 사라진다. 맥도날드 매장에는 요리사가 없다. 모든 음식은 공장에서 기계화된 로봇에 의해 미리 만들어져서 각 매장에 배달된다. 물론 포장도 미리 되어 있다. 따라서 어느 매장에 가도 요리사에 대한 불확실성이 제거되어 손님은 안심하고 음식을 먹어도 된다.

서비스의 불확실성을 제거하기 위해 도입된 것이 무인 기술이다. 맥도날드 매장 내에서는 모든 것이 무인 기술에 의해 제공된다. 자동 음료 공급기, 자동 감자튀김기에다가 냅킨도 버튼을 누르면 한 장씩 나온다. 이러한 무인 기술은 종업원의 노동을 통제할 뿐만 아니라 고객의 행동도 통제한다. 이처럼 맥도날드 매장에서는 모든 것이 통제된다. 즉, 종업원이든 고객이든 자율적으로 행동할 수 있는 여지가 없다. 노동의 자율성을 상실케 한 포드주의의 컨베이어 벨트는 노동자만 통제했지만 맥도날드화의 무인 기술은 종업원은 물론 고객까지도 통제한다. 이러한 맥도날드화 원리는 맥도날드 매장을 넘어 모든 소비 영역, 나아가 모든 일상생활 영역에 침투하고 있다.

사실 리처가 맥도날드화에서 강조하는 것은 마지막에 등장하는 통제이다. 현대사회에서 기술의 발달은 인간에게 자유를 가져다준 것으로 여겨진다. 생산기술의 발달로 대량생산이 이루어지면서 인간은 물질적 결핍에서 해방되었고, 교통기술의 발달은 높은 산, 험준한 계곡, 넓은 바다 등 인간의 이동을 가로막던 자연의 장벽을 극복해 인간에게 이동의 자유를 가져다주었다. 또한 정보통신기술의 발달로 지구 반대편에 있는 사람까지도 실시간으로 자유롭게 소통하게 되었다. 더욱이 우주 항공 기술의 발달로 인해 자유롭게 우주를 여행할 날도 머지않아 실현될 것이다. 이처럼 기술의 발달은 비록 부(富)에 의해 제약을 받지만 기술 발달에 의해 자유를 누리는 사람의 수는 계속 늘어나고 있다.

하지만 빛이 있으면 그늘도 있는 법이다. 생산기술의 발달은 생산성과 효율성이라는 자본주의 원리를 기치로 생산의 표준화에 몰두했다. 포드주의 시스템은 이러한 목표를 실현해 마침내 노동자의 모든 자율성을 제거하고 노동자를 생산과정에서 소외시켰다. 마르크스가 말한 실질적 포섭의 완성 단계에 도달한 것이다. 리처는 소비 영역에서도 인간 자율성 상실을 간파했다. 현대의 소비 장소는 맥도날드화된 공간처럼 보이지 않는 규칙과 무인 기술로 가득 차 있다. 그곳은 비장소이며, 온갖 허상(nothing: 비물질, 비사람, 비서비스)으로 가득 차 있는 것이다(Ritzer, 2004, 2007).[3]

2) 합리성의 비합리성

맥도날드화가 기초로 하는 것은 바로 합리화인데, 리처는 그 과정에서 비합리적 요소를 동시에 수반한다고 본다. 베버는 바로 이러한 합리화 원리의 진전을 전통 사회와 근대사회를 구분하는 기준으로 본다. 베버에 따르면 전통 사회는 주술 사회이다. 주술은 불확실성을 제거하기 위해 초인간적인 힘에 의존하는 것이다. 이러한 초인간적 힘을 이용하는 것이 마법이다. 이러한 마법에 홀릴수록 인간은 불확실성에서 벗어난다고 믿는다. 거기에는 오로지 믿음만 있다. 그러나 주술의 결과는 균일하지 않다. 즉, 예측·계산·통제가 불가능하다. 요컨대 비합리적이라는 것이다. 고로 베버에 따르면, 근대사회(modern society)는 '주술에서 벗어나는(disenchanting)' 사회이다. 베버는 이러한 합리적 사고가 자본주의 사회를 잉태했고 자본주의의 발전은 합리화가 고

---

3 이것에 관해서는 다음 절에서 자세하게 설명할 것이다.

도화된 사회로 보았다. 모든 것이 합리적 원칙에 의해 작동되는 사회를 베버는 '쇠 우리(iron cage)'로 묘사하며 그 속의 개인은 자율성을 상실한 채 스스로 쇠 우리를 벗어날 수 없다고 주장한다. 요컨대 근대적 합리화의 진전은 인간의 자율성을 통제하는 억압적인 결과를 낳게 된다.

리처 역시 베버의 논지와 유사하게 맥도날드화가 추구하는 합리화가 오히려 비합리적 결과를 초래하는 역설을 낳는다고 주장한다. 맥도날드 매장은 비용을 절감하기 위해 조리법에서 서비스에 이르기까지 모든 과정을 간소화한다. 공간의 효율성을 위해 종업원은 물론 소비자의 동선까지 최소화하는 좁은 통로를 만들고 음식 주문에서 서비스, 남은 음식물 폐기까지 일련의 동작을 소비자가 직접 하도록 만드는 등 테일러주의 방식을 철저히 따른다. 심지어 고객의 회전율을 높이기 위해 매장에 오래 머물러 있지 못하도록 좌석을 불편하게 설계한다. 이로써 맥도날드 회사는 막대한 이윤을 올리게 된다. 그러나 고객의 입장에서 보면, 불편한 자리에 앉아서 싼 음식을 먹고 나온 결과가 된다. 게다가 영양의 관점에서 보면 오히려 손해이다.

3) 맥도날드화와 비인간화

리처는 맥도날드화가 낳는 합리성의 비합리성이 비인간화와 직결된다고 지적한다. 즉, 맥도날드화를 비합리적인 것으로, 궁극적으로는 비이성적인 것으로 간주하는 이유는 맥도날드화가 주로 반인간적이거나 심지어 인간을 파괴하기도 하는 비인간적 체계로 나아가기 때문이다(리처, 2004: 242~247; 2007: 67~76). 이는 베버가 합리화의 진전을 인간이 쇠 우리에 갇힌 것으로 묘사한 것과 같은 맥락이다. 베버는 그러한 현상을 관료화라는 담론으로 설명하면서 합리화의 진전을 근대사회의 주요한 특징으로 보았다. 베버가 말하는 관료화는 관료 조직을 비롯한 기업 조직, 나아가 사회의 모든 조직으로 확산된다. 그러므로 어떤 식으로든 조직에 편입된 경우에 한해서 이루어지는 과정이다. 반면에 리처가 말하는 맥도날드화는 합리화 측면에서 관료제화와 동일하지만 맥도날드 패스트푸드 레스토랑을 비롯한 모든 소비 영역으로 확산된다는 차이점이 있다. 소비 영역은 남녀노소를 불문하고 우리가 매일같이 활동하는 영역이다. 우리는 매일 소비를 하면서 살아가기 때문이다. 따라서 우리 일상생활의 모든 영역, 즉 교육, 의료 심지어 교회까지 맥도날드화가 이루어진다는 것이다.

문제는 이러한 맥도날드화가 비합리성을 넘어 비인간화를 수반한다는 데 있다. 쉽게 말해 맥도날드화가 우리에게 이득을 주기보다는 해를 끼친다는 것이다. 이러한 사례는 곳곳에서 드러난다.

무엇보다도 맥도날드화는 사람들의 건강을 해치고 심지어 생명까지 위협할 수 있다. 한 가지 예로, 패스트푸드 레스토랑에서 만들어지는 음식의 내용물에는 신체에 해로운 지방, 콜레스테롤, 소금, 설탕 등이 다량 함유되어 있다. 일부 패스트푸드 식당은 프렌치프라이를 쇠기름으로 튀기지 않고, 콜레스테롤이 적은 식물성 기름을 사용한다. 이렇듯 일부 음식점들은 점점 높아지는 건강에 대한 관심을 고려하기 시작했지만, 맥도날드의 대표적인 메뉴인 빅맥과 프라이와 셰이크에는 여전히 소금, 설탕, 지방이 많이 들어 있고 열량은 1000칼로리가 넘는다. 최근 점점 더 크기와 양을 강조하는 추세는 문제를 증대시킬 뿐이다. 이를테면 버거킹의 더블 치즈 와퍼 하나만 해도 960칼로리(지방은 63그램)나 된다(리처, 2004: 237~238; 2007: 68). 이런 성분들은 비만, 고혈압, 당뇨 등을 유발하며, 때로는 암을 유발할 수도 있다. 패스트푸드를 즐겨 먹는 사람들이나 어린이와 노인들에게는 각별히 위험하다. 또한 패스트푸드에 맛을 들이면 다른 음식을 기피하게 되어 영양 불균형을 초래할 수도 있다. 나아가 패스트푸드는 조리 과정뿐 아니라 음식 섭취 시간도 빠르다. 또 햄버거 등에 따라 나오는 콜라 같은 청량음료가 건강에 해롭다는 것은 두말할 나위 없다. 그래서 리처는 어느 학자의 말을 빌려 맥도날드화가 영양 측면에서는 절대로 진보적이지 않다고 주장한다.

맥도날드화는 환경에도 악영향을 미친다. 맥도날드에서는 모든 것이 포장되어 나온다. 배달이나 테이크아웃뿐만 아니라 매장의 모든 음식이 포장되어 있다. 식판 위의 종이를 비롯해 햄버거, 감자튀김, 청량음료 모두 일회용으로 싸여 있다. 폐기물 양만 어마어마한 것이 아니라 그중 다수는 생물학적으로 분해되지 않는다. 맥도날드에서 사용되는 종이를 공급하는 데에만 매년 수백 제곱마일의 산림이 없어지는 것으로 추정된다. 다른 분야에서도 맥도날드화는 환경문제를 야기한다. 공장제 목축업이나 농업은 인체에 유해할 뿐만 아니라 물을 오염시키고, 숲을 파괴하며, 동물과 물고기에게도 질병을 유발하는 등 환경에 많은 부정적 결과를 초래한다(리처, 2004: 239~240; 2007: 70~71). 이러한 환경오염은 결국 우리에게 유해한 결과를 가져온다.

이처럼 맥도날드화는 사람에게 직접 해를 끼칠 뿐만 아니라 인간을 인간답지 못하게 만든다. 베버는 합리화된 세계에서 인간의 자율성이 상실된다고 언급한 바 있지만 리처는 맥도날드화된 세계에서는 그러한 자율성 상실을 넘어서 인간으로서 정체성이 상실된다고 주장한다. 맥도날드화된 세계의 상징인 패스트푸드 레스토랑의 종업원을 두고 리처는 '맥잡(McJobs)'이라 지칭한다(리처, 2007: 71). 예를 들어 버거킹 종업원들은 다음과 같이 말한다. "저능아라도 이 일을 배울 수 있을 정도로 이 일은 너무 쉽다", "원숭이도 훈련받으면 이 일을 할 수 있다"(리처, 2007: 71). 패스트푸드 레스토랑에서는 종업원들에게 최소한의 기능만을 요구한다. 종업원들은 창의성을 발휘할 여지는커녕 자신들이 가진 기능조차도 전부 활용할 수 없다. 패스트푸드 레스토랑에서는 기계처럼 동일한 일만 반복한다. 그 때문에 패스트푸드 레스토랑 종업원들은 불만이 크고, 직무 만족도가 낮으며, 소외감이 심해 결근·이직률이 높다. 패스트푸드 업계의 연간 이직률은 타 산업보다 높은 약 300%에 달하며, 패스트푸드 레스토랑 종업원의 평균 근속 기간은 4개월로 1년에 세 번 정도 바뀐다(리처, 2007: 72). 이처럼 패스트푸드 레스토랑 종업원들은 인간으로서 대우받지 못하고 기계처럼 끊임없이 대체된다. 이는 기업 입장에서 합리적일지 몰라도 종업원 입장에서는 결코 합리적이지 않을 뿐만 아니라 비인간적인 대우를 받는 것이다.

또한 패스트푸드 레스토랑에서는 고객들도 비인간화된다. 고객들은 패스트푸드 레스토랑에 들어서는 순간(손님이 많을 경우) 일렬로 줄을 서야 하고, 다른 손님과 눈도 마주치지 않고 기계음처럼 메뉴 선택을 알리는 소리에 따라야 하며, 서서 잠시 기다리다가 음식판에 올려진 음식을 들고 빈자리에 앉아(빈자리가 없으면 두리번거리면서 서성이며 기다려야 한다) 아무런 도구도 없이 손으로 허겁지겁 집어 먹는다. 그런 다음 정해진 곳에 식판을 놓고 쓰레기를 버려야 한다. 이러한 일련의 과정은 자동차 공장의 조립라인처럼 이루어진다. 이처럼 고객들은 패스트푸드 레스토랑에서 짜놓은 일련의 각본에 따라 움직인다. 또한 종업원과의 상호작용도 없을 뿐만 아니라 아무리 자주 들러도 단골손님으로 여겨지지 않는다(여기에는 종업원의 잦은 교체도 한몫한다). 패스트푸드 레스토랑에서 고객들은 각본으로 짜인 상호작용과 그것을 획일화하려는 노력에 의해 하나의 상품으로 여겨진다. 이러한 현상은 비단 패스트푸드 레스토랑만이 아니라 쇼핑몰을 포함한 모든 소비 영역에서 고스란히 드러난다.

또한 패스트푸드 레스토랑과 같은 맥도날드화된 공간에서의 체험은 인간이 가진 창의력과 상상력을 상실하게 만든다. 맥도날드화된 공간은 아무런 꿈도 마법도 없는 세계이다. 리처는 맥도날드화된 공간에서의 체험을 가필드(Garfield)의 말로 대신한다.

실제로 나는 그곳에 진짜 즐거움과 공상의 세계가 있다고 믿었는데, 거기서 마주친 것은 틀에 넣어 찍어낸 듯한 만들어진 환상이라는 상표뿐이었다. 다시 말해 환상이란 것은 전혀 없었다. 사람들을 볼거리가 있는 장소로 옮겨주는 자동운송장치, 냉담하게 프로그램화된 직원들의 태도, 억지로 꾸며놓은 티끌 하나 없는 바닥, 일반화된 전체주의적 질서, 오락의 수동적인 특성 등 디즈니 에서는 모든 것이 환상과는 정반대인 인공적인 장관으로 가득 찼다. …… 디즈 니는 상상을 자유롭게 펼치게 하기는커녕 오히려 제한하고 있다(리처, 2007: 73~74).

한마디로 디즈니월드는 창의적이고 상상력이 풍부한 인간적인 경험을 하 는 곳이 아니라, 창의적이지도 않고 상상력도 없으며 궁극적으로는 비인간적 인 경험을 하는 곳이다. 포드 자동차 공장의 자동 조립라인에서 일하는 노동 자들의 일상생활이 비인간화되는 것과 별반 다르지 않은 것이다.

4) 소비사회와 맥도날드화

리처가 현대사회의 특징을 맥도날드화라고 규정하게 된 것은 우리가 늘 소비를 한다는 소박한 관점에서가 아니라 우리의 삶이 소비 영역에 의해 지 배된다는 관점에 근거한다고 보는 것이 더 타당하다. 즉, 우리가 살고 있는 후기 자본주의는 소비사회임을 강조하는 것이다. 맥도날드화가 진행되는 영 역은 소비 영역이다. 선진사회에서는 물론 저개발 국가에서도 소비의 역할이 점점 커지고 있다. 리처가 보는 맥도날드 사회는 보드리야르가 말하는 소비 사회와 많은 점에서 맥을 같이한다. 하지만 보드리야르는 사용가치의 생산이 소비의 전제 조건이며, 우리가 마주하는 것은 기호 가치라는 거창한 담론에 서 시작한다(보드리야르, 1991). 한편 리처는 좀 더 구체적이다. 리처는 자본 주의, 특히 후기 자본주의에서는 모든 것이 상품화된다고 주장한다. 사람들이 대개 소비 행위로 생각하지 않는 사회 세계의 많은 측면들이 실제로는 소비 영역이라는 것이다. 예컨대 병원, 의사, 약학, 생명공학 기술에 분명 많은 측면들이 연루되어 있음에도 환자를 그 소비자로 간주하는 것은 온당하다. 마찬가지로 교육을 소비로만 환원시킬 수는 없으나 학생들은 학교와 교육자가 제공하는 것을 소비한다고 간주할 수 있다(Ritzer, 2004, 2007). 즉, 우리가 일반적으로 생각하는 쇼핑만 소비 행위가 아니라 일상적으로 행하는 모든 활동이 소비 활동인 것이다. 그리하여 맥도날드로 상징되는 소비 영역에서의 맥도날드화가 우리를 지배하고 있는 것이다. 리처가 직접 표현하지는 않았지만, 마르크스의 말을 빌리자면 우리의 생활이 소비 영역에 포섭된 것이다. 즉, 생산이 우선하는 초기 자본주의에서는 자본이 노동자를 포섭하기 위해 끊임없이 노동 통제 메커니즘을 발전시켜 포드주의에서 그 목표를 달성했다면, 소비가 우선하는 후기 자본주의 사회에서 자본은 맥도날드화를 통해 소비자를 실질적으로 포섭하게 된 것이다.

4. 지구화, 그리고 허상의 소비

앞서 지적했듯이, 리처는 21세기 들어 지구화(globalization)에 관한 저작을 다수 저술하고 있다. 이런 지구화에 관한 저작 속에서도 리처는 자신의 대표적 주제라고 할 수 있는 맥도날드화와 소비 세계의 관련성을 그대로 유지하고 있다. 이러한 연관성을 가장 잘 드러내는 저작이 『허상의 지구화 1, 2 (The Globalization of Nothing 1, 2)』이다.[4]

---

4 이 책은 2004년과 2007년에 각각 1권과 2권이 출간되었는데, 한국어판은 『허상의 지구화』라는 제목으로 번역이 완료되어 새물결에서 출간될 예정이다.

리처에 따르면, 우리는 맥도날드화된 세계에 포섭되어 있을 뿐만 아니라 우리가 소비하는 것과 관련된 모든 것, 즉 소비 대상, 소비 수단, 소비 장소, 판매원 등은 사실상 실체가 없는 허상(nothing)이다. 즉, 우리가 살고 있는 사회 세계, 특히 소비 영역의 세계는 갈수록 허상을 특징으로 한다. '허상(nothing)'은 일반적으로 중앙에서 고안해 통제하며 비교적 독특한 실체적 내용이 결여된 사회적 형태를 일컫는다(Ritzer, 2004, 2007). 신용카드, 갭 청바지, 구찌 가방, 현금자동지급기, 체인점의 점원, 그리고 각본에 짜인 대로 하는 고객과의 상호작용뿐 아니라 슈퍼마켓, 온갖 종류의 체인점, 쇼핑몰, 공항 모든 현상이 허상이다. 허상은 그야말로 내용이 비어 있는 공허한 것이다. 기호가 모든 것을 지배한다고 말한 보드리야르처럼 리처는 형식이 모든 것을 지배한다고 지적한다. 하지만 보드리야르가 추상적인 수준에서 말한 것과 달리 리처는 구체적인 수준에서 말한다. 그 결과 보드리야르는 학계에 큰 반향을 미쳤지만 리처는 대중에게 큰 호소력을 가졌다.

리처의 정의에 따르면 우리가 소비하는 갭 청바지, 구찌 가방, 맥도날드 햄버거 같은 상품은 모두 중앙에서 고안하고 통제한다. 어느 나라, 어느 지역, 어느 매장에 가도 내용의 특색이 없고 균일하다. 이런 제품들은 고유의 내용·특색을 가진 실상(something)이 아니다. 또 이런 것들을 구입할 때 지불수단으로 현금보다 신용카드나 체크카드를 사용하는 수가 점점 늘고 있다(요즘은 모바일로 결제하는 경우도 많아지고 있다). 현금은 사용가치는 없지만 교환가치는 있다. 신용카드는 교환가치조차 없다. 신용카드는 이름 몇 글자와 숫자, 날짜, 단어, 로고, 그리고 홀로그램이 새겨진 직사각형 모양의 작은 플라스틱 조각에 불과하다. 그야말로 카드 자체는 독특한 실체라고는 거의 들어 있지 않은 허상이다. 이러한 신용카드는 발급부터 중앙(카드 회사)에서 통제하고 신용 한도까지 중앙에서 통제한다. 신용카드 한 장으로 모든 것을 사기도 하고 모든 것을 잃기도 한다.

신용카드에는 아무런 특색이 없다. 화폐는 교환가치만 가진 것이 아니라 각 나라의 특징을 상징하는 문화가 깃들어 있다. 그러나 신용카드는 어느 회사가 발급하더라도 특색을 가지지 않는다(Ritzer, 2004, 2007).

세계는 점차 이러한 허상을 소비하고 또 그러한 허상을 구매하는 데 신용카드 같은 허상을 이용한다. 허상이 이렇듯 범람하게 된 데에 세계화가 주요한 기여를 한 것은 분명한 사실이다. 리처는 허상의 증대와 세계화 간의 상호관계를 추상적 논리가 아니라 구체적 현상을 통해 설명한다. 사실 허상의 증대는 세계화의 산물이다. 세계화를 추동하는 배후에는 물론 자본이 있고, 이러한 허상을 생산하는 것도 자본임이 분명하다. 증대하는 허상을 팔기 위해 새로운 소비 수단이 등장하는데 그중 대표적인 것이 쇼핑몰이다. 쇼핑몰은 특정 제품, 즉 실상을 파는 곳이 아니다. 그곳은 온갖 허상으로 가득 차 있다. 허상의 종류가 많아지면서 쇼핑몰은 거대화되어 '메가 몰(mega-mall)'이 등장한다. 아메리카 몰(Mall of America)이 등장했을 때 그것은 미국의 상징이었다. 많은 사람들이 이러한 상징을 보기 위해 미국을 찾았다. 그 후 런던, 도쿄, 서울, 싱가포르 등 세계 곳곳의 도시에 대형 쇼핑몰이 등장했다. 이제 거기에는 어떤 상징도 없어진 것이다. 리처는 이것을 '새로운 소비 수단'이라 칭한다. 이러한 메가 몰의 등장으로 각 지역의 특색을 가진 실상이 허상으로 둔갑한 것이다. 세계화는 실상을 허상으로 전환하는 데 큰 기여를 했다. 리처의 『허상의 지구화』는 이러한 실상의 상실을 파헤치며 개탄한다.

허상의 지구화가 진행되는 곳은 소비 영역이다. 대량생산에 의해 모든 실상이 허상으로 전환되고, 세계로 수출되는 것은 허상이지 실상이 아니다(실상도 수출되긴 하지만 그 양이 극히 미미하고 극소수의 특정 계층에 한정되어 사회 전체로 확산되지 않는다. 또한 그렇게 수출된 실상은 맥도날드화 양식과는 거리가 멀다). 우리 사회가 소비사회로 전환하면서 허상의 지구화는 더 빠른 속도로 진행되고 있다.

1) 허상의 풍요와 제3세계의 그늘

리처는 주로 선진사회의 소비에 관해 다루고 있다. 리처가 맥도날드화 테제를 발견한 곳도 선진사회(특히 미국)의 소비 영역이다. 대다수 사람이 코카콜라와 펩시콜라 중 어느 것을 마실지 고민하는 곳도 선진사회이고, 발렌티노 드레스를 연달아 살 수 있는 여유가 있는 곳도 선진사회이다. 대형 쇼핑몰을 이용하는 사람들도, 크루즈 항해를 하며 그 속에서 (비)서비스를 받는 사람들도 선진사회 사람들이다. 물론 지구화는 한계를 모르고 새로운 지역으로 확장을 거듭한다. 저개발 지역도 이러한 허상에 감염되는 징후가 감지된다. 저개발 국가의 사람들은 아직 나이키 운동화를 살 여력이 없지만 스우시[5]가 새겨진 싸구려 모자나 티셔츠를 입고 있는 이들은 적잖이 볼 수 있다(Ritzer, 2004, 2007).

리처는 제3세계에서 대해서도 언급한다. 그런데 제3세계에 대해서는 소비보다는 생산에 중점을 둔다. 사실 허상을 생산하는 곳은 대부분 제3세계 지역이다. 선진사회 사람들이 소비하는 허상의 상당 부분은 그것을 구입할 경제적 여력이 없는 저개발 지역 노동력에 의해 생산되는 것이다. 예를 들면, 나이키 신발은 10만 명이 넘는 인도네시아 노동자들에 의해 생산된다. 그들이 받는 임금수준은 미국 노동자에 비하면 형편없을 정도로 낮아서 가족을 부양하기에도 턱없이 모자란다. 게다가 노동시간은 하루 15시간 이상이며, 주 6~7일을 근무하고, 공장은 뜨겁고 소음이 심하며 악취가 진동하는 등 노동조건도 심히 열악하다. 또한 접착제 라인에는 독성 화학물질을 흡입할 위험이 도처에 널려 있고 신발 압착기에 손가락이 절단되는 사건들이 수시로 발생한다. 성적 학대와 차별도 공공연히 자행된다(Ritzer, 2004, 2007).

---

5 Swoosh, 나이키 회사의 모자 상표.

그럼에도 이들은 빈곤에서 벗어나지 못한다. 리처는 풍요가 낳은 빈곤과 관련된 또 하나의 문제를 겨냥한다. 노동이 진행됨에 따라 제3세계의 허상 (예컨대 나이키 운동화) 생산자들은 자신들이 그 허상의 산더미에 둘러싸여 있음을 발견하고, 거기에서 그들은 부유한 나라의 소비자인 것처럼 느낀다. 하지만 그들은 부유한 나라의 소비자들과 달리 비사물(non-thing)을 살 만한 여력이 없다(나이키 운동화의 생산원가는 인도네시아와 미국이 대략 같지만, 인도네시아 노동자의 소득은 미국 노동자에 비하면 턱없이 낮다). 그것들은 생산되자마자 신속히 포장되어 선진국으로 실려 나간다. 저개발 국가 노동자가 만든 허상은 소비자로서 그들에게는 그림의 떡이다(Ritzer, 2004, 2007). 마르크스가 말한 생산물로부터의 소외를 리처는 노동자의 관점에서가 아니라 소비자의 관점에서 파악하고 있는 것이다. 자신들이 만든 값비싼 허상을 살 여력이 없는 이들은 길거리에서 파는 값싼 짝퉁(?)에 만족하거나 맥도날드 가게를 향해 분풀이한다.

2) 탈맥도날드화

이렇듯 맥도날드화가 점점 확산되어 현대사회를 지배하는 원리로 자리 잡으면서 이를 벗어나는 노력도 함께 수반된다. 즉, 맥도날드화가 전전되는 것만큼 탈맥도날드화 현상도 같이 일어난다는 것이다. 그렇다고 이것이 맥도날드화 이전 사회로 복귀하는 복고적 현상인 것은 아니다. 오히려 이것은 맥도날드화를 뛰어넘는 것이다. 즉, 탈맥도날드화는 맥도날드화에 의해 틀에 박힌 것과 저가의 서비스와 제품에 대한 거부로 나타나는 것이다. 이런 점에서 탈합리화와는 성격이 다르다.

베버에 논리에 따르면, 합리적 사고가 자본주의를 낳고 합리화의 진전이 자본주의를 발전시키며 또 자본주의의 발전이 합리화를 진전시키는 선순환

구조 속에서 개인은 합리화의 테두리(쇠 우리)를 벗어날 수 없게 된다고 본다. 다시 말해 자본주의에서는 비(非)합리화 또는 반(反)합리화가 있을 수 없으며, 만약 그런 것이 있다면 그것은 자본주의 발전을 저해하는 반자본주의적 요소로 치부된다. 나아가 자본주의가 낳은 불평등을 제거하고 평등을 추구하는 사회주의에서도 합리화는 소멸되지 않는다. 즉, '사회주의 = 반합리화'라는 등식은 성립되지 않는 것이다. 오히려 사회주의도 합리화를 추구한다. 마르크스의 논리에 따르면, 물질적 번영 없이 사회주의는 유지될 수 없다. 따라서 사회주의에서도 생산의 효율성을 추구해야 한다. 그래야 생산이 증가하고 노동시간은 줄어들며 인간의 자유 시간이 늘기 때문이다. 실제로 러시아혁명이 일어나고 레닌이 신경제정책(NEP)을 펼치면서 테일러주의를 도입했다는 것은 잘 알려져 있는 사실이다(사실 이후에도 많은 사회주의국가에서 테일러주의가 추구한 효율성이 여러 방면으로 변형·실시되었다).

이처럼 베버에게 합리화는 (물론 거기에 따른 비합리적 요소가 있긴 하나) 전통 사회에서 근대사회로 나아가는 필연적 과정이며(물론 베버는 근대사회의 형성을 필연적인 역사적 법칙으로 보지는 않는다) 이러한 합리화에 반대하거나 거스르는 현상은 근대화에 역행하는 것이다. 베버의 말을 빌려 표현하면, 합리화를 거부하거나 반대하는 것은 미혹(enchantment)에서 각성된(disenchanted) 사회가 다시 미혹된 사회로 되돌아가는 것이다. 즉, 전통 사회로 되돌리는 반역사적 경향이다. 따라서 베버에게 근대 자본주의의 발전은 비합리적 요소(주술적 요소)를 제거해나가는 것이라 할 수 있으며, 자본주의의 모순을 지양하면서 등장한 사회주의에서도 비합리적 요소는 마땅히 제거해나가야 하는 것이다.

이와 달리 맥도날드화는 합리성을 추구하면서도 비합리성을 수반한다. 그러나 비합리성의 존재에도 불구하고 맥도날드화는 계속될 뿐만 아니라 패스트푸드를 비롯한 경제적 영역을 넘어 의료, 교육 같은 비경제적 영역에까지도 확산되어 '맥닥터', '맥대학' 같은 용어가 등장할 정도다. 더 나아가 교회 같은 종교 영역에까지도 확산된다. 또한 맥도날드화는 세계화와 함께 전 세계로 수출되어 지구적 현상이 되고 있다. 세계 어딜 가나 맥도날드는 동일한 메뉴와 동일한 서비스를 갖추고, 심지어 인테리어와 종업원 복장·말투까지도 동일하다. 이러한 점에서 맥도날드화는 분명 지구적 전망을 가진다. 하지만 세계화보다 덜 지구적이면서 동시에 더 지구적이다(Ritzer, 2004, 2007). 세계화는 많은 기업들에게 시장 개방의 압력을 행사하고 세계화에 반대하는 세력을 제거함으로써 달성된다. 반면 맥도날드화는 기업들로 하여금 어떤 압력을 행사하거나 강요하지 않는다. 이를테면 어느 동네에 맥도날드 매장이 들어서더라도 다른 가게를 맥도날드화하라고 압력을 행사하지 않는다. 맥도날드화되지 않은 가게들은 생존을 위해 스스로 맥도날드화된 방식을 채택하게 된다. 마치 생산에서 기업이 자발적으로 테일러주의와 포드주의를 도입하는 것처럼 말이다. 이런 점에서 본다면 맥도날드화는 세계화보다 더 지구적이다.

한편 세계화는 일명 '글로벌 스탠더드'라는 하나의 규범으로 통일되어야 지속가능하다. 따라서 세계화는 비세계화된 요소나 반세계화된 요소를 용납하지 않는다. 그렇기에 세계화는 항상 반세계화 세력의 끊임없는 도전을 받고 이들과 지속적인 싸움을 벌이게 된다. 반면 맥도날드화가 생존을 위해 '반맥도날드화'와 직접 싸우는 경우는 드물다. 물론 맥도날드화된 기업과의 경쟁에서 비맥도날드화된 기업이 져서 소멸되는 경우는 많다. 하지만 맥도날드화가 득세하면서 맥도날드화로부터 벗어나고자 하는 경향도 커지고 있다. 맥도날드화된 공간에서 제공되는 모든 것은 내용 없이 형식으로만 가득 찬 허상(비사물, 비사람, 비서비스)이기 때문이다. 이러한 것들은 편리하고 즉각적인 만족을 가져다주지만 아무런 감흥이나 추억도 선사하지 못한다. 이를테면 패스트푸드점에서 햄버거를 실컷 먹고 디즈니랜드에서 롤러코스트를 타는 것은 즉각적인 쾌락을 주지만 그곳은 우리에게 별 의미를 제공하지 못한다. 그곳에서 우리는 사람들과의 상호작용도 없이 소음과 함께 음식을 집어 먹고 곧바로 자리를 뜬다. 놀이공원에서도 몇 분 몇 초를 위해 몇 시간을 지루하게 보내다 온다. 이런 곳에서의 경험을 두고 대화를 나누거나 추억으로 간직하는 사람은 드물다.

따라서 사람들은 어렵고 힘들며 불편하더라도 동네 술집이나 음식점, 맛집을 찾아다니기도 한다. 현지에서만 맛볼 수 있는 독특한 풍경과 음식은 아무나 경험하는 것이 아니며 일생동안 자주 경험하는 것도 아니다. 그것은 형식보다는 내용을 중시한다. 리처는 이를 '실상(something)'이라 칭한다.

요컨대 맥도날드화에 의해 허상이 범람하면, 실상은 사라지는 것이 아니라 곳곳에서 부활한다는 것이다. 맥도날드화가 지속되려면 비맥도날드화 또는 반맥도날드화 요소를 척결해야 하는 것이 아니라 이들 요소를 즉각 활용해야 한다. 따라서 맥도날드화는 자신의 정체성을 유지하면서도 현지의 비맥도날드화 요소를 일정 정도 수용한다. 즉, 맥도날드화는 세계화(globalization)만 추구하는 것이 아니라 현지적(local) 요소도 수용해 '현지적 지구화(glocalization)'라는 형태로 거듭난다.

이처럼 합리화는 비합리적 요소를 용인하지 않은 채 제거해나가고, 세계화도 현지적 요소를 배척한 채 글로벌 스탠더드라는 새로운 규범을 강요하지만 맥도날드화는 비맥도날드적 요소는 물론 반맥도날드적 요소까지도 어느 정도 수용한다. 그러면서도 맥도날드화의 정체성을 유지한다. 맥도날드화는 합리화를 바탕으로 하지만 비합리적 요소를 전적으로 부정하지 않는다. 그러므로 베버의 합리화는 개인을 쇠 우리에 가두지만 맥도날드화는 언제든 쇠 우리를 벗어날 여지를 남겨둔다. 다만 맥도날드를 벗어나려면 그만한 비용과 수고가 뒤따른다. 그러므로 가난한 제3세계 노동자는 맥도날드화의 그물을 쉽게 벗어날 수가 없다.

3) 맥도날드화 계층화

　맥도날드화는 베버의 합리화와 달리 계층에 따라서도 다르게 표출된다. 베버는 합리화가 보편적인 개인 차원에서 전개되는 것으로 파악한다. 그러므로 계급 갈등과 합리화는 별개의 문제이며, 계급 갈등이 해소되더라도 합리화로 인한 인간의 자율성 상실은 해소되지 않는다. 즉, 마르크스가 주장한 계급 구속으로부터의 자유는 사실상 이루어지지 않는다는 것이다. 하지만 맥도날드화는 계층에 따라 달리 표출된다. 맥도날드화는 합리화의 한 형태로 보편화를 추구하지만 현실에서는 계층에 따라 서로 다른 양태로 표출된다. 맥도날드화된 공간에서 이루어지는 것은 모두 중앙에서 고안되어 통제를 받는 것, 즉 허상이다. 맥도날드화의 진전은 실상을 점차 허상으로 바꾸어놓는다.

　실제로 맥도날드를 비롯한 패스트푸드점의 주 이용객을 보면, 계층별·세대별 특성이 확연히 드러난다. 먼저 계층별로 보면, 패스트푸드점의 주 이용층은 대체로 중·하위 계층이다.[6] 처음에는 허상이 상류 계층의 전유물처럼 여겨졌다. 예컨대 맥도날드 매장이 처음 들어섰을 때 빈곤층에게는 특별한 장소였다. 그곳은 상류층의 사교장쯤으로 여겨졌고, 꿈과 낭만이 있는 예사롭지 않은 장소였다. 지금은 소득이 없는 10대 청소년들이 만남의 장소로 이용하거나 간단히 끼니를 때우는 장소로 바뀌었고, 그곳에서의 체험은 아무런 꿈도 낭만도 남겨놓지 않는다.

　사실 패스트푸드점은 고급 레스토랑이 아니다. 고급 요리가 나오는 것도 아니며 모든 것이 셀프서비스이다. 더구나 포크나 나이프를 이용하지 않고 손으로 집어 먹는 모습은 상류 계층에게 어울리지 않는 것으로 여겨진다. 또

6　리처는 이에 대한 실증적 연구를 하지는 않았지만, 그의 전 저작들을 살펴보면 이러한 사실을 충분히 알 수 있다.

웰빙을 추구하는 분위기를 타고 온갖 매체가 패스트푸드의 유해성을 알리는 뉴스를 연일 소개하면서 맥도날드 햄버거는 일종의 기피 음식으로 간주되고 있다. 그렇다고 빈곤층이 자주 이용하기에는 가격이 제법 높다. 빅맥 세트 가격은 결코 다른 음식 가격보다 싸지 않다. 특히 제3세계 빈곤층에게 맥도날드 레스토랑은 아주 특별한 장소이다. 그들에게 맥도날드 레스토랑은 동경의 대상으로서 그들에게 특별한 수입이 생기거나 생일 같은 특별한 날에만 가는 곳이다. 빈곤선을 벗어난 계층은 자주 애용한다. 이들이 자주 이용하는 것은 저렴한 가격의 점심 메뉴로 끼니를 때울 수 있기 때문이다.

이처럼 맥도날드는 특정 계층을 주 타깃으로 삼고 있지만 맥도날드화는 앞서 말했듯 패스트푸드점을 넘어 소비, 교육, 의료, 종교, 정치에까지 확산되고 있다. 한마디로 우리는 맥도날드화된 사회에 살고 있는 것이다. 실제로 맥도날드화된 공간을 벗어나 살 수 있는 사람은 소수의 상류 계층(이들은 끊임없이 탈맥도날드화를 추구한다)이거나 현실 세계를 벗어나 탈세속화를 추구하는 사람들이다. 한편 하류 계층에게 맥도날드화된 공간은 들어가도 싶어도 갈 수 없는 곳이며, 자신들로부터 소외된 공간이다. 따라서 이들이 추구하는 전략은 반맥도날드화이다. 이러한 반맥도날드화 감정은 맥도날드 매장에 대한 공격이라는 행동으로 나타나게 된다.

5. 맺음말

리처의 맥도날드화 테제는 우리에게 사회학이 나아가야 할 길을 일깨워준다. 그렇다고 리처가 거창한 사회학적 패러다임을 구축하거나 센세이셔널한 개념을 만들어낸 이론가인 것은 아니다. 사회학은 한때 추상적인 개념에 둘러싸여 사회학자들까지도 이해하기 힘든 난해한 전문용어들이 난무하던 시절이 있었고, 한편으로는 미시적 행위에 경도되어 현미경 없이는 볼 수 없는 이론들이 동원되기도 했다. 현재에는 실증주의라는 이름 아래 모든 것을 계량화하는 통계 프로그램을 통해 수량적으로 해석하는 수리사회학이 주를 이루고 있다. 신자유주의가 학계에도 침투해 모든 학문적 실적을 양적 기준으로 평가하는 분위기가 팽배해지면서 이러한 경향은 더욱 가속화되고 있다. 이러한 분위기 속에서 사회현상에 대한 깊은 성찰은 점점 사라지고 있다.

리처는 현대적인 현상으로서 맥도날드화라는 주제로 우리에게 다가오는 동시에, 추상적 용어를 벗어나 일상적 용어로 접근함으로써 사회학을 일반 대중에게 좀 더 현실감 있는 학문으로 자리 잡게 했다. 실제로 베버는 사회학을 전공하거나 관심 있는 사람에게나 잘 알려져 있지만 리처는 사회학을 대중화하는 데 크게 기여했다. 그렇다고 해서 사회학을 가벼운 소재거리로 전락시키거나 천박하게 만드는 것이 아니라 오히려 사회학의 고유 원리에 대해 일반 대중이 흥미를 가지도록 하는 데 크게 기여한 것이다.

리처의 저작을 보면, 누구나 쉽게 읽을 수 있는 일상적인 소재를 제목으로 달고 있다. 실제로 책의 내용도 시시콜콜한 얘기로 가득 차 있다. 그런 일상적인 소재 속에서 리처는 현대사회의 원리를 밝혀낸 것이다. 맥도날드 햄버거 하나와 패스트푸드점이라는 좁은 공간에서 출발해 소비 세계와 세계화까지 아우르는 리처의 저작은 우리가 일상적으로 접하는 사실들을 수미일관하게 엮어낸다.

이러한 견지에서 리처는 대형 쇼핑몰, 인터넷 쇼핑 공간 같은 새로운 소비 수단에 초점을 맞춰 세계화라는 거대 담론을 우리에게 친숙한 소비 세계로 끌어들임으로써 세계화가 맥도날드화와 함께 우리의 일상생활에 어떻게 파고드는지를 밝혀주고 있다.

참고문헌

구자순. 2003. 「서평 – 맥도날드 그리고 맥도날드화: 유토피아인가 디스토피아인가」. ≪문화경제연구≫, 6(1), 한국문화경제학회.

김선일. 2012. 「맥도날드화와 기독교 세계관」. ≪신앙과 학문≫, 17(4), 기독교학문연구회.

김수자·송태현. 2010. 「맥도날드화를 통해 본 세계화와 지구지역화」. ≪탈경계인문학≫, 7, 이화여자대학교 이화인문과학원.

리처, 조지(George Ritzer). 2004. 『맥도날드 그리고 맥도날드화: 유토피아인가 디스토피아인가』, 뉴센추리판. 김종덕 옮김. 시유시.

_____. 2004. 『현대사회학이론』. 최재현 옮김. 형설출판사.

_____. 2006. 『현대 사회학 이론과 그 고전적 뿌리』. 한국이론사회학회 옮김. 박영사.

_____. 2007. 『소비사회학의 탐색: 패스트푸드, 신용카드, 카지노』. 정헌주·정용찬·김정로·이유선 옮김. 일신사.

마일스, 스티븐(Steven Miles). 2003. 『현실세계와 사회이론』. 박형신·정헌주 옮김. 일신사.

무젤리스, 니코스(Nicos Mouzelis). 2013. 『사회학이론: 무엇이 문제인가』. 정헌주 옮김. 아카넷.

박창호. 2008a. 「소비주의사회와 인터넷 소비의 문화 지형」. ≪현상과 인식≫, 2008년 가을.

_____. 2008b. 「소비수단의 변화와 사이버공간의 소비문화의 이해: 맥도날드화에서 디즈니화의 사회로」. ≪담론 201≫, 111(2).

보드리야르, 장(Jean Baudrillard). 1991. 『소비의 사회: 그 신화의 구조』. 이상률 옮김. 문예출판사.

이유선·정헌주 외. 2005. 『현대사회와 소비문화』. 일신사.

클라크, 이안(Ian Clark). 2001. 『지구화와 파편화』. 정헌주 옮김. 일신사.

킨첼로, 조(Joe Kincheloe). 2004. 『버거의 상징: 맥도날드와 문화권력』. 성기완 옮김. 아침이슬.

Ritzer, George. 1995. *Expressing America: A Critique of the Global Credit Card Society (Sociology for a New Century)*. Pine Forge Press.

_____. 1999. *Enchanting a disenchanted world: revolutionizing the means of consumption*. Pine Forge Press.

_____. 2004. *The Globalization of Nothing 1*. Pine Forge Press.

_____. 2007. *The Globalization of Nothing 2*. Pine Forge Press.

_____. 2007. *The Blackwell Companion to Globalization*. Blackwell Publishing.

_____. 2010. *Globalization: A Basic Text*. Wiley-Blackwell.

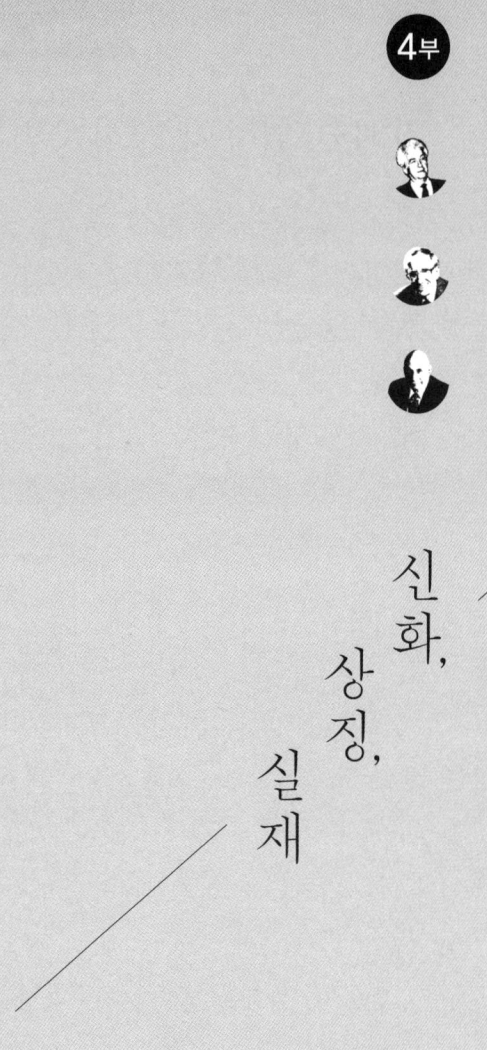

4부

신화,
상징,
실재

11

질베르 뒤랑의 신화방법론과 심층 사회학

김무경

1. 머리말

상상계(想像界, imaginaire)의 세계적 전문가로 알려진 질베르 뒤랑(Gilbert Durand)은 프랑스 사부아 지방 출신으로 그르노블 대학에서 1962년부터 은퇴할 때까지 사회학과 문화인류학의 강좌를 맡았다. 1966년에 뒤랑이 레옹 셀리에(Léon Cellier)와 함께 샹베리 대학(훗날 그르노블 대학)에 설립한 '상상계 연구소'는 프랑스와 해외에 지대한 영향을 미쳐왔는데, 그는 특히 지적 유행들로부터 거리를 두는 정신적·과학적 탐구의 흐름에 적극 개입했다. 예컨대 뒤랑은 이슬람 신비주의에 관한 세계적 권위자인 앙리 코르뱅(Henry Corbin)이 설립한 '예루살렘 성 요한 자유대학'의 세션들을 주관했고, 카를 융(Carl G. Jung)이나 미르체아 엘리아데(Mircea Eliade) 등의 인문학자들과 최첨단 물리학자들의 다학제 간 회합으로 잘 알려진 스위스 아스코나의 '에라노스 회합'에 꾸준히 참여했으며, 1979년의 '코르도바 콜로키움', 베네치아의 '유네스코 콜로키움' 등 반(反)실증주의적 인식론 회합에도 꾸준히 참여했다.

이러한 활동들을 통해 뒤랑은 인간학에서의 실증주의적 파편화를 종결하고, 이를 위해 상상계에 그 인식론적·존재론적 권리와 위상을 복권시키려 한다.

2. 질베르 뒤랑의 '신화방법론'과 '심층 사회학'

이제 우리는 반세기에 걸쳐 '상상력'과 '상상계'에 대한 연구를 진행한 질베르 뒤랑의 작업을 연대기적 순서에 따라 살펴볼 것이다(Durand, 1986, 1990, 1993, 1996b; Wunenburger, unpublished). 이를 통해 우리는 뒤랑의 핵심 개념들('인류학적 도정', '상형적 구조', '신화방법론', '심층 사회학' 등)에 점차 익숙해질 수 있다. 또한 보나르델(Françoise Bonardel)이 지적하듯, 모든 유형의 환원주의를 '중재의 결여'로 보고 대립되는 것들 간의 '중재', '연결', 즉 '제3의 여건(tertium datur)'을 찾으려는 뒤랑의 입장을 하나씩 살필 수 있을 것이다(Bonardel, 1980: 105). 첫째, 우리는 뒤랑의 '인류학적 도정' 개념을 통해 '생물학적인 것'부터 '문화적인 것'에 이르는 모든 층위들이 하나의 상징체계의 출현에 참여해야 함을 살펴볼 것이다. 둘째, 세 가지 환원 불가능한 '형상적 구조(structure figurative)' ― 분열 형태적 구조, 신비적 구조, 종합적 구조 ― 의 아이디어를 통해 뒤랑이 '논리·형식적 절차'와 '의미'를, '통시성'과 '공시성'을, '불변소'와 '차이'를, 그리고 '구조'와 '발생'을 종합하려 한다는 점을 강조할 것이다. 이를 바탕으로 뒤랑이 행한 저자와 텍스트에 대한 '신화비평'과 한 시대의 지배적 신화들에 대한 '신화분석'을 고찰할 것이다.

이 개념들을 통해 뒤랑은 상상력에 대한 부정적·소극적 관점에 종지부를 찍고 적극적인 의미를 부여한다. 즉, 뒤랑의 저작은 상상력이 정신의 수동적·부차적 활동으로서 무의미하게 떠도는 표상들로 구성된 일종의 환상이라는 관점에서 그것이 우리의 인식 활동의 중심에 위치한다는 정반대 관점으로의 이동을 우리에게 보여준다(Wunenburger, unpublished: 4).

1) 환원주의의 극복과 '인간의 본성'의 가정

상상계에 대한 자신의 지속적인 연구 동기를 질베르 뒤랑은 다음과 같이
언급한다. 즉, 그것은 단지 '하나의 인간학(une 'science de l'homme')'[1] 존재의
필연성과, 이를 뒷받침하지만 지금은 이미 우리의 '잃어버린 패러다임'이 된
'인간의 본성'(Morin, 1973)의 가정에 그 근거를 두기 때문이라는 것이다. 뒤랑
에 따르면 이러한 가정에서 '상상계', 즉 "호모 사피엔스(homo sapiens sapiens)
의 재현들의 전체"에 대해 '인류학적 구조들'을 연구하는 것, 즉 '원형학'의 필
요성이 도출된다(Durand, 1996b: 134~135; 2003: 185).

뒤랑에게 이러한 '인간 본성'에 대한 가정은, 무엇보다 여러 종류의 '환원
주의'에 대한 인식론적 저항이자 대안 추구이다. 뒤랑은 다음의 네 가지 환원
주의를 특히 지적한다. 첫째, '시(詩)', '미학적' 소통, '야생의 사고'[클로드 레비
스트로스(Claude Lévi-Strauss)], '일상적 지식'[미셸 마페졸리(Michel Maffesoli)]
등을 배제하거나 평가절하하는 '이성의 일신교(一神敎)'에 기대는 '합리주의',
둘째, 여러 유형의 결정론들에서 이유들이나 앞선 힘들을 분석적으로 따르지
않는 '효과들', 예를 들어 '헤테로텔리(hétérotélie)'[쥘 모네로(Jules Monnerot)][2]
나 '비동시성'[에른스트 블로흐(Ernst Bloch)] 등의 개념들이 함축하는 바를 제
외하는 실증주의적이고 '유물론적'인 '역사주의', 셋째, "이성이 알지 못하는"

---

1   뒤랑에 의하면, "심리학·사회학·의학·역사·문학·미학 등의 인식론적 구분들은, 유일한
    대상인 호모 사피엔스(homo sapiens sapiens)에 대한 상황적이고 단순한 '관점들'에 지나
    지 않는다"(Durand, 1996b: 133).
2   요즈음 잘 알려진 개념으로 바꾼다면, '전도된 결과(effet pervers)'(Boudon, 2009)가 이
    에 상응할 것이다.

'감추어진 이성'을 발견해 20세기 심리학의 혁명을 이루었지만, 인간의 모든 욕망을 단 하나의 리비도(libido)로 환원하는 프로이트(Sigmund Freud)류의 '범성주의(犯性主義)', 넷째, "진리의 과정을 소쉬르(Ferdinand de Saussure)와 야콥슨(Roman Jakobson)이 특권을 부여하면서 연구한 인도-유럽 언어들의 유일한 구문으로 환원시키는" 후기 소쉬르적 '형식적 구조주의' 등을 들 수 있다(Durand, 1996b: 135~137).

뒤랑에 따르면, 호모 사피엔스에게서 "최소한의 합의"를 밝혀내야 하는 것은 바로 이러한 환원주의들에 대항하기 위해서이다. 이를 위해 모든 인류학적[3] 연구들을 결산해야 하며, 이를 통해 "영원하고 편재하는, 모든 인간 종(種) 내부의 교환과 소통을 가능하게 하는" 것, 즉 '원형'을 찾아야 한다는 것이다(Durand, 1996b: 137). 그리고 이는 곧 "인간의 상상하는 본성, 형상화하는 본성" 속에서 인류에게 공통되는 본성을 살필 수 있다고 가정하는 것이다(Durand, 1986: 76~77; 1990: 29).

보나르델이 지적하듯, 모든 환원주의를 넘어 실재를 가능한 한 '가까이에서' 포착하려는 뒤랑의 사유가 밝혀주는 것은 그 '실재'라는 것이 역설적이게도 '상상계'이며 그것이 보호하는 다원주의적 긴장들이라는 사실을 살펴보게 될 것이다(Bonardel, 1980: 113).

2) 원형학적 해결: 상상계의 모태로서의 원형

뒤랑의 '일반 원형학'[4]은 따라서 "모든 인간적 상호 관계와 소통의 합의"를

---

3 뒤랑에게 '인류학적'이란, "인간 행동의 전체 내용을 포괄하는"(Durand, 2003: 178)이라는 의미로 받아들여야 할 것이다. 인식론적으로는, '개인 심리 의식'에 대한 연구를 '집합 의식'과 문화의 작품들에 대한 연구로부터 분리하는 것을 금지시킴을 의미한다. 뒤에서 살필 '인류학적 도정'의 개념이 이 의미를 잘 드러내줄 것이다.

찾게 된다. 그리고 후자는, 앞에서 살펴보았듯이 "이성, 역사, 유일한 리비도, 유일한 통사론(統辭論)" 등의 모든 환원주의를 넘어 "상상계의 곁에, 아니면 적어도 미학(감각적 재현이라는 의미에서)의 곁에" 나타난다(Durand, 1996b: 138).

'원형'에 관한 뒤랑의 연구는 자연스레 융의 연구에서 많은 영감을 받고 많은 일치점을 찾게 되지만, 뒤랑 자신에 의하면 그의 출발점은 융이 아니라, 러시아 반사학파의 가장 경험적인 연구 결과들이었다. 뒤랑은 파블로프(Ivan Pavlov)로부터 시작되어 레닌그라드 학파(W. Bechterev, J. M. Oufland, A. Oukhtomsky)가 완성한 '반사학(réflexologie)'의 업적으로부터 '지배 반사'의 개념을 빌려온다. '지배 반사'는, 동물 행동의 위계를 관장하는 하나의 총괄적 원칙으로서 영향을 미치는데, 이 때문에 반사학은 인류에게 '특유한 매우 오래된 합의'의 존재를 확립하게끔 한다(Durand, 1996b: 139; 1990: 29~30; 뒤랑, 2007: 58~65).

이후 현대 행동학은, 진드기, 큰가시고기, 녹색 도마뱀, 기러기 등과 같이 다양한 동물들에서 발견되는 '원형(Urbilder)'들을 통해 이러한 이론을 좀 더 세부적으로 확인해준다. 즉, 상상적 신호의 형태 아래 행동을 유발하는 일종의 '지시체'의 존재를 확인해주는 것이다(Durand, 1996b: 139; 뒤랑, 1997: 53~54).[5]

---

4 뒤랑의 프랑스 국가 박사 학위논문이자 주 저서(Durand, 1960)의 부제는 '일반 원형학에의 입문(Introduction à l'archétypologie générale)'이다.

5 뒤랑에 의하면, 이 비교행동학자들은 동물들의 행동 속에 특별한 몸짓과 행동을 주도하는 원초적 이미지들이 존재한다는 것을 밝혀준다고 한다. 예를 들어 콘라트 로렌츠(Konrad Lorenz), 니콜라스 틴버겐(Nikolaas Tinbergen), 그리고 카를 폰 프리슈(Karl von Frisch)의 연구들은 1973년에 노벨상을 받았는데, 그들은 야생 거위, 녹색 도마뱀, 큰가시고기의 행동에 대한 유명한 연구에서 강력한 지배 반사를 촉발하는 이미지·자극들을 식별해낸다. 예를 들어 녹색 도마뱀의 귓구멍 뒤에 있는 작은 푸른색 반점은 다른 수컷의 공격성을 유발한다는 것인데, 암컷에게 고의로 푸른색 반점을 그려 넣었을 때 다른 수컷이 그 암컷에 대해 애정 표시의 몸짓 대신 공격성을 보인다는 사실을 통해 입증된다. 큰가시고기에서도

뒤랑은 이 결과들을 바탕으로, 호모 사피엔스에게는 '지배 반사들'의 구조들에 근거한 원형들이 존재한다는 자신의 테제를 확인하면서, 지배 반사들의 세 가지 유형을 제시한다. 첫째, '삼킴과 소화·흡수 반사들'에 의해 통합된 구조들, 둘째, '교접 반사'와 거기에 연결된 리듬 분석의 과정 안에 통합된 구조들, 셋째, 직립인(homo erectus)으로서의 인간에게 특수한 '자세 지배 반사'가 그것이다(Durand, 1996b: 139; 뒤랑, 1997: 52).

결국 모든 상징화의 원형을 구성하는 것은 이 지배 반사들과 그것에서 연유하는 '표상(schèmes)'들이다. 여기서 뒤랑은 특히 이 세 가지 행동의 축, 그리고 그것들이 불러일으키는 이미지들의 '다발' 혹은 '성좌'들이, 환원 불가능하게 다원적이라는 점을 강조한다(Durand, 1996b: 140~141). 이 이미지들의 다원주의에 대해서는 다시 언급할 것이다. 그 전에 원형, 상징, 지배 반사가 각각 어떤 관련을 맺고 있는지를 자세히 살펴보기로 하자.

(1) '상징적 장치': '표상', '원형', '상징', 그리고 '종합소'

원형이 상상계의 모태라는 점, 그리고 그것이 얼마나 상상계와 이미지들이 신경생물학에서 문화적인 것까지 차곡차곡 층을 이루는 인류학적 전체성 위에 뿌리를 내리고 있는지를 다음의 〈표 11-1〉 '이미지의 동위적 분류도'가 잘 보여준다. 우선 세로축의 각 항들은 '지배 반사'로부터 '표상', '원형', '상징'을 거쳐 '종합소(綜合素)'에 이르는 과정을 나타낸다(뒤랑, 1988: 184~188). 뒤랑에 따르면, '지배 반사'에서 '종합소'에 이르는 과정은 "상징이 실격화되는 과정", 즉 상징이 자신의 고유한 힘을 잃고 단순한 기호나 알레고리, 진부한 은유, 우화 등의 범주로 추락하게 되는 과정을 보여준다. 이 과정을 뒤랑은

비슷한 현상이 연구되었는데 큰가시고기에게 몸집보다 열 배는 큰 붉은 셀룰로이드 뭉치를 보여주었을 때 영웅적 노여움이 촉발된다는 것을 확인할 수 있었다고 한다(뒤랑, 1997: 53~54).

〈표 11-1〉 이미지의 동위적 분류도(Classification isotopique des images)

체제 또는 극성	낮 체제		밤 체제			
구조	분열 형태적 또는 영웅적 ① 이상화 또는 자폐적 후퇴 ② 분열주의(분열) ③ 기하주의, 대칭, 거인증 ④ 논쟁적 대구법		종합적 또는 극적 ① 모순의 병존과 체계화 ② 대립적인 것 간의 변증법, 극화 ③ 역사화 ④ 부분적(순환) 또는 전체적 진보주의		신비적 또는 반어적 ① 중복과 끈기 있음 ② 점착성, 반어적 집착성 ③ 감각적 사실주의 ④ 축소 변형(걸리버)	
설명과 정당화 원칙, 또는 논리적 원칙	·객관적으로 이질화 지향과 주관적으로 동질화 지향(자폐증) ·배척, 대립, 동일성의 원칙이 지배		·시간의 요인에 의해 모순을 연결하는 통시적 재현 ·갖가지 형태를 띤 인과성의 원칙이 지배		·객관적으로 동질화 지향(끈기 있는)과 주관적으로 이질화 지향(반어적 노력) ·유추·유사의 원칙이 지배	
지배 반사	자세적 지배와 손으로 만든 도구, 그리고 거리를 두는 감각적 고안물들(시각, 청각 등)		계합적 영역, 리드미컬한 고안물들, 그리고 그에 해당하는 감각적 고안물들(운동감각적, 음악적, 리듬적 등)		소화 지배와 체내 감각, 체온의 고안물, 촉각적·후각적·미각적 고안물	
동사적 표상	구분하다		연결하다		뒤섞다	
	나누다 ≠ 섞다	오르다 ≠ 추락하다 ←	익다 → 진보하다	되돌아오다, 대조하다 ←	내려가다, 소유하다 → 침투하다	
형용사적 원형	순수한 ≠ 더럽혀진	높은 ≠ 낮은	앞으로, 미래의	뒤로, 과거의	깊은, 고요한, 따뜻한, 내밀의, 감추어진	
실사적 원형	빛≠어둠 공기≠독기 영웅의 무기≠사슬 세례≠더럽혀짐	정상≠심연 하늘≠지옥 우두머리≠부하 영웅≠괴물 천사 ≠ 동물 날개 ≠ 파충류	불·불꽃, 자손, 나무, 씨앗 달력, 계수학, 세 짝, 네 짝, 점성학	바퀴, 십자가, 달, 남녀 양성, 복수신	소우주, 어린 아이, 엄지손가락, 동물 인형, 색, 밤, 어머니, 그릇	거주지, 중심, 꽃, 여성, 음식물, 실체
상징부터 종합소까지	태양, 황도, 아버지의 눈, 룬(rune)문자, 만트라(mantra), 무기, 갑옷, 울타리, 할례, 삭발례 등	사다리, 계단, 신석, 종루, 독수리, 종달새, 비둘기, 주피터 등	입문, 두 번째 태어남, 주신제, 메시아, 화금석, 음악 등	희생, 용, 나선, 달팽이, 곰, 어린 양, 산토끼, 바위, 부싯돌, 교유기 등	배, 삼키는 것과 삼켜지는 것, 코발트(독일의 귀신), 장단격, 오시리스, 물감, 싹, 멜뤼진(Mélusine), 돛, 망토, 잔, 컵 등	무덤, 요람, 번데기, 섬, 동굴, 만다라, 배, 연돌구, 알, 우유, 꿀, 포도주, 금 등

자료: 뒤랑(1983: 102~103).

프로이트의 유명한, 이드(id)·에고(ego)·슈퍼에고(superego)로 구성된 '심리적 장치'의 표현을 빌려 '상징적 장치', 혹은 상징의 '기계적 차원'이라 이름 붙인다. '상징적 장치'를 구성하는 기본적인 요소들은 각각 '표상', '원형', 그리고 '상징'이다(뒤랑, 1983: 서론; 1988; Durand, 1990: 39 참조).

먼저 '표상(schème)'은, 뒤랑에 따르면 "살아 있는 몸의 반사적 무의식으로 즉각 옮겨가는, 형상적 표현에서 가장 직접적인 것"이다. 이 점에서 표상은 호모 사피엔스가 취할 수 있는 온갖 몸짓 중에서 가장 핵심적인 것이라 할 수 있다(뒤랑, 1988: 185). 표상은 상상의 역동적 틀 또는 기능적 바탕을 이루는 것으로서, 앞서 살핀 반사학적 몸짓들과의 차이는 그것들이 단순히 이론적인 기억 흔적에 그치는 것이 아니라 구체적·한정적 재현 활동 속에서 육화되는 도정이라는 사실이다. 예를 들자면(〈표 11-1〉 참조) 자세 반사 몸짓에 대응하는 것은 상향적 수직 표상과 시각·손에 의한 분할 표상의 두 가지이며, 소화 반사 몸짓에 해당하는 것은 하강의 표상과 내향적 웅크림의 표상이다(뒤랑, 2007: 76~78).

반면 '원형적 이미지'는, 이러한 도식에 비해 부차적이라고 할 수 있다. 이 이미지들은 인간에게 보편적이고 원초적이라고 할 수 있는데, '이미지의 동위적 분류도'(〈표 11-1〉 참조)에서 볼 수 있듯이, '형용사적인'(높은, 낮은, 따뜻한, 추운, 메마른, 습기 있는 등) 원형들과 '실사적인'(빛, 어둠, 심연, 어린이, 십자가, 원, 숫자 등) 원형들로 나뉜다.

이후 원형적 이미지들은 순전히 외부적 요인들, 즉 기후, 기술, 지리학적 환경, 문화적 접촉, 음성학적 특징들의 영향으로 특수화되고, 이 경우가 바로 좁은 의미의 '상징'이라고 할 수 있다.[6]

---

6 뒤랑이 언급한 '동방'이라는 '원형적 이미지들'의 예를 살펴보자. 동방의 '원형적 이미지들'
   이 소아시아 또는 유럽인들에게는 사막이나 산에서 떠오르는 태양의 상징적 형태로 인해
   사막의 금빛과 연결되어 있었던 반면, 고대 멕시코인들에게는, 다습한 바람이 불어오는 멕

그리고 마지막으로, 상징이 차츰차츰 문화적 특수성 내로, 연대기적 사건이나 상황 내로 유입되어 그것의 다가성(多價性)을 상실하게 되면 이제 '종합소'가 되어버린다.[7]

상징적 함축성의 이러한 추락은, 뒤랑에 따르면, 상징의 운동적 성격을 어렴풋이 보여준다. 즉, 상징체계는 이격화(離隔化)가 있되 단절은 없는 곳에서만, 다의성을 지니고 있되 자의성이 없는 곳에서만 기능을 한다. …… 상징체계는, 동물의 심리 체계 내에서의 직접적인 지각이나 표현의 경우처럼 이격화가 결여된 경우에도 기능이 중지되고, 종합화 과정 속에서 그 다의성을 잃어버릴 때도 그렇게 되며, 소쉬르가 애호하는 '기호의 자의성'의 경우처럼 기표와 기의 사이에 단절이 있는 경우에도 기능이 중지된다(뒤랑, 1988: 187~188).

뒤랑에 따르면, 상징체계의 기능이 이처럼 그 기능이 중지되는 것은 사색인으로서의 동물 종족인 인간에게는 참으로 실현되기 어려운 극단적인 경우인데, 이에 대한 고찰은 우리를 상징 형성에 관한 발생론적 성찰들로 이끈다.

(2) 상징 발생과 '인류학적 도정'

뒤랑에 따르면, 호모 사피엔스의 모든 심리 활동은 다른 동물들의 그것과는 달리 간접적이라는 점, 즉 본능이 가진 즉각성·확실성을 결여한다는 점을 현대 생물학자들의 작업은 잘 보여준다(뒤랑, 1988: 188). 즉, 간접적 사고

시코 만 너머로 태양이 떠올랐기 때문에 청록빛으로 채색되었고, 이에 따라 일출의 하늘빛은 식물적 풍요성의 상징과 동화되었다고 한다(뒤랑, 1988: 186).

7 예를 들어 원형적인 십자가의 '상징'은 그것이 십자가에서의 수난으로 '명시화'되면서 최초의 '역사적'이고 정서적인 '특수화'를 겪었으며, 수학의 언어에서는, 절대적으로 단일한 의미를 지닌 덧셈 기호의 상태로 전락하고 말았다(뒤랑, 1988: 187).

의 과정이 가장 완전하게 드러나는 것은 호모 사피엔스에서라는 것이다. 그런데 이러한 상징화는 점진적으로 이루어진다. 우선 어린아이들은 그들의 심리적·생리적 미성숙으로 인해 상상계가 제한적·상투적·억압적이기 때문에 심리학자들은 그들을 '제한된 상상력'의 단계에 위치시킨다. 따라서 어린아이들에게 세계와의 거리 두기를 통한 상징적 사유는 느리게 완성되며, 이는 견습 제도들, 친족에 의한 가치 부여, 또는 놀이들에 의해 중층적으로 결정된다(뒤랑, 1988: 190).

그런데 인간에게 상징적 의식이, 좀 더 일반적으로 상상계가 완전하게 나타나는 것은 무엇보다 문화와의 접촉 때문인데, 뒤랑이 '인류학적 도정(trajet anthropologique)'이라고 부른 것이 이러한 과정을 잘 드러낸다.

> (완전히 죽어버린 말처럼 그 의미가 죽어버릴 수도 있는) 문화와, 의식으로부터 벗어나 있을 수 있는 반사적 '천성(nature)' 사이에는 인류학적 도정이 인류학에 대한 과학적 현실로 있다. 달리 말한다면 '인류학적 도정'은 결국 하나의 역설을 밝혀준다. 즉, 물론 인간의 천성이 있다. 그러나 그 천성은 잠재적일 뿐이며 …… 한 문화의 특수한 현실화에 의해서만 행동에 이르게 된다(뒤랑, 1988: 192~193).

달리 말해 '인류학적 도정'이라는 것은, 하나의 상징체계가 출현하기 위해서 그 상징체계가 한편으로는 호모 사피엔스의 표현 속에 천성적으로 내재된 뿌리와 다른 한편으로는 또 다른 하나의 끝, 즉 우주적·사회적 환경의 다양한 소환(일종의 연속적인 왕복운동으로서) 모두에 불가분하게 참여해야 함을 보여주는 개념이다(뒤랑, 1997: 59 이하; Bonardel, 1980: 109; Wunenburger, unpublished: 4; Durand, 2003: 178~179; 1986: 76). 따라서 '인류학적 도정'의 법칙은 하나의 '체계적 법칙(une loi systémique)'[8]의 유형이라고 말할 수 있다.

(3) 상형적 구조의 비환원적 다원주의와 역동성

'인류학적 도정'의 문제의식은 결국 한 주체의 상상 활동에 대한 연구와 함께, 연쇄의 다른 한쪽 끝에서 문화적 생산물들 전체로 그 연구를 확장할 것을 요구한다. 이를 통해 뒤랑은 호모 사피엔스에게 고유한 '상형적 구조(structure figurative)'들을 밝힌다(Durand, 1990: 36; 1986: 75~76 참조). '상형적 구조'는 형식주의를 우선시하는 레비스트로스의 구조주의(Levi-Strauss, 1958)와 의미의 주관적 표명을 강조하는 리쾨르(Paul Ricoeur)의 해석학(Ricoeur, 1963) 사이에서 제3의 길을 찾고자 했던 뒤랑의 시도를 잘 보여주는 개념이다(Durand, 1980: chap.4). 이를 통해 뒤랑은 상상계의 효율성이 몇 가지의 동일한 형태의 틀들로 다양한 이미지들을 환원시키는 '구조들'과, 한정된 수의 도식·원형·상징들에 의해 표명되는 상징적 '의미들' 사이의 연결에 빚지고 있음을 강조한다(Wunenburger, 1997: 74).

구조의 '상형성(figurativité)'에 대해서는 다시 살피기로 하고, 우선 '이미지의 동위적 분류도'(〈표 11-1〉)를 다시 보면서, 앞서 우리가 살폈던 세 가지 '지배 반사'에 상응하는, 기본적인 세 가지 상형적 구조 또는 극(極, polarité)들을 알아보자. 뒤랑은 여기서 하나의 극화(極化)된 '장(場)'을 구성하는 긴장에 비견되는 모든 구조의 역동적 성격을 강조하기 위해 '극'의 개념을 사용해 다소간 '유형학적 정학(靜學)'을 '원형학적 동학(動學)'으로 대체하고자 한다(Durand,

---

8 뒤랑에 따르면, 프랑스에서는 이 용어를 이데올로기적 엄격성을 의미하는 것으로 받아들이는 반면, '체계이론'의 전문가들에게 '체계'란 필연적으로 개방성·유연성의 개념을 내포한다. "그것은 상이한, 나아가서는 대립되거나 모순적인 요소들 간에 이루어지는 하나의 관계적 총체(un ensemble relationnel)"이다. 이 점에서 보았을 때 그것은 배제의 논리를 바탕으로 하는 '이원론(dualisme)'보다는 대립되는 것의 공존·공모, 나아가서는 상호 의존을 가능케 하는, 완화된 이원론으로서의 '뒤알리튀드(dualitude)'에 상응한다. 이런 의미에서 '체계'는 아리스토텔레스적 동일률을 부정하는 '제3의 여건'을 의미한다(뒤랑, 1997: 55~56).

2003: 180~181). 즉, 하나의 구조가 단지 하나의 '분류하는 형식'이 아니라, 하나의 '극화하는 힘(force polarisatrice)'이 되도록 하는 것이다(Durand, 2003: 189).

분류도의 상단에서 볼 수 있는 세 극은, '논리적·구문론적 관점'에서 동질화하는 두 극과 이질화하는 하나의 극으로서, 그 '내용'만을 생각한다면 하나의 낮의 극과 두 개의 밤의 극으로 나뉜다. 따라서 우리는 낮의 동질성과 밤의 동질성에 대해 얘기할 수 있지만 이질성은 항상 밤의 것인 셈이다. 이를 좀 더 자세히 살펴보자(Durand, 2003: 189~191).

첫째, 서로 매우 대립되면서도 동질화하는 두 개의 극에 주목하자. '이미지의 동위적 분류도'(〈표 11-1〉)에서 우리가 상단 왼편에서 볼 수 있는 것은 '분리'[파울 오이겐 블로일러(Paul Eugen Bleuler)의 'Spaltung']의 행위를 지시하는 동사들을 중심으로 선회하는 극이다. 뒤랑은 이것이 '구문(構文)적 과정'과 관련되었을 때는 '분열 형태적(schizomorphe)', 그 '내용'과 관련되었을 때에는 '영웅적'이라고 부른다. '분열 형태적'은 어원적으로 설명될 수 있다. 그리고 '영웅적'이라는 호칭은 이 극이 괴물, 악, 심연 등에 대항한 선의 영웅이나 전사의 싸움과 같은 주제와 이미지들을 선호해 완성함을 의미하기 때문이다. 이 극은 동질화한다. 즉, 이 극은 정신분석학에서 얘기하는 '전이(transfert)'의 매우 강한 함의를 갖췄으며, 그 '이행(déplacement)'에서 매우 지속적이라는 것이다.

둘째, 동질화하는 힘은 동일하지만 반대인 극은 그 구문적 과정과 관련해 '신비주의적(mystiques)'이라고 할 수 있는데, 이 극은 '참여적' 특징을 드러내는 '밤'의, 즉 동화·혼동·결합하는 행위를 지시하는 동사들 주위로 선회하기 때문이다. 그 '내용'들로 이 극성을 특징짓는다면 '친밀주의적'이라고 할 수 있는데, 이러한 극성과 관련된 이미지들은 끼워 넣기, 중심을 향한 다소간 부드러운 회귀라고 볼 수 있기 때문이다.

셋째, 이 극은 기본적인 구문 과정에서 보았을 때 이질적인 요소들의 동시적 배치를 염두에 둔다면 '종합적'이다. 반면에 그 내용을 생각한다면 전과 후, 성숙, 변화 등을 통한 이질화의 논리를 들어온다는 의미에서 '극적(劇的, dramatique)'이라고 할 수 있다. 이러한 종합 또는 드라마는, 그 구성 요소들이 '양극(bipolaire)'인지 '다형태적(polymorphie)'인지에 따라 두 가지 '스타일'로 나뉠 수 있다(Durand, 2003: 189~191).

이러한 세 가지 행동의 축과 그것들이 불러일으키는 이미지들의 환원 불가능한 다원성은, 나중에 살펴보겠지만 상상계와 사고의, 그리고 결국은 역시 환원 불가능한 결정론들과 '진리들'의 적어도 세 가지 유형을 끌어낸다(Durand, 1996b: 139~141).

이제 '상형적' 구조와 구조의 '상형성'에 대해 몇 마디 덧붙여보자. 이와 관련해 뒤랑은 자신이 제안하는 '상형적 구조'는 '구조주의적 초(超)관념주의의 추상적 안락함'과는 반대로 결코 '비지' 않았다고 설명한다. 이를 위해 뒤랑은 괴테의 유명한 '식물의 원형(Urpflanze)'을 그 예로 들고 있다. 즉, 후자가 어떤 구체적이고 특수한 식물들 안에서만 '현현(現顯)'할 뿐인 것과 마찬가지로, 의미를 나타내는 모든 구조는 '상형적'이라는 것이다. 달리 말해, 구조들은 추상적이고 정태적인 형식들이 아니라 우주적 환경과 사회적·가정적 환경에 의해 필연적으로 완성되고 채워지는 특수한 '틀' 혹은 '거푸집'인 셈이다(Durand, 1996b: 140~142). 따라서 '형상적 구조주의'의 방법론적 선택은 한 연쇄의 대립되는 양 끝인 범주적 선험주의(un a priori catégoriel)와 사실적 귀납주의(un a posteriori factuel)를 동시에 참작할 것을 우리에게 요청한다. 연구 대상인 상상계는 항상 심층적인 경향들과 표면 변화들의 교차점에 위치하는 것이다(Wunenburger, unpublished: 6).

여기서 우리가 다시금 강조해야 할 것은, '이미지의 동위적 분류도'가 우리에게 보여주는 상상계 구조의 비환원적 다원주의와 마찬가지로, 그로부터 연유하는 '역동성'이다. '원형학'의 필요성으로부터 출발한 뒤랑의 작업은 그를 또 한 사람의 '구조주의자'로, 즉 변화나 통시성·역사성을 외면한 학자로서 오해하게 할 소지가 있다. 그러나 뒤랑에게 원형학의 불변적 요소는, 다음에 나오는 '사회·문화적 토포스'와 '의미의 물줄기'를 통해 확인하게 되겠지만, 온갖 가변성을 낳는 모태로서 의미를 지니는 것이지 가변적 요소와 대립되는 절대 불변적인 실체가 아니다. 즉, '이미지의 동위적 분류도'에서 우리가 주목해야 할 것은 외면적으로 쉽게 드러나는 공시적인 분류법 자체라기보다는, 상상계의 구조들이 보여주는 극화(極化)의 성격과 그로부터 유래하는 긴장과 갈등과 교차, 그리고 그것이 함축하는 역동성인 것이다(유평근·진형준, 2002: 215~216).

3) 신화와 신화비평

앞서 뒤랑이 말한 '인류학적 도정'의 문제의식은, 한 주체의 상상 활동에 대한 연구와 더불어 연쇄의 다른 한쪽 끝에서 문화적 생산물들 전체로 그 연구를 확장할 것을 요구한다고 지적했다. 이는 자연스레 그가 언급한 '신화'와 '신화방법론'('신화비평'과 '신화분석')의 문제의식으로 우리를 이끈다.

뒤랑에게 신화란 "일정한 재현의 충동에 따라 하나의 이야기로 구성되어 가는 상징·원형·표상들의 역동적 체계"를 의미한다(Durand, 1960: 64). 그런데 '신화'와 관련해 특히 중요한 점은, '원형'이 모든 상상계의 '모태' 구실을 했던 것과 마찬가지로 신화적 담론은 모든 '담론'의, 즉 모든 구전된 또는 기록된 '문학'의 모태가 된다는 점이다. 동시에 신화의 독해 기술은 모든 '담론'의 독해에서 패러다임이 되며 '신화비평'의 근간을 이루게 된다. 다시 뒤랑의 표현을 빌려보자. "형성되는 모든 인간적 사유는 신화적 담론의 양태하에 전개된다. 이제 신화는 올림프스에서 내려와 일반화되고, 평범해지면서 '신화비평'이 된다"(Durand, 1996b: 141~142).

바로 그렇기에 뒤랑은 "신화는 역사의 표준 척도이며, 그 역은 옳지 않다"는 점을 강조한다. 즉, "문화 혹은 인간 개인들의 삶의 지속 기간 속에서 ······ 역사의 역할들을 분배하고, 역사적인 순간, 한 시대의, 한 세기의, 한 생애 어느 시기의 영혼, 혹은 정수라 부를 만한 것을 결정하는 것이 바로 신화"인 것이다(뒤랑, 1988: 198).[9] 예컨대 구약에서 나타나는 구세주를 향한 기다림, 그 '신화적' 기다림이 없다면 예수, 즉 메시아의 역사적 진정성도 있을 수 없었듯이 말이다(뒤랑, 1988: 198). 또한 문헌학자 조르주 뒤메질(Georges Dumézil)도 흔히 로마 역사에 관한 '실증주의적' 서술의 시조 격으로 알려진 티투스 리비우스(Titus Livius)의 역사 서술이 실은 인도·유럽 어족의 신화에 기대고 있음을 잘 드러낸 바 있다(뒤랑, 1998: 49).

신화와 관련해 뒤랑이 강조하는 또 다른 점은, 신화가 "모든 의미 전개에 있어 근본이 되는 대립적 긴장으로 이루어져 있는 최고의 담론"이며 따라서 신화는 "그 어떤 로고스의 체계로도 환원 불가능한 차이들의 집적소"라는 점이다(뒤랑, 1988: 194). 예컨대 니체(Friedrich Nietzsche)가 그리스 사고의 근간을 이루는 신화들이 아폴론적인 힘들과 디오니소스적인 힘들 간의 대립의 이야기임을 간파해낸 것은 참으로 독창적이었다고 지적한다. 또한 레비스트로스가 신화를 공시적으로 중첩해놓을 수 없는 의미론적 본질들을 통시적으로 중재해주는 의미론적 도구라고 지적했을 때, 그는 다시금 신화가 지닌 이 같은 모순적인 성격을 강조한다는 것이다. 뒤랑에 따르면, 결국 신화는 앞서 우리가 살핀 세 가지 구조적 전체를 '비환원적으로' 그리고 '생성적으로' 두루 포섭하는 '이야기' 형태로 되어 있으며, 이런 의미에서 신화는 극적인 시퀀스

---

9 네 명의 중요한 19세기 역사가들이 중요 문학 장르의 틀을 따라 '서사'와 '플롯'의 틀을 맞추었다는 분석을 제안한 헤이든 화이트(Hayden White)와, "역사가의 구도가 어느 정도의 포괄성에 도달하게 되면 그것은 신화적 형태가 된다"는 노르베르트 프라이(Norbert Frei)의 주장은 뒤랑의 신화비평에서의 입장과 일치한다(버크, 2005: 138~142 참조).

들과 상징들의 통시적인 산재소(散在所)이자 궁극적 담론이며, 이 궁극적 담론은 결국 '신들의 전쟁'을 보여준다는 것이다(뒤랑, 1988: 194~195).

4) 신화비평에서 신화분석으로: '심층 사회학'을 향하여

(1) '사회·문화적 토포스'

이제 연구를 단 하나의 저자와 텍스트가 아니라 한 사회와 시대의 사회적·정치적·일상적·이념적 등의 담론 전체로 확대한다면, 하나의 순간적인 '신화비평'에서 좀 더 일반화된 '신화분석'으로 옮겨가게 된다. 앞서 살폈듯이, 이러한 신화비평과 신화분석은 뒤랑으로 하여금 이 두 가지 방법을 포함하는 '신화방법론(mythologie)'이라는 신조어를 만들게 한다. 또한 이 과정은 원형학을 통한 인류학적 '정학'의 완성에 기여한 후, 본격적으로 '통시성'의 연구로 옮겨가는 뒤랑 연구의 궤적을 잘 보여준다(Durand, 1990: 39 참조).

먼저 '심층 사회학'의 기초 요소인 '사회·문화적 토포스(topos)'를 살펴보자(뒤랑, 1997: 100~106; 〈그림 11-1〉 참조). 뒤랑의 '토포스' 개념은 주어진 시대의 복합적인 상상계의 지형도를 하나의 형상으로 설정하기 위한 것이다. 뒤랑은 이 아이디어를 프로이트의 정신 현상 기능 도식인 두 개의 토픽에서 빌려온다. 그리고 이것들을 융의 '집단 무의식' 개념의 도움을 받아 사회학으로 확장시킨다. 융이 '집단 무의식'과 그것의 다원주의적 특성을 강조하면서 '심층 심리학(Psychologie des Profondeurs)'을 설립했다면, 뒤랑은 이러한 '사회·문화적 토포스'의 개념을 통해 '심층 사회학(Sociologie des Profondeurs)' (Durand, 1976, 1981, 1984)을 제안하는 것이다.

우선 프로이트는 1902년의 첫 번째 토픽을 통해 모든 심리 활동의 '상징적 지위'를 밝힌다. 즉, 현재의 '의식'적 담론과 태도를 모든 심리 활동의 '무의식' 안에 잠겨 있는 과거와 연결시키는 것이다. 그리고 1920년의 두 번째 토픽에

〈그림 11-1〉 사회체계의 지형학(Topique du système social)

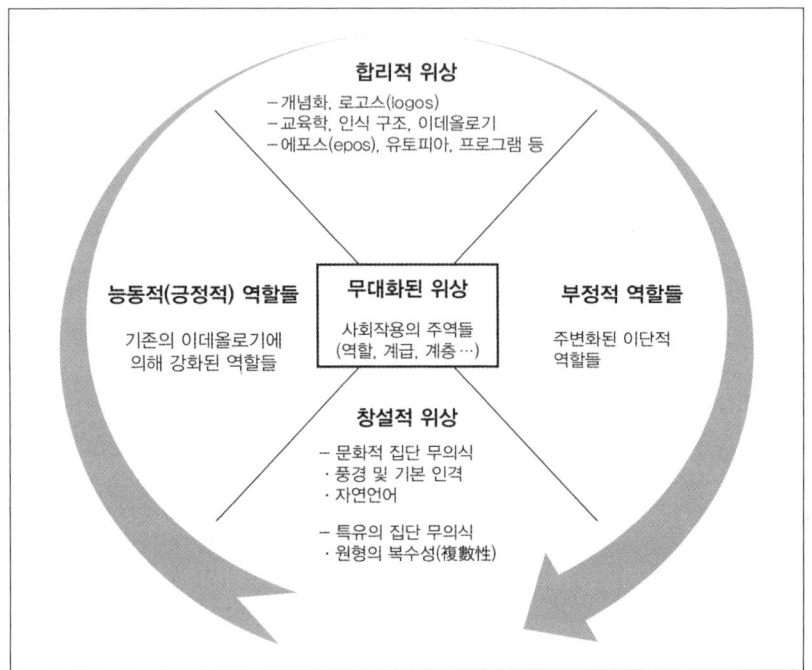

합리적 위상

–개념화, 로고스(logos)
–교육학, 인식 구조, 이데올로기
–에포스(epos), 유토피아, 프로그램 등

능동적(긍정적) 역할들

기존의 이데올로기에
의해 강화된 역할들

무대화된 위상

사회작용의 주역들
(역할, 계급, 계층 …)

부정적 역할들

주변화된 이단적
역할들

창설적 위상

– 문화적 집단 무의식
·풍경 및 기본 인격
·자연언어

– 특유의 집단 무의식
·원형의 복수성(複數性)

자료: 뒤랑(1998: 209).

서 의식은 '에고'와 '슈퍼에고'로 분류되고, 무의식은 '이드'로 명명된다. 그런
데 이러한 구분들은 이미 우리가 살펴보았던 뒤랑의 '인류학적 도정'의 양극
단과 일치한다. 즉, 무의식과 이드는 '인류학적 도정'에서의 천성적 끝과 일
치하고, '에고'와 '슈퍼에고'는 '교육된' 다른 끝과 일치한다.

　이제 뒤랑은 주어진 한 시대의 상상계의 총체를 형상화하기 위해 하나의
원을 그린 후 그 원을 수평적인 세 개의 층으로 나누면서, 프로이트가 개인
심리의 분석에 제안한 세 가지 차원을 한 사회에 은유적으로 적용하고자 한
다(〈그림 11-1〉 참조). 첫째, 가장 깊은 곳에 위치한 층이 인류학적 '이드'를 형
성하며, 융이 일컬은바 '집단 무의식'의 장소가 된다. 주지하다시피 융은 개
인적인 무의식의 뒤편에서, 우리 심리 활동의 저 밑바닥에서, '신화'라는 토

대와 만나는 더욱더 심층적인 층들이 있다는 점을 '집단 무의식' 개념을 통해 밝히려 시도한 바 있다(뒤랑, 1997: 100).

이 차원을 뒤랑은 '특유의 집단 무의식'이라고 명명하며, 일종의 '고고사회학(archésociologie)'의 수준에 속한다고 설명한다. 미국 문화주의 인류학자들의 '기본 인성', 독일 전통에서의 '문화적 풍경(Landschaft)' 등이 이 차원에 대한 이해를 도와줄 수 있다. 이 차원에서는 뒤랑이 지적하듯이 '형상(figure)'은 희미하지만 '구조(structure)'는 분명하며, 그 원형들은 다원적이란 점을 강조해야 할 것이다. 이는 거푸집에 들어가는 회반죽에 비유할 수 있다(Durand, 1996a: 135~136).

둘째, 이러한 '집단 무의식'은 거의 천연적인 상태로부터 환경에 의해서, 특히 한 사회의 역할, 다시 말해 '페르소나(persona)'[10]에 의해 주어진 상상적 이미지 속에 자리 잡는다. 사회의 역할, 즉 페르소나는 뒤랑의 토포스에서 두 번째 층위에 해당하며, 은유적으로 프로이트의 '에고'와 일치한다. 그것은 사회적 계층화의 지대로서 계급·신분제도·연령 서열·성적 차이 등에 따라 역할이 배분되며, 하나의 직경에 의한 원의 수직적 분할에 따라 그 역할들이 가치를 부여받거나 변방화된다. 이때 긍정적인 가치가 부여된 역할을 맡는 이미지들은 제도화되는 경향이 있는 반면, 변방으로 밀려난 이미지들은 흩어져 '지하'로 숨게 된다. 그런데 사회 변화와 주도적 신화의 변화를 자극하는 역할은 이 변방화된 이미지가 떠맡는다(뒤랑, 1997: 101). 달리 말해, 긍정적 역할들은 고유한 코드들과 용어를 갖는 '하나의 유일한 체계'로 제도화되는 반면, 부정적 역할들과 반대자들은 혼동스럽고, 무정부적인 상태이지만 다시 '스며나올' 기회를 기다리며 산재되어 있다(Durand, 1996a: 138).

---

10 '가면'의 뜻으로, 예컨대 융은 '그림자(shadow)'와 대비해 '페르소나'를 공식적으로 인정된 주어진 역할의 의미로 사용한다.

마지막으로, 도식의 제일 위층에 그 사회의 '초자아'가 놓인다. 이 초자아는 사회·문화적 '자아'의 능동적 역할을 법전 속에, 플랜 속에, 프로그램 속에, 이데올로기 속에, 교육학 속에 조직화하고 나아가 합리화한다(뒤랑, 1997: 102). 즉, 이 수준에서는 뒤랑이 지적하듯이 "말하자면, 미토스(mythos)는 에포스(epos)로 실증화되고 로고스(logos)로 논리화된다"(Durand, 1996a: 139).

이제 그림의 마지막 측면인 시계 방향으로 돌며 그 밑부분이 특히 두꺼운 '화살표'를 살펴보자. 이 화살표는 토포스가 시간을 따라 순환 운동함을 보여준다. 즉, 화살표와 그것의 두께는 신화적 '힘'이 어떻게 시간의 흐름을 따라 소진되고 다시 '재신화화'를 통해 재충전되는지 보여준다. 말하자면 '이드'의 층위에서는 상상계가 혼란스러운 실마리 단계에 있다가, 사회적 '자아'에서는 신화의 비논리성이 차츰 다양한 역할을 담당하며 정규화되고, 사회·문화적 '초자아'에서는 아주 빈약해져서 현재 통용되는 논리에 자리를 내주고 사라지게 된다(뒤랑, 1997: 102). 신화가 신화적 힘을 잃고 중화되는 것, 즉 탈신화하는 것은 역설적이게도 신화가 유토피아적 목표들과 합리적 방법들로 합리화되는 순간, 신화가 제도와 법 안에서 가장 현시적이 되는 순간, 그것이 '집합 의식' 속에 가장 잘 통합되는 순간인 것이다(Durand, 1996a: 139). 그리고 이러한 '합리주의적 탈마법화(désenchantement rationaliste)'에는 '상상적 재마법화(réenchantement imaginaire)'가 대립하게 된다. 즉, 신화적 상상계는 '부정적' 사회적 역할들에서 살펴보았듯이 주변화된 '이단적인' 역할들 및 욕망과 원한들을 통해 전달된 재신화화하는 꿈들 안으로 다시 천천히 빠져들게 된다. 여기서 뒤랑은 쇠사슬에 줄지어 달린 두레박에 물이 채워졌다가 비워지는 이미지를 우리에게 상기시킨다(Durand, 1996a: 143).

이제 일반적인 지적을 몇 가지 추가해보자. 첫째, 우리가 방금 살펴보았듯이 사회·문화적 토포스는 신화학자들이 분석하는 사회적 '이드', 심리사회학의 영역인 사회적 '자아', 제도 분석·법규화·교육학적 성찰의 영역으로서의

'초자아' 등을 총괄할 수 있게 해준다는 이점이 있다(Durand, 1996a: 134). 그런데 더욱 중요한 점은 토픽의 세 가지 은유적 수준들로서 원형적·창건적 수준, 역할의 행위자의 수준, 합리적이고 '논리적인' 기도들의 수준을 '함축(implique)'하는 근본적 응집력이 신화적 담론이라는 점이다. 따라서 한 사회는, 뒤랑의 표현을 빌리자면 하나의 '신화적 함축(implicant' mythologique)' 안에서 움직인다. 이때 후자는 한 사회의 '상태'에 대한 '기본적인 표지'가 되는 것이다. 신화는 또한 관찰자에게 하나의 근본적 지시자로서 나타날 뿐만 아니라, 하나의 체계적 전체 안에서 정치 행위자를 위한 하나의 기본적 '결정자'로서 나타나게 된다(Durand, 1996a: 140).

둘째, '사회성(socialité)'에 대한 이러한 토포스적 접근은 뒤르케임에게 강박적인 문제였던 '정상'과 '병리'의 구분에 어느 정도 설득력 있게 답할 수 있게 해주며, 나아가 정치에 영감을 줄 수 있다고 뒤랑은 주장한다. 그에 따르면 '사회적 건강 상태'는, 토포스 안에서의(그 수평적·수직적 수준에서의) 다원성의 자유로운 게임이다. 융에게 심리적 건강이 '개성화(individuation)'의 연금술 안에 있는 것처럼, '좋은 건강'의 사회는 토픽의 모든 층위에서 가치의 다원주의가 이루어지는 사회이다. 이는 법규화의 다원성과 제도화된 권력들의 분립[몽테스키외(Charles De Montesquieu)], 그리고 '사회적 개성화(individuation sociale)'의 드라마를 구성하는 모든 행위자들과 전형화들을 그것들의 자리와 특수성 안으로 통합하는 기능들의 다원성으로 언급할 수 있을 것이다. 아주 건강한 사회는 그것을 구성하는 어떤 하위 집단도, 어떤 소수파도 배제하지 않는 사회이다. 또한 그의 무의식을 신화의 다신교로 배양하는 사회이다(Durand, 1981: 306).

뒤랑 자신은 이 도식을 두 시기(1860~1920, 1920~1980)의 독일과 프랑스에 적용한다(뒤랑, 1998: 210~218). 우선 1860~1920년의 시기는 "19세기로부터 온 신화"인 프로메테우스 신화가 힘을 잃어가는 반면, 이에 맞서는 데카당

(décadent)의 신화를 보여준다.

먼저 프로메테우스 신화[11]부터 살펴보자. 이 신화의 '신화적 힘'은 에펠(Gustave Eiffel), 파스퇴르(Louis Pasteur), 수에즈운하의 건설자인 레셉스(Ferdinand de Lesseps) 등에 응축되어 있다면, 이에 상응하는 '역할들'로는 발명가들, 프로메테우스적인 흐름을 유포하는 교사들, 식민지 개척자와 선교사들, 군인들, 상인 등이 대표적이고, '초자아'에는 기술 발전, SF 소설, '공립학교' 등이 해당된다고 뒤랑은 지적한다. 반면 데카당의 신화에 상응하는 '역할들'로는 예술가들, '댄디들', 무정부주의자들, 수공업 장인들, 소상인들, 귀족, 동양인, 신비주의자, '해방된' 여성들을 들 수 있다.

반면 1920~1980년의 시기에서는 앞서 변방화된 데카당의 신화가 공식적인 자리를 차지해 '디오니소스 선언'을 낳고 제도화된다. '초자아'부터 살펴보면, 놀랍게 발전한 대중매체의 여흥들, 사회보장제도들, 정치가들의 우상화 등을 언급할 수 있고, 가치 부여된 '역할들'로서는 신문기자들, 관료들, 노동조합원들, 정치가들, 그 외의 스포츠·예술 분야의 우상들을 들 수 있다. 뒤랑에 따르면 이를 받치는 신화적 힘은 분명 디오니소스 신화이지만 이는 결국 '제도화'되어 그 야생적·반체제적 힘을 상실하게 된다.[12]

---

11 여기서 뒤랑은 세 가지 신화적 형상인 '프로메테우스', '디오니소스', 그리고 '헤르메스'를 각각 이 시기의 사회·문화적 토포스의 설립에 적용한다. 주지하다시피 '프로메테우스'는 신들의 신인 제우스로부터 불을 훔쳐 인간에게 가져다준 죄로 산 위에서 독수리에게 간을 쪼여 먹히는 영원한 형벌을 받는 신이고, 따라서 기술, 과학, 이성, 자연 정복, 그리고 이를 바탕으로 하는 인류 행복의 진작, '진보'를 나타낸다고 할 수 있다. 디오니소스는 '술'의 신으로서 광란의 신, 인간의 친구이자 고통받는 신, 자연의 신, 망아(忘我)의 신, 광연(狂宴)의 신, 부활의 신 등으로 알려져 있다. 헤르메스는 연금술의 세계관을 대변하는 신화적 형상으로서 혼합, 혼합에 의한 완화, 하나로의 통합, 대립 항들의 유동·순환·이행, 그리고 화해 등을 나타낸다. 그리고 우리는 이제 뒤랑이 제시하는 '프로메테우스', '디오니소스', 그리고 '헤르메스' 각각이 우리가 살펴본 '분열 형태적 구조', '신비적 구조', '종합적 구조'가 19~20세기의 상황에서 '형상화'된 것이라고 이해할 수 있을 것이다.

12 예를 들어 시위 행렬에는 남녀 동성애자들의 '줄'이 마련되어 있고, 성매매 여성들도 조합

이제 이에 맞서 새롭게 주변화되는 '역할들'은 농부들, 이주민들, 실업자들, 군인들, 미래를 보장받을 수 없는 학생들, 대중매체와 거의 소통을 끊고 있는 학자들이라는 것이다. 이들은 비판과 항의의 모든 신화들로부터 신화적 힘을 길어오는데, 뒤랑에 따르면 그 신화는 무엇보다도 '헤르메스' 신화이다. '68혁명'의 주된 분위기로서의 '우애(fraternité)'에 대한 요구, '대립되는 것의 종합'에 대한 요구를 헤르메스 신화가 함축하고 있다는 것이다.

이상의 분석을 종합해 뒤랑은 현대 서구 사회가 세 가지 각기 다른 신화적 심급에 근거한다고 진단한다(뒤랑, 1998: 59~63). 프로메테우스 이데올로기를 계속 유포하는 교육의 층위, 일종의 '찬란한 주변성'으로서의 디오니소스 신화를 전파하는 대중매체의 층위, 그리고 앞의 두 권력 사이의 변증법에 맞서 모더니티를 넘어서는 새로운 신화 혹은 세계관을 건립 중인 학자들의 은밀한 '연금술적(hermétique)' 층위 또는 '헤르메스' 신화의 층위가 그것이다.

(2) '의미의 물줄기'

'사회·문화적 토포스'에 대해 살핀 후 우리는 다음과 같은 질문들을 떠올리게 된다. 의미론적인 통일성을 보여주는 '단계들', '국면들'에는 어떤 것들이 있는가? 그것들의 지속 기간은? 그리고 하나의 토포스적 공간은 세부적으로 어떻게 분할될 수 있는가?

뒤랑이 지적한 대로, 한 사회에 주어진 변화들은 무질서하게 이루어지는 것이 아니며, 어느 순간의 사건들과 긴 지속 기간 사이에는 그 스타일, 양식,

---

을 결성해 권리 요구서를 제출한다. 뒤랑의 표현을 빌리자면 디오니소스는 이제 "관료화되고 슬퍼졌다". 파리 거리의 시위 현장을 보면 이제 시위자의 자치적 치안과 외부의 치안에 의해 잘 조직된 시위대가 얌전히 시위를 할 권리를 획득하게 되었고, 자동차 운전자에 대해 자신의 권리를 주장하는 자전거 이용자들, 자전거에 항의하는 롤러스케이터들의 경우도 '얌전해져서 슬퍼진' 디오니소스를 잘 보여준다는 것이다.

표현 수단 간에 동질성을 가진 중간 기간이 존재한다는 점을 이미 여러 학자들이 주목해왔다. 매우 빈약하지만 '고대', '중세', '현대'의 구분이 우선 그 예이고, 슈펭글러(Oswald Spengler)에 의한 문명들의 복수화(複數化) — 또한 각각의 문화 속의 문화적 계절로서의 봄, 여름, 가을, 겨울이라는 국면들 — 그리고 경제학자들의 '트렌드', 예술사가들의 주기적 사이클('고전주의', '바로크', '낭만주의' 등)이 그 좋은 예가 될 수 있을 것이다(뒤랑, 1998: 119~122; 1997: 106~108).

그런데 이러한 문제의식에서 뒤랑에게 무엇보다 중요한 것은, 한 사회는 기념물·자료·삶의 양식·자연언어 등 '정보를 제공하는 제도들' 속에 저장된 '기억'을 가진다는 점이다. 여기에서 두 가지 중요한 결과가 도출된다. 첫째, 토포스 단계들의 겹침의 문제가 그것이다. 한 신화의 재탄생은 이미 자리 잡은 채 스스로의 신화 발생적 역동성을 상실하며 소진되는 신화소 아래에서 오래전부터 앞서서 그려진다. 따라서 한 가정적 트렌드는 문화에 의해 기억된 다양하고 모순적인 층위들로 둘러싸인다(Durand, 1996b: 151). 즉, 단계들은 단선적 연대기의 분명한 연속을 따르지 않는다. 예를 들어 고딕은 12세기의 '로만(roman)'으로부터 천천히 떠오르고, 낭만주의는 18세기의 계몽주의로부터 떠오른다. 바로 여기에서 다음 두 가지 유형의 시간 사이의 근본적인 차이가 나타난다. 역사가들에 의해 과도하게 사용된 단선적 시간[파라켈수스(Paracelsus)의 'Wachendzeit']과, 의미와 성숙의 시간[인간적 카이로스(kairos), 파라켈수스의 'Krafzeit', '운명의 힘']이 그것이다. 뒤랑에 따르면, 후자는 회상과 지체에 근거하며 전자와 동질적일 수 없다. 그것은 가을의 열매가 이미 봄의 꽃 속에 있었고, 봄의 싹은 가을의 낙엽 밑에 이미 있는 것과 마찬가지다(Durand, 1996b: 150).

둘째, 뒤랑에 의하면 이러한 기억화는 '재사용'을 허가한다. 후자는 다양한 스타일과 양식들, 신화소들에 의해 표명된다. 바로크주의들, 고전주의들, 낭만주의들, 테카당티즘 등의 '반복'을 설명하는 것은 이렇듯 필연적으로 제한된 저장물들이다. 즉, 인간의 변전에 수학적·물리학적·생물학적 형태 발생 안에서처럼 무제한의 선택이 있는 것은 아니며, '기회들'은 제한되고 '재사용' 이 부과된다는 것이다.

더 나아가 이 제한된 수의 양식적 전체들은 결정적인 힘을 가진다고 뒤랑은 주장한다. 르드뤼(Raymond Ledrut), 마페졸리(Michel Maffesoli), 타퀴셀 (Patrick Tacussel) 등이 프랑스 실증주의적 사회학주의에 의해 포기된 '결정하는 형식(forme déterminante)'의 개념을 다시 사용하는 것은 바로 이 맥락 안에서라는 것이다. 동시에 이 인식론은 물리학[데이비드 봄(David Bohm)의 '접혀진 질서(ordre impliqué)', '재주입(ré-injection)'], 그리고 특히 생물학[13]의 첨단적 연구들과 만난다.

이러한 재사용(상투적인 기계적 반복이 전혀 아니고, '재주입', 즉 각 '사용'은 정보량의 '증가'에 의해 변경된다)은 하나의 사회·문화적 전체에 뒤랑이 '의미론적 물줄기(bassin sémantique)'라고 부른 것을 굴착하게 된다. 이 '물줄기'의 형성을 뒤랑은, '강'과 관련한 메타포를 쓰면서 다음과 같은 6단계로 나눈다 (뒤랑, 1998: 122~123).

① 스며 나옴: 하나의 주어진 문화 환경 내에서 여러 새로운 흐름들이 형성된다. 그것들은 옛 의미의 물줄기의 소생이기도 하고, 어떤 경우에는, 전쟁, 침입, 사회적 혹은 과학적 사건 등의 어떤 역사적 상황들로부터 태어나기도 한다.

② 분수기(分水期): 물줄기들이 결합해 당파, 학파, 사조를 이루고 다른 방향

---

13 태생학자들[워딩턴(Conrad Hal Waddington), 셸드레이크(Rupert Sheldrake)]의 '크레오드(chréode, 태아가 성숙하는 데 필요한 성숙화의 여정)' 개념과 '사역 형태(forme causative, 원인은 원인이되, 현상적으로 앞선 것이 아니라 후대까지는 아니더라도 최소한 다른 곳에서 온 원인)의 개념 등이 있다.

성을 가진 흐름들과 서로 맞서게 된다. 상상계의 체제들이 싸움을 벌이고 대립하는 단계이다.

③ 합류기(合流期): 지류들이 합쳐져 하나의 큰 흐름이 형성되려면, 기성의 권위나, 영향력 있는 인물의 인정과 뒷받침이 필요하다.

④ 강의 이름: 전설적인 일화 등에 힘입은 하나의 신화 혹은 하나의 이야기가, 그 의미의 물줄기에 이름을 붙이거나 그것을 전형적으로 보여줄 실제 혹은 가공의 인물을 만들어내는 시기이다.

⑤ 연안 구획: 양식적·철학적·합리적 공고화가 이루어지며 '제2의' 창건자들, 이론가들의 시기이다. 때로는 범람 현상이 일어나 그 흐름의 몇몇 전형적 성격들이 지나치게 과장되기도 한다.

⑥ 고갈되어 델타로 남기: 곡류와 변이들이 생성되는 시기로서 세력이 약해진 물줄기는 여럿으로 나뉘어 이웃한 흐름들에 흡수되어버린다.

이제 뒤랑 자신이 '신화의 귀환'(1860년대~오늘날)이라고 명명한 흐름을 통해 '의미의 물줄기' 적용의 예를 살펴보자(뒤랑, 1997: 113~120, 1998: 169~172).

① 스며 나옴: 1867년부터 1914~1918년까지의 기간으로서, '프로메테우스적' 상상계에 대항해 데카당스와 상징주의의 '스며 나옴'을 목도한다. 보들레르(Charles Baudelaire), 상징주의 화가들, 자연주의적 인상주의, 프로이트, 바그너(Richard Wagner), 졸라(Emile Zola)에 의한 최초의 '재신화화' 등이 이 시기에 속한다.

② 지류: 1914년부터 1939~1944년까지의 시기로서, 초현실주의와 과학주의의 분수기(分水期)이다. 형식주의들과 현상학들 간의 생생한 싸움, 프랑스와 독일 간의 깊은 갈등 등은 상호 간 상상계의 자유로운 작용을 교란시키며 전후의 구조주의와 역사주의 논쟁으로 이어진다.

③ 합류: 1938~1944년의 시기로서, 이미지 기술들의 발전과 '신과학 정신'[가스통 바슐라르(Gaston Bachelard)]의 이론 사이에 합류가 시작된다. 상상계에 대한 첫 검토들이 몇몇 사상가들에 의해 조심스레 행해진다.

④ 강의 이름: 교란된 분수기에 의해 제동이 걸린 채 1930년부터 오늘날까지 면면히 이어진 이 의미의 물줄기는 프로이트와 정신분석학의 계보에 속하는 이들에 의해 '강의 이름'을 얻게 된다(1945년부터 1950~1960년까지). 그러나 이것이 프로이트주의의 '진실성'을 보장한다기보다는, 그것의 '의미론적 함축성'을 보장한다는 의미이다.

⑤ 연안 구획: 연안 구획은 1950년대부터 시작되어, 1960년대부터 오늘에 이르기까지 정교화되고 단단해진다. 1950년대부터 상상계의 철학과 신화방법론을 구축해왔던 연구자 집단의 작업이 중요하다.

⑥ 고갈되어 델타로 남기: 신(新)초현실주의, 프로이트주의, 융주의, 그리고 뒤랑 자신의 업적들에 가려진 채, 21세기의 첫 흐름들이 스며 나오게 될 곡류와 델타가 이미 존재하고 있을 것이다.

그런데 우리가 앞서 살펴보았듯이 '의미의 물줄기'의 문제의식에서 무엇보다 중요한 것은, 한 사회는 기념물·자료·삶의 양식·자연언어 속에 저장된 '기억'을 가지고 있고, 이러한 기억화는 '재사용' 또는 '재주입'을 가능하게 하며, 이는 다양한 스타일과 양식들, 신화소들의 '반복'에 의해 표명된다는 점이었다. 그렇다면 우리가 살펴본 의미의 물줄기인 '신화의 귀환'은 어떤 의미에서 물줄기의 '반복'인가? 뒤랑의 분석에 따르면, 12세기 중·후반부터 15세기 초까지의 '모범주의(examplarisme)', 18세기 중·후반부터 19세기 후반까지의 '자연철학(naturphilosophie)'의 '의미의 물줄기'가 '신화의 귀환'과 그 '형태'에서 반복되지만, 이에 대한 분석은 다음으로 미루기로 하자(뒤랑, 1997: 3장; 1998: 3장 참조).

3. 상상계에 대한 문제의식의 인식론적 함의

질베르 뒤랑의 작업의 인식론적 함의를 살피기 위해 우리는 뒤랑 자신이 '바슐라르 이후(L'Après Bachelard)' 또는 '대변혁'이라고 명명한 흐름 속에 뒤랑 자신의 작업을 위치시켜야 할 것이다(Durand, 1988). '바슐라르 이후'란 무엇인가? 뒤랑에 따르면, 자신의 스승으로서 과학철학자이자 상상력의 해석가인 바슐라르의 근본적인 업적 중 하나는, 시학(詩學)에 과학과 대등한 지위를 부여함으로써 그 지위를 복권시켰다는 점이다. 그러나 동시에 바슐라르에게 '합리적 과학'과 '시적 몽상'은 상호 대립적이고 배타적이었다. 그러나 그에 따르면 두 항의 이러한 대립과 분리는 바슐라르에 이르러 극한점에 도달하고, '바슐라르 이후'에 대립된 두 항의 조우·공모·상호 관련성을 목도하게 된다(Durand, 1988: 8~9). 우선 '바슐라르 이후' 인식론적 흐름의 주요 특징들을 뒤랑 자신의 정리를 바탕으로 간략히 살펴보자.

뒤랑에 따르면 '바슐라르 이후'는, 앞서 얘기한 두 가지 지식의 양태가 하나의 '총체적 철학(une philosophie d'ensemble)'으로 수렴되는 역사적·문화적 순간인데, 그 총체적 철학의 범주들의 특징은 다음과 같다. 비(非)칸트적인 '새로운 선험적 형식들', 현상들의 비(非)헤겔적 시간, 대상들에 대한 비(非)콩트적 정의, 비(非)마르크스적 변증법, 그리고 비(非)아리스토텔레스적 논리 등이 그것이다(Durand, 1988: 9). 이제 이 새로운 범주들의 특징들을 뒤랑이 제시하는 예들을 통해 살펴보자(Durand, 1988: 10~11; 뒤랑, 1998: 2장).

첫째, 미국의 물리학자 제럴드 홀튼(Gerald Holton)은 그가 '테마타(thema, 복수는 themata)'라고 부른 이미지의 체계가 과학적 가정과 발견이 어떤 방향으로 나아갈 것인가에 대해 주도적 역할을 한다는 것을 보여주었다(Holton, 1982). 홀튼은 여기서 디오니소스적 상상계와 아폴론적 상상계라는 잘 알려진 구분을 채택하면서, 케플러(Johannes Kepler), 뉴턴(Isaac Newton), 코페르

니쿠스(Nicolaus Copernicus), 보어(Niels Bohr), 아인슈타인(Albert Einstein) 등의 발견들이 어떻게 학자들 각각의 상상계의 형성과 원천에 의해 어느 정도 예견될 수 있었는지를 보여준다(뒤랑, 1997: 76~77). 이를 통해 그는 바슐라르의 '객관적 정신분석'[14]을 부정하게 된다.

둘째, 데이비드 봄의 '내포(implication)'의 예이다. 이 개념을 통해 봄은 우주의 모든 사건 하나하나가 우주 전체에서 일어나는 사건 모두를 '접어 갖고' 있으며, 우주의 전체적인 질서는 끊임없이 '접혀지고 펼쳐지는' 온그림(hologram)의 원리에 대비될 수 있다고 주장한다(김재희, 1994: 3장 참조). 이 개념은 한편으로는 '유일한 세계(Unus Mundus)'[15]라는 연금술의 원형을, 다른 한편으로는 융(Jung)의 '정신상(精神像, Psychoïde)'[16] 개념과 만난다.

셋째, 어원적으로 '필연적인 경로'를 의미하는 '크레오드(chréode)'라는 개념이다. 워딩턴이 사용한 이 개념은 생물학자 셸드레이크의 '사역 형태'로 통합된다. 이를 통해 그들은 통상적인 인과론에서처럼 원인이 현상의 '앞선' 부분에 위치하는 것이 아니라, '이후'가 아니라면 적어도 '다른 곳'에 위치함을

---

14 바슐라르가 상상력의 지위를 복원시켰지만, 그에게 상상력과 이성의 활동은 길항적이고 나아가 서로 배타적이었다. 그러한 관점에서 이성의 이론적 활동은 연구자에게 그의 첫 이미지들로부터 순화될 것을 요구했고, 반면 시적 작업은 합리적 구조들에 대해 일종의 해방이 된다(Wunenburger, unpublished: 8).

15 "'Unus Mundus' 개념은 도교에서의 무(無)의 개념과 아주 흡사하다. 그것은 보이지 않으며 포착될 수 없으나 모든 현상의 근원으로서, 형태를 달리해 현상 속에 내재해 있다. 통일성(unicité)과 편재성(ubiquté)을 동시에 내포하는 개념이 바로 '무'의 개념이고 '유일한 세계(Unus Mundus)'의 개념이다"(뒤랑, 1998: 108).

16 '정신상'의 개념은 융에게 있어서 '공시성(共時性, synchronicité)'의 개념과 맞닿아 있는데, 융에게 '공시성'은 물질적 사건과 심리적 현상 사이의 상관관계, 더 나아가서는 '비분리성'과 '대칭'이 존재한다는 것을 인정하는 개념이라고 뒤랑은 설명한다. '정신상'의 개념은 공시성의 개념에 따라 나온 귀결로서, 이 개념은 가장 내밀한 주관성과 물질적 세계에 공통되는 하나의 실재가 있다는 가정에까지 이른 결과로 나온 개념이다(뒤랑, 1998: 105~107).

보여주려고 한다. 뒤랑이 이 문제의식을 '의미의 물줄기'로 정식화했음은 앞서 우리가 살핀 바와 같다.

　마지막으로, 물리학자 데스파냐(Bernard d'Espagnat)가 제안하는 '비(非)분리성(non-séparabilité)'[17]의 개념의 예를 들 수 있다. 이를 통해 데스파냐는 양자역학의 '대상'은 '위치 설정'을 벗어나 편재함을 보여주고자 한다. 더 나아가 현대 물리학의 '대상'은 공간 안에서뿐만 아니라, 시간 안에서의 위치 설정도 벗어난다(뒤랑, 1998: 2장 참조). 그런데 이와 같은 지적은 수학자 르네 톰(René Thom)이 정의하는 '상징'의 의미와 맞닿아 있다. 톰에 따르면, 상징은 '위치가 결정된(localisé) 자기 동일성'과 '위치 지을 수 없는(non-localisable) 자기 동일성'이라는 '상이한 두 유형의 동일성의 결합'인데, 뒤랑은 후자를 '상징'에서의 '상징의(象徵意, symbolisé)'로, 전자를 '상징표(象徵標, symbolisant)'로 받아들인다. 즉, 상징의 '위치 지을 수 없는', 즉 '표현할 수 없는' 의미('상징의')는, 역설적이게도 '위치가 결정됨'으로써만, 즉 '상징표'라는 표현 방법을 통해서만 그 의미를 나타낼 수 있다. 물론 그 역도 마찬가지다(뒤랑, 1998: 86~89). 여기에서 '상징의'는, 더 나아가서 신화 또한 — 그 어떤 '위치 결정'에 의해서도 족쇄가 채워져 있지 않다는 의미에서 — 앞의 '위치 설정'을 벗어나는 현대 물리학의 '대상'과 만난다고 뒤랑은 분석한다.

　결국 이러한 예들을 통해 뒤랑은 앞서 밝힌 두 유형의 지식들 간 '교체 가

---

17 "어느 공간 내에 위치시킨 점들이나 대상들은 그것들을 구별 지으며 다른 것과 가르는 일정한 좌표 위에 존재하게 된다는 고전적인 과학 사고와는 반대되는 입장에서, 데스파냐는 다스페(d'Aspect)의 경험을 근거로 …… 다음과 같은 사실을 우리에게 보여준다. 즉, 우리가 단 하나의 광자(光子)를 발사한 후 …… 이 발사체가 가 닿을 과녁으로 둘 — 혹은 수천 개라도 좋다 — 이상의 작은 구멍을 스크린에 뚫는다면, 이론적으로 그 구멍 중 하나로만 광자가 통과해야 함에도 불구하고 실제로는 두 군데, 백 군데, 천 군데 이상의 구멍을 통과한다는 것이다. …… 일종의 편재 현상 …… 바로 그것이 데스파냐가 '비분리성의 원칙'이라고 부른 것이다"(뒤랑, 1998: 84).

능한' 특성을 강조한다. 즉, '바슐라르 이후'는 이러한 '시학의 축'과 '과학의 축'의 '상호 관련' 또는 양 축이 '동일한 주제 설정'을 하고 있음을 보여준다는 것이다. '테마타'의 개념은 상상계의 '도식'과 연결되고, '내포'의 개념은 '유일한 세계'와 조우하는 것이며, '크레오드'의 개념은 '의미의 물줄기'와 밀접한 조응 관계에 있고, '비분리성'의 개념은 '상징의'와 만나게 된다(Durand, 1988: 12). 우리가 뒤랑의 작업을 살펴야 하는 것은 바로 이 '바슐라르 이후'의 흐름 안에서이다.

4. 의의와 한계: '로고스 중심주의'에서 '이미지 중심주의'로

앞에서 우리가 '시학의 축'과 '과학의 축'의 '상호 관련'이라는 배경 속에 뒤랑의 저작을 위치시켰다면, 뒤랑에게는 이미지와 개념들 사이에, 신화들과 추상적인 이론들 사이에 기이한 상호 침투성이 있다(뒤랑, 1983: 97~98 참조). 뒤랑에게 상상계는 합리성의 반대가 아니고, 상상력은 추상적 지성의 개념화·추론·사변의 작업에 낯설지 않다. '이미지의 동위적 분류도'(〈표 11-1〉)의 윗부분('체제', '구조', '설명과 정당화 원칙 또는 논리적 원칙')은, 상상계의 구조들에 어떻게 세 가지의 기본적 사유 구조가 상응하는지를 보여준다.

우선 표상들의 분열 형태적 구조들에 책임이 있는 '낮 체제'는, 서구에서 철학적·과학적 진리의 이상들의 형성에 주축이 된, 동일화하는 이성(raison identitaire)의 구조들과 유사한 원칙들·관계들을 중심으로 발전한다. 반면에 '밤 체제'는 특유의 친밀주의적인, 요소들의 점착성과 동질화 경향에 의해 인지될 수 있는 신비적인 구조들의 형식 아래에서, 시나 몽상에 국한되지 않고 사변적·철학적·신학적 과정들에서 재발견되는 유추와 유사의 원칙을 완성한다. 마지막으로 대립과 통합의 과정들을 주기적으로 연결하는 헤겔·마르크스주의적 유형의 변증법적 사유는, 대립되는 단계들의 하나의 종합으로 관장되는 종합적·순환적 구조를 따른다. 따라서 상상계의 동질·동형적 분류는 전복적인 방식으로 신화적·상징적 생산물들과 추상적·이론적 생산물들 사이의 긴밀한 상응들을 증명한다. 즉, 뒤랑의 저작이 보여주는 상상계의 다원성을 통해 밝혀진 합리성은, 단지 동일화하는 이성에만 연결될 뿐이며 단차원적인 형식으로 결코 환원될 수 없고, 적어도 세 가지 유형을 따른다는 점이 밝혀진 셈이다(Wunenburger, 1997: 218; unpublished: 8~9).

이런 관점에서 이성은 스스로 고유한 법칙들을 발견할 수 있는 하나의 자율적인 활동이기보다는 이미지가 정서적·상징적 표상들로 표현해내는 것을 추상적으로 번역하는 표상으로서 하나의 양식으로 볼 수 있다(Wunenburger, 1997: 218). 이는 결국 상상계가 인류학적 토대를 이루고, 표상 활동들의 관점에서 하나의 초월적 구조를 구성한다는 것을 의미한다.

이렇게 본다면 이제 이성이 상상력에 비해 우월한 위치를 점한다고 말할 수 없게 된다. 상상계가 오히려 정신의 확장되고 일반화된 형식이라면, 이성은 정신의 지역적이고 제한된 활동으로서 나타난다. 또한 이성이 상상계를 배제하려고 한다면, 상상계는 이성을 포괄한다. 즉, 인류학적으로 상상계가 먼저이고, 이성은 하나의 빈약해진 상상력으로 기능한다는 것이다. 뷔넨뷔르제는 바로 이 점에서 뒤랑의 저작이 지동설이 천동설의 지위를 찬탈하는 것처럼 '이미지 중심주의'가 '로고스 중심주의'를 전복적으로 대체하는 데 하나의 근본적 단계를 이룬다고 평가한다(Wunenburger, unpublished: 10~11).

그리고 바로 이 점에서 뒤랑의 저작은 특히 비서구적이고 동양적인, 좀 더 일반적으로는 전통적인 사유와 만난다. 뒤랑이 지적하듯 그가 지향하는 넓은 의미의 인류학·인간학의 모델은, 서구의 스콜라철학이 물려준 문화적 유산과는 다른 것들 안에서 더욱 완성되고 보전되어왔기 때문이다(Durand, 1996b: 155; 1975 참조).

이상으로 우리는 상상계의 문제의식이 함축하는 바를 간략히 정리해보았다. 모두 이론적·인식론적·윤리적 함의가 만만치 않은 것들로서 차후에 좀 더 상세한 논의를 필요로 할 것이다. 또한 이번 글에서는 상상계의 문제의식을 사회학적 전통 내에서 살펴보지 못한 아쉬움이 있다. 그렇지만 이 주제는 그 비중상 차후에 별도의 논의 기회를 마련해야 할 것이다. 뒤랑에 따르면 상상계의 문제의식은 특히 독일의 전통[딜타이(Wilhelm Dilthey), 짐멜(Georg Simmel), 베버(Max Weber), 슈펭글러, 셸러(Max Scheler), 카시러(Ernst Cassirer) 등]에서 의미 있게 발견된다(Durand, 1975: chap.5). 그리고 그 흐름을 프랑크푸르트학파[베냐민(Walter Benjamin), 블로흐(Ernest Bloch), 만하임(Karl Mannheim), 마르쿠제(Herbert Marcuse) 등]와 그람시(Antonio Gramsci)를 거쳐, 예를 들어 프랑스의 '형상적 사회학'까지 연결시켜보는 것도 정리의 한 예가 될 것이다(뒤랑, 1998: 1장; 1997: 2장; Sironneau, 1986; Tacussel, 1991).

그러나 무엇보다 우리가 잊지 말아야 할 것은 상상계가 하나의 '분과 학문'이 아니고 그것들 '사이'의 '연결에 대한 호소'라는 점이다. 이미지가 서구의 성상 파괴주의적 문명에 침투하고 있는 것과 마찬가지로 '상상계'가 점차 모든 분과 학문들에 '주입되고' 있다는 가정을 받아들인다면, 상상계 탐사는 뒤랑의 표현처럼 '심도 깊은' 간학제성, 다학제성의 모델이 될 것이기 때문이다(Durand, 1996b: 215~216, 223).

참고문헌

김무경. 2007. 「상상력과 사회: 질베르 뒤랑의 '심층사회학'을 중심으로」. ≪한국사회학≫, 41(2).

김우창·성완경 외. 1999. 『이미지는 어떻게 살고 있는가』. 생각의 나무.

김재희 엮음. 1994. 『신과학산책』. 김영사.

뒤랑, 질베르(Gilbert Durand). 1983. 『상징적 상상력』. 진형준 옮김. 문학과 지성사.

_____. 1988. 「상징과 신화」. 진형준 옮김. 김용직 엮음. 『상징』. 문학과 지성사.

_____. 1997. 『상상력의 과학과 철학』. 진형준 옮김. 살림.

_____. 1998. 『신화비평과 신화분석: 심층사회학을 위하여』. 유평근 옮김. 살림.

_____. 2007. 『상상계의 인류학적 구조들』. 진형준 옮김. 문학동네.

버크, 피터(Peter Burke). 2005. 『문화사란 무엇인가?』. 조한욱 옮김. 길.

봄, 데이비드(David Bohm). 1994. 「온그림 ─ 우주의 숨결」. 김재희 엮음. 『신과학산책』. 김영사.

브라운, 피터(Peter Brown). 2004. 『기독교 세계의 등장』. 이종경 옮김. 새물결.

셸드레이크, 루퍼트(Rupert Sheldrake). 1994. 「새로운 생물학」. 김재희 엮음. 『신과학산책』. 김영사.

유평근·진형준. 2002. 『이미지』. 살림.

진형준. 1992. 『상상적인 것의 인간학 ─ 질베르 뒤랑의 신화방법론 연구』. 문학과 지성사.

_____. 2003. 『성상파괴주의와 성상옹호주의』. 살림.

Baudrillard, Jean. 1987. "Au-delà du vrai et du faux, ou le malin génie de l'image." *Cahiers Internationaux de Sociologie*, Vol. LXXXII.

Bonardel, Françoise. 1980. "De l'homme de culture à l'homme de désir." Michel Maffesoli(s.l.d.). *La galaxie de l'imaginaire. Dérive autour de l'oeuvre de Gilbert Durand.* Paris: Berg Intrenational Editeurs.

Boudon, Raymond. 2009. *Effets pervers et ordre social.* Paris: PUF.

Brown, Peter. 1996. *The rise of western christendom: Triumph and diversity.* Cambridge: Blackwell.

Durand, Gilbert. 1960. *Les structures anthropologiques de l'imaginaire: Introduction à l'archétypologie générale.* Paris: PUF.

_____. 1975. *Science de l'Homme et Tradition.* Paris: Tête de Feuilles et Sirac.

_____. 1976. "La cité et les divisions du royaume. Vers une sociologie des profondeurs." *Eranos Jahrbuch, 45*, Leiden.

_____. 1980. *L'Ame tigrée, les pluruels de Psyché*. Paris: Denoël et Gonthier.

_____. 1981. "Le social et le mythique. Pour une topique sociologique." *Cahiers Internationaux de Sociologie*, Vol.LXXI.

_____. 1984. "Jung, la psyché et la cité." *C. G. Jung*. Cahiers de l'Herne.

_____. 1986. "La sortie du XXe siécle." *La liberté de l'esprit*, No.12. Hachette.

_____. 1988. "Le Grand Changement ou l'aprés Bachelard." *Cahiers de l'Imaginaire*, No.1.

_____. 1990. "Fondement et perspectives d'une philosophie de l'imaginaire." *Le statut de l'imaginaire dans l'oeuvre de G. Durand. Religiogique*, No.1. Monréal: Université de Québec.

_____. 1993. "The implication of the imaginary and societies." *Current Sociology*, 41(2), No. Special: The social imaginary.

_____. 1996a. *Introduction à la mythodologie*. Paris: Albin Michel.

_____. 1996b. "Méthode archétypologique: de la mythocritique à la mythanalyse." *Durand, Gilbert, Champs de l'imaginaire*. Grenoble: ELLUG.

_____. 2003. *Structures. Éranos I*. Paris: La Table Ronde.

Fulchignoni, Enrico. 1972. *La civilization de l'image*. Paris: Payot.

Holton, Gerald. 1982. *L'imagination scientifique*. Paris: Gallimard.

Lévi-Strauss, Claude. 1958. *L'Athropologie structurale*. Paris: Plon.

Maffesoli, Michel. 1985. *La connaissance ordinaire*. Paris: Méridien Klincksieck.

McLuhan, M. 1962. *La Galaxie de Gutenberg*. Paris: Gallimard.

Morin, Edgar. 1973. *Le paradigme perdu: la nature humaine*. Paris: Seuil.

Ricoeur, Paul. 1963. "Structure et herméneutique." *Esprit*, No.11.

Sironneau, Jean-Pierre. 1986. "Quand la sociologie rencontre l'imaginaire ⋯⋯." *IRIS*, No.2. Revue du Centre de Recherche sur l'Imaginaire de Grenoble.

Tacussel, Patrick. 1991. "La sociologie figurative." in F. Steudler and P. Watier(eds.). *Interrogations et parcours sociologiques*. Paris: Méridiens Klincksieck.

Wunenburger, Jean-Jacques. "Imaginaire et rationalité chez G. Durand. D'une révolution copernicienne à une nouvelle sagesse anthropologique." unpublished.

_____. 1997. *Phiolosophie des images*. Paris: PUF.

_____. 2002. *Imaginaire*. Paris: PUF.

12

로버트 벨라의 종교사회학

/

종교진화론과 동양사회론을 중심으로

유승무

1. 서론

로버트 벨라(Robert N. Bellah)는 미국 오클라호마에서 태어나 두 살 때 아버지를 여의고 로스앤젤레스로 이주해 홀어머니 슬하에서 자랐다. 어린 시절은 남부의 프로테스탄트 문화 속에서 보냈으며 유대인 친구들과도 친하게 지냈다. 그곳에서 고등학교를 졸업한 후 하버드 대학에 입학했고 아파치 인디언의 친족체계에 대한 연구로 학부 우등 논문을 수상했다. 그는 하버드 대학의 자유로운 분위기 속에서 프로테스탄트 대신에 마르크스주의에 심취했고 미국 공산당의 회원으로 가입하기도 했다. 그 후 동(同) 대학원에 진학해 동아시아학과와 사회학과에서 수학했으며, 1955년에는 동아시아학과와 사회학과에서 동시에 인정받은 박사 학위논문(combined degree)인『도쿠가와 종교(Tokugawa Religion)』를 썼다. 박사 학위 취득 후, 1950년대에 미국을 휩쓴 메카시즘(McCarthyism)의 소용돌이 속에서 벨라는 공산당 경력으로 인해 정치적 압력을 받아 캐나다로 망명을 해야 했다. 캐나다로 추방된 벨라는 맥길 대학교 이슬람 연구소(Isramic Institute)에서 박사 후 과정(Post-doctoral fel-lowship)을 보냈다. 1957년에 하버드 대학교 교수로 임용되면서 본격적인 연구 활동에 몰입해『우리가 믿는 바를 넘어서(Beyond relief)』와 같은 주옥같은 연구 성과를 발표하기 시작했다.[1] 그리고 2011년, 심오하고도 방대한 저서인 『인류 진화 속의 종교(Religion in human evolution)』(Bellah, 2011)로 대미(大尾)를 장식했다.[2]

벨라의 이름에는 늘 '세계에서 가장 영향력 있는 종교사회학자'라는 찬사가 뒤따른다. 사회학적 인식 관심을 크게 사회질서의 영역과 사회변동의 영역으로 압축할 경우, 벨라는 전자의 영역에서도 상당한 기여를 했지만 특히 사회변동과 관련된 사회학적 과제를 해결하는 데 '결정적인' 공헌을 했다. 대부분의 사회학자가 정치적·경제적 요인을 독립변수로 설정해 사회변동을 설명해왔다는 점을 고려하면, 생을 바쳐 종교적 실재[3]와 사회변동의 관계를 천착해온 벨라의 학문적 여정은 그를 베버(Max Weber)만큼 중요한 현대 사회학자로 기억되도록 하기에 손색이 없다. 요컨대 벨라는 종교적 실재를 구성하는 상징과 의미의 창(窓)을 통해 인류 사회의 시·공간을 자유자재로 넘나든 사회학자였다. 그렇기 때문에 종교사회학에 관심을 갖는 후학들은 벨라의 지적 유산을 '재활용(reappropriation)'하는 것만으로도 세계의 다양한 사회현상과 그 변화를 종교사회학적 관점에서 관찰하고 이해할 수 있는 통찰

---

1 매우 이례적이게도, 벨라는『우리가 믿는 바를 넘어서』의 서문에서 자신의 삶을 마치 자서전을 쓰듯이 자세하게 기록하고 있다. 따라서 여기서도 벨라 자신의 진술을 요약하는 것으로 소개를 대신하고자 했다.

2 예컨대 하버마스(Jürgen Habermas)도 이 저서에 대해 "이 분야에서 이토록 야심 차고 방대한 연구를 알지 못한다"(http://en.wikipedia.org/wiki/Robert_Neelly_Bellah)라고 말했다.

3 벨라는 종교적 실재를 특정한 사회의 상징체계 및 그와 연관된 개인의 삶의 내적 의미로 구성된 그 무엇으로 정의하고 있다(Bellah, 2011).

력, 상상력, 착상 등을 얻을 수 있을 것이다.[4]

그럼에도 불구하고 한국 사회학계에서 벨라는 상대적으로 저평가되어 있다. 물론 일찍이 벨라의 사회학적 가치를 통찰한 박영신은 벨라의 대표적인 저서인 『우리가 믿는 바를 넘어서』의 일부를 편역했고(벨라, 1981), 벨라의 박사 학위논문 『도쿠가와 종교』를 완역하기도 했다(벨라, 1994). 또한 벨라의 종교진화론 연구(이영관, 1992)나 벨라의 시민종교론을 응용한 연구(김문조, 1987; 권규식, 1995), 그리고 벨라의 일본사회연구론 연구(남춘모, 1999)나 벨라의 박사 학위논문 분석(유승무, 2010) 등의 연구가 진행된 바도 있다. 그러나 이러한 연구는 벨라를 소개하는 데 그쳐 있고, 그 소개마저도 벨라의 일부 경험적 연구 성과에 치우쳐 있을 뿐이다. 아직도 한국 사회학계에서는 벨라가 어떠한 종교사회학적 시각을 가지고 있었는지에 대한 이론적 검토도 이루어지지 않고 있을 뿐만 아니라, 경험적 연구 성과에 대한 이론적 함의를 본격적으로 논의하지도 못하는 실정이다. 게다가 벨라가 방대한 주제의 동양사회 관련 연구자라는 사실을 고려하면, 벨라를 한국 사회에서 어떻게 수용할 것인가의 과제를 논의해야 할 학문적 필요성도 절실하다.[5]

이 글은 한국 사회학계에 부여된 벨라 연구의 과제를 일부라도 해결하여 '벨라의 재활용도'를 높이는 데 다소나마 기여하고자 한다. 이어지는 2절에서는 종교사회학적 현상을 바라보는 벨라의 시각이 무엇인지를 검토하고 그 이론적·방법론적 특성을 확인해두고자 한다. 그런 다음 3절과 4절에서는 벨라

---

4 그의 스승인 파슨스(Talcott Parsons)조차도 벨라의 종교진화 개념과 시민종교 개념에 대해서는 특별한 관심을 표명한 것으로 알려져 있다(http://en.wikipedia.org/wiki/Robert_Neelly_Bellah).

5 필자는 불교사회학적 관점에서 벨라의 박사 학위논문을 비판적으로 검토했을 뿐만 아니라(유승무, 2010), 베버의 동양사회론의 수용 가능성(유승무, 2013)에 대해 살펴본 경험이 있다. 이를 통해 벨라의 동양사회론에 대한 비판적 검토를 후속 연구 과제로 설정할 수 있었고, 이 점이 이 글을 쓰게 된 필자의 개인적 동기로 작용했음을 밝혀둔다.

의 경험적 연구 성과들을 요약하고 그 종교사회학적 의의를 살펴볼 것이다. 5절에서는 이 연구의 함의를 압축적으로 요약하고 벨라 연구의 후속 과제를 제시할 것이다.

2. 벨라의 종교사회학적 시각과 이론적·방법론적 특성

사회학자로서 벨라는 수많은 경험 연구를 수행했고, 각각의 경험 연구는 그에 적합한 연구방법론을 수반한다. 또한 각각의 연구방법론을 구성하는 데 동원된 학자와 이론도 다양하다. 예컨대 『도쿠가와 종교』에서는 베버의 문제 제기를 파슨스의 '유형변수(pattern variables)'로 재구성하는 연구방법론을 구사하고 있으며 도쿠가와 시대(德川時代) 일본의 사회구조뿐만 아니라 유교, 불교, 신도와 관련된 자료를 폭넓게 동원한다.[6] 『인류 진화 속의 종교』는 종교적 실재에 대한 현상학적 관점과 진화론을 결합해 방법론적 근거로 삼을 뿐만 아니라, 구석기 시대부터 기축 시대에 이르기까지 종교의 생물학적·문화적 기원 사이의 상호작용을 밝히는 데 필요한 자료를 분과 학문의 경계를 자유자재로 넘나들며 광범위하게 제시한다. 게다가 『우리가 믿는 바를 넘어서』에 묶여 있는 10여 편의 개별 논문도 저마다 경험 연구의 목적을 달성하는 데 필요한 적절한 수단을 수반하고 있다. 또한 종교나 상징의 개념과 관련해서는 기어츠(Clifford Geertz), 틸리히(Paul Tillich), 부버(Martin Buber) 등 인류학자나 종교철학자에게 의존하기도 한다. 따라서 벨라의 종교사회학적 시각을 밝히기 위해서는 각각의 경험 연구에 활용된 연구방법론을 모두 모아 그것을 체계적으로 재구성해야만 할 것이다. 그러나 연구방법론이 연구 목적

---

6 이에 관해서 자세한 논의는 유승무(2010)를 참조하기 바란다.

을 달성하기 위한 수단이거나 과정적 제한들에 불과하다는 벨라의 확고한 방법론적 입장(Bellah, 1970: 257)을 고려하면, 그럴 필요성은 그리 크지 않다.

그러나 이 모든 저작을 관통하는 벨라의 종교사회학적 시각이 없는 것은 아니다. 그 단서를 우리는 『우리가 믿는 바를 넘어서』에서 찾을 수 있다. 벨라는 이 책의 마지막 장에서 종교와 사회과학의 관계를 순수 이론적 · 방법론적 차원에서 논의한다.[7] 필자가 보기에 이것은 벨라가 자신의 고유한 종교사회학적 시각 또는 방법론을 명시적으로 밝힌 학문적 고백에 해당한다.[8]

『우리가 믿는 바를 넘어서』의 마지막 장은 크게 두 부분(이하 편의를 위해 전자를 '1절', 후자를 '2절'로 칭한다)으로 다시 나뉜다. '1절'에서는 종교와 사회과학의 대립적 분리를 가정하는 논의들을 비판하면서 종교와 사회과학이 불가분의 관계를 지니고 있음을 밝히고, '2절'에서는 서구 지성사에서 종교와 사회과학의 분리가 발생한 역사적 배경과 그 전개 과정을 비판적으로 검토한 다음 그 양자가 다시 결합될 필요가 있음을 이론적으로 입증한다. 결국 '1절'과 '2절'은 시각만 조금 다를 뿐 동일한 주제, 즉 종교와 사회과학 사이의 불가분의 관계를 논증하는 셈이다(Bellah, 1970: 237).

'1절'에서는 계몽주의적 세속화 이론과 그에 따른 종교와 과학의 대립적 관계가 그리스도교 전통에 대한 반발에서 발생한 현상이라고 진단한다. 마르크스(Karl Marx)의 종교이론에서 잘 알 수 있듯이, 계몽주의 사상의 세례를 받은 사회과학자들은 과학이 발전할수록 종교는 점점 더 그 힘을 상실할 것으로 간주하는데, 그러한 시각이야말로 계몽주의적 세속화 이론의 전형이라

---

7 김승혜(1985)는 종교연구방법론을 편집한 저술에 벨라의 바로 이 장을 포함했는데, 탁월한 안목으로 보인다.

8 『우리가 믿는 바를 넘어서』의 서론은 벨라 자신의 삶과 학문 세계의 연관성을 담은 자서전적 고백이다. 이것을 박영신은 '나의 삶과 학문 세계'로 번역했는데, 매우 적절한 번역으로 보인다(벨라, 1981).

는 것이다. 그리고 벨라는 프로이트(Sigmund Freud)의 '무의식' 개념, 뒤르케임(Emile Durkheim)의 '집합적 열광' 개념, 베버의 '카리스마' 개념 등을 들어, 이러한 계몽주의적 세속화 이론과 그에 따른 종교와 과학의 관계 설정이 잘못된 것임을 반증한다. 나아가 벨라는 파슨스의 '상징' 개념(구성적·표현적·도덕적 상징 등), 슈츠(Alfred Schutz)의 '다중적 실재' 개념, 비트겐슈타인(Ludwig Wittgenstein)의 언어이론 등에 근거해 상징적 실재를 존재론적으로 입증한다. 심지어 그는 사회과학조차도 자신을 정당화하는 상징 위에서 가능한 또 하나의 신화임을 강조한다. 결론적으로 벨라는 계몽주의적 세속화 이론은 잘못된 신화이며 종교와 사회과학의 관계는 적대적 대립 관계를 전제한 세속화 이론과 정반대로 설정되어야 한다고 주장한다(Bellah, 1970: 246).

'2절'에서는 17세기 과학적 방법의 새로운 자각에서 유래한 '역사적 실재론'이 종교의 상징적 차원을 사상(捨像)시킨다고 비판한다. 벨라가 보기에, 종교는 합리적 차원 이외에도 과학적 방법[9]으로는 온전히 파악할 수 없는 비인식적(noncognitive)이고 비과학적인(nonscientific) 상징들을 본질적으로 내포하기 때문이다. 실제로 그는 이러한 종교의 본질과 관련해 틸리히, 파스칼(Blaise Pascal), 슐라이어마허(Friedrich Schleiermacher), 키르케고르(Søren Kierkegaard) 등과 같은 종교철학자의 종교관을 제시할 뿐만 아니라 그것을 토대로 과학적 합리성만을 진리로 간주하는 '역사적 실재론(historical realism)'을 반증한다. 또한 벨라는 환원주의, 즉 마르크스처럼 종교를 사회적 기능이나 결과로 환원하려는 '결과론적 환원주의(consequential reductionism)'는 물론이고 프로이트나 뒤르케임처럼 종교를 오이디푸스 콤플렉스로 환원하거나 사회로 환원하는 '상징적 환원주의(symbolic reductionism)'도 비판한다

---

9   여기에서 과학적 방법이란 자연과학적 모델을 적용한 실증주의적 방법을 의미하는 것으로 보인다.

음, 종교를 독자적인(sui generis) 실재로 간주하는 '상징적 실재론(symbolic realism)'을 자신의 시각으로 제시한다. 특히 흥미로운 것은, 벨라는 프로이트나 뒤르케임이 상징적 환원주의를 주장해왔지만 결과적으로는 상징적 실재론을 입증해주었다고 해석하면서(Bellah, 1970: 251), 프로이트의 무의식 개념이나 뒤르케임의 집합적 열광 개념을 상징적 실재론의 근거로 재활용한다. 나아가 그는 비인식적·비과학적 상징들을 인간과 사회 구성의 본질인 종교로 간주하며, 종교의 정의를 다음과 같은 기어츠의 정의로 대신한다.

> 종교란 작용하는 상징의 체계로, 인간에게 강력하고 널리 미치며 오래 지속되는 분위기와 동기를 성립시키고, 일반적인 존재와 질서의 개념을 형성하며, 그러한 개념에 사실성의 층을 씌워, 분위기와 동기가 특이하게 현실적인 것으로 보이게 한다(기어츠, 1988).

이렇듯 상징적 실재론의 입장을 취했다는 것은, 종교 그 자체뿐만 아니라 종교와 사회의 관계를 사회적으로 재구성된 것으로 간주하는 현상학적 시각을 가지고 있음을 의미한다. 실제로 벨라는 『인류 진화 속의 종교』의 1장에서 슈츠의 실재 개념과 종교적 실재에 대해 매우 자세한 논의를 전개한다. 벨라는 이러한 관점에서 종교사회학적 현상을 파악하기 위해 다시 베버의 이해사회학 방법으로 돌아간다. 그 대표적인 연구 성과가 자신의 박사 학위논문인 『도쿠가와 종교』이다. 이후 벨라는 실제로 행위자의 의미와 그 사회적 결과에 대한 베버의 관점을 수용해 다양한 실증 연구에 착수했고 주옥같은 연구 결과를 양산했다.

3. 벨라의 대표 연구 업적과 그 종교사회학적 의의

벨라는 상징적 실재론에 따라 종교적 상징과 그 의미가 어떻게 사회(사회의 다양성 혹은 사회변동)와 연관되었는지를 경험적 차원에서 본격적으로 연구한다. 그 기념비적인 성과가 바로 '종교진화' 개념과 그것을 시·공간적으로 무한히 확장한 자신의 마지막 저서(Bellah, 2011)이다. 이는 아이젠스타트(Shmuel Eisenstadt)와 더불어 이른바 신(新)진화론을 대표하는 사회학자 벨라를 종교사회학의 거봉으로 우뚝 서도록 하기에 충분했다. 또한 분량이나 주제의 양적 숫자로 볼 때, 벨라가 동양사회 연구에도 엄청난 심혈을 기울였음을 알 수 있다. 실제로 그는 자신의 박사 학위논문의 주제를 일본 근대화로 설정했을 뿐만 아니라 이슬람 연구, 중국 연구, 그리고 동양 종교와 기독교 간의 비교 연구와 터키와 일본의 근대화 비교 연구 등 각종 연구를 통해 끊임없이 동양사회에 대한 연구를 수행했다. 종교진화론과 동양사회론 외에 벨라가 현대 미국 사회를 비판적으로 성찰하는 데 사용한 결정적인 도구인 '시민종교' 개념이나 '마음의 습속' 개념은 다음 절에서 별도로 논의할 것이다.

1) 벨라의 종교진화론과 그 종교사회학적 의의

벨라의 가장 기념비적인 업적은 두말할 나위 없이 종교진화론을 완성한 것이다. 실제로 벨라는 『우리가 믿는 바를 넘어서』의 1부 2장에서 종교진화론의 밑그림을 제시하고 약간의 경험적 근거를 제시한 이후, 구석기부터 기축 시대에 이르기까지 종교진화의 과정을 정리한 생의 마지막 저서 『인류 진화 속의 종교』(Bellah, 2011)로 그 대미를 장식했다. 이렇게 볼 때 종교진화론이 벨라의 학문 세계를 관통하는 주제였음에는 이론의 여지가 없다.

『우리가 믿는 바를 넘어서』의 1부 2장에서 벨라는 행위체계 내에서 종교가 수행하는 역할에 주목했음을 언급하는 동시에, 종교 자체도 매우 중요한 하나의 상징체계로서 자신을 둘러싼 사회적 상황에 따라 변화할 수밖에 없는 것으로 전제한다. 그리고 이른바 기축 시대에 탄생해 기원전 인류 문명사에서 매우 결정적인 영향을 미친 현세 부정의 종교는 역사적으로 기축 시대 전후에서는(즉, 원시종교나 고대 종교는 물론 초기 근대 종교나 근대 종교에서는) 등장하지 않음에 주목하고 종교진화론에 관심을 가질 수밖에 없었음을 분명하게 표현한다.

> 그러나 나는…… 현세 부정이 길고도 중요한 시기의 특징이었다는 사실에 주목하고 싶다. 내가 이 사실에 주목하고 싶은 것은 그에 못지않게 현저한 또 다른 사실과 대비시키고 싶기 때문이다. 즉, 원시종교와 기원전 1000년 이전의 종교, 그리고 현대 세계에서는 실제로 현세 부정의 생각을 찾아볼 수 없다는 사실이 그것이다(Bellah, 1970: 23).

이러한 인식 관심에 따라 벨라는 인류사의 종교진화에 관심을 갖게 되는데, 여기에서 종교의 진화란 '인간이 궁극적 존재 상황에 처했을 때 행하는 상징양식[10]의 변화'를 의미한다. 게다가 유기체의 덜 복잡한 형태에서 더 복잡한 형태로의 변화를 진화로 간주하는 벨라에 따르면, 종교진화란 종교적 상징체계가 비교적 단순한 것에서 복잡한 것으로 분화해 환경과의 관계에서 좀 더 자율적인 대응 능력을 가지는 것을 의미한다(Bellah, 2011: 21). 마지막으로 벨라는 종교진화의 단계를 원시종교, 고대 종교, 역사적 종교, 초기 근대 종교, 근대 종교 등 다섯 단계로 구분하고, 각 단계마다 종교적 상징체계,

---

10 바로 이 표현에서 벨라의 종교 개념이 폴 틸리히의 '초월적 근원과의 관계'라는 종교 개념과 클리퍼드 기어츠의 '상징체계'로서의 종교 정의를 종합한 개념임이 잘 드러난다.

	원시종교	고대 종교	역사적 종교	초기 근대 종교	근대 종교
종교적 상징체계	신화적 세계(일원론)	신화적 존재의 신격화	유일신, 성과 속의 이원화	초월적 실재와 직접적 관계	위계적 이원화의 붕괴
종교적 행위	종교의식에 참가	숭배 형태 (예배·헌신)	구원 요구	신앙과 내적 자질 강조	세속 내적 종교행위
종교적 조직체	교회와 사회의 미분화	교회와 사회의 혼합	기능적으로 분화된 조직	다중적 조직	개인화 (내 마음의 교회)
종교의 사회적 의미	종교의식을 통한 사회적 연대	원시종교와 흡사	사회적 긴장과 갈등·변화 가능성	종교적 가치의 사회적 실현	의미의 붕괴와 도덕 기준의 부재
비고	신화	종파의 출현	고등 종교의 출현	현세와 내세의 위계질서 와해	현세·내세 이원론 와해

자료: Bellah(1970: part 1 chap. 2)의 핵심 내용을 정리해서 도표화한 것이다.

종교적 행위, 종교 조직체, 종교의 사회적 의미 등의 특징을 순차적으로 설명한다. 단순화의 위험을 무릅쓰고 내용을 간략히 정리하면 〈표 12-1〉과 같다.

이렇듯 벨라는 『우리가 믿는 바를 넘어서』의 1부 2장에서 이론적 차원의 종교진화론 틀을 제시한 다음, 이후 2부에서는 아시아의 사례를 중심으로 근대화 과정과 종교의 관계에 대한 경험 연구들을, 3부에서는 미국 사회를 중심으로 근대사회와 종교의 관계에 관련된 경험적 연구를 수행했다. 그러나 이러한 경험적 연구는, 자신의 종교진화론 틀에 비추어보면 그 일부, 즉 초기 근대 종교와 근대 종교에 대한 연구에 해당될 뿐이다. 바로 그렇기 때문에 인간 사회 태초의 종교(즉, 원시종교), 고대 종교, 그리고 역사적 종교에 대한 경험적 연구는 벨라가 생을 두고 완성해야 할 학문적 과제였다. 실제로 벨라는 다음과 같이 말했다. "이 도식의 확대된 원리와 폭넓은 경험적 적용은 책 형태의 출판을 기다려야 할 것이다"(Bellah, 1970: 24).

이 숙제를 수행한 결과가 바로 『인류 진화 속의 종교』이다. 그러나 벨라는 이 저서에서 종교와 실재의 관계(1장)는 물론 종교와 진화의 관계(2장)를 최근까지의 학문적 성과들을 총동원해 좀 더 풍부하게 보완함으로써, 종교진화론의 이론적 근거를 더욱 충실하게 확보한다. 그리고 3장에서 원시종교의 '성과 속'의 구분과 같은 종교적 의미의 생산이 어떻게 이루어졌는지를 다양한 부족의 사례를 통해 자세하게 실증하는데, 이는 〈표 12-1〉의 원시종교에 대한 경험적 증거가 되기에 충분하다. 이어지는 4장에서는 지배의 본성과 보호 및 양육의 본성이 어떻게 가부장적 권력으로 구조화되는지를 설명함으로써, '의미와 권력'의 관계와 그 변화를 중심으로 원시종교에서 고대 종교로의 이행 단계의 종교 문화를 소개한다. 그리고 5장에서는 고대 종교의 특징을 신과 왕의 관계를 중심으로 서술하고 있는데, 이 또한 〈표 12-1〉의 고대 종교에 대한 경험적 근거로 충분하다. 그리고 6장부터 9장까지 네 개의 장에서는 역사적 종교, 즉 기축 시대의 네 가지 종교를 고대 이스라엘·고대 그리스·고대 중국·고대 인도의 장으로 각각 구분해 하나하나 자세하게 다루는데, 이는 그 방대한 양만으로도 〈표 12-1〉의 역사적 종교에 대한 구체적인 경험적 자료가 얼마나 풍부하게 제시되어 있는지를 충분히 시사한다.

이렇게 볼 때 벨라의 대표적인 두 저서 『우리가 믿는 바를 넘어서』와 『인류 진화 속의 종교』를 종합하면 벨라의 종교진화론은 인류 문명사 전체를 종교사회학적 시각에서 조망한 것으로 귀결된다. 따라서 벨라의 종교진화론은 인류 사회의 태초부터 오늘날에 이르기까지 방대한 시기를 모두 포괄하는 최초의 종교사회학적 인류 문화사로 기록될 것으로 보인다.

2) 벨라의 동양사회론과 그 종교사회학적 의의

벨라의 3대 저서 중 아직도 본격적으로 그 내용을 언급하지 못한 것은 그의 박사 학위논문인 『도쿠가와 종교』이다. 이 저서의 주제는 도쿠가와 시대 일본의 종교와 그 이후 일본의 근대화에 대한 종교사회학적 해명이다. 이 저서는 서구 근대와는 발전 경로를 달리하는 아시아의 근대화 과정을 드러내는 데 성공적인 업적으로 평가받는다(유승무, 2010). 물론『우리가 믿는 바를 넘어서』뿐만 아니라『인류 진화 속의 종교』에도 아시아 종교에 대한 내용이 매우 큰 비중으로 다루어지고, 그 밖에도 아시아의 근대화와 관련된 다양한 소논문들이 다수 존재한다. 그러나 종교사회학적 논의의 체계성과 철저성의 차원에서 보면, 그러한 성과들은『도쿠가와 종교』에 훨씬 못 미친다. 이에 여기서는 우선『도쿠가와 종교』의 요지를 살펴본 다음,『근대 아시아에서 종교와 사회 진보(Religion and Progress in Modern Asia)』(Bellah et al., 1965)를 활용해 아시아의 종교와 근대화 일반에 관한 벨라의 견해를 정리하고자 한다.

벨라는 일본 근대화의 사회적 기초를 밝히기 위해서는 '과연 도쿠가와 시대의 일본 종교가 일본인들의 삶에 어떤 의미를 제공했는가'의 문제를 해명해야 한다[11]는 전제하에 다음과 같이 말한다.

개인들의 생각, 느낌, 열망 속에서 종교가 점하는 자리(내적 의미)를 알아야, 그들의 종교적 헌신이 어떻게 그들의 삶 전체를 형상화하고 영향을 미치는지, 그리고 그들의 삶의 다른 부분들이 그들의 종교에 어떤 영향을 주는지를 알게 된다(Bellah, 1960: 1).

이러한 시각은 사실상 베버의 유산이다. 이러한 베버적 관점으로 말미암아『도쿠가와 종교』의 문제 제기는 정확하게 베버적 문제 제기의 등가물이다. 벨라는 다음과 같이 말한다.

---

11 여기에서 벨라가 도쿠가와 시대를 주목한 것은, 스스로 명확하게 밝히고 있듯이 이 시대가 일본 근대화의 초석을 놓은 시기라는 인식 때문이었다.

비서구 사회들 중에서 일본만이 서구 문화 중에서 자신이 필요한 것을 받아들여 일본을 근대 산업사회로 급속히 바꾸어나갔다. 그 요인은 일본인의 신비적인 모방 능력이 아니라 일본을 제외한 다른 비서구인들은 공유하지 않고 오직 일본만이 가진 경제적 측면의 유리한 것들이었다. …… 베버의 영향을 받은 사람들은 자연히 종교적 요인들이 일본의 경우에도 연관되지 않았을까 생각하게 된다. 단호하게 말한다면, 일본의 종교 내에 프로테스탄트 윤리와 유사한 것이 있는가 하는 것이다(Bellah, 1960: 2~3).

이 인용문에 나타난 벨라의 문제 제기를 우리는 다음과 같은 베버식 문제 제기로 요약할 수 있다. '비서구 국민 가운데 왜 일본 국민만이 가장 빨리 중앙집권적 국민국가를 수립하고, 내부적 갈등과 혼란 없이 자주적인 근대 경제로의 전환에 성공했는가?'

그런데 이러한 문제 제기에 대한 해답을 찾기 위해서는 무엇보다도 종속변수인 근대 산업사회를 명확하게 정의할 필요가 있다. 벨라는 근대 산업사회를 "사회체계에서는 경제가, 가치체계에서는 경제적 가치가 커다란 중요성을 지닌 사회"로 정의하고, 나아가 경제적 가치를 "이익욕, 획득 본능, 쾌락적 소비욕이 아니라 수단의 합리화 과정을 특징짓는 가치들을 의미한다"(Bellah, 1960: 3)라고 정의하고 있는바, 이는 「프로테스탄트 윤리와 자본주의 정신(Protestantische Ethik, und der Geist des Kapitalismus)」에서 베버가 경제적 가치를 정의한 것과 동일한 의미이다.

경제적 가치의 역사적 의미에 대해서는 철저히 베버적 의미를 따르지만, 벨라는 이를 좀 더 분석적 의미로 정의하기 위해 파슨스의 '유형변수(pattern variables)'를 근거로 '보편주의'와 '업적(성취)'의 변수가 중시되는 가치로 정의한다.[12] 베버가 말한 수단의 합리화는 경제가치와 관련되어 있을 뿐만 아니라 상황 적응력을 높여주는바, 여기에서 적응이란 파슨스의 경제체계 및 경제가치의 영역과 일치한다. 그렇다면 한 사회의 가치체계에서 정치적·통합적·문화적 가치들보다 경제가치가 더욱 중시되어야만, 전통 사회는 근대 산업사회로 이행할 것이다. 그러나 벨라에 따르면, 일본의 사례는 이러한 공식에 들어맞지 않는다. 일본의 경우는 정치적 가치가 가장 중시되는 사회이기 때문이다.

> 일본은 정치적 가치의 우선성이 특징인 사회이다. 즉, 정체(the polity)가 경제에 비해 우선성을 가진다. 여기에서 정치적 가치란 수행과 특수주의라는 유형변수를 특징으로 한다. 핵심적 관심은 생산성보다는 차라리 집합적 목표에 놓여 있으며, 충성이 가장 우선적인 가치이다. 통제하고 통제받는 것이 '행하는 것(경제가치)'보다 더 중요하며, 권력(power)이 부(wealth)보다 더 중요하다(Bellah, 1960: 5).

이러한 인식하에 벨라는, 베버와 달리[13] 일본 사회의 산업사회로의 또 다른 길을 가정하게 된다. 여기에서 또 다른 길이란, 기본적인 가치들의 변화 없이 경제가치가 한정된 영역에서만 중요시되고도 근대 산업사회로 발전할 수 있는 길을 의미한다. 이러한 발전의 가능성은 경제적 가치와 근대 산업사회 간의 직접적인 인과관계가 아니라, 정치적 가치를 매개로 한 간접적인 인과관계를 통해 확보된다. 벨라에 따르면 일본 사례는 경제적 가치가 정치적

---

12 실제로 벨라는 파슨스의 'AGIL[적응(Adaptation), 목표 성취(Goal attainment), 통합(Integration), 체제 유지(Latency)]'이 "이 연구에서 사용될 대부분의 기술적 언어(technical terms)들 간 상호 연관 관계를 보여주는 패러다임이다"라고 정직하게 밝히고 있다(Bellah, 1960: 10). 이처럼 벨라는 파슨스의 'AGIL' 도식을 이용해 가치체계, 사회체계, 그리고 나아가 근대 산업사회 등의 개념들을 체계적이고 계통적으로 연결시킨다.

13 벨라는 이러한 주장의 근거를 파슨스의 주장 — "경제적 합리화 과정에 필적할 만한 정치적 합리화 과정이 존재한다"(Bellah, 1960: 5) — 에 의존하고 있음을 밝힌다.

가치라는 매개 장치를 통해 근대 산업사회로 수렴된 사례라는 것이다.[14]

　그러나 벨라는 일본 예외주의 시각을 분명하게 견지하고 있었다. 이는 일본의 사례가 아시아 사회 일반에 확대 적용되지 않음을 의미한다. 실제로 벨라는 근대 아시아의 종교와 사회 진보의 관계를 다루는 공동 저술, 즉『근대 아시아에서 종교와 사회 진보』의 에필로그에서 "일본을 제외한 대부분의 아시아 국가들은 근대화를 자체 추진(self-propelling)의 상태까지 올려놓지 못하고 있다"(벨라, 1981: 217)라고 썼다. 여기서 벨라는 다음의 몇 가지 근거를 제시한다. 먼저 전통 종교(특히 역사 종교 또는 세계 종교)가 주로 자신의 고유한 정체성을 지속시키는 기능을 한 반면, 프로테스탄트는 근대사회로의 이행에 크게 기여했다고 평가한다. 그는 베버를 인용해 다음과 같이 말한다.

> 전통 사회의 종교 가운데서 근대사회로의 이행에 크게 기여한 종교로서 프로테스탄트 기독교를 들 수 있는데, 막스 베버는 프로테스탄트 기독교를 특별한 관심의 대상으로 뽑아내었다(벨라, 1981: 174).

　또한 벨라는 일본이나 터키를 제외한 아시아 사회 대부분이 사회 진보에 기여할 가능성을 배태한 종교개혁에 성공하지 못했다고 지적함으로써, 종교가 사회 진보에 기여할 가능성이 낮다고 평가한다(벨라, 1981: 192~199).

　그렇다면 이러한 벨라의 동양사회론은 어떠한 학문적 의의를 지니는가? 벨라의 동양사회론은 아시아의 전통 종교들이 서구 근대의 충격에 왜 보수적인 방식으로 대응했는지, 그리고 그 사회적 결과는 무엇인지를 설명하는 데 크게 기여했다. 그러나 그의 동양사회론은 일정한 한계도 안고 있다. 이론적 차원에서 베버를 극복하지 못할 뿐만 아니라, 일본 이후 비약적 경제 발전을

14　이에 관해 자세한 논의는 유승무(2010)를 참조하기 바란다.

이룩하고 있는 아시아 사회의 현실을 설명하지 못한다는 한계도 내포한다. 그럼에도 동양사회의 변동에 대한 종교사회학적 연구가 드물다는 점을 고려하면, 벨라의 동양사회론은 아시아 사회의 변동(근대화)에 대한 후속 연구를 자극하기에 충분하다. 게다가 신(新)진화론적 시각과 '우리가 믿는 바를 넘어서(beyond belief)'를 주장하는 벨라는 다중적 근대(혹은 아시아적 근대)와 시간의 흐름에 따른 아시아 사회의 다양한 변이 가능성들을 열어두었다.

4. 벨라의 여석(餘石)[15]

종교사회학의 거장인 벨라가 남긴 또 다른 기념비적인 업적으로 시민종교론이나 마음의 습속 개념을 활용한 경험 연구를 빼놓을 수 없다. 장인이 혼신을 다해 다듬은 '남은 돌(餘石)'이 비록 축성(築城)에는 사용되지 않았지만 또다른 축석(築石)으로 활용되듯이, 이 개념들도 다양하게 활용될 만한 가치를 내장하고 있다. 게다가 지면의 제약으로 이 글에서는 그 내용을 소개조차 하지 못한 저술들도 남아 있는데, 여기서 서지사항이라도 언급해두려고 한다.

1) 벨라의 시민종교(Civil Religion)

사회학자로서 벨라는 동시대 미국의 사회 현실을 매우 비관적으로 바라보았고, 그 대안으로 시민종교에 관심을 기울였다. 일찍이 미국의 시민종교에 주목한 학자로는 루소(Jean Jacques Rousseau)와 토크빌(Alexis de Tocqueville)이 있었고 그 후 시민종교를 둘러싼 논쟁이 이어지기도 했지만, 1960년대의

---

15 이 절에는 훗날을 기약하며 벨라 관련 연구의 '남은 돌'들을 모아두고자 한다.

미국 사회에서는 더 이상 주목의 대상이 되지 못하는 상황이었다. 이러한 분위기 속에서 벨라는 1967년에 간행된 ≪다이달로스(Daedalus)≫ 96호에 「미국의 시민종교(Civil Religion in America)」란 제목의 글을 발표한다(권규식, 1995).

벨라는 미국의 시민종교를 대표하는 표증으로 1961년 1월에 있었던 케네디 대통령의 취임 연설을 들고 있다.

> 우리는 오늘 당의 승리가 아닌 자유의 제전을 축하하고 있습니다. …… 나는 여러분과 전능하신 하나님 앞에 우리들의 조상이 불과 120여 년 전에 기약한 것과 같은 장중한 서약을 하고 있습니다. …… 그러나 지금도 그것은 지상에서 우리 조상들이 애써 투쟁한 것과 같은 혁명적 신념이 문제시되고 있습니다. 그것은 인간의 권리는 정부의 의사 여하가 아니라 신의 의미를 통해 주어지는 것이라는 신념입니다(Bellah, 1970: 168~169; 김문조, 1987: 173).

이 짧은 연설문에서도 볼 수 있듯이 신은 두 번씩이나 언급될 뿐만 아니라 세속의 공공 영역에 개입하고 있는데, 벨라는 바로 이 영역, 즉 종교의 영역과 정부의 영역이 겹쳐지는 곳에 미국의 시민종교가 자리하고 있음을 간파했다. 나아가 벨라는 미국의 시민종교가 특정한 제도 종교와는 아무런 관련이 없는데도, 공공의 문제에 관심을 가진 미국의 시민들에게는 절대적 가치나 신념을 제공하는 기능을 하고 있음을 발견했다. 벨라의 기능적 종교 정의에 따르면 이는 곧 종교지만 공공 영역에 존재하는 종교라는 점에서 기존의 제도 종교가 아니라 시민종교이다.

이러한 시민종교의 정의에 따르면, 시민종교의 상징에는 미국 대통령 취임사뿐만 아니라 전몰 기념일 행사, 저명한 정치 지도자의 장례식, 심지어 전쟁 영웅이나 자수성가한 백만장자도 포함된다. 그리고 이러한 상징은 구성원들에게 건국 초기의 이상인 절제·공익성의 존중·분배의 공정·참여적 민주주의를 회생시키는 기능을 한다. 그럼에도 불구하고 벨라가 보기에 1960년대의 미국 사회는 이윤 추구의 동기가 이러한 가치와 덕성의 자리를 대신하고 있었다. 이에 벨라는 당시 미국의 부패한 정신 상황과 도덕적 위기를 개탄하면서, 미국의 희망은 공리성(功利性)이 아닌 인간 존중이라는 덕성에 따라 살아야 한다는 계명을 사람들이 다시금 깨닫고 순수한 인간성을 존중하는 마음으로 새로운 방식의 삶을 사는 방법밖에 없다고 주장했다(이영관, 1992).

그러나 이러한 벨라의 시민종교 개념도 다양한 논란을 수반했다. 시민종교의 유무에 대한 시비는 물론, 그 기능에 대한 시비와 벨라의 반박도 뒤따랐다.[16] 따라서 시민종교론에서 중요한 위상을 차지하는 벨라의 시민종교 개념을 학문적으로 발전시켜나갈 과제는 후학들의 몫으로 남아 있다. 또한 벨라의 시민종교 개념을 종교진화론상의 근대 종교와 연결해 재해석을 시도하고, 미국 이외의 다양한 현대사회의 사례에 적용해 경험적 연구를 축적하는 것도 매우 중요한 학문적 과제이다. 특히 벨라의 시민종교 개념을 활용해 현대사회에 대한 경험적 차원의 연구를 축적하는 것은, 단순한 종교사회학적 발전을 넘어 해당 사회의 특수성을 이해하는 데도 큰 도움을 줄 것으로 판단된다. 바로 이때 요구되는 것이 시민종교의 유형화인데, 김문조(1987)는 시민사회를 교회 주도형 시민종교, 국가 주도형 시민종교, 독립적 형태로서의 시민종교로 구분한 뒤 각각을 자세하게 논의하고 있어, 향후 경험적 연구에 큰 보탬이 될 것으로 보인다.

2) 벨라의 '마음의 습속(habit of the heart)'

벨라는 현대 미국 사회를 진단하기 위해 토크빌이 사용한 또 하나의 개념

---

16 이에 관해 구체적인 내용은 권규식(1995)을 참조하기 바란다.

인 '습속(mores)'에 주목한다. 토크빌이 이 개념을 가끔 '마음의 습속(habit of the heart)'으로도 사용했다는 사실을 근거로 벨라는 현대 미국인들의 인성에 내재한 마음의 습속에 관심을 기울인 것이다(Bellah et al., 1985: viii). 특히 프랑스의 사회과학자 토크빌은, 미국인들로 하여금 자신이 속한 정치 공동체와의 관계를 지속하고 궁극적으로는 자유로운 사회제도들을 유지하게 만들어주는 데 기여할 요인으로 가족생활, 종교적 전통, 그리고 지역 정치(local politics) 참여 등을 꼽았는데, 이는 종교사회학의 대가에게 상당한 자극제가 되었을 것으로 보인다. 실제로 벨라는 동료 학자들과 함께 현대 미국인들의 마음의 습속에 대한 경험적 연구에 착수했고, 미국인들의 삶 속에 내재한 개인주의와 공동체에 대한 헌신 또는 책무(commitment)에 초점을 맞추어 『마음의 습속(Habit of the heart)』(1985)을 저술했다.

그러나 벨라가 사용한 '마음의 습속' 개념은 의식(consciousness), 문화(culture), 일상생활(daily practices of life)을 포괄하는 개념으로서 딜타이(Wilhelm Dilthey)의 '집단심'과 '집단정신', 뒤르케임의 '집합 의식'과 '집합적 열광', 그리고 토크빌과 섬너(William Sumner)의 '습속(mores)'과 유사한 개념이다(송호근, 2006). 벨라에 따르면, 마음의 습속을 연구하면 그 사회의 실상(state of society)·결속력(coherence of society)·장기 생존력(long-term viability of society)을 이해할 수 있을 뿐만 아니라, 사고방식 변화의 단초(incipient changes of vision)를 분별하기 쉽다(Bellah et al., 1985: 275). 이렇게 볼 때 마음의 습속 개념은 특정한 사회가 왜 현재의 상태로 유지되는지, 그리고 향후 새로운 사회적 상상력이 어떤 방향으로 만개할 것인지의 단초를 발견하는 데 도움을 줄 것으로 보인다.

예컨대 파머(Parker J. Palmer)는 토크빌과 벨라의 이 개념을 활용해 오늘날 미국의 민주주의 문제를 매우 비판적으로 진단한 바 있다(파머, 2012). 파머의 주장은 다음과 같다.

'Heart'는 라틴어 cor에서 왔고, 단지 감정만이 아니라 자아의 핵심을 가리킨다. 우리의 모든 앎의 방식 – 지적·정서적·감각적·직관적·상상적·경험적·관계적·신체적 – 이 수렴되는 중심부인 것이다. 머리로 아는 것과 직감적으로 아는 것이 통합되는 곳이고, 지식이 보다 인간적으로 충실해질 수 있는 장소다. cor는 또한 courage라는 단어의 라틴어원이기도 하다. 우리가 자아와 세계라고 이해하는 모든 것이 마음이라 불리는 중심부에서 하나가 될 때 자신이 아는 바에 따라 인간적으로 행동할 용기를 찾을 수 있을 것이다(파머, 2012: 38~39).

이어서 그는 다음과 같이 주장한다.

토크빌이 1830년대에 미국을 여행하면서 민주적인 마음의 습관이 얼마나 중요한가를 확인했을 때, 그는 마음이라는 단어를 지금 내가 여기에서 쓴 것과 똑같은 의미로 사용했다. 즉, 그것은 모든 인간적 능력의 통합적 핵심인 것이다. 그는 자신이 관심을 가졌던 습관(habit)의 동의어로 습속(mores)이라는 사회학적 용어를 사용했는데, 이는 단순히 정서만을 가리키는 것이 아니다(파머, 2012: 89).

이러한 전제하에서 파머는 오늘날 미국인들의 마음의 습속을 고치는 것이야말로 미국의 민주주의를 회복하는 길임을 역설한다.

한편 송호근(2006)도 벨라의 이러한 개념을 활용해 한국인의 평등주의적 태도를 자세하게 설명한 적이 있다. 송호근은 '마음의 습관'을 "누대에 걸쳐 오랫동안 아주 서서히 형성되는 지배적 가치관으로서 유아로부터 성인이 되기까지의 사회화 과정에서 사회성원들에게 자연스럽게 내면화되는 사고방식(mode of thinking)"으로 정의하고, 한국인의 마음의 습속 중 일부를 해명했다는 점에서 마음의 습속 개념 활용에 단초를 제공했다고 할 수 있다. 특히 마음(heart)이 사고만이 아니라 감정·의지·상상력·무의식 등을 모두 포함하고 있다는 점(유승무, 2013)과 벨라의 마음의 습속 개념이 의식·문화·일상생활 등을 포괄하고 있다는 점을 고려하면, 한국 사회에서 이 개념의 활용법은 또 하나의 학문적 과제로 남아 있는 셈이다.[17]

3) 기타 저술

지금까지는 벨라를 이해하는 데 가장 필수적이면서도 대표적인 저서인 『도쿠가와 종교(Tokugawa Religion)』, 『우리가 믿는 바를 넘어서(Beyond relief)』, 『인류 진화 속의 종교(Religion in human evolution)』, 『마음의 습속(Habit of the heart)』, 그리고 『근대 아시아에서 종교와 사회 진보(Religion and Progress in Modern Asia)』를 중심으로 검토했다. 그러나 벨라는 이 글에서 논의된 저서 이외에도 수많은 저서와 논문, 그리고 글을 남겼다. 어쩌면 그러한 논저를 통해서도 벨라를 새롭게 이해할 수 있을 것이다. 이 글에서는 '여석'으로 분류되었지만, 달리 보면 그러한 업적들도 황금이 묻혀 있는 미답의 채석장일지도 모른다. 이에 다음에서는 이미 언급된 저서 외에 벨라가 저자, 공저자, 편집자, 공동 편집자로 참여한 저서만이라도 제시해두려고 한다.

『뒤르케임의 도덕성과 사회(Emile Durkheim on Morality and Society)』 (1973)

『깨어진 약속: 시련의 시대 미국의 시민종교(The Broken Covenant: Ameri-

---

17 최근에는 마음의 사회학을 정립하려는 김홍중(2013, 2014)의 일련의 연구와 유승무(2013) 와 유승무·박수호·신종화(2013)의 마음 문화 및 사상 연구가 이러한 과제를 해명하는 데 상당히 유용할 것으로 판단된다.

can Civil Religion in Time of Trial)』(1975)

『새로운 종교의식(The New Religious Consciousness)』(1976)

『시민종교의 다양성(Varieties of Civil Religion)』(1980)

『야만적인 종교: 미국의 종교 간 적대성(Uncivil Religion: Interreligious Hostility in America)』(1987)

『좋은 사회(The Good Society)』(1991)

『상상된 일본: 일본의 전통과 그 근대적 해석(Imagining Japan: The Japanese Tradition and its Modern Interpretation)』(2003)

『로버트 벨라 독법(The Robert Bellah Reader)』(2006)

『기축 시대와 그 문명적 결과(The Axial Age and Its Consequences)』(2012)

5. 결론

벨라는 『우리가 믿는 바를 넘어서』의 서문 첫 문단을 다음과 같이 시작한다. "…… '실패의 용기'와 '상실의 신앙'은 우상들이 깨지고 신들(gods)이 죽어버렸으나, 부정(否定)의 어두움이 풍요한 가능성으로 가득 찰 수 있는 어떤 상황을 가리킨다"(Bellah, 1970: xi). '사람이 사람을 착취하는 짓을 최종적으로 극복하는 역사의 종말에, 새 하늘과 새 땅이 이루어질 것'이라고 생각한 마르크스주의적 신념이 깨져버린 우상으로 나뒹굴 때, 벨라는 틸리히를 통해 '유일신의 하나님 위의 하나님'을 만났고, 파슨스·베버·뒤르케임의 종교사회학을 만났다. 그들에게서 얻은 영감을 자양분 삼아 벨라는 인류 사회의 거대한 종교 변동을 종교사회학적으로 해명했을 뿐만 아니라 동양사회의 근대화와 종교의 관계를 폭넓게 분석했다. 우리는 그 화려하면서도 빛나는 학문적 업적을 눈부시게 감상했다. 또한 그는 그 서문을 이렇게 끝맺고 있다.

이 책은 상실에 대한 이야기이다. 잃어버린 아버지, 잃어버린 종교, 잃어버린 이데올로기, 잃어버린 국가에 대한 이야기이다. 그러나 그것은 결국 실존적 절망의 이야기는 아니다. …… 상실의 신앙은 절망보다는 기쁨에 더 가깝다. 이 글들은 …… '믿음 없는, 믿음을 넘어서는' 그런 믿음의 표현이다(Bellah, 1970: xxi).

바로 이 대목에서 우리는 스스로를 '비관론적 낙관론자(pessimistic optimist)'라 칭한 벨라를 보았으며, 초탈의 종교인다운 자유부동성(自由浮動性)과 사회학자의 비판성을 동시에 배울 수 있었다. 현대 미국 사회를 비판적으로 진단하고 대안을 모색하는 벨라의 경험 연구가 그 산물임은 두말할 나위가 없다.

그렇다면 우리의 과제는 무엇인가? 바로 '벨라 뛰어넘기(Beyond Bellah)'다. 어쩌면 벨라는 『우리가 믿는 바를 넘어서(Beyond Belief)』의 행간을 통해 진작부터 '벨라 뛰어넘기'를 주문하고 있었는지도 모른다. 벨라의 'Beyond Belief'가 우리에게는 'Beyond Bellah'로 읽히기도 하기 때문이다. 이렇게 볼 때 'Beyond Bellah(벨라 수용만이 아니라 벨라 극복)'이야말로 벨라의 진의를 계승하는 길인 동시에 우리가 이 글을 쓰고 읽는 진정한 이유일 것이다. 특히 벨라가 공들여 쌓아 올린 거봉 중 하나가 종교사회학적 동양사회론이란 점을 상기한다면, 태생적으로 동양사회에 관심을 갖고 있는 우리에게는 '벨라 뛰어넘기'의 과제들 중에서도 벨라의 동양사회론 비판은 필수적인 과제일 수밖에 없다.

비록 아시아의 사회 변화(특히 근대화)에 대한 벨라의 종교사회학적 연구 성과가 베버의 그것[18]에 비견될 정도로 탁월한 업적으로 평가되지만, 베버는

---

18 베버의 『힌두교와 불교(Hinduismus und Buddhismus)』와 『유교와 도교(Konfuzianismus und Taoismus)』는 지금까지도 동양사회에 대한 최고의 사회학적 연구 성과로 간주된다.

물론 베버를 계승한 벨라마저도 서구적 기원의 이념형적 잣대로 동양사회를 분석하고 설명하는 한계를 노정하고 있다.[19] 게다가 벨라의 시민종교 개념이나 마음의 습속 개념은 철저히 현대 미국 사회 진단에서 유래한 개념이기 때문에, 동양사회를 이해하기 위해서는 벨라의 종교사회학적 개념을 무반성적으로 적용할 것이 아니라 우리의 이야기를 좀 더 잘 대변하는 우리 사회의 상징들에 대한 깊고도 넓은 종교사회학적 탐구가 절실히 요구된다. 종교학자 월프레드 캔트웰 스미스(Wilfred Cantwell Smith)는 이렇게 말한다.

…… 종교의 역사가 때로는 그 상징들의 역사로 잘못 이해되어왔는데 이것은 피상적 파악이다. 같은 상징들도 시간의 차이에 따라, 사람에 따라, 또는 같은 사람의 삶의 과정 안에서까지도 그 의미가 변하는 것을 볼 수 있다. …… 아직 쓰이지 않은 참된 종교의 역사란 깊이와 얕음, 풍부함과 빈약함, 순수성과 비성실성, 찬란한 지혜와 공허한 무지 등 인간들과 그들의 사회들이 자기들 구조 안에서 가지고 있는 상징들에 대해 보인 응답의 역사여야 한다(스미스, 1986: 346).

주지하듯이 유교와 불교를 내장한 동양사회는, 마음 문화에 관한 한 매우 심오한 사상적 깊이와 장기 지속의 역사적 축적량을 자랑한다. 이 글이 이 분야에 뛰어든 눈 밝은 후학들의 징검다리로 활용되기를 기대해본다.

---

19 여기서는 이를 상론할 여유가 없다. 이를 자세하게 논의하려면 또 하나의 논문을 써야 할 것이다. 다만, 참고로 유승무(2010)에는 베버 및 벨라의 동양사회론에 대한 약간의 비판이 담겨 있음을 덧붙여둔다.

참고문헌

권규식. 1995. 『종교의 사회학적 이해』. 이문출판사.

기어츠, 클리퍼드(Clifford Geertz). 1998. 『문화의 해석』. 문옥표 옮김. 까치.

김문조. 1987. 「시민종교론」. 『현대사회와 종교』. 서광사.

김홍중. 2013. 「사회적인 것의 합정성(合情性)을 찾아서」. ≪사회와 이론≫, 23, 한국이론사회학회.

_____. 2014. 「마음의 사회학을 이론화하기」. ≪한국사회학≫, 48(4), 한국사회학회.

남춘모. 1999. 「Robert N. Bellah의 일본의 종교분석과 문화적 identity의 현재적 의의」. ≪사회과학연구≫, 6, 대구가톨릭대학교 사회과학연구소.

벨라, 로버트(Robert Bellah). 1981. 『사회변동의 상징구조』. 박영신 옮김. 삼영사.

_____. 1985. 「종교와 사회과학의 관계」. 『종교학의 이해』. 김승혜 옮김. 분도출판사.

_____. 1994. 『도쿠가와 종교』. 박영신 옮김. 현상과 인식.

송호근. 2006. 『한국의 평등주의, 그 마음의 습관』. 삼성경제연구소.

스미스, 윌프레드 캔트웰(Wilfred Cantwell Smith). 1985. 「성사적(聖事的) 상징으로서의 종교」. 『종교학의 이해』. 김승혜 옮김. 분도출판사.

유승무. 2010. 『불교사회학』. 박종철출판사.

_____. 2013. 「동양사회 내재적 종교성과 베버의 동양사회론」. 『현대사회와 베버 패러다임』. 나남.

유승무·박수호·신종화. 2013. 「'마음'의 사회학적 재발견과 '합심(合心)'의 소통행위론적 이해」. ≪사회사상과 문화≫, 28, 동양사회사상학회.

이영관. 1992. 『벨라종교관과 한국종교』. 원불교출판사.

파머, 파커(Parker J. Pamer). 2012. 『비통한 자들을 위한 정치학』. 김찬호 옮김. 글항아리.

Bellah, Robert N. 1960. *Tokugawa Religion*. New York: The Free Press.

_____. 1970. *Beyond Belief*. New York: Harper & Row.

_____. 2011. *Religion in Human Evolution*. Harvard University Press.

Bellah, Robert N. et al. 1965. *Religion and Progress in Modern Asia*. New York: Free Press.

_____. 1985. *Habit of the Heart*. University of California Press.

http://en.wikipedia.org/wiki/Robert_Neelly_Bellah.

13

피터 버거와 실재의 사회적 구성

인간주의 사회학

하홍규

1. 사회학의 동기(motif): 사회학의 인간주의적 정당화

웃음 짓게 만드는 사회학자의 글을 만나기란 쉽지 않다. 객관적이고 심각한 과학적 작업에 대한 강박 때문인지는 모르겠으나, 사회학자들의 글은 언제나 무겁다. 긍정의 정신으로 인간 사회를 그린 글들은 동료 사회학자들에게 사이비 사회학으로 몰리기 십상이다. 피터 버거(Peter L. Berger)의 글은 언제나 즐겁게 읽을 수 있다. 하지만 그가 긍정의 정신으로만 글을 썼다는 것은 결코 아니다. 사회학의 정신은 무엇보다 부정의 정신이다. 그럼에도 그와 함께 여러 글을 썼던 동료 안톤 지더벨트(Anton C. Zijderveld)는 버거의 사회학이 항상 '즐거운 과학(fröhliche Wissenschaft, gay science)'이었다면서, 비극에 압도당하는 니체(Friedrich W. Nietzsche)의 철학과 달리 버거의 사회학에서는 희극이 비극을 이기고 있다고 평가한다.[1] 버거의 이론에서는 유머가

---

1   지더벨트는 이것이 버거가 갖고 있었던 기독교 신앙과 희망 때문이라고 한다. 하지만 지더

중요한 역할을 한다.[2] 그러나 글에 유머가 있다 하여 그의 사회학이 가볍다는 것은 결코 아니다. 그는 현학적 과학주의에 빠져 유토피아적 상상력을 결여한 스키너(Burrhus Frederic Skinner)의 이미지도, 메시아적 유토피아의 강한 매력에 홀려 혁명이나 폭력의 성급한 레토릭에 자극받은 체 게바라(Che Guevara)의 이미지도 회피할 뿐이다(버거·버거·켈너, 1981: 208). 그는 사회과학적 작업에 정치적 의무가 있다는 것을 부인하지 않지만, 이데올로기적 광신주의를 위한 장은 사회과학에 없다고 선언한다. 물론 "정치적으로 의미가 없는 이런저런 연구에 '감정 중립적'으로 몰두하는 권리를 주장해 정치적 의무에의 대응을 양심에서 우러나와 거부하는 자"(버거·버거·켈너, 1981: 205)에게 사회학의 자리를 내줄 생각은 하지 않는다. 또한 그는 이단(異端)의 시대, 곧 이단이 보편화된 시대에 현란한 상대주의자들의 도전에 맞서 오히려 상대주의자들을 상대화하려고 시도하며, 폭력적인 근본주의적 믿음이 판칠 때 오히려 의심하는 것을 찬양한다(Berger, 1969; 버거·지더벨트, 2010).[3]

"반동적인 향수에 빠지지도 않고 혁명적인 과잉 정열에도 저항"할 수 있는 태도는 어떻게 가능한가? 사회학적 이해는 우리가 신비로부터 깨어나도록

벨트는 버거의 즐거움에 동참하기를 꺼리면서, 오히려 비극적이고 운명적인 현대사회의 과정에 대해 논의했던 막스 베버(Max Weber)에 기대어 버거의 '근대화 이론'을 검토한다(Zijderveld, 1986).

2 버거는 심지어 코믹(comic)을 핵심적인 인간 경험으로 분석하기도 한다. "유머, 곧 어떤 것을 웃긴 것으로 인식하는 능력은 보편적이다. 유머 없는 인간 문화는 없었다. …… 유머는 인간학적 상수(常數)이고 역사적으로는 상대적이다. …… 그러나 모든 상대성 너머에 또는 뒤에는 유머가 감지해낼 것으로 여겨지는 그 '무언가'가 있다. 그것은 정확하게 코믹의 현상이다"(Berger, 1997: x). 이에 관해서는 버거의 이론적 틀에서 유머의 역할에 대해 분석한 Feltmate(2013)를 참조하기 바란다.

3 이런 뜻에서 버거를 '현대의 에라스무스(Erasmus)'라고 한 애슐리먼(Michael Aeschliman)의 평가는 흥미롭다. 에라스무스와 버거 모두 정통파(the orthodox)를 기쁘게 하지도 못하고, 정통파의 비판자들도 기쁘게 하지 못하는 정통 아이러니스트(orthodox ironists)였다(Aeschliman, 2011: 13~14).

이끈다. 신비에 현혹되지 않을 수 있는 자는 "보수적인 운동과 혁명적인 운동 양쪽 모두에게 불량스러운 위험인물이다"(버거, 1995: 215). 사회학자에게는 보수주의 운동의 현상 유지 이데올로기에도, 혁명운동의 유토피아적 신화에도 쉽사리 설득당하지 않을 만큼의 각성(disenchantment)이 있기 때문이다. 이는 사회학이 기본적으로 폭로하는(debunking) 학문이기에 가능하다.

> 자신이 사는 시대의 문제에 관여하기 위한 정열이 만약 불덩이와 얼음으로 성립되어 있다고 한다면, 사회학적 분석은 분명히 얼음의 부분에 속한다. 사회학은 본질적으로 폭로적인 학문이다. 그것은 자르고 껍질을 벗기는 것이 주가 되며, 사람의 마음을 불붙게 하는 일은 드물다. 사회학의 정신은 매우 깊은 부정적인 정신이며 그것은 '나는 항상 아니라고 부정하는 정신'이라고 토로한 괴테(J. Goethe)의 메피스토펠레스(Mephistopheles)와 같은 것이다(버거·버거·켈너, 1981: 207).

사회학의 정신은 부정하는 정신이다. 흔한 말로 '세상은 눈에 보이는 그대로가 아니다'. 이 말은 "인간의 사건이 여러 차원의 의미를 갖고 있으며 그중 몇몇 차원은 일상생활의 의식에는 숨겨져 있다는 것을"(버거, 1995: 46~47) 뜻한다. 그렇기에 사회 실재는 알려져 있는 공식적인 해석만으로는 이해할 수 없으며, 꿰뚫어보고 그 배후를 살펴야 알 수 있다. 이런 뜻에서 버거의 사회학은 '의심의 해석학(hermeneutics of suspicion)'이다(Phillips, 2001: 286).[4]

---

4   리쾨르(Paul Ricoeur)는 '의미의 회복으로서의 해석(interpretation as recollection of meaning)'과 환상의 가면을 벗기고 정체를 폭로하는 '의심으로서의 해석(interpretation as suspicion)'을 대비시킨다. 버거는 리쾨르가 대표적인 의심의 대가로 들고 있는 마르크스(Karl Marx), 니체(Friedrich Nietzsch), 프로이트(Sigmund Freud)와 함께 묶이는 것을 ― 이들이 버거에게 미친 영향력이 분명함에도 불구하고 ― 그리 좋아할 것 같지 않지만, '배후를 살피고' '꿰뚫어보는' 사회학을 주장한다는 점에서 버거의 사회학은 분명 의심

그렇다면 무엇을 꿰뚫어보고 무엇의 배후를 살펴야 하는가? 어떠한 종류의 사회 실재이든 그것은 언제나 공식적 정의들로 정당화된다. 다시 말해서 우리는 정당화된 실재 안에서 살고 있다. 그러나 그 공식적 정의는 현상의 일부에 지나지 않으며, 심지어 실제로 일어나는 일들을 알아차리지 못하도록 감추는 기능을 하기도 한다. 따라서 사회학자에게는 "신학, 철학, 법학 등과 같은 규범적 학문들에 의해 '공식적으로' 정의된 집합적 구조의 이면에 내재하는, 언젠가는 알려져야 할 규칙들에 의해 '움직이는' 일체의 현상을"(버거·켈너, 1984: 17) 인식할 수 있는 '폭로적 시각'이 필요하다. 니체는 『우상의 황혼(Götzen-Dämmerung)』에서 이렇게 말한다. "나는 체계주의자들을 모두 불신하며 피한다. 체계를 세우려는 의지는 성실성이 결여되어 있다"(니체, 2002: 81). 우리 인간들은 무대에 오르기 오래전에 쓰여서 확정되어 있는 대본을 따라 연기하는 자와 같다. 우리는 연기를 하면서 그 대본을 의심하거나 물음을 던져본 적이 없다. "우리의 생활은 우리 동시대인들의 어리석은 생각뿐만이 아니라 몇 세대 전에 죽은 사람들의 어리석은 생각에 의해서도 지배되고 있다"(버거, 1995: 116). 따라서 버거는 바로 이 '불신의 예술(the art of mistrust)'을 사회학적 분석의 도구로 삼는 데 주저하지 않는다.

사회학자는 왜 폭로하는가? 여기에는 버거 사회학의 인간주의적 전망이 담겨 있다. 버거는 자신의 자서전에서 동료 토마스 루크만(Thomas Luckmann)과 함께 『실재의 사회적 구성(Social construction of reality: a treatise in the sociology of knowledge)』을 쓰면서, "사회학이 학대와 억압을 정당화하는 신화들의 정체를 폭로함으로써 인간적인 사회를 만드는 데 기여한다는 점을 강조"(버거, 2012: 32)하고자 했노라고 말한다.[5] 그는 실로 사회학이 폭로를

의 해석학이라 하겠다. 버거가 현상학의 영향을 많이 받은 것을 고려해볼 때 이는 매우 아이러니하다. 리쾨르에 따르면, "현상학은 의미를 듣고, 회상하고, 회복하는 도구이다"(Ricoeur, 1970: 28).

통해 좀 더 인간적인 사회를 만드는 데 기여할 수 있다고 믿는다. 인간주의적 사회학의 도덕적 정당화는 바로 이러한 믿음에 있다. 죽은 자들의 어리석은 생각은 실상 우리가 의심 없이 당연하게 여기는 우리의 믿음을 구성한다. 당연하게 여겨지는 믿음을 갖고 있기에 우리는 우리가 사는 세계의 진위를 의심하지 않는 자연적 태도를 갖고 살게 된다. 버거는 이러한 당연한 믿음 또는 자연적 태도의 개념을 그의 스승 알프레트 슈츠(Alfred Schutz)[6]로부터 배웠다. 그러나 슈츠에게서는 사실상 이러한 폭로적 동기가 강하게 드러나지 않는다. 아무 문제를 느끼지 못하고 살아가는 사람들의 믿음을 뒤흔들고 폭로함으로써 좀 더 인간적인 사회를 만들 수 있다는 생각은 어쩌면 역설적으로 들릴 수도 있다. 이 역설을 이해하기 위해서는 사회학이 연구 대상으로 삼고 있는 '사회'의 역설을 이해해야 한다.

---

5   사회학이 인간주의적이어야 하는 폭로의 동기와 함께 버거는 사회학이 구체적인 의미에서 인문 분야라고 주장한다. 버거는 사회학을 '인간을 인간으로서 다루는 과학들'의 자리에 함께 위치 짓고, 사회학 연구가 역사학과 철학과의 지속적인 대화 가운데 수행되어야 한다고 강조한다(버거·루크만, 2013: 283).

6   버거의 사회학에 미친 현상학의 영향은 워낙 뚜렷하나, 그의 사회학을 '현상학적 사회학'이라고 부르는 데는 주의가 필요하다. 이에 관해서는 Ainlay(1986)를 참조하기 바란다. 에인레이(Stephen C. Ainlay)는 버거가 "현상학에 충성스러운 신하"라기보다는 현상학의 보물을 훔친 "사회학적 해적"으로 보는 편이 나을 거라고 말한다(Ainlay, 1986: 47). 사실상 버거의 사회학에서 우리는 다 나열하기 힘들 정도로 많은 지적 계보를 추적해낼 수 있다. 마르크스, 베버, 짐멜(Georg Simmel), 뒤르케임(Emile Durkheim)과 같은 고전 사회학자들뿐 아니라 당시 미국에는 잘 알려져 있지 않았던 아르놀트 겔렌(Arnold Gehlen), 막스 셸러(Max Scheler), 헬무트 플레스너(Helmuth Plessner) 등과 같은 유럽의 철학자들, 그리고 유럽에는 잘 알려져 있지 않았던 조지 허버트 미드(George Herbert Mead), 윌리엄 토머스(William Thomas) 등과 같은 프래그머티즘 전통의 학자들의 사상이 그의 사회학적 사상에 잘 녹아들어 있다. 이렇듯 그가 양 대륙의 학자들로부터 배울 수 있는 지적 호사를 누렸던 것은 그가 오스트리아 태생으로 미국으로 건너와 공부했던 이주민이었다는 점과 그로 인한 언어적 이점에서 찾을 수 있을 것이다.

2. 사회학의 연구 대상: '사회'라는 드라마

인간주의적 사회학의 전망은 사회학이 연구 대상으로 삼는 것이 "진행 중인 역사적 과정에서 인간에 의해 만들어지고, 인간이 살고 있으며, 또한 인간을 만드는 인간 세계의 부분으로서의 사회"(버거·루크만, 2013: 283)라는 것을 기억하는 데서 비롯된다. 여기서 사회가 인간들의 세계라는 것을 '기억'해야 하는 것은 우리가 이 세계를 '저기 밖에' "자명하고 거부할 수 없는 사실성"(버거·루크만, 2013: 46)을 띠는 외적 실재로서 경험하기에, 이 세계가 우리 인간들에 의해 만들어진 것이라는 사실을 잊고 살기 때문이다. 우리 인간들은 '실재의 사회적 구성'이라는 우주적 드라마의 창작자임을 망각한 연기자이다.

버거에 따르면 사회는 "객관적으로 주어진 것과 주관적인 의미들 간의 하나의 변증법, 즉 외부의 실재로 경험하는 것(특히 개인이 직면하는 여러 제도의 세계)과 개인의 의식 속에 존재하는 것으로 경험되는 것 간의 상호작용으로 구성된 것"이다(버거·버거·켈너, 1981: 17). 이를 바꾸어 말하면 다음과 같다.

> '모든 사회 실재는 의식이라는 본질적 구성 요소를 갖는다.' 그 '일상생활의 의
> 식'은 개인으로 하여금 일상적 사건과 타인들과의 만남의 생활을 잘 꾸려나가
> 도록 허용하는 여러 의미의 그물(the web of meanings)이다. 이 의미들의 전
> 체는 개인이 남들과 나누어 갖고 있는 것으로서 특정한 사회적 생활세계를 이
> 룬다(버거·버거·켈너, 1981: 17).

여기서 중요한 것은 사회 세계를 이미 주어진 것으로 보는 것이 아니라, 어떠한 사회 세계이든지 그것은 그 안에 사는 사람들이 부여한 의미에 의해 '구성(construction)'된 것으로 보아야 한다는 점이다. 사회 세계에 대한 이런 관점을 통해 버거는 서로 모순되는 듯 여겨진 두 명제가 사실상 겉으로 보이

는 것처럼 모순되지 않으며, 오히려 실재의 '사회적 구성'이라는 변증법적 과정에서 필수적으로 중요한 두 계기라고 주장한다. 그 두 가지 명제 중 하나는 '사회는 객관적 사실성을 가지고 있다'[7]라는 것이고, 다른 하나는 '사회는 주관적 의미를 표현하는 활동에 의해 확립된다'[8]는 것이다. 이 두 가지 명제는 서로 모순되는 것이 아니라, 객관적 사실성과 주관적 의미라는 사회의 이중적 성격을 보여주는 것이다. 어느 한쪽도 다른 한쪽 없이는 존재할 수 없다.

버거는 일상생활 세계에 우선적 관심을 두고 있는 슈츠의 현상학을 사회구조와 행위를 설명하는 사회의 이론으로 발전시키는 과정에서 중요한 이론적 변형을 가한다. 슈츠는 우리가 의식하며 살아가는 세계는 동료 구성원과 함께 살아가는 상호 주관적(intersubjective)이고 사회적인 세계이며, 인간 행위에 대한 이해는 바로 이 상호 주관적 세계에서 살고 경험한다는 데서 출발해야 한다고 주장했다. 버거는 여기서 더 나아가 우리가 질서 있는(ordered) 실재로 경험하는 일상의 세계는 상호 주관적 세계인 동시에 객관적 실재이기도 하다는 점, 아니 객관적 실재로 경험된다는 점에 주목한다. 객관화가 없다면 사회생활은 본질적으로 불가능하다. 우리는 바로 이 객관화를 통해서 타인의 주관적 의도, 목적, 동기, 감정을 이해할 수 있기 때문이다. 따라서 버거의 이론에서 중요한 점은 '인간의 창조성이 어떻게 객관화되는가'라는 물음을 풀어내는 데 있다(Abercrombie, 1986: 14~15). 이를 물음의 형태로 표현하자면, "어떻게 주관적 의미가 객관적 사실성이 되는 것이 가능한가?" 또는 "어떻게 인간 활동이 사물의 세계를 산출하는 것이 가능한가?"이다(버거·루

---

7   뒤르케임이 『사회학적 방법의 규칙들(Regles de la methode sociologique)』의 2장에서 사회학적 방법의 제1규칙으로 천명했던 "사회적 사실을 사물로 여기라"라는 명제를 말한다(뒤르켐, 2002).

8   베버가 사회학을 정의하면서 말했던 "현재적 의미에서 사회학과 역사학에 있어서 인식의 대상은 행위의 주관적 의미 복합체(meaning-complex)이다"라는 명제이다(Weber, 1947: 101).

크만, 2013: 36).[9]

우리가 독자적인 실재라고 여기고 경험하는 것이 어떻게 구성되는가 하는 것이 버거가 『실재의 사회적 구성』에서 그의 동료 루크만과 함께 추구했던 지식사회학의 과제였다(버거·루크만, 2013). 그렇다면 실재가 사회적으로 구성된다고 하는 주장의 의미는 무엇인가? 먼저 주의 깊은 개념 정의가 필요하다. '실재'란 인간의 의지로부터 독립적인 존재를 가진다고 인정되는 현상들을 의미한다. 여기서 '실재'를 인간의 의지로부터 독립적인 존재라고 하지 않고, 인간으로부터 독립적인 존재로 인정되는 현상이라고 한 점에 주목할 필요가 있다. 버거는 '실재'의 개념을 현상학적 괄호 안에서 다루고 있기 때문이다. '현상학적 괄호 치기'는 후설(Edmund Husserl)의 현상학 방법인데, 사물의 궁극적 본질에 대한 판단을 중지함으로써 실재에 대한 어떠한 믿음에 근거하지 않은 채 의식 속에서 경험되는 현상에 접근하는 것을 말한다. 버거 역

---

9 20세기 후반에 주로 미국에서 진행되었던 미시-거시 연결의 문제, 이와 병행적으로 유럽에서 진행되었던 구조와 행위의 통합 문제에서 버거의 시도가 심도 있게 다루어지지 않았던 것은 참으로 불행한 일이다. 1984년 6월 당시 서독에서 미국사회학회와 독일사회학회의 공동 주최로 열렸던 국제 컨퍼런스에서 발표된 글들을 모아 펴낸 모두 17장으로 구성된 『미시-거시 연결(The Micro-Macro Link)』(1987)에서 버거의 이론을 깊이 다룬 사회학자가 없었다는 것이 버거 이론에 대한 사회학자들의 무관심을 드러낸다. 다만 예외적으로 하퍼캄프(Hans Haferkamp)만이 "객관화와 물화의 생성적 과정들은 행위에 의해서 분석되어야 한다"(Haferkamp, 1987: 185)라고 주장하면서 버거의 이름을 거명할 뿐이다. 구조의 이중성을 주장하는 기든스(Anthony Giddens)의 '구조화 이론(structuration theory)'과, 행위에 구조적 제한을 가하는 '구조화된 구조'인 동시에 인지와 열망과 실천을 생성해내는 '구조화하는 구조'로서 아비투스(habitus)에 대한 부르디외(Pierre Bourdieu)의 '실천이론(practice theory)'은 모두 구조와 행위의 변증법적 관계를 상정하지만, 버거와 같이 "어떻게 주관적 의미가 객관적 사실성이 되는 것이 가능한가?"라고 묻지는 않는다. 기든스와 부르디외는 모두 습관적 '실천' 개념에 기대어 구조와 행위의 통합이라는 이론적 과제를 풀이하려고 하는데, 버거는 객관적 세계를 주어진 것으로 보고 출발하기보다는 어떻게 객관적 세계가 인간 활동으로부터 산출될 수 있는가라는 질문에서 시작한다. 기든스의 구조화 이론과 부르디외의 실천이론에 대해서는 이들의 이론을 비판적으로 논의하는 하홍규(2014)를 참조하기 바란다.

시 실재의 존재론적 지위에 대해서는 괄호에 넣고, 의식에 경험되는 실재로
서 다룬다. 그러나 여기서 취하는 판단중지의 태도는 자연적 태도의 판단중
지를 제안하는 슈츠를 따름으로써, 후설의 것과는 차이를 보인다.

후설의 현상학은 마음 앞에 나타나는 현상의 본질(지향적 체험의 구조와 본
질)을 파악하고 그것을 기술하려는 철학이다. 여기서 '현상'[10]은 마음과 의식
앞에 나타나는 일이나 사태를 말하는데, 그러한 현상은 '지향성(intentionality)'
을 통해 성립한다. 이때 '지향성'이란 우리의 의식은 항상 무언가에 대한 의식
이라는 것을 의미한다. 곧, 우리는 의식의 기층(substratum)이라고 가정하는
것을 그 자체로 경험할 수 없으며, 언제든지 무엇에 관한, 무엇에 관여하는,
무엇에 관계 맺는, 무엇에 정향된(directed) 의식을 경험한다는 것이다. 우리
는 이러한 의식의 지향성 덕분에 세계를 인식하고 그 안에서 행동하며 살아
갈 수 있게 된다. 그래서 우리가 경험하는 실재는 고정되고 불변하는 외적 실
재가 아니라, 언제나 지향된(intended) 실재이다. 현상학이 주된 과제로 삼는
것은 바로 이러한 지향적 경험을 하는 의식의 구성(constitution)과 구조를 기
술하는 데 있었다. 현상학은 이러한 관념적 지향(ideal orientation) 때문에 사
회학과 그리 어울리지 않는 것처럼 보인다. 그러나 인간의 의식은 고립되어
존재하는 것이 아니라, 타인들과 공유하는 생활세계 안에서 상호 주관성의
흐름 가운데 존재한다는 사실은 현상학을 사회학과 관련짓게 한다. 이렇듯
현상학이 사회학의 영역으로 들어올 수 있었던 것은 슈츠의 공헌이었다. 슈
츠는 철학자이자 사회과학자로서 베버, 베르그송(Henri Bergson) 등의 사상
을 후설의 사상과 종합해 '사회현상학' 또는 '현상학적 사회학'을 발전시켰다.

---

10 철학에서 '현상'은 나름의 역사를 갖고 있는 개념이다. 플라톤의 철학에서 '현상'이 이데아
(idea)에 대비해 감각으로 파악되는 허상적인 세계로서, 진정한 실재가 아니거나 덜 실재
적인 영역이라면, 칸트 철학에서 '현상'은 감정적 직관의 형식(시간과 공간)과 지성적 사유
의 형식(12개의 범주)을 통해 우리가 인식적으로 구성해낸 세계이다.

슈츠의 작업은, 사회과학은 방법론적으로 자연 대상과 구별되는 인간 주체의 본질을 반영해야 한다는 빌헬름 딜타이(Wilhelm Dilthey)와 막스 베버의 전통에 서 있으면서, 초월적 주체에 한정된 후설 현상학의 범위를 사회 실재가 구성되는 의식의 행위들에 대한 현상학적 분석으로 확대하는 것이었다. 이로써 슈츠는 사회과학의 현상학적 기초를 닦았다고 할 수 있다. 후설에게 현상학이 의식의 구성과 구조를 체계적으로 밝히는 것이었다면, 슈츠에게 현상학은 사회적 세계의 유의미한 구조를 해명하고 밝히는 것이다. 후설에 따르면 의식에 나타나는 사태의 본질을 파악하기 위해 자연적 태도에서 철학적 태도로의 변경이 필요한데, 이는 곧 사물의 궁극적 본질에 대한 판단을 중지할 것을 요청한다.[11] 그러나 슈츠는 실재에 대한 믿음이 아닌 오히려 '의심'을 괄호 치는 자연적 태도가 상호 주관성의 기초라고 주장함으로써 후설의 방법을 뒤집는다. 이론가, 철학자들은 믿음의 태도를 중지함으로써 실재에 접근하려고 하나, 일상을 사는 사람들은 의심을 중지함으로써 이 세계 안에서 문제없이 살 수 있다. 만약 일상의 삶 속에서 자신이 살아가는 세계의 확실성을 끊임없이 의심해야 한다면 그 삶이 어찌될 것인가?

현상학은 우리에게 현상학적 판단중지의 개념, 곧 데카르트(René Descartes)의 철학적 회의의 방법을 급진화함으로써 자연적 태도를 극복하기 위한 도구로서 세계의 실재에 대한 우리의 믿음을 중지하는 것을 가르쳐주었다. 그 제안을 다음과 같이 과감히 고칠 수 있다. 자연적 태도(natural attitude) 안에 있는 사람도 특정한 판단중지의 방법을 사용한다. 물론 이것은 현상학자의 것과는 다른 것이다. 그는 외부 세계에 대한 믿음을 중지하는 것이 아니라, 오히

---

11 이를 '판단중지(epoché)', '현상학적 괄호' 또는 '현상학적 환원'이라고도 부르는데, 이를 통해 현상은 실재에 대한 어떠한 믿음에 근거하지 않고 단순히 현상으로 고려될 수 있다. 이것이 후설이 선언한 '사태 그 자체로'라는 테제가 뜻하는 바이다.

려 그 존재에 대한 의심을 중지한다. 그가 괄호 안에 넣는 것은 세계와 세계의 대상들이 그에게 보이는 것과 다를 수도 있다는 의심이다. 우리는 이런 판단 중지를 자연적 태도의 판단중지라고 부르기를 제안한다(Schutz, 1967: 229).

사회 세계에 살아가는 사람들은 별다른 문제가 발생하지 않는 한, 철학자들처럼 '실재가 무엇인가'(존재론적 물음), 그리고 '그 실재를 어떻게 아는가'(인식론적 물음)라고 묻지 않는다. 그 대신 이 세계를 원래 그러했던 것으로 당연하게 여기며 살아간다. 사회 세계에서 살아가는 사람들은 철학자들이 본질에 대한 탐구로 들어가기 위해 중지시켰던 바로 그 자연적 태도를 가지고 산다.

일상생활의 실재는 실재'로서' 당연하게 받아들여진다. 그 실재는 단순한 현존을 넘어서는 그 이상의 부가적인 검증을 요구하지 않는다. 그것은 단지 '그곳에' 자명하고 거부할 수 없는 사실성으로서 존재한다. 나는 그것이 실재한다는 것을 '알고 있다'. 나는 그 실재에 대해 의심을 품을 수 있지만, 매일의 삶에서 일상적으로 살아가려면 그러한 의심을 중지해야 한다(버거·루크만, 2013: 46).

실재에 대한 의심을 중지하는 자연적 태도는 '누가 뭐라 해도 난 이렇게 믿어'라는 식의 주관적 믿음이나 태도를 뜻하는 것이 아니다. 그런 식의 믿음을 갖고 사는 사람은 아무리 당사자가 믿음의 충돌을 겪지 않고 자연스럽게 산다 하더라도 그가 속해 있는 사회 안에서는 비정상인으로 몰리게 될 것이다. 자연적 태도는 "한 사람만이 지니고 있는 어떤 주관적인 태도나 자세를 말함이 아니고 사회 혹은 세계의 성원들이 다른 타인들과 함께 지니게 되는 자연적 태도"이다(김광기, 2001: 391). 우리는 다른 이들과 공유하는 세계 안에서 삶을 살고 있다. 사실 내가 갖고 있는 자연적 태도가 잘못된 것이 아닐까 하는 의심을 갖지 않게 되는 것은 바로 다른 이들과 공유하는 실재 감각, 공유하는 시간 구조를 갖고 있기 때문이다.

버거가 보여주려는 것은 자연적 태도를 가지고 살아가는, 달리 말해서 나에게 거부할 수 없는 확실성으로 다가온 세계가 이미 '주어진 것(givenness)'이 아니라 구성된 세계라는 것이다. 이제 버거가 사회라는 역설적 드라마가 어떻게 구성되는지, 그리고 그 역설이 어떻게 역설이 아닌 것으로 경험되는지를 드러내는 방식을 살펴보자.

3. 실재의 사회적 구성

'실재의 사회적 구성'은 끊임없는 변증법적 과정 가운데 있는 다음의 세 가지 계기를 의미하는데, 곧 "사회는 인간의 산물이다, 사회는 객관적인 실재이다, 인간은 사회적 산물이다"(버거·루크만, 2013: 102)라는 것이다. 이 변증법적 과정을 통해서 주관적 의미는 객관적 사실성을 갖게 되며, 객관적 사실성은 주관적 의미가 된다. 사회는 각 계기들을 개별적으로 다룰 수 없으며 개별적으로 다루어서는 안 되는, 본질적으로 변증법적인 현상이다. 여기서 변증법적이라고 하는 것은 사회가 "인간의 산물에 불과한 것이지만, 그 사회가 다시 그것을 만들어낸 사람들에게 끊임없이 영향을 미치는 인간의 산물이라는 점에서"(버거, 1981: 15) 그러하다. 이 과정들을 좀 더 자세히 살펴보면 다음과 같다.

1) 외재화

'실재의 사회적 구성'의 첫 번째 계기는 '외재화(externalization)'이다. 외재

화는 인간이 신체적·정신적 활동 속에서 지속적으로 자신을 분출해내는 것
(outpouring)을 말한다. 인간 자신을 외부로 표출하는 활동에서 시작하는 사
회라는 드라마는, 인간은 완성되지 않은 존재라는 인간학적 전제에서 비롯된
다. "다른 고등동물들과 달리 인간은 그 종 특유의 환경, 곧 자신의 본능적인
조직에 의해서 확고하게 구조화된 환경을 가지고 있지 않다"(버거·루크만,
2013: 82).[12] 인간은 태어날 때 완전하게 프로그램화되어 있지 않기에, 인간
의 생물학적 불완전성은 인간이 본능대로 살게 하기보다는 오히려 여러 다른
활동에 참여하도록 허용한다. 인간은 폐쇄된 내재성 안에 갇혀 사는 것이 아
니라, 자신을 끊임없이 밖으로 표출하면서, 자신을 위해서 세계를 건설해야
한다. 자신을 위한 세계를 건설하지 않는다면 인간은 삶을 영위할 수 없다.
여기서 중요한 것은 인간이 자신을 위해 세계를 건설해야 한다는 명제가 "결
코 고독한 개인의 일종의 프로메테우스적 비전을 의미하지 않는다는 것"이
다(버거·루크만, 2013: 87).

> 인간의 자기 생산은 항상 그리고 필연적으로 사회적 기획이다. 인간은 '함께'
> 인간 환경을 만드는데, 이는 사회문화적 형성과 심리학적 형성의 종합으로 이
> 루어진다. 이러한 형성의 어떠한 것도 인간의 생물학적 산물로서 이해될 수
> 없다(버거·루크만, 2013: 87~88).

 사회가 인간의 산물이 되는 것은 바로 이러한 외재화의 과정을 통해서이
다. 내가 태어나기 전부터 이 세계가 존재했다 하더라도 이 세계는 인간에 의
해 만들어진 세계이다. 그래서 인간과 인간이 살아가는 세계와의 관계는 '세

---

12 미완성된 존재, 곧 본능적인 결함(instinctual deprivation)이 있는 존재로서의 인간에 대
     한 전제는 아르놀트 겔렌의 철학적 인간학에 빚지고 있다. 이에 관해서는 겔렌의 제도 이
     론을 다룬 Berger and Kellner(1965)를 참조하기 바란다.

계 개방성(world openness)'을 특징으로 한다. 이는 인간이 살아가는 모습이 문화마다 다양하다는 데서 드러난다. 인간은 한쪽에서는 농사를 지으며 살고, 다른 한쪽에서는 목축을 하며 산다. 사냥을 하며 살기도 하고, 교환을 하며 살기도 한다. 심지어 본능적이라 여겨지는 '성(sexuality)'에서도, "인간은 다른 고등동물과 비견할 만한 성 충동을 지니고 있지만, 인간의 성은 고도의 유연성에 의해 특징"(버거·루크만, 2013: 85)지어지는 것이다. 그래서 우리가 인간의 본질이라고 부를 수 있는 것이 반드시 없다고 말하기는 어려울지라도, 그 인간됨은 사회적·문화적으로 매우 다양하다.

우리는 사회 세계를 혼란스럽지 않은 방식으로 질서 있게 경험한다. 미리 정해진 세계가 아님에도, 우리가 만든 세계이기에 언제나 변할 수 있음에도, 우리는 그 세계를 안정된 것으로 경험한다. 이러한 질서와 안정됨은 바로 인간의 산물이다. 사회질서는 자연법칙에서 유래하는 것이 아니라, 인간의 지속적인 외재화 과정 속에서 인간에 의해 만들어진다. 버거는 사회를 인간의 외재화로서, 즉 인간 활동이 만들어낸 산물로 이해함으로써 "세상 사람들이 사회를 이루고 있다고 생각하는 실체화된 실재물(hypostatized entity)을, 이러한 실재들을 만들어낸 인간의 활동으로 다시 환원시켜"준다(버거, 1981: 19).

2) 객관화

그렇다면 왜 인간은 인간 자신에 의해 만들어진 실재를 자연처럼 변하지 않고 주어진 것으로 경험하게 되는가? 그것은 인간 활동으로부터 외재화된 산물이 본래의 창조자에 맞서 그 창조자와는 다른 하나의 사실로서 실재성을 얻게 되는 과정으로 인해 가능해진다. 그 과정이 바로 '객관화(objectivation)'이다. 객관적인 사회 세계가 구성되면, 인간은 그 세계를 자신 밖에 있는 무언가로서 직면하고 경험하게 된다.

인간의 활동은 습관화(habitualization)되기 쉬우며, 반복되는 행위는 하나의 유형이 된다. 인간은 동일한 문제를 만날 때마다 매번 어떻게 행해야 할지 의식적인 노력을 기울여 결정하는 것이 아니라, 동일한 방식으로 행위를 수행한다. 즉, 선택의 폭을 줄여 '노력의 경제'를 달성하는 것이다. 이 습관화는 제도화의 기초이다. 제도화의 과정은 인간 행위가 유형화되고 습관적으로 반복되는 데서 시작하는 것이다. "제도화는 여러 유형의 행위자에 의해 습관화된 행위들의 상호적인 전형화가 이루어지면 언제나 발생한다. 달리 말하자면, 그러한 어떠한 전형(typification)도 하나의 제도이다"(버거·루크만, 2013: 93). 그런데 상호적인 전형화를 통해 제도가 구성되면, 그 제도적 전형은 제도 안에 있는 행위자들의 행위도 전형화하고 그 행위자들의 정체성도 전형화한다. 이른바 '역할'이 바로 인간이 사회에서 갖는 정체성의 전형이다. 내가 만약 '회계사'라면 나는 회계사에게 적절한 유형의 행위를 재현하고 반복할 수 있는 객관적인 행위의 수행자가 되는 것이다. 그래서 "제도는 유형 X의 행위가 유형 X의 행위자들에 의해 행해질 것이라고 가정"하게 된다(버거·루크만, 2013: 93).

만들어진 제도는 역사성을 갖는다. 이는 전형들이 매 순간 만들어져서 그 사회의 구성원들이 사용할 수 있는 것이 아니라, 항상 공유된 역사의 과정에서 형성되어 침전되고(sedimentation)[13] 전승된다. 그리고 제도가 존재한다는 것은 인간이 어떠한 상황에서 마음대로 행동할 수 있는 것이 아니라, 미리 정의된 유형대로 행동해야 한다는 것을 뜻한다. 그런 의미에서 제도는 통제 기제이다. 즉, 제도는 규제적인 객관성을 획득하는 것이다. 이는 언제나 내가 혼자서 만든 언어를 사용할 수 없다는 사실에 의해 가장 잘 드러난다.

---

13 인간 경험이 인식할 수 있고 기억할 수 있는 실체로 기억 안에 응결되는 것이 침전이다. 공유된 경험의 반복적인 객관화가 이루어지는 것을 상호 주관적 침전이라고 하며, 그때에 비로소 이 경험들이 다음 세대 또는 다른 집단으로 전달될 수 있다.

제도는 단순히 강제적인 힘에 의해 통제를 행사하는 것이 아니라, 암묵적이거나 공식적인 정당화에 의해 타당한 것으로 여겨질 때 훨씬 유력한 힘을 발휘한다. 정당화란 구성된 세계가 "'설명될' 수 있고 올바르다고 주장될 수 있는 방식"을 의미한다. 제도적 질서는 전달되는 과정에서 "정당화의 덮개(canopy)를 발달시키며, 인지적이고 규범적인 해석을 보호하는 보호막을 그 위에 펼치게 된다"(버거·루크만, 2013: 103~104). 정당화된, 즉 의문이 생기지 않도록 설명된 질서 안에서 우리는 좀 더 확신 있게 행동할 수 있게 된다. 그래서 제도는 도덕적으로 정당화된 권위를 가지게 되며, 이에 부합하면 도덕적으로 옳은 것이 되고 그렇지 못한 것은 도덕적으로 옳지 못한 것이 된다(워드나우 외, 2003: 53).[14]

다시 한 번 제도화가 인간 교섭의 결과로서, 인간의 산물이라는 것을 기억하는 것이 중요하다. "제도적 세계의 객관성은 개인에게 아무리 거대하게 보일지라도 인간에 의해 생산되고, 구성되는 객관성이다"(버거·루크만, 2013: 102). 제도의 객관성은 인간이 의식하든 못하든 인간 활동의 산물이다. 그러나 제도화가 되면 본래 인간의 구성물이었던 것이 인간을 떠나 뒤르케임의 용어로 '사회적 사실(social fact)'이 된다. 즉, 물질성(choséité, thingness)을 획득하는 것이다. 물질성을 획득하면 사회 세계는 자연 세계와 마찬가지로 본래 그랬던 것처럼 경험하게 된다. 제도적 세계는 객관적 실재로 경험되는 것이다. 여기서 마르크스가 상품이 사물성을 띠고 우리 앞에 나타난다고 했던 '상품 물신론(commodity fetishism)', 곧 '물화(reification)'에 대한 분석이 우리의 사회적 삶의 일반적·보편적 조건으로 확대된다. 버거에 따르면 물화는

---

14 정당화의 가장 전형적인 예는 종교적 정당화이다. 종교적 정당화는 사회의 질서를 신성한 우주의 보편적 질서로 설명해준다. 종교는 경험적 사회가 필연적으로 가질 수밖에 없는 실재의 불안정성을 궁극적 실재와 연결시키기 때문에 가장 효과적인 정당화 기제이다. 이에 대한 자세한 논의는 버거(1981)를 참조하기 바란다.

다음과 같다.

인간 현상을 마치 사물처럼, 곧 비인간적이거나 초인간적인 것으로 이해하는 것이다. 이를 달리 표현하자면, 물화는 인간 활동의 산물을 마치 자연의 사실, 우주적 법칙의 결과 또는 신의 뜻의 표현 등과 같은 인간적 산물 이외의 다른 무엇인 것처럼 이해하는 것이다. 물화는 인간이 인간 세계가 자신으로부터 비롯되었음을 잊어버리는 것이 가능하며, 나아가서 생산자인 인간과 그의 산물 사이의 변증법이 의식에서 사라진다는 것을 의미한다. 정의상 물화된 세계는 탈인간화된 세계다. 그 세계는 인간에게 생소한 사실성으로, 자신의 생산 활동인 노동의 산물이라기보다는 그가 통제할 수 없는 소외의 산물로 경험된다(버거·루크만, 2013: 140~141).[15]

예를 들어, 인간의 삶에서 매우 자연스러워 보이는 제도인 '결혼'은 "신적인 창조성의 행위의 모방으로서, 자연법칙의 보편적 명령으로서, 생물학적이거나 심리학적인 힘의 필연적 결과로서, 또는 사회체계의 기능적 요청으로서 물화될 수 있다"(버거·루크만, 2013: 143).[16] 심지어 결혼은 신의 명령으로서 "하나님이 짝지어 주신 것을 사람이 나누지 못할지니라"(마가복음 10장 9절)라는 방식으로 물화될 때 가장 견고한 물질성을 획득한다. 어떤 방식으로 물화되었든 중요한 것은 물화가 되고 나면 더 이상 결혼을 '지속적인 인간의 생산물'로서 바라보지 못하게 된다는 것이다. 이렇듯 사회적 세계는 공교롭게도 개인들에게 매우 육중한 실재로서 경험되기 때문에, 사람들은 이 세계가 자신들의 창조물이라는 것을 기억하며 살지 않는다. 그래서 사회생활은 창조

---

15 이에 관해서는 Berger and Pullberg(1965)를 참조하기 바란다. 물화에 대해 마르크스, 루카치(György Lukács)와 함께 버거와 루크만을 논의한 Pitkin(1987)을 참조하기 바란다.

16 지식사회학을 결혼에 적용해 설명한 Berger and Kellner(1964)를 참조하기 바란다.

자가 자신인 것을 잊고 사는 소외의 삶이라 하겠다(김광기, 2001).

제도가 존재한다는 사실은 곧 인간 행동에 제재가 있음을 의미한다. 문제의 상황에 부딪혔을 때 이제는 내 마음대로 행할 수 없다. 만들어진 전형을 따라야 하는 것이다. 교수형 집행인은 자신에게 주어진 역할 안에서 죄수를 죽이는 일을 한다. 그는 그 역할 안에서 결코 살인을 저지르는 것이 아니지만, 타인의 목숨을 앗는 행위를 한다. 그에게는 선택권이 없어 보인다. 그래서 버거는 하이데거(Martin Heidegger)의 용어를 빌려와 사회 세계는 우리 인간들의 "비본래성(inauthenticity)이 위치한 곳"(버거, 1995: 198)이라고 한다. 이 모든 것은 자신이 창조자임을 잊기에 가능하다.

3) 내면화

'내면화(Internalization)'는 객관화된 사회 세계가 사회화 과정을 통해 인간의 의식 안으로 되돌아오는 과정이다. 즉, 객관적 세계의 구조가 주관적 의식의 구조로 변형되는 과정이다. 이로써 인간은 사회의 산물이 되는 것이다. 이 과정 역시 고립된 가운데 일어나는 것이 아니라 집단적으로 일어난다. 개인은 사회 구성원으로 태어나는 것이 아니라 사회성(sociality)을 위한 성향(pre-disposition)을 가지고 태어나며, 그리고 나서 사회 구성원이 되는데, 이 과정의 출발점이 바로 내면화이다. 내면화를 통해 나는 이 세계를 의미 있는 사회적 실재로 이해하게 된다. 이 세계는 본래 인간의 창조물이지만, 나에게 주어진 것처럼 객관성을 띠고 다가온다. 그리고 이 객관성은 내면화를 통해 나에게 주관적 의식이 된다. 이것은 객관적 실재와 주관적 실재 사이에 대칭 관계가 수립된다는 것을 의미한다. 버거는 이를 '주관적 실재로서의 사회'라고 부른다.

이 내면화의 과정이 없다면 나는 사회 구성원으로서 살아갈 수가 없다. 무엇보다 내면화되지 않는다면 한 사회 안에 함께 살면서 교섭하는 타인을 이해할 수 없다. 내가 타인을 이해할 수 있게 되는 것은 타인들이 이미 살고 있는 세계를 나 역시 물려받아 그 안에서 살기 때문이다. 달리 표현하자면, 내가 타인을 이해할 수 있는 것은 내면화를 통해 타인과 공동의 세계, 즉 상호주관적 세계에 살기 때문이다. 이 물려받음이 바로 내면화인 것이다.

이러한 내면화가 일어나는 개체발생적 과정이 바로 '사회화(socialization)'이다. 사회화를 달리 말하자면, 개인을 객관화된 사회 세계로 끌어들이는 과정이라 하겠다. 사회화는 심리학적으로 볼 때 학습 과정이며, 인간은 사회화를 통해 객관화된 의미들을 학습할 뿐만 아니라 그 의미들과 동일시하고 또 그 의미들에 의해서 자아가 형성된다(버거, 1981: 26). 여기서 내면화에 대한 버거의 기술(記述)은 (중요한, 일반적인) 타자의 태도를 취함으로써 자아가 형성된다는 미드의 사회화 이론에 많이 기대고 있다. 내면화는 타자와의 동일시를 통해서 일어난다.

> 가장 중요한 것은 개인이 타자의 역할과 태도들을 취할 뿐 아니라 동일한 과정 속에서 그들의 세계를 취한다는 사실이다. 사실상 정체성은 어떤 세계 안의 위치로서 객관적으로 정의되며, 그 세계와 '함께' 주관적으로 전유될 수 있다. 달리 표현해서, 모든 동일시는 특정한 사회 세계를 의미하는 지평들 안에서 일어난다(버거·루크만, 2013: 203~204).

동일시를 통해 사회 세계는 나에게 주관적으로 의미 있는 것으로 전유된다. 나의 밖에 존재하는 것으로 여겨졌던 객관적 사실성은 내면화를 통해서 이제 주관적 사실성으로, 곧 나에게도 확실하고 견고한 사실성으로 전환된다. 이때 객관적 세계와 주관적 세계가 균형을 이루어야만 개인은 그 사회 세계에서 이른바 정상적으로 삶을 영위할 수 있다.

4. 버거 사회학의 의의: 자유로운 삶을 위하여

실재의 사회적 구성을 이루는 외재화, 객관화, 내면화, 이 세 가지 계기를 이해할 때 마지막으로 한 가지 주의가 필요하다. 그것은 이러한 계기들이 시간 순서에 따라 일어나는 것으로 여겨져서는 안 된다는 것이다.

> 사회와 사회의 각 부분은 동시적으로 이 세 계기에 의해 특징지어질 수 있으며, 그래서 이들 중 어느 하나나 둘에 의한 분석은 불충분하다. 이는 자신의 존재를 사회 세계 안으로 외재화하고 동시에 그것을 객관적 실재로서 내면화하는 사회의 개인 구성원에게도 마찬가지이다. 달리 말하자면, 사회 안에 있다는 것은 사회의 변증법에 참여한다는 것이다(버거·루크만, 2013: 199).

버거는 여기서 계통발생적 이론, 곧 인류 최초의 외재화 행위에서 비롯되는 사회의 기원에 관한 이론을 펼치는 것이 아니다. 사회학이 사회의 기원에 대해 말할 수 있는 것이 과연 있을까? 만약 버거가 그러한 시도를 했다면 그는 논리적으로 불가능한 시도를 하고 있는 것이다. 인간을 세계의 창조자로 묘사하는 버거의 사회학적 이야기에 대해 필립스(Dewi Zephaniah Phillips)가 정확하게 지적하는 것처럼, "발명 활동들에 대해 말하는 것을 이해 가능하게 하는 언어에 대해서 말하는 것과, 언어 자체가 발명의 산물인 것처럼 말하는 것 사이에는 차이가 있다. 발명은 이해 가능성(intelligibility)을 전제로 하며, 그러므로 언어의 기원을 설명하기 위해 발명에 호소할 수 없는 것이다"(Phillips, 2001: 274). 즉, 어떤 것을 발명이라고 부르기 위해, 또는 어떤 것을 발명이라고 할 때 그것을 이해하기 위해 언어의 존재를 전제해야 하는데, 바로 그 전제가 되는 언어 자체의 기원을 설명하기 위해 발명에 기댈 수 없다는 것이다. 이는 논리적으로 불가능하다.[17]

말할 수 있는 것은 인간은 그저 언어를 사용하는 사회적 존재로 살아왔다는 것이다. 따라서 필자가 여기서 중요하게 여기는 것은, 버거가 '닭이 먼저냐 달걀이 먼저냐'와 같은 기원의 문제에 힘을 소모하기보다는[18] 개인을 사회의 변증법에 참여하는 자로 묘사한다는 점이다. 사회 세계는 거부할 수 없는 사실성을 띠고 우리에게 다가오지만, 그것은 본질적으로 인간들에 의해 만들어진 세계이다. 인간들에 의해 만들어졌기에 본질적으로 불안정한 세계이다. 그래서 "사회의 제도들은 우리를 사실상 제약하고 강제하는 한편, 동시에 연극상의 관례, 심지어는 허구인 것처럼 보이기도 한다"(버거, 1995: 185). 사회 안에서 삶을 살아가는 우리는 사회라는 드라마를 공연하는 연기 주체임에도 불구하고, 이러한 드라마를 공연하면서 과거의 연출자들에 의해 만들어진 연극의 관례를 마치 영원한 진리인 양 여긴다. 그러나 사회가 우리를 속박할 때 이는 우리 자신들의 협력과 공모 없이는 불가능하다. 우리 인간은 단지 객관적 세계로부터 억압받는 피해자가 아니라 사회라는 "거대한 상징적 세계의 공모자"이다(김광기, 2014: 117).

그렇다면 이 사회가 인간들의 드라마라는 것을 알아차리기 위해 필요한 것은 무엇인가? 사회학이 사회통계학이나 사회조사학과 동일시되는 한 우리는 결코 이를 알아차릴 수 없을 것이다. 드라마로서의 사회는 볼거리로 가득 차 있다. 그래서 버거는 "사회를 본질적으로 희극으로, 즉 사람들이 번지르르한 의상을 입고 이리저리 줄지어 돌아다니며 모자와 칭호를 바꾸고 자신이 든 지팡이로 또는 동료 배우들로 하여금 믿도록 설득할 수 있는 지팡이로 서로를 치는 희극으로 보는 인식에 입각해서 사회를 바라보는 자세"를 요청한

---

17 버거의 사회학적 이야기에 대해 좀 더 자세한 필립스의 비판은 Phillips(2001: 267~288)를 참조하기 바란다.

18 버거는 사실 기원의 문제에 대해 논의하지 않는다. 그저 변증법의 세 가지 계기들이 시간적 순서로 이해되지 않아야 한다고 주의를 줄 뿐이다.

다. 사회학이 과학주의에 얽매일 경우, 사회학자는 사회에서 벌어지는 구경 거리의 익살스러움에 대해 눈과 귀가 먹게 될 것이다(버거, 1995: 216, 219).

버거의 사회학이 희극과 같다고 한다면, 이는 바로 이러한 사회적 허구를 폭로하기 때문이다. 사회학을 하려는 이에게는 인간들의 사회적 카니발(car- nival)에 대한 희극적 감수성이 필요하다. 우리 인간들이 '자연적 태도'에서 한발 물러서서 그 당연함을 철회한다면, 곧 거부할 수 없는 객관적 실재로 경 험되었던 것이 사실상 우리가 함께 연출한 드라마인 것이 드러난다면, 그때 에는 이 사회 세계가 주로 '자기기만(bad faith)'[19]으로 작동하는 곳임을 알게 될 것이다. 그러나 이러한 인식은 여기서 멈추지 않는다. 자기기만이 가능하 다는 것을 앎으로써 결국에는 그것이 오히려 인간 자유가 실재한다는 것을 반증하는 것임을 알게 된다(버거, 1995: 192). 이러한 각성이 있을 때 인형극 은 살아 있는 인간의 무대가 되며, 주어진 것으로 여겨졌던 것이 '가능성'의 세계가 된다.

사회라는 드라마가 허구임을 드러내는 것이 버거의 사회학적 기획이라면, 그의 사회학 역시 하나의 '이야기'이다. 사실상 "모든 것은 결국 단지 이야기 일 뿐이다"(Cuff, Sharrock and Francis, 1979: 5). 버거는 '구성'이라는 은유를 사용해 이야기하는 자(storyteller)이다. 그는 사회라는 드라마에 대한 이야기 를 들려주면서 사회학이 과학이어야 한다고 주장하는 사람들을 미리 경계해 다음과 같이 말한다. "지적인 야만인만이 오로지 과학적인 방법에 의해서 파

---

19 '자기기만'은 간단하게 말해서 실제로는 자발적인 어떤 것을 필연적이라고 핑계 대는 것이 다. 자기기만은 허위(falsehood) 개념과 대비해보면 좀 더 잘 이해할 수 있다. 허위의 경우 속이는 자와 속는 자가 서로 다른 반면, 자기기만의 경우는 속는 자와 속이는 자가 동일하 다(김광기, 2001: 404). 그래서 버거는 '자기기만'은 "자유로부터의 도피이며, '선택의 고통' 을 불성실하게 회피하는 것이다"라고 말한다(버거, 1995: 191).

악될 수 있는 것만이 실재라고 주장할 것이다"(버거, 1995: 189).

바라건대 우리는 이러한 범주에서 벗어나 있으려고 노력했기 때문에, 우리의
사회학적 이론화의 시도는 그 자체가 사회학적인 것도 심지어는 과학적인 것
도 아닌 인간 존재에 대한 또 하나의 견해를 전경(前景)으로 해서 행해졌다.
이 견해는 특별히 괴상한 것도 아니다. 오히려 그것은 인간이 자유를 지닐 능
력이 있다고 믿는 사람들의 공통된(각자는 매우 다르게 이론화했을지라도) 인
간학이다(버거, 1995: 189).

사회학은 과학이어야 한다는 강박에 사로잡혀 있을 때, 인간이 만든 세계
를 탐구하는 학문으로서 사회학을 세우려는 버거의 시도는 분명 매력 없는
것일 게다. 그러나 그가 주장하는바 인문주의적 사회학이라 하여 비경험적이
라고 할 수는 없다. 경험을 감각 경험으로 제한할 때, 우리가 사는 세계에 대
해 알 수 있는 정도는 훨씬 더 줄어들게 될 것이다. 우리는 이 세계를 의미 있
는 것으로 경험하며 살고 있다. 그러므로 때로는 은유(metaphor)가 통쾌한
앎을 선사할 수도 있다. 사회학이 반드시 과학적이어야만 하는 것은 아니다.
사회학은 설사 과학적이지 않더라도 경험적일 수 있다.
　마지막으로, 사회학자는 사회로부터 주어진 역할에서 거리를 둘 수 있는
자이다.[20] 물론 드라마의 허구성을 꿰뚫어볼 수 있다면 누구라도 그럴 수 있
다. 사실상 버거는 누구라도 이 거리 두기에 나설 수 있도록 초대한다. 버거

---

20 버거는 여기서 어빙 고프먼(Erving Goffman)의 '역할 소원(役割 疏遠, role distance)' 개
　념에 기대고 있다. 이 개념은 불성실하게, 곧 진심으로 행할 의사가 없이 숨은 목적을 갖고
　서 맡겨진 역할을 수행하는 것을 뜻한다. 고프먼은 역할 수행자가 자신이 행하는 역할로부
　터 경멸적으로 거리를 두는 것을 묘사하기 위해 이 개념을 만들었다. 고프먼의 역할 소원
　에 대한 논의는 Goffman(1961: 85~152)을 참조하기 바란다.

가 여기서 엑스터시(ecstasy)라는 개념을 사용하는 것은 아주 흥미롭다. "엑스터시라는 말로 우리가 의미하는 바는 신비적인 의미에서 의식의 어떤 비정상적인 고양이 아니라, 문자 그대로 사회가 당연하게 받아들이는 상례(常例) 밖에 서 있거나 또 그 밖으로 나가는(문자 그대로 ekstasis) 행위이다"(버거, 1995: 183). 사회학자는 사회라는 드라마 가운데서 자신을 발견하고, 줄이 당겨질 때마다 이리저리 움직이는 꼭두각시가 아니더라도 자신의 위치가 사회의 교묘한 끈에 매달려 있다는 것을 인정하지만, 연기하는 중에 멈춰 서서 고개를 들어 자신을 움직이는 장치를 지각할 수 있는 가능성을 갖고 있다. 버거는 바로 여기에 자유를 향한 첫걸음이 놓여 있다고 말한다(버거, 1995: 232). 버거가 우리에게 보내는 사회학으로의 초대는 결국 자유로운 삶으로의 초대이다. 덧씌워진 정당화의 층위를 꿰뚫어볼 수 있는 사회학자의 재능은 "인간적으로 사악한 사업과 인간적으로 해방시키는 사업 양쪽 모두에 사용될 수 있다". 그는 억압의 협력자가 될 수도 있고 잠재적인 사보타주(sabotage) 행위자이거나 사기꾼이 될 수도 있는 것이다(버거, 1995: 225, 202).[21] 과학적인 수단으로는 사회적 행동에서 자유의 문제에 대해 발견할 수 있는 것이 없다. 어떤 사회학자가 되느냐는 과학이 답해줄 수 있는 것이 아니라 사회학자 스스로의 선택의 문제이다. 다만 자유로부터 도피하지 않기 위해 선택의 고통도 회피하지 말아야 할 것이다.

---

21 하천 생태계를 복원하는 것을 주된 명분으로 추진된 4대강 사업에 정당성을 제공했던 많은 학자들을 우리는 알고 있다.

참고문헌

김광기. 2001. 「당연시되는 세계와 자기 기만: 일상성에 대한 피터 버거의 현상학적 사회학」. ≪철학과 현상학연구≫, 18, 388~416쪽.

_____. 2014. 『이방인의 사회학』. 글항아리.

니체, 프리드리히(Friedrich Nietzsche). 2002. 『니체전집 15』. 백승영 옮김. 책세상.

뒤르켐, 에밀(Émile Durkheim). 2002. 『사회학적 방법의 규칙들』. 윤병철·박창호 옮김. 새 물결.

버거, 피터(Peter Berger). 1981. 『종교와 사회』. 이양구 옮김. 종로서적.

_____. 1995. 『사회학에의 초대 ― 인간주의적 전망』. 이상률 옮김. 문예출판사.

_____. 2012. 『어쩌다 사회학자가 되어』. 노상미 옮김. 책세상.

버거(Peter Berger)·루크만(Thomas Luckmann). 2013. 『실재의 사회적 구성』. 하홍규 옮김. 문학과지성사.

버거(Peter Berger)·버거(Brigitte Berger)·켈너(Hansfried Kellner). 1981. 『고향을 잃은 사람들』. 이종수 옮김. 한벗.

버거(Peter Berger)·지더벨트(Anton Zijderveld). 2010. 『의심에 대한 옹호 ― 믿음의 폭력성을 치유하기 위한 '의심의 계보학'』. 함규진 옮김. 산책자.

버거(Peter Berger)·켈너(Hansfried Kellner). 1984. 『사회학의 사명과 방법』. 임현진·김문조 옮김. 한울.

워드나우, 로버트(Robert Wuthnow) 외. 2003. 『문화분석 ― 피터 버거, 메리 더글러스, 미셸 푸코, 위르겐 하버마스의 연구』. 최샛별 옮김. 한울.

하홍규. 2014. 「실천적 전환에 대한 비판적 고찰: 기든스와 부르디외를 중심으로」. ≪한국사회학≫, 48(1), 205~233쪽.

Abercrombie, Nicholas. 1986. "Knowledge, Order, and Human Autonomy." in James Davison Hunter and Stephen C. Ainlay(eds.). *Making Sense of Modern Times ― Peter L. Berger and the Vision of Interpretive Sociology.* London and New York: Routledge & Kegan Paul.

Aeschliman, M. D. 2011. "A Contemporary Erasmus." *Modern Age*, 53(3), pp.5~14.

Alexander, Jeffrey C., Bernhard Giesen, Richard Münch and Neil J. Smelser(eds.). *The Micro-Macro Link.* Berkeley, Los Angeles, London: University of California Press.

Ainlay, Stephen C. 1986. "The Encounter with Phenomenology." in James Davison Hunter and Stephen C. Ainlay(eds.). *Making Sense of Modern Times — Peter L. Berger and the Vision of Interpretive Sociology.* London and New York: Routledge & Kegan Paul.

Berger, Peter L. 1969. *A Rumor of Angels — Modern Society and the Rediscovery of the Supernatural.* New York: Doubleday.

_____. 1997. *Redeeming Laughter — The Comic Dimension of Human Experience.* Berlin: Walter de Gruyter & Co.

Berger, Peter L. and Hansfried Kellner. 1964. "Marriage and the Construction of Reality." *Diogenes*, 46, pp.1~24.

_____. 1965. "Arnold Gehlen and the Theory of Institutions." *Social Research*, 32(1), pp.110~115.

Berger, Peter L. and Stanley Pullberg. 1965. "Reification and the Sociological Critique of Consciousness." *History and Theory*, 4(2), pp.196~211.

Cuff, E. C., W. W. Sharrock and D. W. Francis. 1979. *Perspectives in Sociology.* London and New York: Routledge.

Feltmate, David. 2013. "The Sacred Comedy: The Problems and Possibilities of Peter Berger's Theory of Humor." *Humor*, 26(4), pp.531~549.

Goffman, Erving. 1961. *Encounters — Two Studies in the Sociology of Interaction.* Indianapolis: The Bobbs-Merrill Company, Inc.

Haferkamp, Hans. 1987. "Complexity and Behavior Structure, Planned Associations and Creation of Structure." in Jeffrey C. Alexander, Bernhard Giesen, Richard Münch and Neil J. Smelser(eds.). *The Micro-Macro Link.* Berkeley, Los Angeles, London: University of California Press.

Phillips, D. Z. 2001. *Religion and the Hermeneutics of Contemplation.* Cambridge: Cambridge University Press.

Pitkin, Hanna Fenichel. 1987. "Rethinking Reification." *Theory and Society*, 16(2), pp.263~293.

Ricoeur, Paul. 1970. *Freud and Philosophy: An Essay on Interpretation.* New Haven and London: Yale University Press.

Schutz, Alfred. 1967. *Collected Papers I — The Problem of Social Reality.* The Hague: Martinus Nijhoff.

Weber, Max. 1947. *The Theory of Social and Economic Organization.* New York: Oxford University Press.

Zijderveld, Anton C. 1986. "The Challenges of Modernity," in James Davison Hunter and Stephen C. Ainlay(eds.). *Making Sense of Modern Times — Peter L. Berger and the Vision of Interpretive Sociology*. London and New York: Routledge & Kegan Paul.

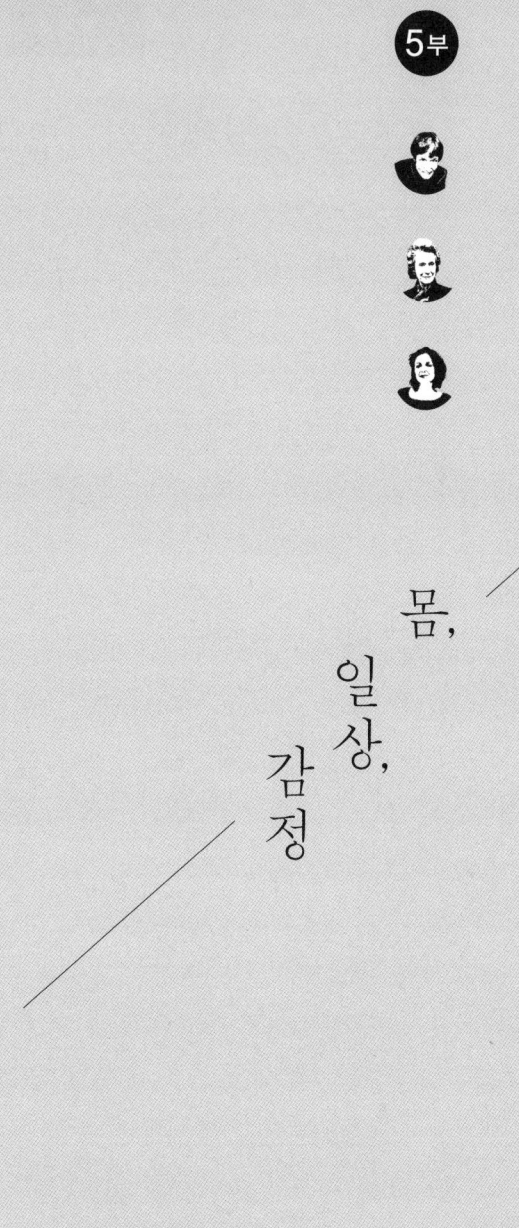

5부

몸,
일
상,
감
정

14

도나 해러웨이의 사이보그 페미니즘

/

물적-기호적 실천 개념을 중심으로

조주현

1. 문제 제기

페미니스트 인식론과 과학철학의 주요 주제는 지식 개념, 인식주체, 그리고 탐구와 정당화의 실천 방식에 젠더가 어떤 영향을 주며 또 주어야 하는지에 대한 것이다. 페미니스트 인식론은 인식주체의 특수한 관점을 반영하는지식, 즉 상황적 지식(situated knowledge)을 핵심 개념으로 간주하며, 이러한 상황적 지식에 젠더가 어떤 역할을 하는지 밝히는 것이 페미니스트 인식론의 주 관심사이다. 도나 해러웨이(Donna Haraway)에 대한 우리의 논의도바로 이 문제에서 시작해야 한다(Stanford Encyclopedia of Philosophy, 2011).

해러웨이가 한국에 처음 소개된 것은 1997년에 「사이보그 선언문(A Cyborg Manifesto: Science, Technology, and Socialist-Feminism in the Late Twentieth Century)」의 번역을 통해서였다(해러웨이, 1997). 당시 김대중 정부는 적극적인 성 평등 정책을 수용했고, 정체성의 정치로 대표되는 한국의 페미니즘은 전성기를 구가했다. 또한 당시는 아시아 금융 위기에 따른 신자유주의적 지구화로 사회가 급속하게 재편되던 시기였다. 이 시기에 남성 1인 생계 부양자 모델이 와해되기 시작했고 저임금의 비정규직 여성 노동시장이 급속하게 확산되기 시작했다. 당시 여성들은 젠더 정치의 결집을 절실하게 요구했다.

이렇게 급속하게 진행된 신자유주의적 사회 재편은 20년에 가까운 시간이 흐르면서 어느덧 익숙한 풍경이 되었고, 사람들은 순응이나 체념의 단계를 지나 이제 신자유주의 논리를 상당 부분 내재화한 양상을 보이고 있다. 그러나 한국 사회에 자리 잡은 신자유주의 논리가 과연 진정한 신자유주의 논리인가에 대해서는 많은 의문이 있다. 모든 사회 운영 논리는 그 논리가 탄생된 사회의 역사적·문화적·사회적 조건을 암묵적으로 전제하기 때문에, 신자유주의적 사회 운영 논리가 다른 역사적 경험을 가진 사회로 이식될 경우, 신자유주의 논리의 유일한 강점인 개개인의 적응 과정을 통해 사회 전체의 효율성을 높인다는 그 원리마저 제대로 작동하지 못할 수 있기 때문이다. 특히 복지국가 단계를 생략하고 압축적 근대화를 경험한 한국 사회는, 급속히 사라지는 전통적 형태의 사회자본을 대체할 새로운 사회자본을 축적할 수 있는 시간적 여유가 없었다(장경섭, 2009). 이러한 상황에서 정당한 경쟁을 통한 효율성 증대라는 신자유주의적 논리만을 그대로 수용한 것이 현재 신자유주의가 가속화되는 한국 사회의 모습이라고 할 수 있다. 이는 개인화처럼 현재 한국 사회에서 전개되는 후기 근대적 풍경 역시, 그 표면적 유사성에도 불구하고 서구는 물론 일본의 개인화와도 동일한 사회현상으로 볼 수 있는지 의문을 제기하게 한다(신경아, 2013; 오치아이, 2013).

최근 페미니스트 정치학의 쟁점들도 이러한 한국 사회의 신자유주의적 변화를 반영하며 변화하고 있다. 예컨대 중산층의 일부 전업주부들은 '매니저맘' 역할을 통해 가족의 계층 재생산에 몰두하면서 자신의 역할을 인정받으려 안간힘을 쓰고(박혜경, 2009), 대부분의 나머지 중산층 여성들은 비정규직 맞벌이를 통해 빈곤층으로 떨어지지 않기 위해 애쓰거나 결혼을 미루고 포기하는 현상을 보이고 있으며, 이는 전례 없이 낮은 출산율로 나타나고 있다(배은경, 2009). 특히 급속한 사회 변화를 바탕으로 한 한국 사회의 신자유주의화는 개개인의 대응 방식에서 세대 간 격차를 분명하게 보여준다. 어린 시절부터 경제성장으로 인한 여유로운 삶의 방식에 익숙한 젊은 세대는 부모 세대가 구축해놓은, 입시 경쟁에서 살아남는 것만이 유일한 목표가 된 교육체제 안에서 가장 빨리 신자유주의적 논리를 체득하고 있다(민가영, 2009).

이러한 맥락에서 해러웨이가 페미니스트 정치학이 정체성의 정치를 벗어나야 한다고 주장하면서 사이보그를 선언한 것은 1990년대 한국 사회의 상황에서는 받아들이기 힘든 매우 낯선 현상이었다고 할 수 있다. 당시 해러웨이는 '포스트모더니즘'의 신선함과 함께 지적 호기심의 대상이기도 했지만, 해러웨이의 사상이 한국 여성들의 일상의 경험과 접속될 수 있는 가능성은 거의 없었다. 1997년의 IMF 위기 이후 신자유주의적 사회 개편에 따른 사회적 충격을 줄이기에 급급했던 한국 사회가 해러웨이가 제안한 다양한 은유들을 착종해 창의적인 대안으로 뻗어나갈 여력을 찾기는 어려운 상황이었기 때문이다. 또한 유일한 지적 공간으로 남아 있던 대학이 점차 신자유주의 논리에 함몰되면서 다양한 지적 실험들을 수용할 여력이 사라진 것도 해러웨이의 연구와 한국에서의 연구 간에 활발한 지적 상호작용이 이어지기 어렵게 한 이유가 되었다.

그러나 해러웨이에 대한 논의는 2000년대 들어 그녀의 주요 저술들이 한국에 번역·소개되면서 서서히 확산되고 있다(해러웨이, 2002, 2005, 2007). 한국의 연구자들에게서 해러웨이의 사상은 페미니스트 방법론의 영역에서 페미니스트 과학기술 방법론의 한 유형으로 소개하는 연구(조주현, 1998; 하정옥, 2008), 여성 철학에서 페미니스트 인식론의 한 유형으로서 '사이보그' 개념이나 '물적-기호적 몸' 개념을 해석하는 연구(현남숙, 2008a, 2008b; 이지언,

2012; 김애령, 2014), 탈식민 페미니즘의 영역에서 해러웨이의 페미니스트 객관성 개념을 탈식민 페미니즘과 초국적 페미니즘의 논의로 확대하려는 연구(정연보, 2013), 과학철학의 영역에서 해러웨이의 '사이보그' 개념을 노화에 대한 과학철학적 연구에 수용하려는 연구(박형욱, 2013), 한국의 시험관아기 시술과 같은 생식 기술에 해러웨이의 '물적-기호적' 테크놀로지 개념을 적용한 경험 연구(조주현, 2006; 하정옥 2012), 생의학의 영역에서 해러웨이의 사이보그 몸 개념을 통해 면역학 담론의 사회적·정치철학적 함의를 확장하려는 연구(황임경, 2013)로 수용되고 있다.

이 글의 목적은 해러웨이의 주요 업적들을 자세히 살펴보면서 그중 어떤 부분이 현재까지 중요한 의미를 지니며, 어떤 부분이 우리가 새로운 시선으로 연구 주제를 접근하는 데 도움을 줄 가능성이 있는지 밝히려는 데 있다. 이를 위해 이 글은 다음과 같이 논의를 전개하려고 한다. 먼저 2절에서는 페미니스트 인식론과 페미니스트 과학기술학의 전반적인 흐름을 간략하게 요약하고 해러웨이의 사상이 이 흐름 속에서 어떤 위치에 있는지를 보여줄 것이다. 3절에서는 해러웨이의 대표적인 개념인 '사이보그 페미니즘'과 '상황적 지식론'의 핵심 쟁점들을 비교적 상세하게 검토한다. 4절에서는 해러웨이의 페미니스트 과학기술정치학의 핵심 쟁점인 부분적 관점들 간 연결 문제를 실천이론의 관점에서 발전시킨다. 특히 부분적 관점이 어떻게 상대주의를 벗어나 객관성을 제고할 수 있는지를 실천이론의 행위자 모델과의 연관성 속에서 밝힌다. 마지막으로 5절 결론에서는 브랜덤(Robert Brandom)의 '관대한 읽기' 개념을 통해 해러웨이의 사상이 한국의 젊은 세대들의 다양한 시도들을 재해석할 수 있는 가능성을 갖고 있음을 주장한다.

2. 페미니스트 인식론의 세 유형과 상호 교차적 변화[1]

통상 페미니스트 인식론의 세 유형으로 페미니스트 경험론, 페미니스트 입장론, 페미니스트 포스트모더니즘이 거론된다. 1986년의 저술에서 하딩 (Sandra Harding)은 이 세 인식론들이 근대의 계몽적 이성을 어떻게 이해하느냐에 따라 분류된 것이라고 설명했다(Harding, 1986). 당시 하딩은 페미니스트 경험론과 페미니스트 입장론이 각각 다른 전략을 통해 계몽적 이성의 기획을 완성시키려는 근대적 프로젝트 안에 위치한다면, 페미니스트 포스트모더니즘은 근대의 계몽적 이성이 해체되어야 한다는 입장을 갖는 것으로 구분했다. 페미니스트 인식론의 이 세 가지 유형은 이후 여성학적 지식 생산 방식의 다양성을 이해하고 각 지식의 정당성을 입증해주는 토대가 되었다(하딩, 2002: 33~40). 그러나 1991년의 저술에서 하딩이 밝혔듯이, 1980년대 말 서구 학계는 서구의 기술 과학 인식론에 대해 집중적인 비판적 검토에 들어갔고, 그 결과 페미니스트 인식론들은 각기 상당한 변형을 겪었다(하딩, 2009: 20). 이 절에서 필자는 페미니스트 인식론의 세 유형을 각기 설명한 후 그 인식론들이 1990년대 들어 어떻게 상호 교차적 변화를 거쳐 상호 수렴하는지 설명하려고 한다. 그를 통해 해러웨이의 사상이 페미니스트 인식론의 전환을 촉발하는 위치에 있음을 드러내려고 한다.

연구자를 이해하는 방식은 근대의 계몽적 이성에 대한 세 인식론들의 입장 차이가 가장 분명히 드러나는 지점이다. 페미니스트 경험론은, 객관적이고 신뢰할 수 있는 페미니스트 지식을 생산하기 위해서는 연구자가 성차별이나 남성 중심성 같은 사회적 편견을 제거하고 확장된 시선을 가져야 한다고 주장했다. 사회적 편견은 중립성을 유지해야 하는 개별 연구자의 계몽적 이

---

1 이 절은 조주현(2013: 16~22)의 내용을 수정·보완해 발전시킨 것이다.

성을 흐리게 만들기 때문이다. 여성운동의 역할은 이 같은 사회적 편견들을 제거하고 연구자가 확장된 시선을 갖게 하는 데 있다. 페미니스트 경험론에서 연구자가 여성이라는 사실은 성차별과 같은 사회적 편견을 가질 확률이 적다는 것을 뜻하며 그만큼 중립적 위치에서 기존의 과학 연구 규범을 엄수해 객관적인 연구 결과를 산출할 가능성이 높다는 것을 뜻한다(하딩, 2002: 34). 반면에 페미니스트 입장론은, 연구자가 언제나 사회 안에 위치하며 연구자가 중립적일 수 있는 위치는 없다고 보았다. 입장론은 연구자의 참여적 가치관이 연구 결과의 객관성을 보장한다고 보기 때문에 연구자의 사회적 정체성은 신뢰할 수 있는 연구 결과를 낳는 데 중요한 변수가 된다고 여긴다(하딩, 2002: 36). 나아가 입장론은 연구자가 내재한 가치들 중에 어떤 가치가 연구의 객관성을 높일 수 있는 가치인지 판별할 외재적 기준이 있다고 보았다. 예컨대 연구자가 인종차별, 계급 차별, 성차별 같은 억압적 가치를 내면화했을 경우 그 연구자의 연구 결과는 신뢰하기 어렵지만 반인종주의, 반계급주의, 반성차별주의 같은 참여적 가치를 내면화한 연구자들의 연구 결과는 신뢰할 수 있다고 보는 것이다(하딩, 2002: 322).

그러나 페미니스트 입장론의 이러한 두 가지 주장, 즉 연구자에게 절대적 기준을 제공하는 아르키메데스적 지점은 존재하지 않으며 연구자는 반드시 사회적 위치를 갖게 된다는 주장과, 여러 사회적 위치들 중 어떤 위치에서 연구를 시작하는 것이 덜 왜곡되고 더 신뢰할 만한 지식을 산출할 수 있는지 그 우열을 판별할 기준이 있다고 보는 주장은 상호 모순된 것이다. 연구자의 관점과 무관한 보편적이고 객관적인 단 하나의 진실을 산출하려는 근대의 계몽적 기획은 불가능하다고 주장하면서도 '객관성'이라는 개념을 유지하려는 데서 알 수 있듯이, 페미니스트 입장론은 덜 왜곡된 지식을 판별할 수 있는 외재적 기준이 있다고 주장함으로써 하나의 통합된 진리체계를 구축하려는 근대적 기획을 수용한 셈이다.[2] 근대의 계몽적 기획을 거부하면서 동시에 수용하는 페미니스트 입장론의 불안정성은 향후 입장론의 변화를 예고한다.

한편 연구자의 사회적 위치가 연구 결과의 객관성을 제고한다는 입장론의
주장은, 객관성을 제고하는 '여성' 연구자의 사회적 위치의 내용은 무엇인가
에 대한 논의로 이어졌다. 1980년대 초반의 페미니스트 입장론자들은 "손,
머리, 가슴을 통합하는 여성 노동의 특징"을 반영하는 연구방법을 개발하고
(Rose, 1984), "감각적이고 관계적이고 구체적인 활동을 하는 여성들의 특징"
을 통해 남성들의 활동에서는 보이지 않는 자연과 사회의 여러 측면들을 파
악할 수 있다고 보았다(Hartsock, 1983). 또한 그들은 유아기의 분리 개별화
과정을 겪지 않은 여성적 인식이 그 과정을 겪은 남성적 인식과 철학적 개념
들 사이의 정합성을 폭로할 수 있고(Flax, 1983), 여성 연구자들은 연구 대상
여성들과 "같은 인식론적 지평"에 놓여 있기 때문에 여성들을 자기 경험으로
부터 소외시키는 남성 연구자들과 달리 관념적 범주들을 덜 왜곡되고 더 완
전한 방식으로 사용할 수 있다고 주장했다(Smith, 1979). 더욱이 1960년대의
정치적·경제적·사회적 변화를 토대로 그 이전 시대의 여성들과는 다른 삶
의 전망을 가진 여성들이 등장하면서 근대적 공사(公私) 구분을 벗어난 틈새
공간이 생겼고, 이 틈새 공간의 위치에서만 보이는 세계에 접근함으로써 새
로운 인식론이 가능하다고 보았다(Harding, 1986). 이렇듯 초기 입장론자들
의 인식론은 '보편적 여성' 정체성에 근거한 것이었다(하딩, 2002: 184~185,
192, 196~198, 202~204).

이에 비해 페미니스트 포스트모더니즘은 여성 연구자가 어떠한 사회적 위
치를 정하든 그 사회적 위치가 보편적 정체성을 보장해주는 것은 아니라고
주장했다. 연구자들도 연구 대상과 마찬가지로 각각 그리고 서로 간 분열된

---

2 하딩은 페미니스트 입장론을 미완의 근대적 기획을 이어간다는 뜻에서 '승계과학(successor
   science)'이라고 불렀다(하딩, 2002: 310).

정체성을 갖고 있기에, 그 분열된 정체성들 각각 그리고 그 사이에서 비롯된 정치학들의 연대를 통해서만 더 설득력 있고 덜 왜곡된 연구 결과를 낼 수 있다는 것이다. 페미니스트 포스트모더니즘의 '분열된 정체성' 개념은 보편적 이성과 과학에 대한 불신을 반영한다는 점에서 페미니스트 입장론과 동일한 지향점을 갖지만, 연구자의 사회적 위치가 젠더·계급·인종 등과 같은 거시적 개념으로 미리 범주화할 수 없을 정도로 상황 귀속적이고 맥락적이게 되었음을 강조한다는 점에서 페미니스트 입장론과 구분된다.[3] 페미니스트 포스트모더니즘은 계급, 여성적 의식, 가부장제와 같은 개념들이 억압되고 소외된 정체성을 그 본래의 통일된 모습으로 복원시킬 것을 목적으로 하는 개념들이라는 점에서 현시대의 정치학과 인식론을 가로막는 장애물이라고 판단한다(Haraway, 1991b).

하지만 1990년대 들어 새로운 인식론 패러다임이 등장하면서 이러한 페미니스트 인식론의 세 유형 간 구분은 와해되기 시작했다(Hekman, 1997). 먼저 페미니스트 경험론자인 넬슨(Lynn H. Nelson)은 지식 주체는 개인이 아니라 과학 공동체이며, 증거는 절대적 기준이 아니라 공공적 기준(public standards)에 의해 채택된다는 논리로 경험론을 급진적으로 재구성했다(Nelson, 1990; Hekman, 1997: 357에서 재인용). 론지노(Helen Longino) 역시 과학적 지식은 사회적으로 구성되는 것이고 객관성이란 공동체적 실천의 기능임을 주장했다(Longino, 1990; Hekman, 1997: 357에서 재인용). 여기서 중요한 것은 변화된 페미니스트 경험론이 여전히 상대주의를 거부한다는 사실이다. 즉, 지식의 정당성을 입증할 수 있는 기준이 외재적으로 존재하는 어떤 절대적 토대에 근거해 주어지는 것은 아니지만 공동체가 구축한 증거 기준을 통해

---

3   해러웨이는 근대적 체계가 근거하는 세 가지 경계, 즉 인간과 동물 사이, 유기체와 기계 사이, 그리고 물리적인 것과 비물리적인 것 사이의 경계가 현대사회의 경험 속에서 해체되었다고 주장했다(하딩, 2002: 250).

지식의 정당성을 판별할 수 있는 내재적 기준을 만듦으로써 상대주의에서 벗어날 수 있다고 보는 것이다.

입장론 역시 단일한 집합적 여성 정체성의 인식론에서 벗어나, '여성'은 그들이 관련된 수많은 위계적 사회관계들의 배열에 의해 최종적으로 구성되는 것으로 재규정했다(하딩, 2009: 43~49; 콜린스, 2009). 단일한 집합적 여성 정체성의 인식론은 남성 중심주의와 성차별에만 초점을 맞추게 되어 결과적으로 다른 위계적 사회관계들을 지원하는 퇴행적 결과를 낳을 수 있기 때문이다(하딩, 2009: 44). 변화된 페미니스트 입장론에서 젠더 관계는 인종, 계급, 섹슈얼리티와 같은 위계적 사회관계들의 상호 교차를 통해 최종적으로 확정되기 때문에, 객관성을 제고하려면 연구자는 단일한 여성의 삶이 아닌 다중적이고 복잡한 여성들의 삶에서 연구를 시작해야 한다. 또한 개별 연구자와 연구자 집단은 연구 대상과 동일한 인과율의 단면에 놓여 있기 때문에, 연구 대상인 '여성'을 구성하는 여성들이 서로 모순적이고 상충되는 삶을 살고 있듯이 개별 연구자나 연구자 집단도 각기 상호 모순되고 상충적인 삶을 살고 있으며 하나의 사회적 위치를 갖지 못하는 것으로 설정해야 한다. 그러므로 변화된 입장론에서 페미니스트 연구자란 '여성'이거나 '여성'이 되는 경험을 한 연구자를 뜻하는 것이 아니고 서로 모순되고 상충되는 삶의 위치들에서 연구를 시작하려는 자세를 갖춘 연구자를 뜻하며, 페미니스트 관점이란 여성 경험에 근거한 관점이 아니라 "중심 집단의 경험이 만들어내는 상식과 그에 기초한 자연스러운 사회관계들을 상대화해서 볼 수 있는 관점"이라는 놀라운 결론에 이르게 된다(하딩, 2009: 409~414). 결국 변화된 페미니스트 입장론에서 페미니스트 관점이란 여성들의 삶의 현실을 통해 주어지는 것이 아니고 담론적으로 구성되는(구성하는) 것, 즉 성취하는 것이 된다.

이렇게 변화된 페미니스트 입장론은, 하나의 페미니스트 입장이 아닌 다양한 페미니스트 입장들이 있을 수 있으며 하나의 진실이 아니라 여러 현실과 진실들이 있을 수 있다는 것을 인정함으로써 '포스트모던 입장론'(하딩, 2009: 95)으로 선회했다. 그러나 페미니스트 입장론의 이러한 변화는 입장론이 상대주의라는 비판에 더욱 강력하게 직면하도록 만들었다. 하딩은 이러한 상대주의 문제를 해결하기 위해 '강한 객관성' 개념을 제시했다. '강한 객관성' 개념이란, 모든 지식들이 상황적 지식임을 인정하지만 모두가 동등한 수준은 아니며 그중에 더 객관적인 지식을 판별할 수 있는 기준이 있고 억압의 수준이 높은 사회적 상황에서 구성된 지식이 더 객관적일 수 있다고 보는 것이다(하딩, 2009: 231~236). 이는 페미니스트 입장론이 공동의 판단 기준이라는 거대 담론을 또다시 전제하며, 여성들의 삶의 현실은 페미니스트 연구자들이 구성한 또 하나의 담론일 뿐이라는 포스트모던의 인식론적 상대주의와는 거리를 두고 있음을 뜻한다(하딩, 2009: 237~238). 변화된 입장론이 상대주의 문제를 극복했는가의 평가는 별개로 하더라도, 입장론의 지향점이 다양성을 포함한 상태에서 확고한 지식을 추구해나가는 것으로 변모했음은 분명하다.

마지막으로 페미니스트 포스트모더니즘은 초기 페미니스트 입장론이 '여성'이라는 사회적 위치에 특권적인 인식론적 지위를 부여한 것에 대해 문제를 제기하면서 더욱 자신의 입장을 세워나갔다. 페미니스트 포스트모더니즘을 대표하는 해러웨이는 페미니스트 입장론에 대해, 개별 여성 안에 그리고 여성들 간에 분열된 주체성들을 포괄하면서도 여전히 유효할 수 있는 사회주의 페미니스트 정치학의 전망은 어떤 것이어야 하느냐고 묻는다(Haraway, 1991b: 158).[4] 해러웨이는 페미니스트 입장론이 전제하는 '여성'의 특권적 지

---

4   해러웨이의 대표적인 논문인 「사이보그 선언문」과 「상황적 지식들(Situated Knowledges: The Science Question in Feminism and the Privilege of Partial Perspective)」은 각각 1985년과 1988년에 발표되었다. 이 글에서는 『유인원, 사이보그, 그리고 여자(Simians, Cyborgs, and Women)』(1991)에 각기 8장(Haraway, 1991b)과 9장(Haraway, 1991c)으로 수록된 논문을 참조했다.

위는 유지될 수 없으며 페미니스트들은 또 다른 '신화'를 찾아나서야 한다고 주장했다. 해러웨이에 따르면, 여기서 또 다른 '신화'는 '진리'나 '실재'라기보다는 또 다른 '이야기'이다. '여성들의 경험'은 수동적으로 주어지는 실재가 아니라 "가장 핵심적이고 정치적인 사실이면서 동시에 허구"이기 때문이다. 해러웨이는 "해방은 억압과 앞으로의 가능성 둘 다에 대해 어떠한 상상력과 의식을 구축할 것이냐에 달려 있다"라고 선언했다(Haraway, 1991b: 149). 해러웨이가 보기에 페미니스트 입장론의 약점은 '여성'의 사회적 위치를 특권화시킨 것에 있지만, 페미니스트 입장론이 지향하는 "참여적이고, 책임질 수 있는 위치 짓기"라는 정치적·인식론적 목표는 여전히 강력한 함의를 갖는다. 해러웨이는 페미니스트 입장론의 약점과는 결별하면서 페미니스트 입장론의 지향점은 더욱 발전시키는 방향으로 나아가려고 한다. 해러웨이에게 그것은 세상, 즉 '과학'을 더 잘 설명하는 것이 된다(Haraway, 1991c: 196).

이처럼 페미니스트 경험론, 페미니스트 입장론, 페미니스트 포스트모더니즘의 변화된 인식론들은 모두 중립적인 연구자란 존재하지 않으며 연구자와 무관하게 외부에 존재하는 사회적 현실은 없음을 강조하는 것으로 수렴해갔다. 과학철학자인 라우스(Joseph Rouse)는 페미니스트 인식론들의 공통점으로 연구자와 연구 대상 간의 관계를 주된 연구 목적으로 한다는 점, 과학적 지식을 설명하려기보다 과학적 실천에 참여하려는 입장을 갖는다는 점, 현재의 지식보다 미래의 가능성에 우선적 관심을 둔다는 점, 객관성을 유지하려 하지만 그것은 저기 외재하는 객관적 세계에 대한 초월적 인식이 아니라 세계 안에 존재하는 행위자들의 생각이나 문화에 대한 인식이기에 인식론적 성격과 정치적 성격을 둘 다 유지하려고 한다는 점, 그리고 마지막으로 다양한 개개인들의 생각과 문화가 반영될 수 있도록 연구자 스스로 비판적 성찰을 지속하는 특징을 보인다는 점을 들었다(Rouse, 2002: 146~147).

그렇다면 문제는, 분열된 정체성들과 그로부터 도출되는 상황적 지식들을 통해 세상을 더 잘 설명할 수 있는 지식들은 어떻게 구성될 수 있는가 하는 것이다. 더 나은 지식을 판별할 수 있는 절대적 기준 없이 사회적 위치들이 무한히 증식된다면, 그런 상황에서 더 나은 지식을 생성할 수 있는 방법은 무엇일까? 해러웨이의 사이보그 페미니즘은 바로 이 같은 문제의식에서 출발한다. 다음 절에서는 분열된 정체성들과 상황적 지식들의 상대주의 문제를 돌파하기 위해 해러웨이가 제시한 '사이보그 정체성' 및 '상황적 지식과 페미니스트 객관성' 개념을 중심으로 좀 더 상세하게 해러웨이의 사상을 살펴보도록 한다.

3. 해러웨이의 사이보그 페미니즘

페미니스트 인식론 및 정치학과 관련해 해러웨이의 주장은 크게 두 가지로 나눠서 생각해볼 수 있다. 첫째, 해러웨이는 페미니스트 정치학이 정체성의 정치에서 균열(splitting)의 정치로 전환해야 한다고 주장했다. 사이보그는 정체성의 정치가 전제하는 경험의 통합적 성격을 잡종적 성격으로 전환시키는 주체이다. 둘째, 해러웨이는 사이보그의 비판적 위치 짓기가 특정한 장소에 위치한 체화된 상황적 지식들을 가능하게 하고, 이분법을 벗어난 페미니스트 객관성을 가능하게 한다고 주장했다.

1) 사이보그의 위치 정하기: 정체성의 정치에서 연대의 정치로

'미국의 사회주의 페미니스트'로 출발했던 해러웨이가 '사이보그 페미니즘'을 제안한 것은, 서구 중심적이고 인종차별적인 전제가 깔려 있는 거대 담론으로서의 인본적 서구 페미니즘을 벗어나 이 시대의 구체적인 역사적·정치적 상황에 위치 지을 수 있는 페미니즘, 영원히 부분적인 상태를 벗어날 수 없지만 효과적인 연결의 시도를 포기하지 않는 그런 페미니즘을 꿈꿨기 때문이다. 사이보그란 은유는 유기체와 기계로 구성된 잡종 인간을 뜻한다. 사이보그의 구성 요소인 유기체는 인간과 다른 생명체들로 만들어지는데, 그 외관은 정보체계, 텍스트, 인체공학적으로 제어된 노동체계, 생산체계, 재생산 체계의 모습으로 나타나며, 사이보그의 또 다른 구성 요소인 기계의 외관은 통신체계, 텍스트, 자동적·인체공학적으로 디자인된 장치들의 모습으로 나타난다.

해러웨이는 사이보그 정체성을 통해 지금과는 다른 식으로 '자연'과의 관계를 설정하려고 했다. '자연'을 하나의 핵심적인 문화적 과정으로 설정한다면 인종, 식민화, 계급, 젠더, 섹슈얼리티의 지배로 피폐화된 세계에서 희망을 찾으려는 사람들에게 대안을 줄 수 있을 것으로 봤기 때문이다(Haraway, 1991a: 2). 근대 계몽주의 철학에서 기원한 개인이 자연을 타자로 설정한 후에 자연과 엄격히 분리된 관계 안에서 자연을 통제하고 자연에 의미 부여하는 주체의 위치를 차지했다면, 사이보그는 그런 지배·종속 관계에 속하지 않은 "부적절한/활용되지 않은 타자들(inappropriate/d Others)"이다(Haraway, 1991a: 2). 즉, 사이보그는 남성·여성의 대립 관계를 포함해 모든 이분법적 대립 관계에서 벗어나 있다는 점에서 젠더 이후의 세계에서 활동하는 생명체를 은유한다. 사이보그는 이분법적 대립 관계에서 대안으로 추구하는 '전(前) 오이디푸스 단계의 양성성'이나 '소외되지 않은 노동'처럼, 부분들이 가진 힘들을 모아 더 높은 수준의 통합된 단위를 만들려는 모든 시도를 거부한다(Haraway, 1991b: 150).

그렇다면 지배·종속 관계에 속하지 않은 사이보그가 설정하는 정치적 방향은 어떤 것인가? 이를 위해 해러웨이는 먼저 근대의 과학적 객관성이 유기체적 상상력에 대해 모멸적으로 은유하는 것을 변형시킨 후, 그 변형된 은유를 통해 페미니스트들이 특정한 위치를 점하고 부분적인 관점을 가지도록 할 뿐만 아니라, 페미니스트 과학학과 정치학의 우화로서 그 변형된 은유를 사용할 수 있도록 했다. 예컨대 '자연'의 변화무쌍함을 우화 속의 '코요테'나 여우라는 재치 있는 장난꾼의 은유로 담아내면 인간과 자연의 관계를 더 사회적이고 관계적인 것으로 상상해 인간에 대한 새로운 해석을 끌어낼 수 있게 된다. 이러한 노력을 통해 해러웨이가 의도한 것은 우리 자신이 지배·종속 관계 안의 주체나 타자가 아니라 여러 면에서 이질적이고 균질하지 않으며 책임감이 있고, 연결된 인간 행위자의 자격으로서 스스로 행위성을 가질 수 있는 그런 존재를 상상하게 만드는 것이었다. 해러웨이는 이런 식으로 사이보그를 페미니스트들의 존재론이자 정치학으로 설정했다(Haraway, 1991a: 3).

이렇게 사이보그의 시선을 장착하게 되면, 그간 페미니즘이 끊임없이 여성 전체를 통합할 수 있는 이론을 추구해오면서 자유주의, 사회주의, 마르크스주의, 급진주의 등으로 페미니즘을 분류한 후 그 범주에 속하지 않는 여성 경험들을 단속해왔다는 것을 볼 수 있다. 해러웨이는 그중 마르크스주의·사회주의 페미니즘과 급진적 페미니즘의 사례를 들고 있다. 예컨대 사회주의 페미니즘은 노동 개념 안에 여성의 일을 포함시키려는 노력을 해왔고, 그 결과 여성의 가사노동과 감정노동을 노동 개념 안에 포함시킬 수 있었다. 그러므로 적어도 사회주의 페미니즘에서 '여성'은 자연스럽게 주어진 범주가 아니며 노동 구조를 통해 형성된 범주이자 사회주의 페미니즘이 성취한 범주이다. 반면에 급진적 페미니즘에서 '여성'은 자신의 노동을 통해 성취한 범주가 아니고 타자의 성적 욕망의 대상이 됨으로써 주어진 범주이다. 여기서 '여성'은 스스로 존재할 수 없는 여성이기에 이러한 여성과 사회주의 페미니즘의 노동자 여성은 동일하지 않다. 해러웨이는 사회주의 페미니즘과 급진적 페미니즘이 여성을 하나의 통합된 범주로 설정함으로써 단지 부분적 정체성들만 가진 여성들을 의도적으로 지우는 우를 범했는데, 특히 급진적 페미니즘은 여성을 "본질적으로 존재하지 않는 여성"으로 환원시켰다고 비판했다(Haraway, 1991b: 158~159).

해러웨이가 노동자도 성적 대상도 아닌 여성 범주로 페미니즘에 제안하는 여성 범주가 '유색인 여성들'이다. 이 '유색인 여성들'은 사회주의 페미니즘이나 급진적 페미니즘의 '여성'처럼 통합된 여성 정체성이 아니고 대립적인 의식(oppositional consciousness)의 산물들이다(Haraway, 1991b: 156). 즉, '유색인 여성들'은 백인 여성이 아닌 모든 여성들을 통합하려는 의도를 가진 개념이 아니고, 연대·친밀감·정치적 친분에 근거해 의도적으로 구성된 공간에 존재하는 여성들이다. 해러웨이는 사이보그인 '유색인 여성들' 개념을 통해 페미니즘 분류법에 따른 여성 정체성에 의존하지 않고 시적·정치적 여성 범주를 만들려고 했다(Haraway, 1991b: 157). 해러웨이가 생각하기에 사회주의 페미니즘이 실패한 이유는, 가족 상징체계의 해체로 사람들 사이에 전례 없이 다양하고 복잡한 연결망이 형성되며 여성들 간의 차이도 갈수록 분화되는 이 시대에 여전히 백인 인본주의의 논리와 언어에 기대어 혁명적 목소리를 유지하려 한 데 있다(Haraway, 1991b: 161).

해러웨이는 우리가 유기적인 산업사회에서 다형적인 정보체계로 이동하는 거대한 흐름 안에 놓여 있다고 진단하고 이 시대의 권력체계를 '지배의 정보학(the informatics of domination)'으로 규정한다. 이 권력체계의 특징은 "모두가 일하는 것에서 모두가 게임을 하는 것"으로 이동한 데 있다. 지배의 정보학이 주도하는 사회에서는 몸·마음, 자연·문화, 남자·여자, 미개인·문명인과 같은 전통적인 이분법들이 모두 의문시된다(Haraway, 1991b: 164). 해러웨이에 따르면 이러한 시대적 상황에서 페미니스트들은 우리의 상상력을 구조화하는 신화 및 의미체계들과, 과학기술의 사회적 관계들 이 두 가지에 절대적으로 주목해야 한다(Haraway, 1991b: 163). 사이보그는 바로 이런 시대의 주체를 은유한다. 사이보그는 해체되고 재구성되는 주체이자 집합적

이면서 개인적인 포스트모던 주체이다. 해러웨이는 페미니스트들이 바로 이런 주체를 코드화할 수 있어야 한다고 주장한다. 이는 사회관계가 서비스업 중심으로 이동하면서 노동의 여성화가 이루어지고 첨단 시각 기술을 통해 여성의 몸을 시각화하고 간섭하는 것이 가능해진 이 시대에, 페미니스트 정치학이 과학과 기술 영역에 다양한 역할과 조건으로 흩어져 있는 여성들을 어떤 정치적 책임감으로 결집시킬 수 있을지에 대한 대안을 제시하는 데 필요한 작업이다(Haraway, 1991b: 169).

해러웨이가 여성을 새롭게 코드화하기 위해 제시한 것이 인간과 동물, 그리고 기계의 융합 경험이다. 해러웨이는 이 물적 경험을 남근 중심주의의 논리에서 벗어난 방식으로 의미화할 언어를 찾는 것이 사이보그 정치의 핵심 투쟁이 된다고 보았다. 동물과 기계의 융합은 남자와 여자라는 대칭 구도와 욕망 구조를 문제시하며 그 대칭과 욕망 구조에서 파생된 정체성, 자연·문화, 거울·시선, 노예·주인, 몸·마음의 이분법을 파괴한다. 동물과 기계의 융합으로 이루어진 사이보그는 정체성의 정치, 전위 집단의 정치, 순수함의 정치, 모성성의 정치로부터 벗어날 수 있게 한다(Haraway, 1991b: 176). 이러한 정체성의 해체를 통해 해러웨이가 의도한 것은 경계의 힘이다. 즉, 사이보그는 단순히 정체성을 해체한 존재가 아니라 경계에서의 변형을 이루는 존재다. 경계에서 변형을 이루는 존재들은 통합적인 정체성이 해체되었다고 사라지지 않는다. 예컨대 제3세계의 수출 자유 지대에서 일하는 제3세계 여성 노동자들과 같은 현실의 사이보그들은 통합적 정체성이 해체된 상태에서 자신의 몸과 사회에 대한 적극적인 텍스트 다시 쓰기를 통해 생존하고 있다(Haraway, 1991b: 177).

해러웨이에 따르면 첨단 기술 문화는 주체와 타자의 이분법에 도전하는 것을 가능하게 한다. 첨단 기술 문화에서 인간과 기계의 관계는 누가 만드는 자이고 누가 만들어진 자인지 분명하지 않을 뿐 아니라, 코드화로 분해되는 기계에서는 무엇이 마음이고 무엇이 몸인지도 명확하지 않기 때문이다. 해러웨이는 여성에 대한 은유가 수동적으로 주어진 모성 수행의 연장선상에 있는 은유의 형태에서 벗어나 기계와의 강렬한 즐거움을 경험할 수 있게 하는 형태여야 한다고 주장한다(Haraway, 1991b: 180). 사이보그는 보편 이론을 생산하려는 욕망은 없지만 경계의 구성과 해체에 대해서는 밀접한 경험을 가진다. 결국 사이보그의 위치 정하기는 지배의 정보학이 주도하는 이 시대에 보편 이론이 놓치고 있는 현실을 파악하려는 것이라고 할 수 있다. 그것은 과학이나 기술을 부정하거나 악마화하지 않고도 타자들 간의 부분적 연결을 통해 모든 부분들 간의 왕래를 가능하게 하며, 일상의 삶의 경계를 재구축하는 기술적 업무를 기꺼이 수용하는 그런 연대의 정치를 추구한다(Haraway, 1991b: 181).

2) 상황적 지식과 페미니스트 객관성

해러웨이는 페미니스트들이 객관성 문제에 대해 그간 두 개의 접근 방법 사이에 갇혀 있었다고 말한다. 그 두 개의 접근 방법이란 사회구성론적 관점과 페미니스트 판본의 객관성을 말한다(Haraway, 1991c: 184). 먼저 사회구성론은 과학 지식을 비롯한 모든 지식은 사회적으로 구성된 것이라고 주장한다. 그런데 만약 모든 지식이 사회적으로 구성된 것이라면 그 지식을 구성한 내부자의 관점도 더 이상 특권적인 위치에 있다고 말할 수 없게 된다. 더욱이 지식은 진리를 향해 움직이는 것이 아니라 권력의 움직임에 따라 구성되는 것으로 그 성격이 바뀌게 된다. 사회구성론자들은 과학자들이 실제로 지식을 생산하는 방법이 과학 교과서에 나오는 객관성이나 과학적 방법과는 다르다는 것을 보여줬다. 사회구성론자들의 관점에서 보면 과학은 연구자가 생산한 지식이 객관적인 권력의 형태로 가는 길임을 구성원들에게 설득시키는 수사학(rhetoric)이다. 사회구성론에서 지식이란 권력의 장 안에서 서로 경합하는 응축된 결절(마디)들이다(Haraway, 1991c: 185).

이처럼 세상을 수사학으로 직조하려는 사회구성론적 관점은 현실 세계에 대해 강력히 문제 제기하려는 페미니스트들에게는 불안한 관점일 수밖에 없다. 페미니스트들이 근대 계몽의 과학적 객관성을 문제 삼기 시작한 것은 페미니스트들이 갓 만들기 시작한 집합적 여성 정체성과 행위성, 그리고 진리에 대한 '체화된(embodied)' 설명을 그 과학적 객관성이 위협했기 때문이었다. 그런데 사회구성론적 관점은 오히려 집합적 여성 정체성과 행위성을 '텍스트'로 환원시켜버린 것이다. 이렇게 텍스트로 환원된 포스트모던 세계를 페미니스트들이 받아들일 수는 없게 된다.

객관성과 관련해 페미니스트들에게 주어진 두 번째 접근 방법은 페미니스트 판본의 객관성 개념이다. 해러웨이에 따르면, 페미니스트 판본의 객관성 개념에는 마르크스주의에서 기원한 입장론, 정신분석의 한 주류인 대상관계이론의 영향 아래 여성 체험을 강조하는 인식론, 그리고 급진적 구성론을 극도로 경계하면서 과학적 객관성의 의미를 공고히 하려는 경험론이 있다(하딩, 2002: 24~26, 161~162). 이들 페미니스트 판본의 객관성 개념들은 모두 지식의 구성성이나 역사적 우연성을 보여주는 것으로는 충분치 않으며 그 이상으로 세계를 설명할 수 있어야 한다고 주장한다. 이는 그 안에서 모든 위치가 정해지는 억압과 위계의 사회체계들 속에서 제대로 살 수 있도록 세상을 비판적으로 성찰할 설명들을 제공하는 것이다.

이러한 두 개의 접근 방법 사이에서 해러웨이는 우리에게 페미니스트 판본의 객관성 개념과 사회구성론의 포스트모던 관점이 둘 다 필요하다고 주장한다. 다만 이 둘 각각의 단점, 즉 여성들 간의 차이를 반영하지 못하는 페미니즘의 객관성 개념과 상대주의로 귀결된 사회구성론 모두를 벗어날 필요성에 대해, 해러웨이는 서로 다른 공동체들이 생산한 지식들을 부분적으로 번역해 연결할 수 있는 능력을 통해 극복할 것을 제안한다(Haraway, 1991c: 188). 즉, 상황적 지식들을 인정하는 동시에 그 상황적 지식들의 연결을 통해 인식론적 소통을 가능하게 하는 연결망을 형성함으로써 상대주의를 극복하자는 것이다. 해러웨이에게 상대주의는 '어디에서도 똑같이 볼 수 있다는 것(view from everywhere equally)'인데, 이것은 근대 계몽의 과학적 객관성이 '어디에도 속하지 않고 볼 수 있다(view from nowhere)'고 주장하는 것과 짝을 이루는 것으로 둘 다 '신의 속임수(God's trick)'일 뿐이다.

해러웨이는 이러한 보편주의와 상대주의를 극복할 수 있는 방법으로 "특정 장소에 위치한 지식(located knowledge)을 추구하고, 그 지식에 대해 체화된 설명, 즉 책임을 지는 설명(embodied accounts)을 하며, 부분적 관점(partial perspective), 즉 사물을 번역하며 특정하게 보는 관점"을 채택할 것을 주장한다(조주현, 1998: 133). 해러웨이가 제시하는 페미니스트 객관성은 바로 이러한 부분적 관점의 정치학이자 인식론이라고 할 수 있다. 상황적 지식들 간의 연결은 지식들 간 접합이 이루어지는 경계에서 발생하는 논쟁·해체·재구축을 통해 이루어진다. 이렇게 경계에서의 변형을 통해 이루어지는 연결의 네트워크가 해러웨이가 제시하는 페미니스트 객관성이다. 상황적 지식들의 연결로 이루어진 네트워크가 우리가 추구하는 지식체계라고 할 때 그 지식체계와 상황적 지식들의 관계는 전체를 구성하는 부분, 즉 전체와 부분의 관계가 아니다. 여기서 상황적 지식을 이루는 부분적 관점은 미리 확정된 주어진 관점이 아니며 결코 미리 알 수 없는, 미래로 열려진 관점이다. 페미니스트 판본의 객관성 개념과 사회구성론의 포스트모던 감수성의 결합을 시도했을 때 해러웨이가 의도한 것은 비판적 연구의 엄격성에 변화를 추동하는 상상적 요소를 결합시키는 것이었다. '물적-기호적(material-semiotic)' 존재이자 과정으로서의 과학과 기술 개념은 바로 그런 맥락에서 탄생한 것이다(Haraway, 1991c: 190~192). 그러므로 해러웨이에게 페미니스트 객관성은 바로 이 "물적-기호적 존재이자 과정으로서의 과학과 기술"을 이해하는 인식론이자 정치학이다.

이런 맥락에서 '물적-기호적' 존재로서의 '존재'는 훨씬 더 문제적이고 변화무쌍한 의미를 갖게 된다. 즉, 더 이상 종속된 자의 입장에서 나오는 즉각적 시선이란 가능하지 않게 된 것이다. 해러웨이에 따르면 종속된 자의 정체성은 과학을 생산하지 못하며 물적-기호적 존재가 과학을 생산한다. 이 '물적-기호적' 존재의 비판적 위치 짓기는 시선의 상상력을 조직화한다는 점에서 그 자체로 핵심적인 정치적 실천이다. 따라서 이러한 비판적 위치 짓기는 당연히 페미니스트들의 설명에 책임감을 요구한다. 어떤 시선을 택하느냐가 무엇을 세계에 대한 합리적 지식으로 간주할 것인지를 결정하기 때문이다.

한편 해러웨이가 페미니스트들의 비판적 위치 짓기에서 강조하는 것은 이분법적 논리를 조심하라는 것이다. 이제 페미니스트들의 책임감(accountability)은 이분법적 지식을 향해 있는 것이 아니라 사람마다 각각 다른 의미에 공명하려는 지식을 향해 있기 때문이다. 젠더는 확정된 영역이 아니며 끊임없이 구조화되고 또 구조화하는 영역이다. 이 영역 안에서 극도로 국지성을 띤 말들과 사적인 몸들이 지구적 상황과 만나 상호 간에 변형되고 변형시키는 과정이 진행된다. 그러므로 해러웨이에게 페미니스트 객관성의 중요한 요소인 '체현(embodiment)'이란, 물화된 몸이 놓여 있는 확정된 장소를 뜻하는 것이 아니다. 그것은 의미의 '물적-기호적' 영역에 나타난 결절(마디)을 뜻하고 그 영역에 나타난 차이들에 대한 책임감을 뜻한다. 해러웨이는 페미니스트들이 고착된 여성의 위치가 아닌 곳에 비판적 위치 짓기를 시도할 때 시선에 대한 은유를 사용할 것을 권한다(Haraway, 1991c: 194). 마지막으로, 페미니즘의 체현이 끝없이 분화되는 연결망 안에 위치하며, 고착되지 않고 폐쇄적이지 않은 위치를 상상하는 것이라면 하나의 페미니스트 입장이란 존재할 수 없는 것이 된다. 그러나 그 다양성에도 불구하고 페미니스트 객관성의 정당성은 그 위치화에 책임감을 갖는다는 데서 확보된다.

4. 실천이론에서 본 해러웨이의 사이보그 페미니즘

여성학은 최근 젠더를 포함해 계급, 인종, 국가에 따른 불평등을 새로운 시각으로 해석할 수 있는 길을 열고 있다. 특히 기존의 불평등에 대한 대표적인 저항의 방식이었던 정체성의 정치가 어떤 조건에서 그 효율성이 보장되고 보장되지 않는지를 파악함으로써 또 다른 대안적 정치 방식을 모색하는 쪽으로 나아가고 있다(조주현, 2014). 페미니스트 과학기술학 역시 객관성의 전형으로 여겨졌던 과학적 실천이 성 불평등을 내재화하고 있음을 밝히고 그 과정에서 과학과 기술에 대한 새로운 실천적 이해를 가능하게 했는데, 이러한 작업 역시 최근의 여성학적 작업의 일환이라고 할 수 있다(하딩, 2009: 2장). 이 절에서는 페미니스트 과학기술학에 새로운 시각을 열어준 해러웨이의 연구가 다른 과학기술학자들의 연구와 맞물려 어떻게 과학기술학에서의 실천적 전환을 이루어나갔는지를 살펴보도록 한다.

근대과학의 해석이 뉴턴 물리학에 대한 계몽주의적 시각에 지나치게 의존한 편향된 것이라는 주장은 1960년대에 쿤(Thomas Kuhn) 등의 연구에서 본격적으로 제기되기 시작했다. 이들은 수학이나 물리학과 같은 엄밀한 과학도, 그 연구가 이루어지는 실천적 과정은 과학자들이 주장하고 믿듯이 객관적·논리적 방식으로만 진행되지 않는다는 것을 보여줬다(쿤, 2002). 특히 카트라이트(Nancy Cartwright)는 근대과학에 대한 과거의 이해가 물리학적 관점에 지나치게 환원론적으로 의존하고 있어서 생물학이나 공학과 같은 다양한 과학기술에 대해 균형 잡힌 해석을 할 수 없었던 점을 잘 보여준다. 카트라이트에 따르면 근대과학관은 물리학의 성과 중에서도 극히 단순한 계를 분석한 결과로 얻어낸 성과들에 의존하고 있을 뿐이며, 물리학도 복잡한 계에 대해서는 별다른 성과를 내지 못했다(Cartwright, 1999). 즉, 물리학과 같은 엄밀한 과학이 궁극적 법칙을 찾는 데 성공할 수 있었던 것은 그 연구 대상이 단순했기 때문인데, 이는 모든 과학적 실천이 필연적으로 처한 사회적 위치에 근거한 부분적 관점을, 비교적 단순한 훈련 과정을 통해 습득한 연구방법만으로도 극복할 수 있게 한다. 반면에 생물학이나 공학, 나아가 사회과학처럼 연구 대상이 훨씬 복잡한 계인 분과 학문에서는, 물리학과 비슷한 연구방법을 사용한다고 해서 비슷하게 엄밀한 결과를 얻을 수 없을 뿐만 아니라 오히려 더 왜곡된 관점을 초래함으로써 연구를 불필요하게 제한하거나 비효율적으로 만들기 쉽다.

단순한 계를 다루는 과학 분야의 경험에서 유래된 경험론적 과학관을, 복잡한 계를 다루는 과학기술 분야에 적용하게 되면 통상 복잡한 계의 연구에 더 큰 영향을 미치기 마련인 역사적·사회적 조건들은 과소평가된다. 동시에 그 연구는 과학적 객관성을 표방하고 있기에 연구 결과가 과도한 권위를 부여받게 되며, 그 결과 젠더 관계를 포함한 사회의 다양한 위계적 관계들이 과학계 내부에 재현되는 것을 과학의 본질과 무관한 것으로 생각할 수 있는 논리를 제공할 뿐 아니라, 오히려 연구 결과가 사회의 불평등을 유지하는 데 필요한 과학적 근거로 작동하게 된다. 예를 들어 해러웨이는 영장류학의 특유한 성차별과 인종차별에 대한 연구를 통해 자연이 결코 '있는 그대로' 우리에게 다가오지 않는다는 것을 보여줬다(Haraway, 1989). 즉, 영장류학은 백인 미국 여성들을 문명에 연관 짓는 것과는 대조적으로 아프리카 여성들을 야생 동물과 연관 짓는 것을 과학적으로 정당화시켰다. 해러웨이는 인도, 일본, 미국의 영장류학 연구가 각각 다른 영역에 몰두하고 있음을 보여주면서 이는 자연과 사회에 대한 각 나라의 문화적 개념 차이에 근거한다고 지적했다.

해러웨이의 연구를 비롯한 페미니스트 과학기술학과 페미니스트 정치학은, 복잡계를 다루는 과학은 연구의 강조점이 달라져야 한다는 것을 분명히 보여준다. 즉, 복잡계에 대한 이해는 물리학적 환원론의 주장과는 달리 각 학문 분야마다 각기 요구하는 정도의 거시적 변수로 표현된 이론으로 제시되어야 하며, 그 설명은 특정한 현상의 한 측면만을 조명하는 작업을 필히 거치는 것이어야 한다. 그와 함께 그 특정 현상에 대한 전체적인 윤곽은 그 현상의 다른 측면들을 잘 드러내는 다른 거시적 이론들을 동시에 고려할 때만 가능하다(Mitchell, 2003).[5] 이러한 접근법은 복잡한 계를 연구 대상으로 하는 과학의 올바른 접근법임이 분명하다. 그러나 여기서 고려되어야 하는 것은 이렇게 다양한 거시적 이론들 간의 정합성 문제이다. 통합적 다원주의의 접근법이 단순히 다양한 이론들의 집합으로 전락해 상대주의의 함정에 빠지지 않으려면, 복잡한 계를 다루는 과학들의 연구방법론에서 거시적 이론들 간의 정합성 문제가 핵심 쟁점이 되기 때문이다. 특히 사회과학의 경우 사회구성론의 상대주의에 빠지지 않기 위해서는, 해러웨이가 자신의 페미니스트 객관성 개념을 통해 극복해나가려 했듯이 거시 이론들 간의 정합성 문제를 해결하는 작업이 꼭 필요하다.

이러한 거시 이론들 간의 정합성 문제를 해결하는 가장 대표적이고 안정적인 방법은 연구 대상인 특정한 현상의 미시적 기제에 대한 이론을 구성하는 것이다. 이 미시 이론의 신뢰도에 비례해 그 특정한 현상에 대한 거시 이론의 신뢰도가 정해지게 된다. 필자는 선행 연구에서 실천이론의 행위자 모델이 그러한 미시 이론의 역할을 할 수 있는 한 유형이라는 점을 지적했다(조주현, 2014). 거시 이론들은 주어진 특정 현상을 어떻게 접근하느냐에 따라 달라질 뿐 아니라 일반적으로 분석 대상인 그 현상이 달라질 경우에도 달라

---

5   샌드라 미첼(Sandra Mitchell)은 생물학의 방법론적 연구에서 이러한 작업을 통합적 다원주의(integrative pluralism)라고 불렀다(Mitchell, 2003: 208~218).

져야 한다. 예컨대 하딩이 상대주의의 문제를 해결하기 위해 제시한 객관성 개념이 모순적이라는 비판에 직면한 것은 모든 지식들은 상황적 지식이지만 그 지식들 간에 더 객관적인 지식을 판별할 기준이 있다는 일견 상호 모순적으로 보이는 주장 때문이었는데(하딩, 2009: 231~236), 미시적인 핵심 이론을 적용하면 거시 이론의 변화 과정에 일관성이 부여되어 강한 객관성이 모순된 개념으로 전락되지 않게 된다.

한편 이러한 인식론적 해석을 따르게 되면 사회 개혁의 정치적 방법론에도 새로운 대안을 제시할 수 있게 된다. 예컨대 정체성의 정치의 경우 그것이 통합된 '여성'이라는 단일한 정체성에 의존한 것이든, 여성들 간의 차이를 결정하는 계급·인종·섹슈얼리티·국가들 간 상호 교차성(intersectionality)의 결과로 구성된 여성 정체성에 의존한 것이든, 그 정체성으로 포착할 수 있는 불평등이나 억압의 형태는 제한된 것이다. 그뿐만 아니라 정체성의 정치가 초기에 성공적으로 저항할 수 있었던 권력의 형태가 점차 다양한 형태로 작동하는데(Gordon, 1991), 이러한 다양한 형태의 권력의 작동을 유연하게 추적하기에는 정체성의 정치가 지나치게 경직되어 있다. 결국 사회 구성원들이 수긍할 수 있는 기준에 따라 다양한 억압적 권력의 작동에 저항할 정치적 전략의 제시가 필수적인데, 이러한 형태의 전략으로 필자는 아고니즘(Agonism) 정치를 지목했다(조주현, 2012).

사회 구성원들의 다양한, 그리고 서로 상충하는 저항의 형태와 이러한 저항들을 통해 제시되는 사회적 목표와 효율성의 창의적 공간은, 소수 전문가들이 구체화시킨 사회적 논제들로 이루어진 공적 공간과 대비를 이룬다. 이러한 공적 공간을 견인하는 정체성의 정치는 그 경직성 때문에 후기 근대적 풍경에 익숙한 사회 구성원들의 호응을 끌어내기 어렵다. 정체성의 정치와 아고니즘 정치의 이러한 대비는 해러웨이가 페미니스트 입장론이 여성들의 삶의 위치를 선험적으로 특권화한다고 비판하고(Haraway, 1991b: 161), 페미니즘에서의 과학의 문제에 대해 "위치에 따른 합리성으로서의 객관성(objectivity as positioned rationality)"으로 표현하며 "과학은 종속된 자들의 지식의 특징인 혼란스러운 시선들과 새로운 전망을 제시하는 목소리들을 번역하고 연결하는 채무와 의무에 대한 신화"(Haraway, 1991c: 196)[6]라는 현란한 표현으로 지적한 것과 궤를 같이한다.

실천이론의 통찰은 거시 이론에서 도출된 추상적 원리로 사회적 목표를 설정하려 할 경우 그 목표는 필연적으로 시·공간적 한계에 부딪히게 됨을 보여준다. 특히 실천이론은 사회 구성원들의 다양한 목소리가 제공하는 창의적인 사회 변화의 가능성이 한없이 소중해진 후기 근대의 상황에서, 거시 이론의 원리가 내포하는 억압성은 그 원리가 가져다주는 실천적 효율성보다 더 큰 영향을 미친다는 점을 강조한다. 우리가 실천이론의 이러한 논리에 동의한다면, 페미니스트 인식론의 방향은 거시 이론의 원리들을 모색하는 대신 그러한 거시 이론의 사회적 목표를 결정하는 미시적 과정에 대한 분석으로 전환되어야 한다는 것을 깨닫게 된다. 미시적 과정에 대한 분석은 먼저 사회적 목표의 구성 과정을 결정하는 최소한의 기제를 밝히고, 이렇게 도출된 미시 이론에서 출발해 각각의 시·공간적 조건 아래 사회적 목표가 설정되거나 변화되는 과정에 대한 다양한 사례들을 분석하며, 그 사례 분석에서 얻은 자료들을 통해 새로운 효율적 사회의 구성을 상상하는 것이다. 이러한 관점에서 본다면, 페미니스트 정치학이 정체성의 정치에서 아고니즘 정치로의 전환을 모색하는 것처럼 페미니스트 과학기술학의 연구 또한 과학적 실천이 이루

---

6 원문은 다음과 같다. "Science becomes the myth not of what escapes human agency and responsibility in a realm above the fray, but rather of accountability and responsibility for translations and solidarities linking the cacophonous visions and visionary voices that characterize the knowledges of the subjugated"(Haraway, 1991c: 196).

어지는 이러한 미시적 과정에 대한 분석을 중심으로 진행되어야 한다는 결론에 이르게 된다. 그리고 이것이 해러웨이가 처음 열어 보인 길이기도 하다.

5. 맺으면서

앞에서 논의했듯이 페미니스트 인식론과 실천이론은 많은 부분에서 이론적 논의를 공유한다. 하지만 이 두 분야는 과학적 실천을 포함한 다양한 사회적 실천들에 대해 분명히 구분되는 문제의식을 갖고 있고 연구의 강조점도 확연히 구분되는 것이 사실이다. 예컨대 실천이론의 실용주의 계열 철학자들은 언어적 실천에 주목하면서 인간의 사회적 활동에 핵심 역할을 하는 언어가 어떻게 과학과 같은 엄밀한 지식 생산을 가능하게 하는지를 분석해왔다. 이들은 언어적 실천을 포함한 사회의 다양한 실천들이 구조적 안정성과 효율성을 보이게 되는 것은 결국 인간의 인식능력의 핵심인 규범적 판단 능력 때문인 것으로 설명한다. 즉, 실천이론 계열 철학자들의 관심사는 어떻게 다양한 사회적 실천들이 외부의 설계자나 조종자의 도움 없이 스스로 안정성과 효율성을 달성할 수 있는가에 대한 것이다.

반면에 페미니스트 인식론자들의 관심사는 일견 확고한 진리로 보이는 과학이나 사회적 제도, 규범, 관습과 같은 사회적 실천들이 사실상 역사적 우연의 결과이거나 부당한 권력의 작동으로 유지되고 있음을 밝히는 것이다. 페미니스트 인식론자들의 이러한 문제의식은 마르크스주의자나 비판이론가들뿐 아니라 부르디외(Pierre Bourdieu), 푸코(Michel Foucault), 기든스(Anthony Giddens), 가핑클(Harold Garfinkel) 등 사회과학 계열의 실천이론가들이나 쿤 등의 과학사학자들과도 공유하는 것이며, 페미니스트 이론이 이들의 영향을 많이 받은 것도 바로 이러한 문제의식의 공유 때문이다. 페미니스트들을 포함한 이들 사회과학 계열의 실천이론가들에게 지식의 사회적 구성성이나 실천성은 확연한 것이며, 이들의 문제의식은 그 지식에 작동하는 지배 권력의 효과를 어떻게 하면 최소화할 수 있는가이다. 이렇듯 실천은 철학적 실천이론이 주목한 실천의 구조적 안정성과, 페미니스트 인식론을 포함한 사회과학 계열의 실천이론이 주목한 실천의 변화 가능성이라는 서로 상반되는 두 측면을 갖고 있다. 그러므로 과학적 실천을 포함한 모든 사회적 실천은 이 두 측면 간의 적절한 균형에 의해서만 설명될 수 있다고 결론지을 수 있다.

실용주의 계열의 분석철학자인 로버트 브랜덤은 이렇듯 일견 상호 모순되어 보이는 실천의 두 측면이 그 실천에 속하는 구성원들의 규범적 판단을 통해 나타나는 것임을 분명히 보여준다(Brandom, 2013). 먼저 구성원들의 규범적 판단을 계보학적으로 보게 되면, 자신과 다른 구성원들의 행위에 대한 판단은 구성원 모두가 공유하는 삶의 방식들에 의해 결정되는데, 그 삶의 방식은 다양한 권력관계들에서 초래된 불평등·편견·차별 등이 언제나 작동될 여지가 있는 것이다. 그 결과, 그러한 삶의 방식의 영향을 받는 구성원들의 판단으로 유지되는 실천은 비효율적이고 비합리적인, 불평등한 것이 될 수 있다. 푸코가 섹슈얼리티의 분석을 통해 잘 보여주듯이 이러한 사회적 실천들은 구성원들의 판단 행위 속에 분산된 상태로 유지되는 것인 반면에, 그 구성원들의 판단을 결정하는 삶의 방식은 과학적 지식과 같은 다양한 실천의 산물들에 의해 결정되는 재귀적 체계로 작동하고 있기 때문에, '왕의 목을 베는' 식의 결집된 집단적 저항은 효율성을 발휘하기 어렵게 되고 결국 "모든 것이 위험하다"는 결론에 이르게 된다(Foucault, 1976). 그러나 브랜덤에 따르면 이 같은 계보학적 읽기는 사회의 비효율적 실천들이 왜 지속되는지를 밝히는 데는 효과적인 방법이지만, 언어·법·시장경제와 같은 효율적 실천들이 왜 지속되는지를 밝히는 데는 설명력이 떨어지는 방법이다. 그에 따르면, 효율적인 실천들에서 나타나는 구조적 안정성은 구성원들이 그 실천을 결정하는 삶의 방식들 중에서 '관대한 읽기(the hermeneutics of magnanimity)'를 통해 실천의 핵심적인 부분을 끊임없이 합리적으로 재구성하기 때문이라고 주장한다(Brandom, 2013).

결국 어떤 효율적인 사회적 실천이 구성원들의 '관대한 읽기'를 통해 끊임없이 재생산되거나 창의적으로 변화하는 과정을 거칠 것인지, 아니면 그 사회적 실천을 '하인의 관점'으로 읽어내 효율성을 유지하지 못하게 될 것인지는, 또는 어떤 비효율적 실천이 비열한 읽기를 통해 유지·강화될 것인지, 아니면 계보학적 해석에서 시작된 저항으로 그 비효율적 실천이 소멸될 것인지는, 각 구성원이 내리는 판단의 순간에 결정된다. 사회적 실천이 어떻게 변화하는지 또는 변화할 수 있는지에 대한 브랜덤의 이런 해석에 우리가 동의한다면, 사회변혁을 추구하는 페미니스트 이론은 판단의 순간에 작동하는 개개인의 행위성과 그 행위성의 조건을 결정하는 다른 실천들이 어떻게 결합해야 가장 효율적인 사회적 실천이 생성·유지·변화될 수 있는지에 대한 것으로 그 관심사를 이동해야 한다는 결론에 이르게 될 것이다. 해러웨이(Haraway, 1997)가 사이보그, 유색인 여성, 뱀파이어, 여성인간ⓒ(the femaleman ⓒ), 앙코마우스 TM(Oncomouse TM) 등의 은유들을 통해 재현하려 했던 것도 결국 개개인의 판단 행위가 잘 이루어지는 조건들에 관한 것이었다고 생각한다.

개개인이 이상적인 판단 행위를 할 수 있는 조건에 대해 페미니스트 인식론자들이 제시하는 전략은 하버마스(Jürgen Habermas)의 '이상적 대화 상황 (ideal speech situation)'의 조건들과 유사하다.[7] 하지만 이상적 판단 행위를

---

7 철학적 실천이론가들의 경우 이상적 판단 행위를 할 수 있는 조건에 대한 언급을 거의 하지 않는데, 그러한 조건은 결국 공동체의 삶의 방식 전체에 의존하기 때문에 이에 대해 도식적인 체계를 도출하려는 작업 자체가 적절하지 않다고 본 탓일 것이다. 결국 개개인이 이상적 판단 행위를 할 수 있는 조건은 철학적 문제라기보다는 사회적이거나 정치적인 문제라고 할 수 있다.

할 수 있는 이상적인 공적 공간의 조건은 현실적으로 불가능할 수 있으며, 설령 그러한 조건이 설정된다 하더라도 잘못된 판단이 이루어질 가능성은 언제나 존재한다. 그러므로 이상적인 전략은 이상적 판단 행위를 통해 통합된 의견을 도출하려는 과도한 목표 의식 대신에, 잘못된 판단을 했을 경우 언제든지 그것을 시정할 수 있는 이상적 공간의 유지 자체가 목표가 되어야 한다는 것을 알 수 있다(조주현, 2012). 론지노가 "관점의 다양성은 생동감 넘치고 인식론적으로 효과적인 비판 담론을 위해 꼭 필요하다"고 지적했듯이(Longino, 2001: 131; Stanford Encyclopedia of Philosophy, 2013에서 재인용), 사회적 실천의 효율적 작동을 위해서는 관점의 다양성을 유지하려는 이 같은 노력이 반드시 강조되어야 한다.

페미니스트 정치학은 기존의 비효율적인 실천들의 불평등을 시정했던 바로 그 정체성의 정치가 다시 다양한 관점들의 등장을 막으면서 새로운 불평등의 기원이 되거나 비효율적으로 변하는 상황을 막아야 한다. 그것은 젠더 정치의 결집력이 가지는 유혹이 아무리 크더라도 젠더를 포함한 인종·계급·국가·지역과 같은 익숙한 다양성들뿐 아니라 앞으로 끝없이 다양하게 펼쳐 나갈 새로운 다양성들에도 열린 태도를 가져야 한다는 것을 뜻한다. 필자는 이것이 바로 해러웨이가 사이보그 선언에서 처음 열어 보였던 길이고 해러웨이를 다른 페미니스트 이론가들과 가장 차별화시킨 점이라고 생각한다.

현재 한국의 젊은이들은 비록 기형적이긴 하지만 가장 후기 근대적 삶에 가까운 형태를 보이고 있으며 각자는 다양한 방식으로 이러한 삶에 대응해가고 있다. 특히 지난 30여 년에 걸친 여성운동의 결과로, 특별히 대학에서 여성학을 수강하지 않고도 페미니스트 관점을 체득하게 된 젊은 여성들은 그들의 부모 세대를 좌절시키곤 했던 성차별을 다양한 방식으로 무력화하거나 희화화하는 시도를 하고 있다. 젊은 여성들의 이러한 시도들은 정체성의 정치를 주도해온 기존의 페미니스트들을 당혹시키는 신여성성의 핵심적 특징이다. 물론 신여성성으로 분류되는 행위 중에는 퇴행적일 수 있는 행위들이 있는 것도 사실이다. 그러나 젠더 정치 자체가 새로운 형태의 위계적 체계가 되어 새롭고 창의적인 삶을 구상할 여성들의 공간을 축소시킬 가능성에 대해서도 경계할 필요가 있다. 실천이론의 분석 틀이 더욱 정교해져서 신여성성으로 불리는 젊은 세대의 창의적인 공간이 진정한 사회적 효율성을 이루는 시발점 역할을 할 수 있음을 증명해주길 기대한다. 해러웨이의 다양한 은유들은, 이들의 이러한 시도가 궁극적으로는 불평등한 실천을 계보학적으로 해체하도록 할 뿐 아니라 하인의 관점으로 폄하되던 실천을 '관대한 읽기'를 통해 효율적 실천으로 거듭나도록 하는 데 훌륭한 길잡이가 되어줄 것이다.

참고문헌

김애령. 2014. 「사이보그와 그 자매들: 해러웨이의 포스트휴먼 수사 전략」. ≪한국여성철학≫, 21, 68~94쪽.

민가영. 2009. 「신자유주의의 질서의 확산에 따른 십대 여성의 성적 주체성 변화에 관한 연구」. ≪한국여성학≫, 25(2), 5~35쪽.

박형욱. 2013. 「노쇠한 사이보그: 〈공각기동대〉로 본 노화와 과학기술」. ≪과학기술학연구≫, 13(1), 41~76쪽.

박혜경. 2009. 「한국 중산층의 자녀교육 경쟁과 '전업 어머니' 정체성」. ≪한국여성학≫, 25(3), 5~33쪽.

배은경. 2009. 「'경제 위기'와 한국 여성: 여성의 생애전망과 젠더/계급의 교차」. ≪페미니즘 연구≫, 9(2), 39~82쪽.

신경아. 2013. 「'시장화된 개인화'와 복지 욕구(welfare needs)」. ≪경제와 사회≫, 98, 266~303쪽.

오치아이 에미코(落合惠美子). 2013. 「21세기 초 동아시아의 가족과 젠더 변화의 논리」. 조주현 엮음. 『동아시아 여성과 가족 변동』. 계명대학교 출판부.

이지언. 2012. 「과학기술에서 젠더와 몸 저치의 문제: 다나 해러웨이의 사이보그 페미니즘을 중심으로」. ≪한국여성철학≫, 17, 97~122쪽.

장경섭. 2009. 『가족·생애·정치경제: 압축적 근대성의 미시적 기초』. 창비.

정연보. 2013. 「상대주의를 넘어서는 '상황적 지식들'의 재구성을 위하여: 파편화된 부분성에서 연대의 부분성으로」. ≪한국여성철학≫, 19, 59~83쪽.

조주현. 1998. 「페미니즘과 기술과학: 대안적 패러다임 모색을 위한 해러웨이 읽기」. ≪한국여성학≫, 14(2), 121~151쪽.

_____. 2006. 「난자: 생명기술의 시선과 여성 몸 체험의 정치성」. ≪한국여성학≫, 22(2), 5~40쪽.

_____. 2012. 「후기근대와 사회적인 것의 위기: 아고니즘 정치의 가능성」. ≪경제와 사회≫, 95, 163~189쪽.

_____. 2013. 「실천이론에서 본 페미니스트 인식론: 여성학적 지식생산의 재검토」. ≪여성학연구≫, 23(2), 7~42쪽.

_____. 2014. 「사회적 실천은 어떻게 변하는가?: 후기근대 사회에서의 정체성의 정치와 아고니즘 정치」. 2014 전기 사회학대회 이론 세션 발표문(2014.6.21).

콜린스, 퍼트리샤 힐(P. H. Collins). 2009. 『흑인 페미니즘 사상』. 박미선·주해연 옮김. 여이연.

쿤, 토머스(T. Kuhn). 2002. 『과학혁명의 구조』. 김명자 옮김. 까치글방.

하딩, 샌드라(S. Harding). 2002. 『페미니즘과 과학』. 이재경·박혜경 옮김. 이화여자대학교 출판부.

_____. 2009. 『누구의 과학이며 누구의 지식인가?: 여성들의 삶에서 생각하기』. 조주현 옮김. 나남.

하정옥. 2008. 「페미니스트 과학기술학의 과학과 젠더 개념: 켈러, 하딩, 해러웨이의 논의를 중심으로」. ≪한국여성학≫, 24(1), 51~82쪽.

_____. 2012. 「새로운 임신 기술과 '위험', 그리고 아픈 아이들: 보조생식술 결과의 국제비교를 중심으로」. ≪가족과 문화≫, 24(2), 138~181쪽.

해러웨이, 도나(D. Haraway). 1997. 「사이보그를 위한 선언문: 1980년대에 있어서, 과학, 테크놀러지, 그리고 사회주의 페미니즘」. 홍성태 엮음. 『사이보그, 사이버컬처』. 문화과학사.

_____. 2002. 『유인원, 사이보그, 그리고 여자: 자연의 재발명』. 민경숙 옮김. 갈무리.

_____. 2005. 『한 장의 잎사귀처럼, 사이어자 N. 구디브와의 대담』. 민경숙 옮김. 갈무리.

_____. 2007. 『겸손한 목격자: 페미니즘과 기술과학, @제2의_천년.여성인간ⓒ_앙코마우스TM를_만나다』. 민경숙 옮김. 갈무리.

현남숙. 2008a. 「여성, 사이보그 그리고 생태: 다나 해러웨이의 사이보그 페미니즘을 중심으로」. ≪사회 이론≫, 33, 87~110쪽.

_____. 2008b. 「해러웨이: 기술과학 안에서 전략적 장으로서의 물질-기호적 몸」. ≪시대와 철학≫, 19(3), 271~299쪽.

황임경. 2013. 「자기 방어와 사회 안전을 넘어서: 에스포지토, 데리다, 해러웨이를 중심으로 본 면역의 사회정치 철학」. ≪의철학연구≫, 16, 115~143쪽.

Brandom, R. 2013. "Reason, Genealogy, and the Hermeneutics of Magnanimity." Paper presented at the University of California at Berkeley — Howison Lectures in Philosophy (강의일: 2013.3.13).

Cartwright, N. 1999. *The Dappled World: A Study of the Boundaries of Science*. New York: Cambridge University Press.

Flax, J. 1983. "Political Philosophy and the Patriarchal Unconscious: A Psychoanalytic Perspective on Epistemology and Metaphysics." in S. Harding and M. B. Hintikka (eds.). *Discovering Reality: Feminist Perspectives on Epistemology, Methodology and Philosophy of Science*. Dordrecht: Reidel.

Foucault, M. 1976. *The History of Sexuality, Vol. 1: Introduction*. New York: Vintage.

Gordon, C. 1991. "Governmental Rationality: An Introduction." in B. Burchell, C. Gordon and P. Miller(eds.). *The Foucault Effect: Studies in Governmentality*. Chicago: The University of Chicago Press.

Haraway, D. 1989. "The Bio-politics of a Multicultural Field." *Primate Visions; Gender, Race, and Nature in the World of Modern Science*. New York: Routledge.

_____. 1991a. "Introduction." *Simians, Cyborgs, and Women: The Reinvention of Nature*. New York: Routledge.

_____. 1991b. "A Cyborg Manifesto." *Simians, Cyborgs, and Women: The Reinvention of Nature*. New York: Routledge.

_____. 1991c. "Situated Knowledges: The Science Question in Feminism and the Privilege of Partial Perspective." *Simians, Cyborgs, and Women: The Reinvention of Nature*. New York: Routledge.

_____. 1997. *Modest_Witness@Second_Millennium.FemaleMan©_Meets_OncoMouseTM: Feminism and Technoscience*. New York: Routledge.

Harding, S. 1986. *The Science Question in Feminism*. Ithaca: Cornell University Press.

Hartsock, N. 1983. "The Feminist Standpoint: Developing the Ground for a Specifically Feminist Historical Materialism." in S. Harding and M. B. Hintikka(eds.). *Discovering Reality: Feminist Perspectives on Epistemology, Metaphysics, Methodology and Philosophy of Science*. Dordrecht: Reidel.

Hekman, S. 1997. "Truth and Method." *Signs*, 22(2), pp.341~365.

Longino, H. E. 1990. *Science as Social Knowledge*. New Jersey: Princeton University Press.

_____. 2001. *The Fate of Knowledge*. New Jersey: Princeton University Press.

Mitchell, S. 2003. *Biological Complexity and Integrative Pluralism*. Cambridge: Cambridge University Press.

Nelson, L. H. 1990. *Who Knows: From Quine to a Feminist Empiricism*. Philadelphia: Temple University Press.

Rose, H. 1984. "Is a Feminist Science Possible?" Paper presented to the Technology and Culture Seminar at MIT(April 1984).

Rouse, J. 2002. *How Scientific Practices Matter*. Chicago: University of Chicago Press.

Smith, D. 1979. "A Sociology for Women." in J. Sherman and E. Beck(eds.). *The Prism of Sex: Essays in the Sociology of Knowledge*. Madison: University of Wisconsin Press.

Stanford Encyclopedia of Philosophy. 2011. "Feminist Epistemology and Philosophy of Science." http://plato.stanford.edu/entries/feminism-epistemology(검색일: 2014.9.6).

＿＿＿. 2013. "Feminist Social Epistemology." http://plato.stanford.edu/entries/feminism-epistemology(검색일: 2014.9.6).

15

앨리 혹실드의 일상의 해부

/

'감정노동'부터 '아웃소싱 자아'까지

함인희

1. 들어가는 말: 앨리 혹실드에 주목하는 이유

앨리 혹실드(Arlie Hochschild)는 현재 학계 전문가와 일반 대중을 동시에 독자로 확보하며 활발히 활동 중인 소수의 공공 사회학자(public sociologists) 중 한 사람이다.

오늘 우리가 혹실드에 주목해야 하는 이유는 무엇보다 그녀 덕분에 우리의 삶을 분석하고 해석하는 데 활용할 수 있는 개념이 풍성해졌기 때문이다. 혹실드가 새롭게 명명한 '감정노동(emotional labor)', '2교대제(second shift)', '정체된 혁명(stalled revolution)', '시간 압박(time bind)' 등은 대표적 사례이며, '글로벌 돌봄 연쇄(global care chain)', '아웃소싱 자아(outsourced self)'도 최근 이 리스트에 추가되고 있다.[1] 혹실드가 창안한 개념들이 더욱 신선하게 다가오는 것은, 일상 속에서 '당연시해왔던 현상'을 여성 사회학자 특유의 민

---

1   이 글에 등장하는 개념은 한국 사회학계에서 주로 통용되는 한국어 번역을 사용한다.

감하면서도 예리한 시선으로 포착하고 있기 때문이다. 그 덕분에 사회학 연구의 지평이 더욱 확대되고 사회학이 일반 대중에게도 친숙하게 다가갈 수 있는 계기를 마련해주었다는 평가가 가능할 것이다.

주목해야 하는 두 번째 이유는 혹실드가 연구 대상에 접근해가는 특유의 연구방법과 관련된다. 혹실드가 주로 활용하는 질적 연구방법은 사회학적 상상력과 문화인류학적 치밀함이 균형을 이룸으로써, 개인적 차원의 고민을 사회구조적 차원의 이슈로 인식하는 방식을 생생히 포착하는 동시에, 개인의 일상적 행위 속에 글로벌 시장 자본주의가 어떻게 교차하고 있는지 또한 면밀하게 탐색한다. 쉽게 자신의 모습을 드러내지 않는 연구 대상의 일상성과 자연스러움을 극복하기 위해 혹실드는 1년 이상의 참여 관찰과 오랜 시간의 심층 면접을 끈기 있게, 때론 집요하게 수행한다. 혹실드 자신도 기회가 있을 때마다 찰스 라이트 밀스(Charles Wright Mills)의 '사회학적 상상력'에서 많은 영감을 받고 있음을 밝힌다.

사회학자로서 전문성을 토대로 대중과의 소통에 탁월한 역량을 발휘한다는 점도 혹실드의 미덕 중 하나이다. 혹실드의 문장은 독자의 시선을 끌기에 충분할 만큼 편안하고 유려하면서도 사회학적 풍미를 가득 담고 있다. 그 덕분에 깊게 공감하며 무릎을 칠 수 있는 대목을 자주 발견하는 기쁨을 경험하게 될 것이다.

혹실드는 가족과 젠더 연구를 이끄는 대표적 사회학자이기도 하지만, 후학들에게 훌륭한 역할 모델이 되기도 한다. 두 아들의 엄마라는 정체성과 전형적인 남성 중심 조직이라 할 버클리대 사회학과 교수라는 정체성을 성공적으로 통합하기까지 자신이 경험해온 다양한 종류의 긴장과 갈등, 위기와 좌절, 분노와 절망 등을 솔직히 공유함으로써, 어떠한 사회적 역할을 담당하든 그것은 수동적으로 수행되는 것이 아니라 적극적으로 구성되는 과정의 산물임을 몸소 실천해 보여준다.

일상을 분석하고 해부함에 풍성한 개념 도구를 제안해온 동시에 예리한 통찰력을 가미해온 혹실드의 학문적 여정을 탐색하고자 하는 이 글은 2절에서 혹실드의 생애와 업적을 간략히 소개하고, 3절에서는 시간의 흐름을 따라 혹실드가 애정과 열정을 모아 작업한 연구 성과의 내용과 의미를 정리하려 한다. 여기에는 1983년 발표된 『감정노동(The Managed Heart: The Commercialization of Human Feeling)』[2]에서부터 시작해 2012년 간행된 『아웃소싱 자아(The Outsourced Self: Intimate Life in Market Times)』[3]에 이르기까지 혹실드가 지나온 학문적 여정이 포함될 것이다. 혹실드는 『2교대제(The Second Shift: Working Parents and the Revolution at Home)』[4]나 『시간 압박(The Time Bind)』[5]의 경우처럼 자신이 집중해온 연구 주제를 한 권의 책으로 출판한 경우도 있지만, 『감정노동』이나 『아웃소싱 자아』를 위시해 대부분의 저술은 학술지 논문을 통해 부분적이고 파편적으로 탐색해온 주제들을 통합해

---

2   한국에서는 『감정노동: 노동은 우리의 감정을 어떻게 상품으로 만드는가?』라는 제목으로 2009년에 번역·출간되었다. 이 책은 2003년 1차, 2012년 2차 수정판을 발행했다. 한국어판 외에도 독일어, 일본어, 중국어, 그리고 폴란드어로도 번역·출간되어 세계 무대에 혹실드의 이름을 알리는 계기가 되었다.

3   이 책은 한국에서 2013년에 『나를 빌려 드립니다』라는 제목으로 번역·출판되었고, 중국, 스웨덴, 폴란드에서도 번역·출판되었다.

4   이 책은 한국에서 2001년에 『(돈 잘 버는 여자) 밥 잘 하는 남자』라는 제목으로 번역·출판되었다. 대중심리학 또는 자기계발서 같은 느낌의 제목을 선정한 이유가 궁금하다. 이 책은 2003년과 2011년에 서문 수정판이 나왔고, 독일, 일본, 네덜란드, 아랍권, 영국에서도 번역본이 출판되었으며, 2012년에는 미국에서 후기를 수정한 보급판이 출간되었다.

5   원제는 *The Time Bind: When Work Becomes Home and Home Becomes Work*로 미국에서 1판은 5만 부를 인쇄했다. 사회과학서인 점을 감안하면 혹실드의 대중적 인기를 짐작케 하는 부수이다. 이어 새로운 서문과 더불어 보급판이 출판되었다. 이 책은 ≪뉴욕 타임스 매거진(New York Times Magazine)≫의 커버스토리로 소개되기도 했고, ≪네이션 앤드 워킹 유에스에이(The Nation and Working USA)≫에 요약·소개되기도 했으며, 학술서 오디오 법인에서 오디오북으로 출시되기도 했다. 독일어와 네덜란드어 번역본도 있다.

한 권의 책으로 정리하는 관행을 이어오고 있음이 주목된다.

『감정노동』에서 시작된 혹실드의 학문적 여정은 『2교대제』와 『시간 압박』에 이르는 동안은 '산업 시간(industrial time)'이 '가족 시간(family time)'을 압도함으로써 가족이 시장 자본주의에 희생되는 측면을 섬세하면서도 예리하게 비판한다. 이후 『글로벌 여성(Global Woman: Nannies, Maids, and Sex Workers in the New Economy)』, 『친밀한 삶의 상품화(The Commercialization of Intimate Life)』[6]와 『아웃소싱 자아』에 이르기까지는 글로벌리제이션(globalization)이 우리 일상을 구조화하는 방식을 세밀하게 규명함으로써 이주의 여성화가 글로벌 돌봄 연쇄를 동반하고 이로 인해 '숨겨진 희생자'가 파생됨에 주목하는 동시에, 〈구글 베이비(Google Baby)〉에서부터 장례 대행업에 이르기까지 삶의 모든 내밀한 영역에 침투하는 상품화를 경계의 눈초리로 조망한다. 4절에서는 이러한 혹실드의 학문적 여정이 한국의 가족과 젠더 연구에 어떠한 영향을 미치는지 그 함의를 간략하게 살펴보려 한다.

2. 앨리 혹실드의 생애와 업적

1942년에 미국에서 출생한 혹실드는 1962년에 스와스모어 칼리지를 졸업한 후, 1965년에 UC 버클리 대학교에서 사회학 석사 학위를, 그리고 1969년에 동 대학원에서 사회학 박사 학위를 받았다. 학위를 끝마친 직후 UC 산타

---

6 원제는 *The Commercialization of Intimate Life: Notes from Home and Work*로 이 책은 통상적인 편저(editing book)가 아니다. 지난 25년간 발표했던 글을 모아 편찬한 것으로 일부 내용상의 중복이 있지만 각각 완성도 높은 글들로 짜여 있다. 사회학 전반에 통찰력을 제공해주는 책으로서 유려한 문체를 장점으로 하는 격조 있는 책이다. 이탈리아, 스페인, 오스트레일리아에서 번역·출간되었다.

크루스 대학의 조교수를 거쳐 1971년에 모교인 UC 버클리 대학 사회학과 조교수로 임용되었다. 모교 출신 교수의 임용이 상대적으로 희소한 미국에서 1970년대 초반에, 더욱이 여성으로서 모교 교수에 임용되었다는 사실은, 이미 그녀가 사회학자로서의 탁월한 역량과 충분한 잠재력을 인정받았음을 의미한다고 볼 수 있을 것이다.

혹실드는 1983년 이후 현재까지 UC 버클리 대학 사회학과와 동 대학원의 정교수로 재직 중이다. 남편 애덤 혹실드(Adam Hochschild)와 사이에 두 아들을 두고 있다.

혹실드는 공공 사회학자로서의 풍성한 업적과 왕성한 활동에 힘입어 1993년 스와스모어 칼리지를 필두로 2000년 노르웨이의 오슬로 대학, 2004년 덴마크의 올보르 대학, 2012년 핀란드의 라플란드 대학, 그리고 2013년 캐나다의 마운트세인트빈센트 대학에서 명예박사 학위를 수여받았다.

특기할 만한 수상 경력으로는 1983년 『감정노동』 출판으로 미국사회학회에서 찰스 쿨리(Charles Cooley) 상과 찰스 라이트 밀스 상을 동시에 수상했고, 2000년에는 사회학을 대중에게 널리 알린 공로를 인정받아 미국사회학회로부터 특별상을 수상한 바 있으며, 2001년에는 미국사회학회 분과 학회인 감정사회학회로부터 공로상(Lifetime Achievement Award)을 받았다. 2007년에는 앤드루 멜런 재단으로부터 석좌교수상을 받았고, 2008년에는 다시 『2교대제』, 『시간 압박』, 『글로벌 여성』을 출판한 공로로 미국사회학회로부터 제시 버나드(Jessie Bernard) 상을 수상하는 영광을 누렸다. 2012년에 출판된 『아웃소싱 자아』는 미국의 권위 있는 잡지 ≪퍼블리셔스 위클리(Publisher's Weekly)≫가 선정한 '올해의 도서'로 선정되기도 했다.

1973년에 출간한 박사 학위논문 『뜻밖의 공동체(The Unexpected Community)』를 필두로 지금까지 8권의 저서를 출판했고, 저서의 대부분은 다수의 독자들을 겨냥한 보급판(paperback)으로 출간되는 행운을 누리기도 했다.

1974년에는 특이하게도 어린이를 위한 동화책[7]을 펴낸 경력도 있다.

저서 이외에도 주요 학술지에 발표한 논문과 논문들을 모아 편집한 책의 챕터로 발표한 글이 2013년 현재까지 40여 편에 이르고, ≪뉴욕타임스(New York Times)≫, ≪아메리칸 프로스펙트(American Prospect)≫ 등 영향력 있는 시사지에도 활발한 기고 활동을 하고 있다.

유럽 무대에서도 환영받는 강연자로서의 지위를 구축해가고 있는 혹실드는 2014년에 이탈리아 토리노 대학 초청을 받아 '정체성과 정치(Identity and Politics)'를 주제로, 밀라노 대학에서는 '시장의 모서리에서 경계를 주시하기(Boundary Watch at the Market's Edge)'라는 제목으로 강연을 진행했다. 2013년에는 오스트레일리아 시드니에서 열린 '위험한 생각의 축제(Festival of the Dangerous Thinking)'에 초대되어 '위험한 아웃소싱, 농담인가요?(Outsourcing Dangerous, Are You Kidding?)'를 주제로 기조연설을 했다. 같은 해 스웨덴 노르셰핑에서 개최된 국제 학술대회에서는 '이주와 이동의 시대 가족의 삶(Family Life in the Age of Migration and Mobility)'을 주제로 기조강연을 한 바 있다.

미국에서는 2014년에 『2교대제』 출판 25주년을 기념해 열린 '일·가족 리서치 네트워크' 국제 학술대회에서 '우리는 이제 정체된 혁명으로부터 벗어났는가?(Now, Have We Escaped From The Stalled Revolution?)'를 주제로 기조발제를 수행했다.

혹실드는 삶과 밀착되어 있는 연구 주제를 찾아나서는 일에 충실했던 여성 사회학자로서 진부한 결과나 상식적 수준의 해석에 머무르기보다 '사회학적 상상력'의 진수를 실천하기 위해 노력해온 사회학자임이 분명하다. 자신의 연구 성과를 대중과 나누는 데 탁월한 재능을 발휘해온 그녀의 학문적 여

---

7   A. Hochschild, *Coleen the Question Girl* (The Feminist Press, 1974).

정이 어떤 경로를 거쳐왔는지 그 자취를 따라가보자.

3. 앨리 혹실드의 학문적 여정 탐색

1) 감정사회학의 선두 주자: 『감정노동』

혹실드의 학문적 여정은 감정사회학에서 시작되었다고 할 수 있다. 고전 사회학의 전통 안에서 감정 연구의 위상은 주변적 지위[8]를 벗어나지 못했으나, 1970년대 후반에 들어서면서 감정의 사회적 중요성을 인정하지 않던 정통 이론에 대해 반론이 제기되기 시작했다. 대표 주자인 랜들 콜린스(Randall Collins)를 필두로(Collins, 1975), 1980년대 중반에 이르면서 감정은 사회학적 담론의 주요 범주 가운데 하나로 자리매김되었다는 평가를 받고 있다.[9]

---

8 감정 연구가 사회학 영역 안에서 주변화되는 동안에도 감정의 사회적 중요성과 의미를 간파한 일군의 학자들이 있다. 대표적 예로는 '정취(sentiment)'를 주요한 사회 범주로 설정한 조지 호먼스(George Homans), 후기 자본주의 사회에서 감정을 관리하면서 동시에 감정을 상품으로 판매해야만 하는 화이트칼라직의 출현에 주목한 찰스 라이트 밀스, 그리고 미국 사회학계에서 독특한 위상을 점하고 있는 어빙 고프먼(Erving Goffman) 등을 들 수 있다(Homans, 1950; Mills, 1956; Goffman, 1959, 1967). 일례로 "화이트칼라 노동자들은 시간과 에너지뿐만 아니라 자신의 인격도 함께 판다. 그들은 미소와 친절한 몸짓을 파는 대신 분노와 공격성은 즉각 억눌러야 한다. 이들이 표현하는 친밀감은 기업의 이윤 추구에 좀 더 효율적이고 유리한 요소"(Mills, 1956: xvii)라는 밀스의 주장 속엔 이미 감정노동에 대한 인식의 단초가 담겨 있다. 다만 밀스는 상거래 과정에서 발생하는 감정의 교환을 본격적 주제로 탐색하기보다는, 합리성의 본질이 변화하고 있음을 화두로 삼아 합리성의 자리가 개인에서 관료적 사회제도로 이행해가는 상황에 관심을 두었다. 그 대신 상품화된 감정과 감정 관리는 그 자체로 비합리성 영역에 포함된다고 봄으로써 당대 지식 풍토의 한계를 그대로 노출하고 있기도 하다(함인희, 2003).

9 1986년 미국사회학회 내에 감정사회학 분과가 창설되었고, 뒤를 이어 1990년에는 영국사회학회 내에 감정사회학 분과가 결성되었으며, 1992년부터는 오스트레일리아 사회학회

혹실드의 『감정노동』은 테오도르 켐퍼(Teodore Kemper)의 『감정의 사회적 상호작용론(A Social Interactional Theory of Emotions)』(1978), 노먼 덴진 (Norman Denzin)의 『감정의 이해(On Understanding Emotion)』(1984)와 더불어 감정사회학 분야 3대 저서 중 하나로 꼽힌다.

혹실드는 사회학 연구에서 감정(emotion)[10]에 대한 관심이 증가하게 된 이유로 감정, 감성, 정서가 차지하는 비중이 우리 삶에서 적지 않다는 데 대한 자각과 더불어, 합리적·계산적 행위 못지않게 타인을 향한 정서적 애착이나 감정적 몰입이 매우 중요한 자리를 차지한다는 인식에 힘입은 바 크다고 본다(Hochschild, 1979, 1983, 1990).

1983년에 출판된 『감정노동』은 혹실드가 오늘날 누리는 명성을 허락한 최초의 저서라 할 수 있다. 이 책의 주제는 한국어 번역판 부제가 명료히 포착한바, 자본주의 사회에서 점차 증가하는 서비스 노동이 우리의 감정을 어떻게 상품으로 만드는지를 다룬다. 『감정노동』은 "사회학적 상상력"(Mills, 1959)에 가장 충실히 의존하는 책으로, 이전까지 은밀한 '사적 영역'에 갇혀 있던 감정 속에 투영되는 사회구조적 요소를 예리하게 포착해낸다. 나아가 높은 수준의 '감정노동'을 요구받을 때 노동자가 경험하게 되는 비용과 희생의 내용이 무엇인지에 대해 선구적 문제 제기를 하고 있다.

혹실드에 따르면 개인은 일상 속에서 '감정 규칙(feeling rules)'에 따라 자신들의 감정을 규제하고 통제하려 시도한다. 적정 수준의 감정 표현은 인간의 사회적 상호작용 자체에 통합되어 있는 구성 요소이며, 각각의 문화는 사회적 교환 과정에서 감정이 어떤 방식으로 표현되고 규제되는지를 정교하게

정기 학술대회에 감정사회학 패널이 시작되었다.

10 영어 'emotion'을 우리말로 번역하기는 간단치 않다. 일반적으로 'emotion'을 표현할 때는 '감성', 구체적 'emotion'을 언급할 때는 '감정', 그리고 다소 포괄적 의미에서 중립적 의미를 부각시키고자 할 때는 '정서'라는 표현이 사용되는 듯하다.

관리한다는 것이다. 이때 '감정 규칙'은 언제 어디서 어떻게 감정을 '느껴야 하는지' 정보를 제공해준다(Hochschild, 1979).

이들 감정 규칙에 따라 사회가 기대하는 감정을 표현하기 위한 노력이 노동과 결합될 때 바로 '감정노동'이 출현하게 되는데, 감정노동은 감정을 피상적으로 시연하는 것(surface acting) 이상을 의미한다. 일례로 장례식장에서 우리에게 기대되는 행동은 단순히 슬퍼 보이는 것이 아니라, 실제로 슬픔을 경험해야만 한다는 사실과 유사한 논리다. 이는 행위자들의 '깊은 행동(deep acting)'을 요구하며, 이를 통해 개인은 다시 사회가 기대하는 바람직한 상태를 만들어내는 것이다.

지금까지 감정노동은 지극히 사적인 차원에서 개인들 사이에 이루어지는 교환으로 간주되었다. 그러나 감정 행동이 노동의 한 형태가 될 때, 곧 공감력이나 따스한 배려심과 같은 개인적 역량이 기업의 자산으로 활용될 때 어떤 일이 일어나는지에 주목한 혹실드의 공로로, 감정노동은 자본주의 시장경제의 필수불가결한 요소로 자리 잡게 되었다.

혹실드는 감정노동에 대한 고용주의 요구가 전형적이면서 극단적인 형태로 표출되는 대표적 직업으로서 비행기 승무원을 연구 대상으로 선택했다. 비행기 승무원을 대상으로 한 모든 트레이닝 프로그램 관찰 결과와 주요 항공사 내 모든 직급을 대상으로 한 심층 인터뷰 결과를 토대로, 혹실드는 감정노동의 현주소를 생생하게 서술한다. 실제로 비행기 승무원은 승객들 앞에서 어떤 느낌을 가져야 하는지조차 정교한 규정의 지시를 받으며, 승무원의 일거수일투족은 치밀하고도 견고한 모니터링에 노출되어 있음이 밝혀졌다(Hochschild, 1983, 1989c, 1993c).

승무원의 감정이 고용주에 의해 구입되고 이윤 창출에 활용되는 상품으로 변화하면서, 노동의 주체인 승무원 자신은 깊은 소외를 경험하게 되는데, 이때 개인이 부담하는 비용이 매우 높다는 사실에 혹실드는 주목한다. 사회가 기대하는 감정이 '시그널 기능'을 담당하고, 이 시그널 기능이 다시 개인의 사회적 자리를 규정하는 상황에서, 혹실드 연구에 등장하는 승무원들 대부분은 감정노동이 야기하는 높은 노동강도로 인해 '탈진' 상태에 있었고, 일부는 감정을 느끼는 능력 자체를 상실한 경우도 발견되었으며, 자신을 '어릿광대'로 인식하는 경우도 다수 발견되었다.

감정 관리가 젠더와 계급에 따라 달리 나타나면서 지위가 높아질수록 감정 표현도 존중받는다는 사실은 새로울 것이 없는 관찰이나, 감정노동을 요구하는 직업 중에 여성 직종이 많다는 사실에서 '미묘한 성차별'을 읽어내는 혹실드의 통찰력이 돋보인다.

혹실드의『감정노동』은 학계의 환영을 받기도 했지만 선구적 작업이 감당해야 하는 비판에 노출되기도 했다. 즉, 각 문화마다 '감정 규칙'이 존재한다는 사실은 신선한 출발점이지만, 감정이나 느낌과 관련된 규범은 지나치게 일반적이고 광범위해서 사회학적으로 의미 있는 설명 변수의 역할을 수행할 수 있을 것인지(Russell, 1991), 나아가 '감정 규칙' 개념은 개인의 정서적 경험을 규정하거나 일정한 방향으로 이끄는 기능을 담당하기엔 모호하기도 하고 모순적이기도 하다는 비판이 제기되었다.

더욱이 감정 규칙의 사회화와 관련된 혹실드의 논의 중 가족의 사회화 역할을 다루는 부분은 논의의 수준이 지나치게 일반적이고 충분한 깊이를 결여한다는 점에서 가장 불만스러운 부분으로 지적되었고, 계급별 사회화의 차이를 주제로 한 선행 연구 리뷰와 직업별 감정노동에 대한 요구가 다양하게 분화되는 현상을 연결하는 작업 또한 설득력이 떨어진다는 비판을 받고 있다.

그럼에도『감정노동』은 지금까지 인간의 사회적 존재양식 중 오래도록 간과되어온 차원을 정면으로 다루었다는 점, 노동의 본질을 이해하는 방식에 신선한 패러다임을 도입했다는 점, 보편성의 범주로 분류되었던 감정 또한 젠더와 계급에 따른 불평등에서 자유로울 수 없음을 간파한 점, 나아가 '관리되지 않는 감정(unmanaged feelings)'에 대해 강박적 집착이 진행되고 있음을 분석해낸 점 등은 향후 감정사회학자들에게 훌륭한 가이드라인을 제공해주었다는 평가가 가능할 것이다.

2) 정체된 혁명: 『2교대제』

앞서 『감정노동』이 학문 공동체에 속한 전문가들로부터 폭넓은 찬사를 받았다면, 1989년에 발표된 『2교대제』는 혹실드를 대중과 소통할 수 있는 공공 사회학자로 자리매김하는 데 일조했고, 이후 일·가족 균형을 주제로 한 연구의 대표적 준거 틀을 제공해주었다.

이제 '2교대제(Second Shift)'는 일상 대화에 자연스레 등장하는 상식적 용어가 되었고, 혹실드의 공헌 덕분에 여성이 노동시장에 참여하게 된다면 남편이 가사와 자녀 양육을 기꺼이 분담할 것이라는 기대는 나이브한 환상에 불과함이 밝혀졌다. 맞벌이 부부의 '일·가족 균형'을 주제로 한 20여 년의 연구 결과는, '여성 대부분은 사무실과 공장에서 1교대제 근무를 하고 집에 돌아와 2교대제 근무를 한다'는 사실로 요약된다. 일·가족 균형의 완성이란 혁명을 꿈꾸었으나 결과는 오도 가도 못한 채 '정체된(stalled)' 상태라는 것이 혹실드의 주장이다. 그녀는 '정체된 혁명' 개념을 손에 들고 맞벌이 부부의 일·가족 균형을 위한 혁명이 왜 지연되는지 그 원인을 찾아나선다.

혹실드는 경제학이든 심리학이든 그 어떤 이론도 남녀 간 성 역할을 둘러싸고 다양한 성향(orientation)이 존재함을 명확히 해명해주지 않는다고 본다. 일례로 왜 어떤 남편은 부인이 부엌에서 정신없이 일하는데 자신은 한가하게 소파에 앉아 신문을 읽는지, 왜 다른 남편은 부인의 식사 준비를 기꺼이 돕는지에 대해 제한된 힌트만을 제공해줄 뿐 충분한 설명을 제공하지 못한다는 것이다.

이들 남녀의 상반된 행동양식을 설명하기 위해서는 개인행동에 영향을 미치는 다섯 가지 주요인 간의 복잡한 상호작용을 충실히 설명할 수 있는 메타이론이 필요하다는 것이 혹실드의 제안이다. 그 다섯 가지는 '깊은 감정(deep emotion)'이 닻을 내리는 어린 시절 유아기의 경험, 신념과 자아 개념을 구성하는 청소년기의 경험, 자아상을 공고히 하기도 하고 부식시키기도 하는 노동의 경험, 배우자와 함께 나누는 운명적 결혼 생활의 경험, 그리고 개인의 자아 개념과 사회의 규범적 질서 사이에서 비교 기준을 제공하는 문화적 신념을 의미한다고 본다(Hochschild, 1973c, 1989a).

이들 다섯 가지 요인[11]을 혹실드는 개인의 '젠더 전략(gender strategy)'이라는 우산 안으로 끌어들인다. 단, 젠더 전략은 이토록 복잡한 상호작용의 산물이기에 쉽게 노출되지 않는다. 심지어 전략을 선택하는 여성과 남성 자신에게도 투명하게 드러나지 않는다. 따라서 젠더 전략 연구는 임상적 관찰에 근접하는 특별한 접근 방식을 필요로 하는바, 종전의 맞벌이 부부 연구에서는 찾아보기 어려운 친밀성의 교감과 더불어 자연스러운 가족 공간에서 가족 구성원들의 일상적 행동을 세밀히 관찰하는 것이 최선의 방법일 것이라 판단한 혹실드는 10쌍의 부부를 선택한 후 반복적 방문과 심층 인터뷰를 통해 가족의 일상 속에 스며든 '엄밀함(rigor)'을 가까이서 들여다보고 해석하는 만만치 않은 작업을 완수한다.

『2교대제』에 등장하는 맞벌이 부부의 스토리는 혹실드가 이전부터 유형

---

11 개인은 누구나 남성다움과 여성다움에 관한 신념을 내면화하고 있는데, 그 믿음은 유아기 초기에 형성되기 시작하는 만큼 '깊은 감정'에 닻을 내린다는 것이다. 또한 남성들은 남성성에 대해 어떻게 생각하는지, 남성성에 대해 무엇을 느끼는지, 그리고 남성성을 구현하기 위해 어떤 행동을 해야 하는지를 중심으로 일련의 커넥션을 구성한다(Hochschild, 1989a: 15). 이를 통해 유아기에 부모와 맺은 유대와 광범위한 문화적 메시지를 결합하며, 이때의 메시지는 개인의 젠더 전략과 커리어·가족·결혼 역할에 대한 선택을 구조화함으로써 여성다움과 남성다움을 규정하는 기능을 한다고 본다.

화했던 부부 역할의 세 가지 주요 이데올로기의 연장선상에 있다. 첫째, 전통적 결혼 유형은 부부가 각자 영향력을 미치는 영역이 분리되어 있고 부인은 남편보다 기꺼이 낮은 파워를 원한다. 둘째, 평등한 결혼 유형은 부부 각자 영역 구분 없이 동일한 영향력을 행사하길 원하고 부부가 동등한 파워를 행사하는 것에 가치를 둔다. 셋째, '과도기적 결혼(transitional marriage)' 유형은 부인은 일터와 가정에서 자신의 역할이 동등하게 인정받기를 원하지만, 남편은 여전히 '일 우선 이데올로기'를 고수하는 경우이다. 부인은 가족생활 밖의 경제 영역으로 이동해갔지만, 남편은 아직 가족 영역 안으로 들어오지 않은 것이다. 혹실드에 따르면 심층 인터뷰 결과로 '과도기적 결혼 유형'이 가장 빈번히 관찰되었고, 이것이야말로 '정체된 혁명'의 증거라고 주장한다.

혹실드 책의 가장 큰 공헌은, 외부 환경 조건과 내면의 욕구라는 현실을 사회가 기대하는 이상적 역할과 일치시키기 위해, 가족 구성원들 각자가 어떤 감정노동을 수행하는지 연구자로서 감정이입하여 충실히 서술(narrative)한다는 점일 것이다. 그녀의 면밀한 묘사 속에서 다수의 커플은 합의에 이르기 위해 상이한 젠더 전략을 통과해야 했고, 상호 인내심을 발휘해야 했으며, 자신의 결혼 생활이 유지될 수 있도록 조정(accommodation)해야 했다고 고백한다.

그러나 『2교대제』에서 서술되는 많은 내용들이 결혼 생활 중 남녀에게 가해지는 복잡하면서도 모순적인 스트레스에 대해 감탄스러운 수준의 분석을 제공하고 있음에도, 지난 20년 동안 보고된 다수의 연구 결과들과 매우 유사하다는 사실과 더불어 거슨(Kathleen Gerson)이나 루빈(Gayle Rubin) 등의 연구 결과에 대한 비교 분석이 누락됨으로써 해석의 풍성함을 양보한 것은 약점으로 지적된다. 향후 일·가족 균형을 주제로 한 대표적 연구 작업과 혹실드 사이에 생산적 대화와 교류가 시작된다면 정체된 혁명을 둘러싼 논쟁은 더욱 활성화될 것이 분명하다.

3) 시간: 자본주의 사회의 마지막 식민지

1997년에 출간된 『시간 압박』은 혹실드가 대중에게 더욱 가까이 다가간 책이자, 자본주의 시대의 마지막 식민지로 평가받는 '시간'을 사회학적 화두로 부각시킨 역작이다.

오늘날 서구 자본주의 사회에서 가족은 다양한 압박이나 스트레스에 직면하는데 그중 하나가 바로 시간 부족이다. 『시간 압박』은 부부가 공히 자신의 커리어에 깊이 몰입하고 적극 투자함에 따라, 맞벌이 부부가 부부 관계와 부모 역할, 부양 역할과 자신의 에너지 재충전 등을 둘러싸고 일과 가족 사이에서 서로 경쟁하는 욕구를 충족하려 할 경우 어떤 도전에 직면하는지를 탐색한 선구적 연구이다.

혹실드는 아메코(Amerco)[12]의 직원과 그들 가족의 일상을 상세히 서술하면서, 맞벌이 부부가 일터에서 요구되는 업무를 충실히 수행하는 동시에 자녀를 돌보고, 더불어 자신만을 위한 시간을 내는 일이 얼마나 혹독한 경험인지를 실감 나게 묘사한다.

여성의 경제활동을 당연시하는 상황에서, 맞벌이 부부가 겪는 문제 중 하나는 일하는 엄마와 아빠가 걸어가야 하는 길의 규칙(rule)이 극히 모호한 상태에 있다는 사실이다(Hochschild, 2001, 2002a). 중요한 회의 참석을 취소하고 집에서 딸을 돌보기로 결정하기까지의 엄마의 갈등과 딸의 절실한 욕구, 잠시라도 더 있다 가길 원하는 딸을 위해 시계를 자주 들여다보아야 하는 아빠의 초조함, 자녀에게 포장 도시락을 사주면서 자신은 헌신적 부모가 아니라는 사실로 인해 느끼는 씁쓸함 등 일상적으로 부딪히는 수많은 도전들이 오늘날 중류층 부모의 '경쟁 영역(contested terrain)'을 형성한다는 것이 혹실

---

12 제조업 부문의 대기업으로 혹실드의 연구 대상이었다.

드의 판단이다(Hochschild, 2004b, 2005b).

일·가족 균형 중 업무와 관련된 혹실드의 묘사는 상대적으로 간결해서 이야기의 풍성함을 저해한다. 그 대신 맞벌이 부부 모두 기꺼이 '기업 가족 (corporate family)'의 멤버가 되려 한다는 점에 초점을 맞추어 "아메코 가족의 일원이 된다는 사실을 따뜻하게, 행복하게, 진지하게 고백하는"(Hochschild, 1997: 44) 직원들의 목소리를 감동적으로 전달한다.

한편 가정과 일터 사이에 상대적 매력도가 반전되고 있다는 『시간 압박』의 핵심 명제는 다양한 비판에 노출되고 있다. 첫째, 미국 전역의 대규모 조사 자료에 따르면 지난 30년 동안 미국인의 근로시간에 변화가 전혀 없다는 것이다. 따라서 '시간 압박'이 발생하게 된 것은 어린 자녀를 둔 맞벌이 부부와 한부모 증가 때문이지, 평균적 미국인의 근로시간이 드라마틱하게 증가했기 때문은 아니라는 것이 비판의 근거로 제시된다.

둘째, 혹실드의 사례 연구에 등장하는 대기업 아메코는 전체 노동시장의 일부분만을 다룰 뿐이라서 결과를 일반화하는 데는 무리가 따른다는 것이다. 특히 전일제 노동자만을 사례 연구에 포함시킴으로써, 미국 노동자의 1/4에 해당하는 시간제 노동자가 배제된 점은 혹실드 연구의 결정적 약점으로 지적된다.

실제로 혹실드가 선택한 노동자 다수는 주당 60시간을 일하는 경영진부터 '초과 근무'가 일상화된 단순직 노동자에 이르기까지 최근 증가 추세에 있는 집단을 대표하지만, 주 50시간 이상을 일하는 노동자는 전체 남성의 1/4~1/5, 전체 여성의 1/10을 차지하는 소수로서, 이들이 미국의 평균 노동자를 대변한다고 보기는 어려운 것이 사실이다.[13]

---

13 아메코 사례를 일반화하기에는 한계가 있음을 혹실드 자신도 인정한다. 그 대신 일·가정 양립의 다섯 가지 유형을 제시하고 있다. ① 천국 모델: 일터는 무자비한 세계요, 가족은 그곳으로부터의 도피처라고 보는 유형, ② 역(逆) 천국 모델: 가족이 일터처럼 변화하고 일터

그렇기 때문에 혹실드 샘플에선 다수가 "일터가 가족처럼 느껴지고, 가족이 일터처럼 느껴진다"(Hochschild, 1989a: 199)고 답하고 있지만, 다른 샘플에서도 동일한 응답 패턴이 나올지 여부는 확신할 수 없으며,[14] 이에 동의하는 응답자들과 동의하지 않는 응답자들을 비교해볼 때 서로 다른 행동양식을 보이는지 여부도 현재로서는 확인되지 않는다.[15]

다만 이러한 문제에 대해서는 혹실드 자신이 적극적으로 해명에 나섰다 (Hochschild, 2001, 2002a). 실제로 18세 이하 자녀를 둔 맞벌이 부부 1533명을 조사한 수전 브라운과 앨런 부스의 연구에서도 혹실드와 동일한 연구 결과가 나왔다는 것이다. 즉, 가족이 일터보다 더욱 중요하고도 빛나는 삶의 공간이 되어야 한다는 강한 신념이 유지되고 있음에도, 정작 이들 샘플 역시 부모로서 또는 배우자로서 느끼는 삶의 만족도보다는 일터에서 느끼는 만족도가 높게 나타났음을 근거로 제시한다.

셋째, 시간 압박으로 인해 일터와 가족 간의 역전 현상이 발생함에 따라, 맞벌이 부부가 자녀를 사랑하지 않는 차가운 모습으로 그려진다는 것이다 (Hochschild, 2002a). 그러나 이에 대해서도 혹실드 스스로 강조하길, 연구의 초점은 실제로 가족을 위해 더 많은 시간을 투자하고 싶지만 과다한 업무로

가 가족처럼 느껴지는 유형, ③ 전통적 모델: 가족과 일터가 젠더에 따라 서로 다른 의미를 지니는 유형, ④ 실직·약한 가족 모델: 일이든 가족이든 공히 강력한 삶의 동인이 되지 못하는 모델, ⑤ 일·가족 균형 모델이 그것이다.

14 혹실드는 자신의 인터뷰 자료를 토대로 "아메코 가족 중 가정과 일터의 역전이 일어난 경우는 약 1/5이 주도적(predominant) 유형이고 약 1/2 이상은 현저한(prominent) 유형"이라고 밝힌다(Hochschild, 1997:45). 여기서도 누가 혹실드의 서술에 부합하는지, 어떤 요인들이 혹실드 샘플 내부의 다양성에 영향을 미치는지 여부는 불분명하다.

15 브라운(Susan Brown)과 부스(Alan Booth)의 샘플 중 시간 압박에 동의한 15%의 응답자들은 자녀가 사춘기인 '단계'에만 시간 압박을 경험할 뿐, 항상 시간 압박 '상태'에 갇혀 지내는 것은 아니라고 답했다. 더욱 중요한 것은 이들이 시간 압박을 '느끼고 있다는 것'이지 시간 압박을 느껴 일에 몰입하는 대신 가족을 방기하는 것을 '실행에 옮기는 것'은 아니라는 점이다(Hochschild, 2002a에서 재인용).

인해 그렇지 못한 현실을 다루고 있음을 분명히 밝히면서, 자녀와 시간을 함께하길 원하지만 시간이 부족하다고 느끼는 것과 자녀를 사랑하지 않거나 무관심한 것은 질적으로 다른 것이라 항변한다(Hochschild, 2004b, 2005b).

다만 맞벌이 부부들이 가족친화적 프로그램을 자유롭게 활용하지 못하는 것은, 미국 내 조직 문화가 여전히 일 중심이기에 업무 부담이 적은 쪽으로 대안을 선택할 경우 커리어에 손해를 보기 때문이라는 현실적 한계도 놓치지 않는다.

그럼에도 혹실드가 '시간 압박'이란 문제 제기만 할 뿐 이에 대한 만족할 만한 수준의 대안은 제시하지 못했다는 비판은 유효한 듯하다. 실제로 혹실드는 '시간 압박'이란 도전에 직면할 수 있는 일련의 구체적 정책을 제안하는 대신, 가족과 일터 사이에 새로운 균형을 추구하기 위한 국가적 차원의 '시간 운동(time movement)'을 제안한다. 다만 혹실드가 『시간 압박』을 통해 궁극적으로 하려던 질문은, 가족을 일터보다 덜 매력적으로 만드는 사회적 요인은 무엇인가였고, 현재는 20%만이 시간 압박 속에서 갈등하지만 점차 이 비율이 높아질 것으로 예측되는 상황에서 돌파구를 찾고자 함이었기에, 시간 압박의 극복을 위한 탐색은 계속될 것으로 보인다.

4) 글로벌 돌봄 연쇄와 '숨겨진 희생자'

혹실드가 2003년에 바버라 에런라이크(Barbara Ehrenreich)와 함께 편집·출판한 『글로벌 여성: 신경제와 양육 및 가사 도우미, 그리고 성매매』는, 전 세계적으로 이주의 여성화가 진행됨에 따라 글로벌 차원에서 돌봄의 연쇄가 이루어지는 과정 속 '숨겨진 희생자'들이 연구의 사각지대에 머물러왔음을 반성하며 국제적 관심을 환기시킨 역작이다.

지금까지 이주의 여성화에 주목한 연구들은 이주 모성이 부국(富國)에서 직면하는 노동조건이나 환경, 그리고 빈국(貧國)에 두고 온 자녀들과 가족 역할의 재조정에 초점을 맞추어왔다. 그러나 혹실드는 이주의 효과에 대한 좀 더 거시적인 분석 틀을 대안으로 제시한다. 하나는 빈국에서 부국으로 사회 자본의 전이가 이루어짐에 주목할 것, 그리고 다른 하나는 부국의 시장에 의해 빈국의 공동체가 근본적으로 부식되는 과정에 주목해야 한다는 것이다. 후자야말로 글로벌 자본주의 내에 숨겨진 희생자의 본질을 가장 포괄적으로 포착하는 현상이기 때문이라는 것이다(Hochschild, 2000a, 2006, 2008).

현재 진행 중인 '글로벌 돌봄 연쇄(global care chain)'란 지불과 부불 돌봄을 기반으로 전 지구를 관통하는 일련의 사적 링크가 연쇄적으로 이루어짐을 포착한 개념이다. 혹실드는 돌봄 연쇄 개념의 확장을 꾀하고자 '사회정서적 공동체(socio-emotional commons)' 개념을 제안한다. 여기서 사회정서적 공동체란 '일반화된 호혜성(generalized reciprocity)'의 원리를 자연스럽게 표현하고 기대하는 일련의 집단을 지칭한다.

다만 글로벌 돌봄 연쇄라는 주제를 객관적으로 논의[16]하기는 불가능하다는 것이 연구자들의 공통 견해이다(Parrenas, 2001; Ehrenreich and Hochschild, 2003). 첫 번째 이유는 제3세계 국가, 제1세계 고용주, 그리고 이주자 여성 자신이 모두 이해 당사자로서 일정 부분 이익을 보고 있기 때문에, "송출국은 이주 가족의 장기간에 걸친 별거, 가족의 해체, 자녀의 심리적·사회적 성장 저하 또는 퇴보 등으로 인해 막대한 고통을 겪고 있음"(Yeates, 2004: 379)에도 이주로 인한 희생과 비용에 대해서는 눈을 돌린다는 것이다.

---

16 빈국에서 부국으로 이주하는 이유는 좋은 조건의 보수를 받고, 송금을 통해 자녀 교육도 시키고 좋은 집도 사고 새로운 사업 자금을 마련하고자 하기 때문이다. 심지어 제3세계 정부도 환영한다. 2005년 기준 공식 송금 총액이 2320억 달러로 이 중 2/3가 빈국의 거주자들에게로 간다. 비공식적 송금은 여기에 1160억 달러가 더해진다. 이 규모는 아이티 총 GDP의 24%, 요르단의 22%, 니카라과의 16% 등에 해당된다.

이주로 인한 막대한 사회적 비용을 터놓고 논의하기 어려운 두 번째 이유는 이주 당사자들이 경험하는 부끄러움(shame) 때문이다. 자녀를 두고 떠나는 엄마들 대부분은 자신의 상황을 개인적 문제로 인식할 뿐 공공의 이슈로 전환시키지는 못한다.

에런라이크와 혹실드(Ehrenreich and Hochschild, 2003)에 따르면, 이주 여성은 '이상적 엄마'가 되고 싶은 열망과 '지역사회 영웅'이 되고 싶은 열망 사이에서 갈등하고 충돌한다는 것이다. 이 과정에서 이주 여성은 아이를 두고 갈 만큼 무자비하고 물질적이라는 비난(불승인)과, 영웅적으로 자신을 희생하면서 물질적 부를 제공하는 칭송(승인)이라는 상반된 평가를 받게 된다고 한다. 하지만 자녀들 입장에서 엄마와의 오랜 별거는 크나큰 부담이자 희생이며, 별거 기간의 부정적 느낌은 성인이 되어서도 사라지지 않는다고 한다. 자녀가 겪는 '정서적 균열'은 글로벌 불평등의 '숨겨진 가격표'라 할 수 있다.

이주 엄마의 경우는 자신의 사랑을 '물질화(materialize)'하는 데 익숙하다. 얼굴을 맞대고 하는 대화와 직접적인 포옹 대신 돈이나 선물을 통해 자신의 사랑을 표현하고 확인하려 하는데, 이때 선물은 '죄책감 제공(guilty offering)'으로 간주된다. 돈이 사랑의 상징이 되면서, 의도하든 의도하지 않든 사랑이 탈인격화되고 상품화되는 역설이 발생하는 셈이다.

18세기의 유럽에서 시장이 공동체를 잠식했듯이, 오늘날은 제1세계 시장이 제3세계 공동체를 부식시키고 있다. 물론 사회자본의 전이처럼 돌봄 자본도 전이가 가능한지, 아니면 위르겐 하버마스(Jürgen Habermas)의 '생활 세계' 부식으로 보아야 하는지는 판단하기 어렵다. 하지만 왜곡되고 부식된 제3세계 가족 유대가 제1세계 시장을 지탱해준다는 점에서, 혹실드는 가족이론이 글로벌화의 이면을 놓치는 것에 문제의식을 가질 것을 강력히 제안한다(Hochschild, 2003: 419). 부자 나라 아이를 돌보려고 이주를 감행한 여성들이 집으로 돈을 송금하지만, 정작 그녀의 자녀들은 돌봄을 받지 못한 채 성장하

며, 선진국은 과거처럼 후진국의 금을 채굴하는 대신 돌봄과 사랑을 빼앗고
있다는 것이다.

5) 친밀한 삶의 상품화와 아웃소싱 자본주의

2003년에 출판된 『친밀한 삶의 상품화: 가족과 일터에서 작성한 노트』는
가족 내 내밀한 공간 속의 돌봄 영역으로 시장 자본주의가 침식해 들어오는
현상에 초점을 맞추고 있다. 실제로 과중한 업무와 '시간 압박'은 우리가 한때
부모 역할의 핵심을 이루던 돌봄 노동을 위해 타인에게 비용을 지불할 것을
강권한다. 생일 파티 플래너, 어린이용 택시 서비스, 축제 데코레이팅, 베이
비시터 감시용 기술 등은 요즘 성행하는 서비스의 예다. "가족이 점차 미니멀
화함에 따라 가족의 욕구 충족을 시장에 의존하게 되면서 가족은 더욱더 미
니멀해진다"는 것이 혹실드가 포착해낸 후기 자본주의 사회 속 가족 삶의 역
설이다. 그럼에도 사랑과 돌봄은 "사회적 삶의 핵심을 이루는 기초"라는 인식
이 공고히 유지되는 가운데, 시장의 잠식과 상품의 침투를 더욱 절박한 상황
으로 만들고 있다는 것이다(Hochschild, 2005d, 2005e).

혹실드는 '자조서(self-help book)'와 더불어 등장한 페미니즘의 대중화가
여성의 인간화를 표방하는 사회운동의 담장을 뛰어넘어, 역설적이게도 친밀
한 삶을 비인간적 상품 영역으로 추락시켰다고 지적한다. 결국 "남성을 인간
화하는 대신 여성을 자본화(capitalizing)"(Hochschild, 2003: 197)하는 과정에
서 돌봄과 양육이 블랙홀로 떨어지고 말았다는 것이 혹실드의 문제의식이다.

친밀한 삶의 상품화에 대한 분석을 좀 더 체계화하고 깊이를 더한 것이
2012년에 출판된 『아웃소싱 자아』이다. 이 책에 따르면 오늘날 우리가 살아
가는 세상은 '모든 것이 구입 가능(everything for sale)'하다. 상품 형태로 구
입할 수 있는 서비스의 내용은 자녀 돌봄과 노인 돌봄에서부터 생일 파티 플

래너, 라이프 코치, 웨딩 플래너 등의 좀 더 선택적인 서비스를 거쳐, 대리모처럼 아직은 소수만이 선택 가능한 고도로 전문화된 서비스까지 포함한다. 이처럼 모든 것이 시장에서 상품화되는 세상 뒤편에서는 어떤 이야기가 전개되고 있는지에 대해 혹실드는 다시 특유의 예리한 통찰력을 발휘한다.

자본주의가 진행될수록 상품화가 진전될 것이고 인간소외도 함께 증진될 것이라고 본 마르크스(Karl Marx)와 엥겔스(Friedrich Engels)의 '상품화' 명제를 바탕으로 혹실드는 새로운 질문을 제기한다. 그녀는 노동자가 언제 자신이 만든 대상에서 분리(detach)되어 소외를 경험하게 되는지를 대리모의 경험에 빗대는데, 대리모가 언제 자신의 자궁 속 태아와 자신을 분리함으로써 소외를 경험하게 되는지, 태아와 자신의 분리 자체가 소외감을 극복하기 위한 전략은 아닌지 등을 묻는다.

마르크스의 관점에서는 자본주의 제도 자체를 벗어던지지 않는 한 소외 문제는 정도의 차이만 존재할 뿐 근본적 해결이 불가능하다. 따라서 마르크스는 우리에게 명백한 문제를 던져주긴 했지만, 그 문제를 파고들 수 있는 개념적 도구는 제공하지 않았다는 것이 혹실드의 문제 제기이다(Hochschild and Garrett, 2011). 상품화 자체로 인해 노동자는 그(녀)가 만든 대상으로부터, 소비자는 그(녀)가 구입하는 상품으로부터 자동적으로 소외된다고 보는 것은 현실을 지나치게 단순화하는 오류를 범하는 것이다.

그렇다면 삶의 매 순간마다 상품화와 마주치면서 매우 유용한 형태의 정서적 분리 또는 초연함(상품으로 매개된 관계를 참아내려면 필수적인)을 경험하는 것과, 마르크스의 '소외'를 어떻게 구분할 것인가가 관건이다. 특히 이 문제는 대리모의 사례 연구[17]에서 더욱 미묘한 형태로 모습을 드러낸다. 실제

---

17 대리모는 종종 혼외 관계나 성매매와 혼동되기도 한다. 그리하여 대리모들은 이웃의 수군거림과 부끄러움을 피하기 위해 출산 이후 마을을 떠나는 경우가 다반사라고 한다.

로 대리모의 절반은 자발적으로, 또 다른 절반은 강제적으로 자신의 태아와 자궁, 그리고 의뢰인과 자신을 분리하려고 노력한다. 이때 인도의 대리모들이 진짜 자신(core me)과 태아를 분리하는 방식 중 하나는 자신의 자궁을 운반기(carrier)로 인식하는 것이다. 인도처럼 전통적 출산 문화가 강고하게 뿌리내린 곳에서는 자신과 태아를 분리하지 않을 경우 대리모 자신의 고통이 배가되기 때문이다. 따라서 대리모들은 자신이 아이를 원해서가 아니라 돈이 필요해서 대리모를 선택하는 것이고, 아기는 포기해야만 한다는 분리 전략을 구사한다(Hochschild and Garrett, 2011).[18]

다섯 살 아들을 위해 생일 파티를 준비했지만 참혹한 실패를 맛본 아빠가 이웃의 충고를 받아들여 파티 플래너라는 상품을 선택할 때, 이를 아빠의 자유의지에 의한 선택으로 볼 수 있는지, 온라인 서비스를 통해 파트너를 구하려고 러브 코치를 고용한 의뢰인이 과도하게 시장화된 채 탈인격화된 모습으로 극단에 서 있는 자신을 발견하는 순간 느끼는 소외감의 내용은 무엇인지, 마미몰(mommy mall)에서 모든 것을 구입하는 것이 가능한 시대에 부모와 자녀 모두 탈숙련화(de-skilling)를 경험하고 있는 것은 아닌지 등은 『아웃소싱 자아』속에서 발견되는바 현대인의 삶을 해부하는 데 깊은 혜안을 제공해 주는 문제들이라 생각한다.

한 걸음 더 나아가 『아웃소싱 자아』와 『시간 압박』 간의 상호작용도 흥미

---

18 아웃소싱 자본주의의 최첨단에 서 있는 대리모들의 전략은 첫째, 부끄러움과 창피함을 숨기기 위해 시댁에는 비밀로 하거나, 주거를 옮기거나, 거짓말을 한다. 둘째, '나 아닌 나'와 '진정한 나'를 구분하는 감각을 개발한다. 전자는 자궁과 태아를 의미하고, 후자는 제한적이긴 하지만 자신의 가족을 위해 희생을 무릅쓰고 돈을 버는 헌신적 나를 의미한다. 셋째, 상실감과 슬픔을 피하기 위해 감정노동을 수행한다. 대리모와 의뢰인의 관계는 제1세계와 제3세계, 부자와 빈자, 권력층과 무권력층 등 불평등을 전제로 하기에 이들 간의 연대 형성은 원천적으로 불가능하다. 이러한 맥락에서 대리모의 선택이 진정한 의미의 자유의지에 의한 선택인가는 의문이다.

로운 탐색 주제이다(Hochschild, 2005b). 혹실드는 "우리는 시장이란 섬을 가진 사회로부터 사회라는 섬을 가진 시장으로 이행하고 있다"는 칼 폴라니(Karl Polanyi)의 명제(Polanyi, 1944/2001)를 받아, 시장이 점차 확대되면서 우리가 '시장 문화(market culture)'를 지니게 되었고, 현대사회의 가족은 시장 안에 존재하는 '사회'로서, 시장 문화 속으로 통합되어야(incorporate) 하는 강력한 압박 아래 놓여 있다(Fevre, 2003)는 점에 주목한다. 여기서 가족은 끊임없는 상징화와 재상징화를 통해 시장의 압력에 저항하거나, 무조건 항복하거나, 아니면 함께 즐기는 전략을 구사한다는 것이다.

베버(Max Weber)의 이념형에 근거한다면 시장 문화는 사고파는 행위가 정체성의 가장 중요한 근원을 구성한다고 보는 전제에 입각한 믿음과 실행으로 정의될 수 있다(Zelizer, 2005). 시장 문화는 과학주의와 결합하기도 하고(객관성·과학적 방법·수량화), 합리주의와 손을 잡기도 하며(표준화·관료적 효율성), 가족주의와 만나기도 하고(가족을 위한 희생의 가치·시간 희생), 자연주의와 함께하기도 하며(자연에 대한 가치 부여), 주관주의와 만나기도 한다(인간 관계를 언어나 비언어를 동원해 표현하는 데 주력하기).

혹실드의 사례 연구에서 '패밀리 360'은 제너럴 모터스(General Motors), 허니웰(Honeywell), 듀퐁(Dupont) 등의 고위 경영진을 대상으로 '맞춤형 가족 역할 측정' 서비스를 제공하는 곳의 명칭이다(Hochschild, 2012b). 패밀리 360은 시간에 굶주리는 아빠와 그가 방치했던 가족의 재결합을 도와줌으로써, 가족의 도덕성을 회복하고 강화하려는 의지를 담고 있다. 그러나 패밀리 360의 접근 방식은 관료적 과학주의, 합리적 계산, 그리고 정서적 초연함을 요구하기에 실제로는 가족의 도덕적 영역을 부식시키는 결과를 가져온다는 것이 혹실드가 밝혀낸 역설이다.

패밀리 360이 진정으로 의도하는 바는 아빠의 시간을 희생하지 않은 채 스스로 좋은 아빠라고 '느낄 수 있도록' 돕는 것이다. 이 상황에서 의뢰인과 가족은 전적으로 시장 세계 속에 살도록 준비된다. 시장 세계에서 시간은 돈인 만큼 패밀리 360은 경영자 아빠에게 가능한 한 적은 시간으로 아빠로서의 가치를 최대한 획득하도록 조언한다.

오늘날 시간 압박 상황에서 노동자들이 일의 과부하를 다룰 때 사용하는 전략으로는 인내, 연기(延期), 바쁨, 의뢰, 저항의 다섯 가지 유형[19]이 있는데, 이 가운데 장시간의 노동을 인내한 경우 삶의 만족도가 가장 낮게 나타났고, 저항하는 경우가 가장 행복한 것으로 밝혀졌다. 문제는 시간 압박의 시대에 대부분이 바쁨과 연기를 선택하는바, 끊임없는 바쁨이 '대중의 아편'으로 부상하고 있음을 함의한다는 점이 혹실드의 그물에 포착되었다고 할 수 있다.

4. 앨리 혹실드 논의의 한국적 함의

한국 사회학계에서 혹실드의 영향을 논증하거나 예증하기는 아직 시기상조인 듯하나, 맞벌이 부부의 '일·가정 양립'을 다루는 가운데 여성의 이중 역할 부담과 '정체된 혁명'에 주목하는 대부분의 연구와, 가족 및 젠더 사회학 영역에서 글로벌 돌봄에 주목한 연구, 그리고 감정노동과 감정자본주의를 다루는 연구에서는 혹실드에게 많은 빚을 진 것이 분명하다.

---

19 각 유형을 설명해보면 다음과 같다. ① 인내(endurers): 자신의 기대 수준을 낮추거나 더 열악한 상황에 있는 사람과 비교하며 그저 참아낸다. ② 연기(deferers): 의미나 즐거움을 추구하는 시간을 부인하지는 않되 이 순간을 미래의 언젠가로 미룬다. ③ 바쁨(busy bees): 지금 이 순간 기쁨과 의미를 추구하고자 가족의 일상 속에서 늘 바쁘다. 그녀는 시간 압박을 자신의 정체성 속에서 흡입한다. 서두름이 곧 즐거움이요, 효율적 삶에 대해 자긍심을 느낀다. ④ 의뢰(delegators): 자신을 대신해서 가족의 의미와 기쁨을 추구할 누군가를 아웃소싱하되, 이들은 도우미를 원하는 것이지 대체물을 원하는 것은 아니다. ⑤ 저항(resisters): 일부 근로자는 살인적 스케줄 자체를 바꾸거나 바꾸려 노력한다(Hochschild, 2011c).

혹실드의 영향을 가장 직접적으로 읽어낼 수 있는 대표적 작업으로는 조주은의 『기획된 가족』(2013)을 들 수 있다. 이 책은 한국의 맞벌이 화이트칼라 여성이 마주하는 '시간 압박'의 현장을 생동감 있게 묘사하면서, 우리 일상의 시간을 최대한 압축해 최대 이윤을 실현하려는 자본의 의지를 적나라하게 드러냄은 물론, 한국적 상황에서는 시간 압박이 부부 관계와 부모·자녀 관계를 넘어 친정, 시댁 및 고부 관계까지 포섭하는 현실을 분석한다. 나아가 시간 압박 또한 젠더에 따라 불평등하게 경험되고 있음을 경험적으로 명료하게 논증함으로써 혹실드의 논의를 좀 더 확장해가고 있다.

식민지 도시 공간에 등장한 가사사용인(식모), 유모, 기생, 여급 등의 새로운 여성 노동군을 대상으로, 이전까지만 해도 경제적 화폐 행위와 무관하게 사적 영역에서 행해지던 사랑, 감정, 애정, 돌봄 행위가 화폐를 매개로 교환되는 시점에서 발생한 역사적 변화에 주목한 서지영(2011)의 연구나, 동일한 맥락에서 일제하 여성 서비스직의 실태를 도시화·상업화에 따라 등장한 판매 서비스직, 근대적 기계 문물의 도입과 함께 등장한 버스걸(busgirl) 등의 서비스직, 미혼 여성이 다수를 점했던 가사 서비스직, 식민지 도시지역에서 기형적으로 성장했던 접객 서비스직의 네 가지 유형으로 구분한 후, 이들 직업에 내재된 '감정노동'과 성애화 대상으로서의 어려움에 주목한 강이수(2005)의 연구가 혹실드 덕분에 더욱 풍성한 해석이 가능해진 것은 물론이다.

전 지구적으로 감정자본주의가 확대되는 현상을 이주 결혼의 맥락에서 조망하는 이재경(2009)의 연구 또한 혹실드의 개념을 충실히 활용해, 사랑과 친밀성에 대한 개인의 욕망과 경제적 필요가 상호 결합 또는 상호 협상되는 방식을 면밀히 분석한다. 문화적 차이 속에서 국제결혼이 뿌리내리는 가운데 서로 간 적응과 협상을 통해 가족 생존 전략을 구성해가는 과정을 분석한 김민정(2007)의 연구에서도 혹실드가 제안한 개념과 분석 틀의 영향이 자연스럽게 상기된다.

친밀한 삶의 상품화와 관련해 배우자 선택 과정을 주도하는 결혼 정보 회사의 관행 속에서 낭만적 사랑이 어떻게 상품으로 포장되는지 그 메커니즘을 분석한 연구, 결혼 의례에 침투한 상품화의 실상을 사회학적 상상력에 입각해 폭로한 연구, 성형을 위시해 몸 자체를 상품화하는 뷰티 산업이 이윤을 창출해가는 과정에 대한 연구, 가사 관련 서비스업에 종사하는 이주 노동자 연구 등에서 혹실드의 자취를 찾는 것 또한 어려운 일이 아닐 것이다.

혹실드 연구는 현재도 왕성한 진행형인 만큼 아웃소싱 자아를 비롯해 이주의 여성화가 제기하는 '숨은 희생자'에 대한 연구 등 혹실드가 한국 사회학계에 미칠 영향력 또한 현재진행형일 것으로 믿는다.

참고문헌

강이수. 2005. 「일제하 근대 여성 서비스직의 유형과 실태」. ≪페미니즘 연구≫, 1, 89~131쪽.

고미라. 1995. 「감정노동의 개념화를 위한 일 연구」. ≪여성학논집≫, 12, 370~371쪽.

김민정. 2007. 「한국가족의 변화와 지방 사회의 필리핀 아내」. ≪페미니즘 연구≫, 7(2), 213~248쪽.

박홍주. 1994. 「판매여직원의 감정노동에 관한 일 연구: 서울시내 백화점 사례를 중심으로」. ≪여성학논집≫, 11, 294~296쪽.

서지영. 2011. 「식민지 도시 공간과 친밀성의 상품화」. ≪페미니즘 연구≫, 11(1), 1~33쪽.

심선희. 2013. 「미적 노동(aesthetic labor), 신체의 동원과 개발」. ≪한국여성학≫, 29(2), 67~110쪽.

이재경. 2009. 「사랑과 경제의 관계를 통해 본 이주 결혼」. ≪여성학논집≫, 26(1), 183~206쪽.

이현정. 2014. 「잊혀진 혁명: 중국 개혁개방 시기 농촌 잔류여성의 삶」. ≪한국여성학≫, 30(1), 1~33쪽.

조주은. 2013. 『기획된 가족: 맞벌이 화이트칼라 여성들은 어떻게 중산층을 기획하는가?』. 서해문집.

파레냐스, 라셀(Rhacel Parreñas). 2009. 『세계화의 하인들: 여성, 이주, 가사노동』. 문현아 옮김. 여이연.

함인희. 2003. 「감성 사회학 이론에 대한 탐색적 연구」. ≪한국문화논총≫, 3, 1~38쪽.

혹실드, 앨리(Arlie Hochschild). 2013. 『나를 빌려 드립니다: 구글 베이비에서 원톨로지스트까지, 사생활을 사고파는 아웃소싱 자본주의』. 류현 옮김. 이매진.

Collins, Randall. 1975. *Conflict Sociology: toward and explanatory science*. New York: Basic Books.

Denzin, Norman. 1984. *On Understanding Emotion*. San Francisco: Jossey-Bass Publishers.

Ehrenreich, Barbara and A. Hochschild(eds.). 2003. *Global Woman: Nannies, Maids, and Sex Workers in the New Economy*. New York: Metropolitan Press.

Fevre, Ralph. 2003. *The New Sociology of Economic Behavior*. London: Sage Publishers.

Goffman, Erving. 1959. *The Presentation of Self in Everyday Life*. Garden City: Doubleday.

_____. 1967. *Interaction Ritual: essays on face to face behavior*. Garden City: Anchor.

Hochschild, Arlie. 1969. "The Role of the Ambassador's Wife: An Exploratory Study." *The Journal of Marriage and the Family*, 31(1), pp.73~87.

_____. 1973a. *The Unexpected Community*. Englewood Cliffs, NJ: Prentice Hall.

_____. 1973b. "Communal Living Among the Old." *Society*, 10(5), pp.50~57.

_____. 1973c. "A Review of Sex Role Research." *American Journal of Sociology*, 78(4), pp.1011~1029.

_____. 1975. "Disengagement Theory: A Critique and Proposal." *American Sociological Review*, 40, pp.553~569.

_____. 1979. "Emotion Work, Feeling Rules and Social Structure." *American Journal of Sociology*, 85(3), pp.551~575.

_____. 1983. *The Managed Heart: The Commercialization of Human Feeling*. Berkeley, CA: The University of California Press.

_____. 1989a. *The Second Shift: Working Parents and the Revolution at Home* (with Anne Machung). New York: Viking Penguin.

_____. 1989b. "The Economy of Gratitude." in D. Franks and D. McCarthy(eds.). *Sociology of Emotions*. New York: JAI Press.

_____. 1989c. "Emotion Management: Perspective and Research Agenda." in T. Kemper (ed.). *Recent Advances in the Sociology of Emotion*. New York: SUNY Press.

_____. 1989d. "Gender Codes: A Look at Advice Books." in S. Riggins(ed.). *Beyond Goffman: Institutions and Interactions*. Paris & Berlin: Mouton.

_____. 1990. "Ideology and Emotion Management: A Perspective and Path for Future Research." in T. D. Kemper(ed.). *Research Agendas in the Sociology of Emotion*. Albany, NY: State University of New York Press.

_____. 1993a. "Inside the Clockwork of Male Careers, with a 1990s Postscript." in K. P. Meadow-Orlans and R. A. Wallace(eds.). *Gender and the Academic Experience: Berkeley Women 1952-1972*. Lincoln, NE: University of Nebraska Press.

_____. 1993b. "Light and Heavy Culture in American and Japanese Advice Books for Women." in K. Kauppinen and T. Gordon(eds.). *Unresolved Dilemmas: Women, Work and the Family in the United States, Europe and the Former Soviet Union*. Brookfield, VT: Ashgate.

_____. 1993c. "Preface." in S. Fineman(ed.). *Emotion in Organizations*. New York: Sage Publication.

_____. 1994. "Understanding the Future of Fatherhood: The 'Daddy Hierarchy' and Beyond." *Tijdsenrift Voor Vrouwenstudies*, 15(4), pp.455~466.

_____. 1995. "The Culture of Politics: Traditional, Post-modern, Cold Modern and Warm Modern Ideals of Care." *Social Politics: International Studies in Gender, State and Society*, 2(3), pp.331~346.

_____. 1997. *The Time Bind: When Work Becomes Home and Home Becomes Work*. New York: Metropolitan/Holt.

_____. 1998. "The Sociology of Emotion as a Way of Seeing." in G. Bendelow and S. Williams(eds.). *Emotions in Social Life: Critical Themes and Contemporary Issues*. London & New York: Routledge.

_____. 2000a. "Global Care Chains and Emotional Surplus Value." in T. Giddens and W. Hutton(eds.). *On the Edge: Globalization and the New Millennium*. London: Sage Publishers.

_____. 2000b. "Afterword: The Colonized Colonizer." in L. Gulati(ed.). *Breaking the Silence*. New Delhi & London: Sage Publishers.

_____. 2001. "Eavesdropping Children, Adult Deals and Cultures of Care." in R. Hertz and N. Marshall(eds.). *Working Families: The Transformation of the American Home*. University of California Press.

_____. 2002. "A Dream Test of the Time Bind." *Social Science Quarterly*, 83(4), pp.921~924.

_____. 2003. *The Commercialization of Intimate Life: Notes From Home And Work*. San Francisco and Los Angeles: University of California Press.

_____. 2004a. "The Commodity Frontier." in J. Alexander, G. Marx and C. Williams(eds.). *Self, Social Structure, and Beliefs: Essays in Sociology*. Berkeley and Los Angeles: University of California Press.

_____. 2004b. "Through the Crack in the Time Bind: From Market Management to Family Management." in M. Jacobsen and J. Tonboe(eds.). *The New Work Society*. Copenhagen, Denmark: Hans Reitzels Publisher.

_____. 2004c. "Let Them Eat War." *European Journal of Psychotherapy, Counseling & Health*, 6(3), pp.1~10.

_____. 2005a. "Reply to Commentaries in Roundtable on Global Woman: Nannies, Maids, and Sex Workers in the New Economy." *Studies in Gender and Sexuality*, 7(1), pp.81~87.

_____. 2005b. "On the Edge of the Time Bind: Time and Market Culture." *Social Research*, 72(2), pp.339~354.

_____. 2005c. "An Alternate Paradigm: The 'Something' of Relationships." *Berkeley Journal of Sociology*, 49, pp.137~157.

_____. 2005d. "Rent-A-Mom and Other Services: Market, Meaning and Emotion." *International Journal of Work, Organization and Emotion*, 1(1), pp.74~86.

_____. 2005e. "Love and Gold." in L. Ricciutelli, A. Miles and M. McFadden(eds.). *Feminist Politics, Activism and Vision: Local and Global Challenges.* London & Toronto: Zed/Innana Books.

_____. 2006. "Roundtable on Global Woman: Nannies, Maids, and Sex Workers in the New Economy." *Studies in Gender and Sexuality*, 7(1), pp.81~87.

_____. 2008. "The Global Care Crisis: A Matter of Capital or Commons?" *American Behavioral Scientist*, 52(3), pp.405~425.

_____. 2009a. "Can Emotional Labor Be Fun?" *Work, Organization and Emotion*, 3(2), pp.25~47.

_____. 2009b. "Through an Emotion Lens." in D. Hopkins, J. Kleres, H. Flam and H. Kuzmics(eds.). *Theorizing Emotions: Sociological Explorations and Applications.* New York & Frankfurt am Main, Germany: Campus Verlag.

_____. 2010a. "The Back Stage of a Global Free Market: Nannies and Surrogates." in Ursula Apitzsch and Marianne Schmitbauer(eds.). *Care und Migration.* Opladen and Farmington Hills MI, Verlag Barbara Budrich.

_____. 2010b. "Introduction." in G. Cassano, H. Fraad, S. Resnick and R. Wolff(eds.). *Class Struggle on the Homefront: Work, Conflict, and Exploitation in the Household.* New York: Palgrave-MacMillan.

_____. 2011a. "Emotional Life on the Market Frontier." *Annual Review of Sociology*, 37, pp.21~33.

_____. 2011b. "Afterword." in Anita Ilta Garey and Karen V. Hansen(eds.). *At the Heart of Work and Family: Engaging the Ideas of Arlie Hochschild.* New Brunswick, NJ: Rutgers University Press.

_____. 2011c. "Preface." in Neil Smelser(ed.). *Sociological Theory - A Contemporary View.* New Orleans, Louisiana: Quid Pro, LLC.

_____. 2012a. "Making Little Things Big." Preface to Pam Smith's *The Emotional Labor of Nursing.* London: MacMillian Press.

_____. 2012b. *The Outsourced Self: Intimate Life in Market Times.* New York: Metropolitan.

_____. 2013a. *So How's the Family?: and other essays.* Berkeley and Los Angeles: University of California Press.

_____. 2013b. "The Back and Forth of Market Culture." Afterword to Special Issue of *Culture and Organization* on 30 years after Hochschild's *The Managed Heart : Exploring the Commodity Frontier* (guest editors Paul Brook, Gertraud Koch and Andreas Wittel). *Culture and Organization*, 19(4), September.

_____. 2013c. "Afterword: Welfare State Reform, Recognition and Emotional Labour." for Special Issue of *Social Policy and Society* edited by Jan Willem Duyvendak et al. Cambridge University Press.

_____. 2013d. "Preface." in A. Grandey, J. A. Diefendorff and D. Rupp(eds.). *Emotional Labor in the 21st Century: Diverse Perspectives on Emotion Regulation at Work.* New York, NY: Psychology Press/Routledge.

Hochschild, A. and S. Garrett. 2011. "Beyond Toqueville's Telescope: The Personalized Market and Marketized Self." *The Hedgehog Review: Critical Reflections on Contemporary Culture*, 11(1), pp.82~95.

Homans, George. 1950. *The Human Group.* New York: MacMillan.

Kemper, Theodore. 1978. *A Social Interactional Theory of Emotions.* New York: John Wiley.

Mills, C. Wright. 1956. *White Collar: The American middle classes.* New York: Oxford University Press.

_____. 1959. *The Sociological Imagination.* London: Oxford University Press.

Parreñas, Rhacel. 2001. *Servants of Globalization: Women, migration and domestic work.* California: Stanford University Press.

Polanyi, Karl. 1944/2001. *The Great Transformation.* Boston: Beacon Press.

Russell, James. 1991. "Culture and the Categorization of Emotions." *Psychological Bulletin*, 110(3), pp.426~450.

Yeates, N. 2004. "Global Care Chains: Critical reflections and lines of inquiry." *International Feminist Journal of Politics*, 6, pp.369~391.

Zelizer, V. 2005. *The Purchase of Intimacy.* NJ: Princeton University Press.

감정자본주의와 사랑

/

에바 일루즈의 짝 찾기의 감정사회학

박형신

1. 머리말: 사랑, 사회학, 일루즈

최근 우리 출판계와 독서계에 에바 일루즈(Eva Illouz)의 열풍이 불고 있다. 이는 비단 '사랑의 사회학'이라는 일반 독자의 호기심을 끄는 타이틀 때문만은 아닌 것으로 보인다. 왜냐하면 그간 사랑을 사회학적으로 다룬 저작들이 꾸준히 번역·출간되어왔고 또 인기를 끌어왔기 때문이다. 사랑을 친밀성의 구조 변동의 맥락에서 파악한 앤서니 기든스(Anthony Giddens)의 『현대사회의 성·사랑·에로티시즘(Transformation of Intimacy: Sexuality, Love and Eroticism in Modern Societies)』(1993), 근대사회의 개인화의 맥락에서 사랑을 다룬 울리히 벡(Ulrich Beck)과 엘리자베스 벡-게른샤임(Elizabeth Beck-Gernsheim)의 『사랑은 지독한, 그러나 너무나 정상적인 혼란(Ganz normale chaos der liebe)』(1990), 그리고 체계이론의 입장에서 사랑을 소통을 가능하게 하는 의미 코드로 파악한 니클라스 루만(Niklas Luhmann)의 『열정으로서의 사랑(Liebe als Passion)』(1984)이 그것들이다.

그러나 이러한 저작들은 기든스, 벡, 루만의 열풍을 만들어내지 않았다. 아마도 그것은 이들 저작이 각 학자들이 자신들의 사회학적 관점을 사랑에 적용한 것이기 때문일 것이다. 즉, 이 저작들에서 사랑은 주요한 연구의 대상이었지만, 보다 중요한 것은 각 사회이론가들이 제기한 독특한 사회학적 관점, 다시 말해 사회구성론, 개인화 이론, 체계이론이었다. 그렇기에 그들에게는 '사랑의 사회학자'라는 칭호가 붙지 않았다. 반면 에바 일루즈는, 일루즈 하면 사랑을 떠올릴 정도로 일관되게 사랑을 자신의 연구 주제로 삼아 문화사회학·감정사회학의 관점에서 사랑을 연구해온 학자이다. 그중에서도『낭만적 유토피아 소비하기: 사랑과 자본주의의 문화적 모순(Consuming the Romantic Utopia: Love and the Cultural Contradictions of Capitalism)』(1997)과『차가운 친밀성: 감정자본주의의 형성(Cold Intimacies: The Making of Emotional Capitalism)』(2007), 그리고『사랑은 왜 상처받는가: 사회학적 설명 (Why Love Hurts: A Sociological Explanation)』(2012)이라는 사랑을 직접적으로 다룬 저작은 그녀를 사랑의 사회학자라고 칭하기에 충분하게 만든 작품들이다.

모로코에서 출생한 에바 일루즈는 열 살 때 프랑스로 건너가 파리에서 문학과 사회학, 그리고 커뮤니케이션을 공부했고, 예루살렘 히브리 대학교에서 커뮤니케이션을 전공해 석사 학위를, 그리고 펜실베이니아 대학교 아넨버그 커뮤니케이션스쿨에서 박사 학위를 받았다. 2000년 이후로 히브리 대학교에서 사회학 교수로 있으며, 감정사회학자이면서도 아이러니하게 이 대학의 합리성연구소 소장을 맡고 있다. 그녀의 이력이 보여주는 것처럼, 그녀의 연구는 다양한 학문적 배경과 방법, 그리고 다채로운 해석과 설명 틀 속에서 이루어지고 있다.

그녀의 저작은 출간될 때마다 세간의 주목을 받은 것은 물론, 최고 저작상들을 거머쥐는 영예를 그녀에게 부여했다. 그녀의 첫 저서인『낭만적 유토피아 소비하기』가 2000년에 미국사회학회 감정사회학 분야 최우수도서로 선정된 것을 필두로, 『오프라 윈프리와 비참함의 마력: 대중문화에 관한 에세이(Oprah Winfrey and the Glamour of Misery: An Essay on Popular Culture)』(2003)가 2005년에 미국사회학회 문화사회학 분야 최우수도서로 선정되었다. 그녀의 『차가운 친밀성』은 독일어, 프랑스어, 이탈리아어 등으로 11개국에 번역되는가 하면, 『사랑은 왜 상처받는가』는 원래 독일어로 출간된 후 영어를 비롯해 현재까지 무려 15개 국어로 번역·출간되었다. 이러한 그녀의 학문적 성과는 2009년에는 독일의 유서 깊은 주간지 ≪디 차이트(Die Zeit)≫에 의해 "내일의 사유를 바꿀 12인의 사상가" 중의 한 사람으로 선정되게 했으며, 계속된 그녀의 탁월한 연구 성과는 2012년에는 독일 훔볼트 재단으로부터 '국제 우수학술연구상'을, 그리고 2014년에는 미국사회학회 감정사회학 분과에서 '탁월한 학문적 기여상'을 수상하게 했다.

이 글은 에바 일루즈의 사랑의 사회학을 체계적으로 소개하고 평가하는 것을 목적으로 한다. 그녀의 사랑의 사회학의 토대를 이루는 저작은 『낭만적 유토피아 소비하기』로, 이 책에서 일루즈는 현대사회에서 지극히 '탈계급적'인 것으로 인식되는 로맨스라는 현상에 사회학의 전통적인 날카로운 개념인 '계급'을 다시 들이대고, 사랑의 기쁨과 고통의 메커니즘을 '자본주의의 문화적 모순'에서 찾는다. 일루즈가 볼 때, 낭만적 사랑은 자본주의 문화의 모순들 ─ 소비 영역과 생산 영역 간의, 탈근대적 무질서와 여전히 강력한 프로테스탄트 윤리의 노동규율 간의, 무계급적인 풍요의 유토피아와 '구별짓기'의 동력 간의 모순들 ─ 을 결합하고 응축하고 있는 장(場)이다(일루즈, 2014: 34). 일루즈는 『차가운 친밀성』에서는 감정자본주의 아래에서 냉각되고 있는 사랑의 문제를 다룬다. 특히 그녀는 이 책에서 인터넷 테크놀로지가 사회성과 인간관계에서 전례 없는 가능성을 창출하면서도 어떻게 지금까지 그것들을 지탱하는 데 도움을 주어온 감정적·신체적 자원을 제거하고 그럼으로써 차가운 친밀성을 만들어내는지를 보여준다(Illouz, 2007: 111).

이 두 저작은 앞서의 서술이 암시하듯이, 사랑이라는 감정이 어떻게 사회적·문화적으로 형성되는지를 보여주는 문화사회학의 사회구성주의적 입장에서 서술된 것이었다. 반면 『사랑은 왜 상처받는가』는 더욱 감정사회학적 지향을 보여준다. 이 책에서는 『차가운 친밀성』에서부터 보다 강조하기 시작한 입장, 즉 사회학에서 감정 연구가 갖는 중요성을 더욱 강조할 뿐만 아니라, 결혼 시장의 선택 아키텍처와 사랑의 감정동학을 치밀하게 규명한다. 이 글은 앞서 언급한 두 저작을 아우르면서도, 『사랑은 왜 상처받는가』를 중심으로 일루즈의 사랑의 사회학 전반을 재조명한다. 이를 위해 이 글에서는 먼저 일루즈의 사랑의 사회학이 일관되게 견지하고 있는 이론적 지향을 설명하고, 다음으로 근대사회로 이행하면서 발생한 사랑의 사회적 구조의 변화를 그녀가 어떻게 파악하고 있는지를 그녀가 새로이 제시한 '선택 아키텍처(archi-tecture of choice)', 결혼 시장, '섹스장(sexual field)', '에로스 자본(erotic capital)' 감정 불평등, 감정적 지배(emotional domination) 등의 개념을 중심으로 포착한다. 그다음으로는 일루즈가 포착한 사랑의 상처 발생 메커니즘을 통해 사람들이 사랑 속에서 경험하게 되는 불안, 불확실성, 실망의 감정이 발생하는 감정동학을 재구성한다. 마지막으로, 결론적 논평에서는 일루즈 사랑의 사회학의 의의와 한계를 탐색해, 감정사회학의 새로운 지평을 제시한다.

2. 에바 일루즈의 사랑의 사회학과 이론적 지형

1) 자본주의와 감정: 왜 사랑의 사회학인가?

익히 알고 있듯이, 사회학은 근대성의 의미와 결과를 밝히고자 하는 시도에서 출발했다. 마르크스(Karl Marx)의 '착취', 베버(Max Weber)의 '합리화', 뒤르케임(Emile Durkheim)의 '분업' 개념은 근대 세계의 변화를 설명하기 위해 발명된 장치들이며, 이러한 개념들의 분석적 가치는 아무리 강조해도 지나침이 없다. 그러나 일루즈도 지적하듯이, 우리는 합리성의 사회학에 경도된 나머지 고전 사회학자들의 그러한 합리적 분석 틀이 각기 그 감정적 짝을 가지고 있었다는 점을 그간 잊고 있었다(Illouz, 2007: 1~2; 실링, 2009; 박형신·정수남, 2009; 김홍중, 2013). 그것이 바로 그들이 제기한 착취-소외, 합리성-불안, 분업-연대라는 개념적 짝이다. 이러한 개념 짝이 제시될 수밖에 없는 까닭은 일루즈의 표현을 빌리면, "자본주의의 형성 과정은 아주 특화된 감정 문화의 형성 과정과 궤를 같이하기" 때문이다. 따라서 그녀는 자본주의의 감정 차원에 초점을 맞출 때, 우리는 자본주의 사회조직의 또 다른 질서를 발견할 수 있다고 주장한다(Illouz, 2007: 4).

일루즈에 따르면, 감정은 분명 심리학적 실체이지만, 그것 못지않게 그리고 어쩌면 그것 이상으로 문화적·사회적 실체이기도 하며, 우리는 사람임(personhood)을 감정을 통해 문화적으로 규정한다(Illouz, 2007: 3). 그렇다면 왜 일루즈는 무수한 감정 중 사랑에 초점을 맞추는가? 이는 근대 세계의 이중성 때문이다. 즉, 근대 세계는 가슴 설레는 가능성을 열어주기도 하지만, 또한 의미 있는 삶을 살아가는 능력을 심히 위협하기도 한다. 후자의 맥락에서 보면, 근대 세계는 "더욱 고귀한 원칙과 가치에 대한 헌신 없이, 신성한 것에 대한 열정과 황홀감이 없이, 성인과 같은 영웅적 행위 없이, 신성한 계명의 확실성과 질서정연함이 없이, 그리고 무엇보다도 우리를 위로하고 세상을 아름답게 해주는 상상 없이 삶을 살아가는" 세계이다(Illouz, 2012: 8). 이러한 점에서 일루즈가 볼 때, 사회학의 사명은 처음부터 종교의 사망 이후 삶의 의미가 무엇인지를 찾는 것이었다.

일루즈가 볼 때, 이러한 근대 세계의 무의미성과 열정 없음의 탈출구가 바로 서구 역사에서 기사도 정신, 용맹함, 낭만주의의 이상이 지배해온 '사랑의 영역'이었다. 프레더릭 제임슨(Fredric Jameson, 1981: 110)의 표현으로, "로맨스는 잃어버린 에덴동산의 일부 조건을 회복하기 위한 방식으로, 일상생활의 변화를 겨냥하는……하나의 유토피아적 환상"이기 때문이다. "자본주의에서 이 에덴동산은 생산관계가 기적적으로 일소되는 것처럼 보이는 곳이다"(일루즈, 2014: 249). 일루즈에 따르면, "낭만적 사랑은 사회적·경제적 이해관계에 대한 감상의 우위, 이익에 대한 이유 없음의 우위, 축적이 유발한 궁핍에 대한 풍요의 우위를 주장한다. 사랑은 사심 없는 증여에 의해 지배되는 인간관계의 우위성을 공언하면서, 개인의 영혼과 육체의 융합을 찬양할 뿐 아니라 대안적 사회질서의 가능성 또한 열어놓는다. 따라서 사랑은 위반의 아우라(aura of transgression)를 투사하며, 더 나은 세상을 약속하는 동시에 요구한다"(일루즈, 2014: 31). 즉, 낭만적 유토피아는 상품화와 이윤 추구, 계산 합리성이 지배하는 자본주의 질서를 위반하고 전도한다.

하지만 일루즈의 지적대로, "자본주의는 이미 소문난 야누스적 존재이다. 자본주의는……소비와 매스미디어라는 쌍둥이 영역에 의해 통합되는 하나의 강력한 공통의 상징적 공간을 창출해왔다"(일루즈, 2014: 18). 이것이 바로 일루즈가 말하는 '감정자본주의(emotional capitalism)'이다.

> 감정자본주의는 감정 담론·관행과 경제 담론·관행이 서로를 틀 짓고 그리하여 감정이 경제적 행동의 본질적 측면이 되고 또 감정 생활 ─ 특히 중간계급의 감정 생활 ─ 이 경제적 관계 및 경제적 교환의 논리를 따르는……광범한 운동을 산출하는 문화이다(Illouz, 2007: 5).

특히 일루즈는 로맨스와 시장이 교차하는 그러한 과정을 '상품의 낭만화'와 '로맨스의 상품화'라는 개념으로 설명한다. '상품의 낭만화'가 영화와 광고 이미지 속에서 상품이 낭만적 아우라를 획득하는 방식을 일컫는다면, '로맨스의 상품화'는 로맨스 관행들이 대중 시장을 통해 제공된 여가 상품과 여가 기술의 소비와 점차 맞물리고 그러한 상품과 기술에 의해 정의되는 방식을 지칭한다(일루즈, 2014: 57). 이제 감정자본주의는 경제적 자아를 감정적으로 만들었고, 감정은 도구적 행위에 더욱 긴밀하게 매이게 되었다(Illouz, 2007: 23).

일루즈에 따르면, 이제 사랑 역시 분할되고 이중적인 측면을 지니게 되었다. 즉, 사랑은 실존적 초월의 원천이면서도, 동시에 경제적 불평등, 권력, 성 정체성을 놓고 벌이는 각축장이다. 일루즈는 그렇기에 사랑의 연구는 주변적인 것이 아니라 근대성의 핵심과 토대를 연구하는 데서 중심을 이루는 것이라고 주장한다. 따라서 일루즈는 마르크스가 상품을 가지고 자본주의 사회를 분석했듯이, 감정자본주의 문화의 특성을 분석하기 위해 사랑에 사회학적 프리즘을 들이댄다. 그러한 작업을 통해 그녀가 보여주고자 하는 것은 사랑이 구체적인 사회적 관계에 의해 틀 지어지고 생산되며, 사랑이 서로 경쟁하는 불평등한 행위자들의 시장에서 유통되며, 그리하여 일부 사람들이 다른 사람들보다 사랑받을 수 있는 조건들을 드러내는 데에서 더 큰 능력을 장악한다는 것이다(Illouz, 2012: 6).

일루즈가 그의 첫 저작 『낭만적 유토피아 소비하기』에서 시도한 것은 바로 이러한 맥락에서 그녀가 '로맨스의 정치경제학'이라고 부르는 것이었다. 일루즈의 이러한 입장은 소비자본주의가 여가와 사치재의 민주화를 통해 모든 계급이 로맨스 관행을 채택할 수 있게 했지만, 로맨스와 여가의 민주적 유토피아가 여전히 경제적 팽창과 함께 강화된 계급 분할 내에 머물러 있다는 데 근거한다. 그녀에 따르면, "낭만적 이상이 소비자본주의의 민주적 이상을 반영하고 있고 또 그것을 유지하는 데 일조하는 반면, 시장을 구성하고 있는 불평등은 낭만적 유대 그 자체로 이전되어왔다". 따라서 그녀는 "근대의 낭만적 사랑은 시장으로부터의 '안식처'가 되기는커녕, 후기 자본주의의 정치경제학과 긴밀히 공모하고 있는 하나의 관행이다"라고 주장했다(일루즈, 2014: 51).

이와 같이 낭만적 유토피아가 자본주의라는 현실적 제약하에서 '소비'된다는 사실은 현실의 사랑은 문제를 유발하고 사람들을 고통으로 몰아넣기도 한다는 것을 의미한다. 일루즈는 사랑의 사회학에 대한 자신의 후속 저작『사랑은 왜 상처받는가』에서 바로 이 사랑의 고통의 사회동학과 감정동학을 탁월하게 분석한다. 일루즈는 사회학은 처음부터 불평등, 빈곤, 차별, 질병, 정치적 억압, 대규모 군사 분쟁, 자연재해 등 집합적 형태의 고통을 연구 대상으로 삼아왔지만, 사랑의 고통과 같은 '심적 고통'은 소홀이 다루어왔다고 지적하며, 후기 근대성의 조건에서 감정적 고통의 면밀한 사회학적 분석은 사회학의 기본적이고 여전히 매우 요구되는 아주 적절한 사회학의 사명으로 돌아가는 것이라고 주장한다. 왜냐하면 현대의 심적 고통은 자아가 직접적 위험에 처해 있다는 사실을 그 특징으로 하고 있기 때문이다. 일루즈는 그중에서도 특히 로맨스의 고통은 보다 심각한 것으로 고려되는 다른 고통들을 논의하는 자리에서 그냥 지나가는 김에 언급하는 정도로 다루고 말 문제가 아니라고 주장한다. 왜냐하면 그것은 근대 세계에서 자아가 처한 딜레마와 무력감을 보여주고 또한 실행하기 때문이다(Illouz, 2012: 15~16). 그렇다면 일루즈는 사랑의 고통을 어떻게 사회학적으로 분석하는가?

2) 순수하지 않은 비판 패러다임: 프로이트주의와 페미니즘을 넘어서

일루즈는 자신의 사회학적 분석을 시작하기에 앞서 사랑의 고통을 학문적 주제로 부각시킨 두 전통에 대해 논의한다. 하나는 그녀가 '프로이트 문화(Freudian culture)'라고 칭하는 정신분석과 심리치료요법적 시각이고, 다른 하나는 페미니즘적 관점이다. 일루즈의 치료요법적 시각에 대한 비판은 『오프라 윈프리와 비참함의 마력』에서 제기되고, 『근대의 영혼 구원하기(Saving the Modern Soul)』(2008)에서 집중적으로 논의된다. 그리고 이는 『하드코어 로맨스: 그레이의 50가지 그림자 현상 설명하기(Hard Core Romance: Explaining the Fifty Shades of Grey Phenomenon)』(2014)에서도 계속된다. 일루즈에 따르면, 호모 센티멘탈리스(homo sentimentalis)를 부상시킨 프로이트 문화는 또한 20세기 내내 미국 문화 풍경을 지배해온 새로운 감정양식, 즉 치료요법적 감정양식(therapeutic emotional style)을 정식화해왔다. 그녀에 따르면, 특정한 감정양식은 자아와 타자의 관계를 사유하고 양자 간의 가능한 관계를 상상하는 새로운 방식이 정식화될 때 발생한다(Illouz, 2007: 7). 프로이트(Sigmund Freud)의 정신분석학은 독특하게도 과학 생산의 영역뿐만 아니라 엘리트 문화와 대중문화 모두에 자리를 잡으면서 자아, 감정적 삶, 그리고 심지어는 사회관계까지도 재편하는 하나의 새로운 일단의 문화적 관행이 되었다. 미국에서 임상심리학이 이러한 문화적 관행을 토대로 해 만든 것이 바로 치료요법 담론이다. 이 치료요법 담론은 기억의 서사로, 어릴 적의 고통을 가지고 모든 것을 만들어낸다. 즉, 치료요법은 고통에서 벗어나게 하기 위해 고통스러운 기억을 이용한다(Illouz, 2007: 54).

프로이트 문화는 우리의 낭만적 운명을 설명하는 열쇠 역시 어린 시절의 경험이며, 낭만적 비참함은 피할 수 없는 것이자 자초한 고통이라고 파악한다. 일루즈에 따르면, 정신분석학, 임상심리학, 심리치료요법은 사랑과 그것의 실패가 개인의 심리 발달의 역사에 의해 설명되어야 하는 것으로 파악하고, 그리하여 사랑과 에로틱한 것의 영역을 개인의 사적 책임에 귀속시키고, 개인을 낭만적 비참의 불가피한 담지자로 만들었다. 그 결과 이러한 관점에서 사랑의 고통은 자기 자신, 자신의 사적인 역사, 그리고 자신을 틀 짓는 능력과만 관련되는 문제가 된다(Illouz, 2012: 3~4).

하지만 일루즈에 따르면, 사회학적으로 볼 때, 빈곤이 개인의 도덕적 타락이나 허약한 성격에서 기인하는 것이 아니라 체계적인 경제적 착취의 결과였듯이, 우리의 개인적 삶의 실패도 허약한 정신의 결과가 아니며, 우리의 감정적 삶의 변덕스러움과 비참함은 제도적 장치들에 의해 틀 지어지는 것이다. 왜냐하면 그녀가 볼 때, 문제의 근원을 이루는 것은 어린 시절의 기능장애와 불충분한 심적 자기인식이 아니라 근대 자아와 정체성을 구조화해온 일단의 사회적·문화적 긴장과 모순이기 때문이다(Illouz, 2012: 4).

따라서 일루즈는 사랑의 고통을 유발하는 제도적 원인을 규명하고자 한다. 하지만 일루즈가 지적하듯이, 이러한 논점은 새로운 것이 아니다. 왜냐하면 페미니즘 저술가들이 그간 사랑은 모든 행복의 원천이라는 대중적 믿음과 사랑의 고통에 대한 개인주의적인 심리학적 이해 모두에 오랫동안 이의를 제기해왔기 때문이다. 페미니스트들은 낭만적 사랑은 초월, 행복, 자기실현의 원천이 아니라 남성과 여성 간을 분할하는 주요한 원천들 중 하나이자 여성들 스스로가 남성에 대한 굴복을 받아들이게 만들어온 문화적 관행들 중의 하나라고 주장한다(Illouz, 2012: 4~5).

일루즈 역시 여성의 입장에서 사랑에 접근하지만, 페미니즘의 성과와 일정한 거리를 두고자 한다. 일루즈는 페미니스트들이 제기하는 가장 매혹적인 테제는 사랑과 섹슈얼리티의 핵심에는 권력투쟁이 자리하고 있으며 경제적 권력과 섹스 권력이 수렴하기 때문에 이 투쟁에서 남성이 계속해서 우위를 차지한다는 주장이라고 지적한다. 하지만 일루즈가 볼 때, 페미니스트들은 사랑이 권력 못지않게 기본적이며 또한 사회관계의 강력하고 가시적인 동력 중의 하나라는 점을 무시하고 있다. 그리고 그녀는 계속해서 페미니즘 이론은 여성의 사랑(그리고 사랑에 대한 욕망)을 가부장제로 축소시킴으로써 사랑이 왜 근대 여성은 물론 남성에게까지 그토록 강력한 영향을 미치고 있는지를 이해하지 못하며, 사랑의 이데올로기에 포함된 평등주의적 긴장, 그리고 가부장제를 내부로부터 전복할 수 있는 그것의 능력을 포착하지 못한다고 비판한다(Illouz, 2012: 5).

일루즈는 사회학자답게 사랑을 근대 세계의 과정을 이해하는 하나의 소우주로 바라보고, 근대 세계에서 낭만적 자아의 구조가 어떻게 변화했는지를 포착하고자 한다. 그녀에 따르면, 감정자본주의하에서 낭만적 관계들은 시장 내에서 조직화될 뿐만 아니라 그러한 관계 자체가 일관조립라인에서 생산되어 빠르고 효율적이고 싸게 그리고 매우 풍부하게 소비되는 상품이 되었다. 그 결과 지금은 시장이 감정의 어휘들을 지배하고 있다(Illouz, 2007: 91). 일루즈의 이러한 주장은 그녀도 우려하고 있듯이 일루즈가 상품의 영역이 감상의 영역을 타락시켰다고 보고 있으며, 낭만적 유토피아를 그리워하고 있다는 오해를 낳을 수도 있다. 하지만 일루즈는 『낭만적 유토피아 소비하기』에서 자신의 연구 결과가 낭만적 유대가 실제로 시장에 의해 식민화되어왔음을 보여주지만, 자신은 자본주의가 사랑을 타락시켰다거나, 보다 전복적인 사랑을 길들였다고 주장하는 것이 아니라는 점을 분명히 밝히고 있다(일루즈, 2014: 262). 그리고 그녀는 『오프라 윈프리와 비참함의 마력』과 『차가운 친밀성』에서는 '전통적 비판'이 지니고 있는 '순수성에 대한 갈망'을 벗어날 필요가 있음을 역설한다.

일루즈도 지적하듯이 사랑과 로맨스의 합리화, 도구화, 상품화, 물신화에 대한 그녀의 논의가 아도르노(Theodor Adorno)와 호르크하이머(Max Horkheimer)와 같은 전통적 비판이론가들의 암울한 파국적 진단을 사랑에 적용한 것으로 보일 수도 있다. 그러나 일루즈의 사랑의 사회학은 자본주의라는 경제 논리에 의해 순수한 사랑이 훼손되는 과정을 분석하고 진정한 낭만적 사랑을 갈구하는 식의 '순수한 비판(pure critique)' ― 이는 일루즈가 전통적 비판의 순수성에 대한 갈망을 부각시키기 위해 사용한 용어이다 ― 의 유혹에 저항한다(Illouz, 2007: 91). 일루즈가 이에 대한 대안으로 제시하는 것이 순수성을 상정하지 않은, 즉 '순수하지 않은 비판(impure critique)'이다.

일루즈는 그간 비판이론이 자주 비판의 대상으로부터 거리를 두고 그것의 밖에서 순수성을 평가의 기준으로 삼아왔다고 주장한다. 하지만 일루즈는 비판이 가장 강력할 때는 숭고한 순수성을 떠나 일상적 행위자의 구체적인 문화적 관행을 심층적으로 이해하는 것에 근거할 때라고 주장한다. 왜냐하면 후기 자본주의 시대의 문화 비판가 역시 자신이 비판하는 매우 상품화된 장(場) 내에 위치할 수밖에 없기 때문이다. 하지만 이것은 모든 사회적 영역에 대한 자본주의의 지배를 체념적으로 받아들이라는 것이 아니라, 우리가 반대하는 시장만큼이나 정교한 해석 전략을 발전시키라는 것을 의미한다. 그녀에 따르면, 강력한 비판은 비판 대상에 대한 치밀한 이해로부터 나온다(Illouz, 2003: 212, 2007: 93~94).

이를 위해 일루즈가 강조하는 것이 바로 비판이론의 '내재적 비판'의 방법이다. 일루즈에 따르면, 데이비드 헬드(David Held, 1980: 184)의 지적대로 비판이론의 정수는 "(비판) 대상의 개념적 원리와 기준에서 시작해 그것의 함의와 결과를 밝히는 것"이다. 일루즈는 그럼에도 불구하고 비판이론가들, 그리고 심지어 아도르노까지도 비판 대상을 '외부'에서 바라봄으로써 그 대상에 부적절한 평가 기준을 부과한다는 비난을 받아왔다고 주장한다. 일루즈의 이러한 인식은 대니얼 벨(Daniel Bell)이 『자본주의의 문화적 모순(The Cultural Contradictions of Capitalism)』(1976)에서 정교화했듯이, 정체, 경제, 사회라는 각각의 영역은 각기 다른 원리에 의해 작동하며[일루즈는 『낭만적 유토피아 소비하기』에서와는 달리 『차가운 친밀성』과 『오프라 윈프리와 비참함의 마력』에서는 이에 대한 근거로 마이클 왈저(Michael Walzer)를 인용한다], 하나의 영역이 다른 영역들을 전적으로 틀 짓거나 반영하지 않는다는 인식에 근거한다. 좀 더 구체적으로 설명하면, 자본의 논리가 사랑의 영역에 침투해 사랑의 구조를 변화시키지만, 사랑을 전적으로 경제화할 수는 없다는 것이다. 그러나 사랑의 영역은 그것이 상정한 유토피아를 계속해서 추구함에도 불구하고 그것의 작동 원리는 자본의 논리에 의해 변화할 수밖에 없고, 그것 내부에 또 다른 가능성과 모순을 발생시킨다. 일루즈의 사랑 분석이 주목하는 것이 바로 이것, 즉 경제 논리와 사랑의 논리의 융합이 만들어내는 로맨스 영역의 변화를 내재적으로 비판하며, 감정자본주의의 문화적 모순을 밝히는 것이다.

3. 감정자본주의와 결혼 시장의 사회적 메커니즘

1) 선택 아키텍처의 변화: '감정 수행성 체제'에서 '감정 진정성 체제'로

일루즈는 근대사회에서 발생한 사랑의 변화를 이해하기 위해 '선택'이라는 새로운 사회학적 범주를 도입한다. 왜냐하면 그간 '개인주의'가 그러한 변화를 이해하기 위한 전거로 제시되어왔지만, 감정 개인주의가 서유럽에서 300년 이상 지속되어왔고, 19세기의 유럽과 미국의 낭만적 선택의 문화가 개인주의적이기는 하지만, 개인주의의 형식과 의미가 오늘날과 달라, 개인주의라는 관념으로 오늘날의 사랑 구조의 변화를 설명하는 것은 너무나도 광범하고 부정확하기 때문이다.

따라서 일루즈는 사회의 작동 원리의 변화에서 사랑의 변화의 단초를 찾고 있으며, 이를 위해 일루즈가 만들어낸 용어가 바로 '선택 아키텍처(archi-tecture of choice)'이다. 수많은 인지적 과정과 감정적 과정으로 구성되는 선택 아키텍처는 주체에 내재하는 메커니즘이자 동시에 문화에 의해 틀 지어진다. 선택 아키텍처는 사람들이 대상을 평가하는 기준, 그리고 사람들이 자신의 감정·지식·형식적 추론을 통해 결정에 도달하는 방식에 영향을 미친다(Illouz, 2012: 20). 일루즈는 먼저 사랑의 선택이 이루어지는 아키텍처의 변화를 파악하기 위해 빅토리아시대의 짝 찾기의 '이상형'을 구성하고, 그로부터 현재의 짝 찾기 모습의 특징들을 추론해낸다.

우선 일루즈가 문학 텍스트 – 특히 제인 오스틴(Jane Austen)의 작품들 – 로부터 찾아낸 빅토리아시대 사랑의 선택 기준은 '성격(character)'이었다. 하지만 일루즈가 볼 때, 성격은 심리적인 내적 기질이 아니라 특정 사회의 작동 원리가 낳은 결과이다.

> 성격은 독특한 심리적 기질과 감정이 아니라 행위 속에 존재한다. 성격은 자아의 독특함과 독창성에 관한 것이 아니라 덕성을 공개적으로 드러내어 인정받고 검증받을 수 있는 능력에 관한 것이다. 성격은 내면적인 것이 아니라 가치와 규범이라는 공적 세계와 자아를 잇는 능력이다. 성격은 어떤 특정 개인이 부여한 사적인 감정적 정당화에 의존하는 것이 아니라 공적 행동 규칙에 의해 규제되는 평판과 명예에 의존한다(Illouz, 2012: 26).

이러한 의미에서 성격은 집단이 지지하는 가치가 객관화되고 외면화된 형태의 한 종류이다. 따라서 성격은 겉으로 드러날 수밖에 없는 것이며, 다른 사람들이 그것을 목격하고 승인해야만 하는 것이다. 이렇게 볼 때, 성격은 두 사랑하는 사람이 상대방의 내적 자아에 부여한 가치가 아니라 도덕적 규약과 이상을 실행하는 능력이다. 따라서 짝의 선택은 두 당사자가 기존의 도덕 규약과 사회적 규칙에 순응할 때 이루어진다.

빅토리아시대에 이러한 짝 찾기의 과정은 고도로 규약화된 하나의 의례였다. 친족과 이웃의 틀 내에서 행해지는 남성의 구애 의례는 사회적 규범의 조정자이자 집행자인 친족과 사회적 네트워크가 구애자의 주장과 자격을 검증하는 과정이자, 여성의 자아를 친족과 사회적 관계들에 얽어매고 또 그것들에 의해 보호하는 과정이었다(Illouz, 2012: 27~29). 그리고 이러한 장래의 남편감의 평가에서 중요한 기준이 바로 평판이었고, 평판의 중심을 이루는 것이 약속에 대한 헌신이었다. 이렇듯 빅토리아시대 모델에서 감정적 몰입은 잘 알려진 의례의 순서에 따라 진행되며 감시받는 것이었다.

일루즈는 이러한 감정의 조직을 '감정 수행성 체제(regime of performativity of emotions)'라고 부른다(Illouz, 2012: 30, 40). 이러한 의례화된 낭만적 질서에서 감정은 의례화된 행위와 감상의 표현에 의해 유인된다. 즉, 사람들은 행동 의례를 수행하고 그 의미를 해독한 후에 감정을 드러내고 느끼게 된다. 따라서 감정의 형성은 다른 사람이 적절한 사랑의 기호와 규약을 이용함에 의해 유인되는 점진적인 과정이다. 낭만적 감정은 두 사람이 공유하고 있는 기호와 신호의 미묘한 교환의 결과이다. 이러한 체제에서 두 당사자 중 하나(즉, 남자)가 다른 사람의 감정을 유인하는 사회적 역할을 맡아 수행한다. 이러한 고도로 의례화된 사랑이 감정의 영역에서 여성을 보호해주었다. 이러한 감정 수행성 체제에서 강렬한 감정은 매력, 구애, 헌신의 과정을 거치고 난후에야 노출되고 표현된다. 따라서 감정은 사회적 역할의 결과이지 선험적 전제 조건이 아니다.

이러한 체제는 근대 관계에 널리 퍼져 있는 '감정 진정성 체제(regime of emotional authenticity)'와 대비된다(Illouz, 2012: 31). 진정성 체제에서는 행위자들이 자신의 감정을 알 것이 요구된다. 즉, 그들은 그러한 감정에 입각해 행위하고, 그러한 감정이 관계의 실제적 구성 요소이다. 그리고 사람들은 자신들의 감정을 자신과 다른 사람들에게 드러내고, 그러한 감정에 기초해 관계에 대해 결정하고 자기 자신에 헌신한다. 감정 진정성 체제에서 사람들은 관계의 중요성, 강도, 그리고 미래의 의미를 규정짓기 위해 그들 자신과 다른 사람들의 감정을 면밀하게 따진다. 감정 진정성 체제는 감정 — 그리고 특히 사랑의 표현과 경험 — 을 조직화하는 규칙에 선행하여, 감정이 먼저 실제로 존재한다고 전제한다. 따라서 감정 진정성 체제에서는 자신들의 감정의 확실성을 획득하기 위해 상당한 자기 검증을 실시하거나 저항할 수 없는 감정을 폭발시킨다.

일루즈는 이러한 낭만적 선택이 감정 수행성 체제에서 감정 진정성 체계로 전환한 것을 폴라니(Karl Polanyi)의 용어를 빌려 '사랑의 거대한 전환'이라고 지칭하고, 그러한 역사적 과정의 결과가 바로 '결혼 시장의 형성'이라고 파악한다.

2) 낭만적 생태계의 거대한 전환: 결혼 시장의 형성

칼 폴라니(2009)가 말하는 경제 관계의 거대한 전환이란 자본주의 시장이 경제행위를 사회와 도덕적·규범적 틀로부터 분리시켜 경제를 자기규제적 시장으로 조직화하고 사회를 경제하에 포섭시킨 것을 지칭한다. 일루즈는 낭만적 선택의 생태계에서 일어난 변화도 그와 유사한 구조를 지니고 있는 거대한 전환이라고 파악할 수 있다고 주장한다. 왜냐하면 앞서의 기술에서 알 수 있듯이, 감정 수행성 체제에서 감정 진정성 체계로의 전환은 개인들의 낭만적 선택이 집단의 도덕적·사회적 조직으로부터 떨어져나와 자기규제적인 결혼 시장을 출현시켰기 때문이다(Illouz, 2012: 40~41). 그리하여 사람들은 열린 시장 속에서 자신들의 '취향'에 따라 짝을 만나고 고르고 가장 갖고 싶은 상대방에 접근하기 위해 자신들의 능력을 놓고 다른 사람들과 경쟁한다(Illouz, 2012: 51).

일루즈에 따르면, 이러한 결혼 시장은 사회학적으로 볼 때 다음과 같은 일련의 특징을 가진다(Illouz, 2012: 52~53). 첫째, 전근대적 짝 찾기가 수평적이었다면, 근대적 짝 찾기에서 경쟁은 수평적이자 수직적이게 되면서, 잠재적 파트너의 풀이 상당히 커졌고, 그리하여 원칙적으로 모든 사람이 주어진 사회적 환경 속에서 가장 갖고 싶은 파트너를 놓고 모든 사람과 경쟁한다. 둘째, 다른 사람을 만나는 것은 개인적 취향의 문제가 되었다. 신체적 매력과 성적 선호에서부터 퍼스낼리티와 사회적 지위에 이르는 파트너 선택 기준이 주관화되고, 이제 개인적 취향에 따라 거래된다. 셋째, 개인들이 경제적 성향을 내면화하면서 선택이 경제적이자 감정적이게, 즉 합리적이자 비합리적이게 되었다. 따라서 낭만적 아비투스는 경제적이자 감정적으로 작동하는 특성을 가지게 되었다. 넷째, 파트너의 선택이 점점 더 주관화되면서, 신체적 매력과 퍼스낼리티가 내적 가치의 지표가 되었다.

일루즈가 볼 때, 이러한 결혼 시장의 형성은 특히 게리 베커(Gary Becker, 1981)와 같은 경제학자들이 주장하듯이 자연적이거나 보편적인 것이 아니라, 오히려 낭만적 만남의 탈규제화라는 역사적 과정의 결과이다. 따라서 낭만적 만남의 거대한 전환은 어떠한 공식적인 사회적 경계도 파트너의 접근을 규제하지 않고, 그리하여 치열한 경쟁이 다른 사람을 만나는 과정을 지배하는 과정이다(Illouz, 2012: 51). 그러나 일루즈가 볼 때, 결혼 시장에서 다양한 속성들이 거래되지만, 결혼 시장에서 사람들의 지위는 당시의 일반적인 사회적 가치에 의해 규정된다. 일루즈에 따르면, 결혼 시장에서 사회적 가치를 부여하는 새로운 양식으로 등장한 것이 바로 에로틱한 매력과 성적 능력을 상징하는 '섹시함(sexiness)'이라는 범주이다.

일루즈의 설명에 따르면, 섹시함이 도덕적 가치와 분리된 하나의 독자적인 문화적 범주로 성립하게 된 것은 세 가지 요소가 작동한 결과였다(Illouz, 2012: 45~46). 첫째는 소비자본주의의 결과로, 섹스와 섹슈얼리티의 상품화가 섹슈얼리티를 점점 더 생식, 결혼, 장기적인 유대, 심지어는 감정성과도 분리된 경험과 속성으로 만들었다. 둘째는 정신분석학과 심리학의 영향으로, 특히 임상심리학자와 카운슬러들이 건강한 성생활이 웰빙에 결정적이라고 주장하며, 섹슈얼리티를 멋진 삶과 건강한 자아 프로젝트의 중심에 자리 잡게 했다. 셋째는 '제2의 물결' 페미니즘이 섹슈얼리티를 정치적으로 재개념화한 결과로, 성적 오르가슴과 서로의 쾌락이 자율성과 평등을 확인하는 도덕적 행위가 되었다. 일루즈에 따르면, 이러한 문화적 힘들이 결합하며, 섹스, 섹슈얼리티, 성적 욕망성을 정당화할 뿐만 아니라, 그것들이 그 자체로 하나의 자율적인 힘을 갖는 배우자 선택의 기준이 되었다.

일루즈는 이제 섹시함은 결혼 시장에서 하나의 신분을 지칭하는 특성이 되었다고 지적하고, 이것이 갖는 함의를 탐색한다(Illouz, 2012: 48~50). 첫째는 섹시함이 동질혼이라는 전통적 유형을 파괴할 수 있다는 것이다. 즉, 아름다움과 섹시함은 반드시 사회계층과 중첩되지 않으며, 따라서 전통적 위계서열을 훼손하는 방식으로 결혼할 수 있는 길이 열리게 된다. 둘째는 앞서의 논의가 암시하듯이, 이러한 선택 기준의 다양화가 짝의 선택에서 점점 더 많은 모순을 동반할 수 있다는 것이다. 셋째는 섹시함이 신분의 상징이 되면서 섹슈얼리티를 결혼이라는 목적과 분리시켜 그 자체를 하나의 목적으로 정당화해, 섹스와 감정을 분리시킨다는 것이다. 넷째로, 섹시함은 사랑에 빠지는 과정을 주관화함으로써, 파트너의 선택을 감정적·인지적 평가 과정을 통해 이루어지는 개인적 의사결정으로 만들었다. 다섯째로, 평가양식으로서의 섹시함은 가정이나 장기적 관계의 틀과는 무관하게 섹스 그 자체가 목적이 되는 사회적 섹스장(sexual social arena)을 만들어낸다. 마지막으로는, 아름다움과 섹시함의 표준화로 인해 신체적 외모와 겉모습이 점점 더 획일화된다는 것이다. 그리고 이러한 표준화는 성적 매력의 위계를 분명히 하는 결과를 낳았다. 일루즈는 짝 선택의 주관화와 자유화는 이처럼 섹시한 외모의 표준화라는 역설과 '낭만의 계층화'를 낳는다고 진단한다.

3) '섹스장'의 작동 메커니즘: 에로스 자본, 감정 불평등, 감정적 지배

일루즈는 이상과 같은 짝 찾기 과정의 탈규제화와 섹시함의 가치화가 피에르 부르디외(Pierre Bourdieu)의 용어를 차용하면 '섹스장(sexual field)'이라고 부를 수 있는 것을 등장시켰다고 주장한다. 섹스장은 성적 욕망이 자율화되고 섹스 경쟁이 일반화되며 섹스어필이 짝 선택의 자율적 기준이 되어 그것에 의해 사람들을 분류하고 서열 짓는 사회적 장을 의미한다(Illouz, 2012: 54). 그렇다면 이 섹스장에서 어떤 행위자가 다른 행위자들보다 더 성공하게 하는 것은 무엇이고, 섹스장은 어떻게 구조화되는가? 일루즈는 이를 설명하기 위해 에로스 자본(erotic capital), 감정 불평등, 감정적 지배라는 개념을 도입한다.

일루즈는 섹스장에서 순환하는 새로운 형태의 자본을 에로스 자본 또는 섹스 자본(sexual capital)이라고 부른다. 에로스 자본은 다른 사람에게서 에로틱한 반응을 끌어내는, 개인이 소유하고 있는 특정한 특성의 질과 양을 의미한다(Illouz, 2012: 56). 일루즈는 남성과 여성이 섹스장에서 에로스 자본을 축적하는 상이한 전략에 따라 에로스 자본은 두 가지 형태 또는 경로를 취한다고 주장한다. 먼저 남성들은 에로스 자본을 자신이 축적한 성 경험의 양으로 가시화시켜 드러낸다. 이들 섹스 자본가들은 섹스 파트너의 수로 계산되는 성 경험을 자기가치(self-value)의 한 원천으로 바라보고, 에로스 자본은 다른 사람들을 성적으로 정복했다는 자부심으로 표현된다. 여성들에게 에로스 자본은 사회적 신분과 부를 얻기 위한 수단으로 이용되며, 경제적 자본의 일부가 된다.

그러나 일루즈는 이 같은 시장 원리에 의해 지배되는 섹스장에서 남성과 여성이 공히 자유를 누리는 것 같지만, 남성과 여성이 성적 자유를 느끼고 경험하고 모니터하는 상이한 방식이 새로운 형태로 불평등을 만들어내고 있다고 주장한다. 일루즈는 경제적 자유와 마찬가지로 성적 자유가 어떻게 젠더 불평등을 조직화하고 정당화하는지를 또다시 선택의 생태계와 아키텍처의 변화를 통해 분석한다. 일루즈는 결혼 시장에서 젠더 불평등을 만들어내는 메커니즘으로 남성의 '초연함(detachment)'과 여성의 '생물학적 시간'에 주목한다.

빅토리아시대에 결혼 선택은 남성이 선택하고 여성은 항상 유보적 태도 속에서 남성의 헌신을 검증하는 방식이었다. 하지만 현재 결혼 시장의 생태계에서는 남성은 헌신을 주저하고 여성이 기꺼이 헌신하고자 하는 새로운 양태를 보이고 있다. 일루즈는 이처럼 남성이 선택을 미루거나 기피하는 모습을 '초연함'이라는 용어로 묘사하고, 그 이유를 탐색한다. 그녀에 따르면, 이는 짝 선택 생태계의 변화를 반영하는 것이다. 오늘날 결혼 시장은 짝 선택의 사회적 제약이 사라지면서 원칙으로는 누구나 결혼 시장에 접근할 수 있게 되었고, 그 결과 실제적·상상적 섹스 파트너들이 가파르게 증가하고 풍부해졌다.

이러한 선택 가능성의 증가는 단일한 대상 또는 관계에 헌신할 수 있게 하기보다는 방해한다. 왜냐하면 우선 이러한 감정 결정체계가 개인들에게 자신의 선호를 확정하고 자신의 선택을 평가하고 자신의 감상을 확인하기 위한 합리적 형태의 자기 점검을 요구하기 때문이다. 그리고 이러한 합리적 평가는 의사결정에서 감정이 수행하는 힘을 약화시킨다. 게다가 선택지의 증가는 충분히 좋은 선택을 하는 '만족하는 선택'에서 최고의 선택을 추구하는 '선택의 극대화'로 선택의 방식을 전환시킨다(Illouz, 2012: 91, 93, 95). 일루즈는 이러한 짝 선택 생태계의 변화가 남성으로 하여금 감정과 섹스를 분리시키고, 짝의 선택을 연기하게 하고, 이는 남성들이 자신들의 잠재적 짝에 대해 열정적이기보다는 초연한 태도를 가지게 만들었다고 진단한다. 일루즈의 분석에 따르면, 이러한 남성들의 헌신 기피 태도의 두 가지 형식으로 나타나게 되는데, 그 하나가 쾌락적 관계의 축적에 집중하는 '쾌락주의적 헌신 기피증(hedonic commitment phobia)'이고, 다른 하나는 어떤 누구도 원치 않는 '의지 상실적 헌신 기피증(aboulic commitment phobia)'이다(Illouz, 2012: 78).

반면 일루즈는 결혼 시장에서 여성들이 기꺼이 남성에게 헌신하고자 하는 것은 여성들의 '배타주의적 짝 찾기 전략(exclusivist pairing strategy)' 때문이라고 주장한다. 하지만 일루즈는 여성의 그러한 전략을 여성의 선천적인 성적 남성 지향보다는 생식 지향에 그 동기가 있으며, 결혼 시장의 생태계가 이를 더욱 부추겼다고 파악한다. 일루즈의 해석 따르면, 이러한 배타적 섹슈얼리티는 일부일처제 가정이라는 제도적 틀 내에서 어머니가 되기를 원하는 여성들 사이에서 발견될 가능성이 크지만, 전통적인 가부장제하에서는 남성도 여성만큼이나 아이를 가질 것을 규범적·문화적으로 강요받았다. 하지만 가부장제가 도전받는 사회에서 남성들은 생물학적 생식을 규범적으로 훨씬 덜 강요받는다. 왜냐하면 가족은 더 이상 통제와 지배의 장소가 아니기 때문이다. 남성성을 틀 짓는 문화적 정명은 심리적 자율성, 상승 이동, 경제적 성공이다. 따라서 아이를 갖거나 갖기를 원하는 사회학적 역할을 맡는 것은 여성이다.

일루즈는 이러한 낭만적 아키텍처의 변화 속에서 여성들의 짝 찾기 전략에서 결정적 요인으로 작동하는 것이 바로 생물학적 시간(biological time)이라고 파악한다(Illouz, 2012: 74~75). 일루즈는 이를 하이데거(Martin Heidegger)를 패러디해 다음과 같이 표현한다. "결혼 시장에서 근대 중간계급 여성은 시간을 죽음의 관점에서가 아니라 '출산 능력'의 관점에서 생각한다. 사랑의 영역에서 여성의 유한성은 가임의 지평에 의해 특징지어진다"(Illouz, 2012: 75). 더 나아가 일루즈는 섹시함이라는 결혼 시장의 새로운 기준이 젊음과 외모와 연관되어 있기 때문에, 여성들은 나이 들음을 더욱 의식할 수밖에 없게 되었고, 그리하여 여성성을 더욱 문화적 시간 범주 내에서 조직하게 되었다고 주장한다(Illouz, 2012: 76).

일루즈가 볼 때, 이처럼 제한된 시간 틀 내에서 짝을 선택해야 하는 여성과 상대적으로 시간 차원을 더 무시하고 인지적 시간의 폭을 넓힐 수 있는 남성 간에는 결혼 시장에서의 협상 능력이라는 면에서 큰 격차가 있을 수밖에 없다. 따라서 일루즈는 자유로운 선택을 표면으로 하는 결혼 시장은 낭만적 선택의 새로운 아키텍처를 통해 또 다른 방식으로 젠더 불평등을 구체화하고 있다고 파악한다.

일루즈에 따르면, 지금까지 설명한 바와 같이 결혼 시장에서 남성과 여성이 자신의 에로스 자본을 활용해 자신의 신분을 획득하는 서로 다른 전략이 그녀가 말하는 '감정 불평등'을 산출한다. 앞서 설명했듯이, 남성들에게 섹슈얼리티는 하나의 신분으로서의 남성성을 드러내는 수단이고, 따라서 남성들은 더 많은 파트너들에게 자신의 섹스 자본을 순차적으로 또는 동시에 과시하는, 일루즈가 '연쇄적 섹슈얼리티'리고 표현하는 섹스 전략을 채택한다. 반면 여성들에게 섹슈얼리티는 여전히 생식과 결혼에 예속되어 있고, 이는 파트너를 독점하고자 하는 배타주의적 전략을 채택하게 한다. 일루즈는 이 두 섹스 전략은 단지 다른 것만이 아니라 남성에게 상당한 이익을 주어 섹스장을 지배하게 한다고 주장한다. 연쇄적 섹슈얼리티가 결혼 시장에서 배타주의적 전략보다 더 많은 구조적 우위를 차지하기 때문이다(Illouz, 2012: 102). 또한 여성의 섹스 독점 전략은 감정적 집착을 수반한다. 왜냐하면 독점하고자 하는 욕망은 여성으로 하여금 남성보다 자신들의 감정을 더 느끼고 표현하게 만들기 때문이다. 이와 대조적으로 남성의 연쇄적 섹슈얼리티는 감정적 초연함을 수반한다. 왜냐하면 남성들이 더 많은 파트너에게 섹스 자본을 노출시키는 까닭에 단일한 파트너에 대한 감정은 약화되기 때문이다(Illouz, 2012: 102~103). 이처럼 낭만적 거래의 조건이 변화하면서, 남성과 여성의 감정 표현양식 또한 변화했다. 19세기에 남성성이 감정의 확고부동함과 약속에 대한 헌신 능력에 의해 표현되었다면, 오늘날에는 남성성이 감정을 입증하기보다는 억제하는 식으로 표현되고 있다. 역으로 19세기에 여성이 남성보다 감정을 드러내지 않을 가능성이 컸다면, 오늘날에는 여성이 감정을 표현할 가능성이 크다. 일루즈는 이렇게 남성이 더 많은 초연함과 더 많은 짝 선택 능력을 통해 감정적 상호작용을 통제할 수 있는 능력을 더 많이 가짐에 따라 남성이 여성에게 '감정적 지배(emotional domination)'를 행사하게 되고, 이것이 남성들에게 헌신 기피증을 만들어냈다고 분석한다. 그녀는 그럼에도 짝찾기의 자유 시장적 조건이 여성에 대한 남성의 새로운 형태의 감정적 지배를 숨기고 있다고 주장한다(Illouz, 2012: 104).

4. 감정자본주의 시대 사랑의 상처 발생 메커니즘과 감정동학

1) 근대 낭만적 상처의 발생 구조 ①: 불안 – 인정에 대한 욕구와 자율성 위협 간의 긴장

일루즈는 이상과 같은 낭만적 선택의 변화한 아키텍처 속에서 사랑은 왜 상처받는지를 사회학적 시각에서 명쾌하게 탐색한다. 그녀가 밝히고자 하는 것은 사랑 그 자체가 담고 있는 아픔의 구조가 아니라 근대 세계 속에서 사랑이 왜 상처받을 수밖에 없는가 하는 것이다. 일루즈는 이를 논의하기 위해 먼저 근대 자아의 '취약성'을 논의에 끌어들이며, 데카르트(René Descartes)식의 '생각하는 사람'이 확실성을 찾는다면, 장 뤽 마리옹(Jean-Luc Marion)식의 사랑하는 사람은 '확인' 또는 '인정'을 원한다고 지적한다(Illouz, 2012: 110). 빅토리아시대까지 낭만적 유대가 이미 거의 객관적으로 수립된 '사회적 가치 의식(sense of social worth)'에 기초해 조직되었다면, 후기 근대 세계에서 낭만적 유대가 우리가 '자기가치 의식(sense of self-worth)'이라고 부르는 것을 산출하기 때문이다(Illouz, 2012: 115).

일루즈에 따르면, 이러한 자기가치의 확립 과정에서 중요한 것이 악셀 호

네트(Axel Honneth)가 말하는 '인정(recognition)'이다(호네트, 1996). 인정이란 "우리가 다른 사람에게 그 또는 그녀의 지위와 무관하게 사회적 상호작용 내에서 그리고 그것을 통해 가치를 부여하는 것"을 의미한다. 인정은 어떤 사람의 사회적 가치가 다른 사람과의 관계 속에서 그리고 그것을 통해 계속해서 확립되는 하나의 과정이다(Illouz, 2012: 119~120). 일루즈에 따르면, 사랑받은 사람의 입장에서 낭만적 사랑은 인정을 통해, 즉 타인의 시선을 매개로 하여 자아 이미지를 강화하는 것이다. 사랑에 빠진다는 것은 자신의 일상적 평범함을 극복하고 자신의 독특함과 자기가치를 인식한다는 것이다. 그러므로 사랑은 자아의식을 고취한다(Illouz, 2012: 111, 112). 따라서 이제 낭만적 사랑은 사람들이 자기가치를 협상하는 장소, 호네트의 용어로는 '인정 투쟁'의 장소가 되었다.

하지만 이러한 인정받고 싶은 욕망은 다른 한편 '존재론적 불안(ontological insecurity)' 의식을 낳는다. 일루즈는 이를 두 가지 측면에서 분석한다. 첫째는 선택 아키텍처의 변화로 인해 짝의 평가 기준이 공유된 사회적 규약이 아니라 주관적이고 사적인 취향이 되었기 때문에, 새로운 형태의 불안에 직면한다(Illouz, 2012: 122). 오늘날에도 비록 성적 매력에 대한 문화적 모델과 원형이 존재하기는 하지만, 성적으로 매력적이라는 것은 개인화된 취향과 심리적 조화 가능성에 의존하기 때문에 극히 예측하기 힘들다. 이러한 상황에서 사랑의 인정은 자기가치를 뒷받침하는 기호와 신호를 계속해서 생산하고 재생산하는 복잡한 상징적 과정의 연속으로 이루어지기 때문에, 항상 '거부당함의 두려움'을 유발한다. 그리고 이러한 두려움은 자존감을 위축시킨다.

둘째는 인정과 자율성 간의 긴장이다. 앞서 논의했듯이, 낭만적 관계는 인정받고 싶은 욕구를 포함하고 있지만, 상대방의 인정은 관계 속에서 자신의 지위를 약화시킬 수 있다. 따라서 상대방의 인정 요구는 자신의 자율성을 위협받지 않게 하기 위해 주의 깊게 모니터되는 반면, 자율성은 이처럼 인정을 모니터하고 심지어는 유보함으로써 확보된다(Illouz, 2012: 131). 낭만적 관계에서 이러한 자율성 확보의 욕구는 인정을 무한한 상호성의 과정이 아니라 하나의 유한한 재화로 작용하게 하고, 자율성과 인정의 협상 과정에서 자신이 가치 없고 열등하다는 느낌은 두려움을 유발한다(Illouz, 2012: 133). 그리고 결혼 시장의 구조적 상황에서 보다 많은 자율성을 누릴 수 있는 남성이 여성을 지배하고, 여성은 상처받는다.

일루즈에 따르면, 이러한 선택 아키텍처의 변화는 사랑이 주는 아픔의 구조 또한 변화시켰다. 빅토리아시대까지 사랑의 상처를 입히는 것은 사회의 자의적이고 질식할 것 같은 규범이지 개인의 자기가치가 아니었다(Illouz, 2012: 145). 따라서 상처받은 여성은 사회에서의 복권을 추구하고, 자신의 아픔을 성격 형성의 하나의 계기로 삼았다. 하지만 결혼 시장에서의 상처 입은 여성은 자신에게 결함이 있다고 여기고, 심지어는 죄책감까지 느끼면서 기본적인 자아의식이 심각하게 위협받는다. 결국 낭만적 고통은 결함 있는 자아의 표시가 된다(Illouz, 2012: 130, 148). 하지만 일루즈는 이것은 치료요법적 설명 방식이 만들어낸 하나의 허위의식일 뿐이고, 사랑의 상처의 실제적 원인은 낭만적 관계에서 인정과 자율성의 구조적 불평등이 만들어내는 것이라고 주장한다.

2) 근대 낭만적 상처의 발생 구조 ②: 불확실성 – 주술화된 사랑과 사랑의 탈주술화

일루즈는 두 번째로 막스 베버의 합리화 개념을 이용해 사랑의 상처가 어떻게 발생하는지를 설명한다. 일루즈에 따르면, 하나의 제도화된 문화적 힘인 합리성은 감정적 삶을 내부로부터 재구조화해오며, 감정을 이해하고 협상하는 기본적인 문화적 각본을 변화시켜왔다. 그리하여 사랑이라는 감정에는 두 가지의 문화적 구조가 작동하고 있다. 하나가 성적 애정에 기초한 자기 포기와 감정적 융합이라는 강력한 판타지에 기초하는 사랑이라면, 다른 하나는 감정적 자기규제와 최적의 선택이라는 합리적 모델에 기초한 사랑이다. 일루즈는 이 합리적 행동 모델이 역사적으로 열정과 에로티시즘을 경험해온 문화적 자원을 훼손하면서 낭만적 욕망의 구조를 크게 변화시켜왔다고 주장한다(Illouz, 2012: 159). 일루즈가 이 과정을 분석하기 위해 베버를 원용해 도입한 것이 '주술화된 사랑(enchanted love)'과 '사랑의 탈주술화(disenchantment of love)'이다.

일루즈는 사랑의 탈주술화 과정을 분석하기 위해 먼저 주술화된 사랑의 이상형을 구성한다. 그녀에 따르면, 주술화의 경험은 신성하다는 의식을 핵심으로 하는 강력한 집합적 상징에 의해 매개된다. 그러한 상징들이 그것을 믿는 사람의 경험적 현실을 구성하고 압도한다. 그리하여 주술화된 경험 속에서 주체와 대상은 구분되지 않으며, 믿음의 대상과 믿음 자체는 의문의 대상이 되지 않는다(Illouz, 2012: 159). 일루즈는 이러한 점에 근거해 주술화된 사랑의 기본 형식을 다음과 같이 설정한다.

- 사랑의 대상은 신성하다.
- 사랑은 정당화하거나 설명할 수 없다.
- 사랑의 경험이 연인의 경험적 현실을 압도한다.
- 주술화된 사랑에서는 사랑의 주체와 대상이 구분되지 않는다.
- 사랑의 대상은 유일무이하며 비교 불가능하다.
- 사랑하는 사람은 사리추구를 다른 사람을 사랑하는 기준으로 삼지 않는다.

이러한 낭만적 사랑의 이상형은 사랑의 대상의 철저한 유일무이함, 사랑의 대상의 대체 불가능성과 비교 불가능성, 계산과 합리적 지식에 감정을 예속시킬 수 없음, 사랑하는 사람을 위한 자신의 전적인 포기, 상대방을 위한 자기파괴와 자기희생을 특징으로 한다(Illouz, 2012: 161). 일루즈에 따르면, 오늘날 이러한 사랑과 로맨스의 주술화된 경험은 동의하기 어려워졌다. 비록 사랑이 여전히 대부분의 사람들에게 매우 의미 있는 하나의 경험으로 남아 있음에도 불구하고, 그것은 자아 전체를 속박하지도 또 동원하지도 못한다. 그렇다면 왜 사랑은 이제 이성과 자아의 포기로 경험될 수 있는 그것의 능력을 상실했는가? 일루즈는 사랑이 낭만적 믿음을 산출하는 힘을 상실한 것은 과학, 정치, 기술이라는 세 영역에서 그러한 신념을 합리화함으로써 사랑을 탈주술화했기 때문이라고 분석한다(Illouz, 2012: 162).

먼저 일루즈에 따르면, 과학적 설명 모델 ― 심리학적·생물학적·진화론적 ― 은 추상적이며, 통렬하고 생생한 경험의 범주들과 무관하게 존재하는 경향이 있다. 이러한 설명 방식은 감정을 하나의 부수 현상, 즉 주체가 인식하지도 느끼지도 않는 선험적 원인의 단순한 결과로 환원한다. 그리하여 사랑은 이제 말로 표현할 수 없고 유일무이하고 유사 신비적인 경험이자 사심 없는 감정이 아니라 심리적·진화적·생물학적 법칙에 의해 결정되는 하나의 반응으로, 설명과 통제를 필요로 하는 하나의 현상으로 전락한다(Illouz, 2012: 168). 이러한 사랑 이해의 틀은 사랑을 성찰적(reflexive)이고 디플레이션적(deflationary)이게 만든다. 즉, 행위자들은 자신들의 사랑의 동기가 되는 근본 메커니즘에 주목하게 되고, 또 사랑은 특정 개인의 구체적인 특정한 욕망을 넘어서는 또는 그것의 밑에서 작동하는 보편적인 심리학적 힘 내지 화학적 힘의 결과가 되고 만다. 그리하여 낭만적 욕망은 그것의 신화적 내용을 결여하게 된다(Illouz, 2012: 168).

일루즈는 사랑의 탈주술화에 기여한 두 번째 요인으로 우리 정치의 도덕적 어휘를 지배하는 것이자 이성애적 관계가 협상되는 조건을 변화시켜온 평등, 합의, 호혜성의 규범, 한마디로 말해 계약주의(contractualism)를 들고 있다(Illouz, 2012: 170). 일루즈는 특히 이것이 '제2의 물결' 페미니즘에 책임이 있다고 파악한다. 일루즈에 따르면, 페미니즘은 평등과 대칭성이라는 문화적·정치적 범주를 젠더 관계를 규제하는 새로운 방식으로 설정함으로써, 욕구를 갖는 개인을 추상적 권력 구조의 담지자일 뿐이게 만들어버린다. 그리고 이처럼 친밀한 관계를 평가하는 새로운 양식으로 등가성의 범주를 끌어들이는 것은 감정을 평가하고 측정하고 비교할 수 있는 것으로 재개념화한다(Illouz, 2012: 172~173, 175). 그 결과 이러한 평등과 공정이라는 정치적 이상이 사랑이라는 에로틱하고 낭만적인 경험을 점점 더 체계적인 행동 규칙과 추상적 범주 하에 포섭시켜버렸다. 일루즈는 기든스가 이러한 계약적 관계를 '순수한 관계(pure relationship)'라고 표현하고 있지만, 그것은 친밀한 유대의 합리화를 반영할 뿐이며, 또한 욕망의 본성 자체를 변형시키고 있는 것일 뿐이라고 비판한다(Illouz, 2012: 177).

일루즈는 사랑의 합리화 과정에 기여한 세 번째 요인으로 인터넷 속에 구현되어 있는 선택 기술의 강화를 들고 있다. 일루즈는 『차가운 친밀성』에서도 이에 대해 규명한 바 있다. 일루즈에 따르면, 인터넷의 특징은 그것이 잠재적 파트너 시장을 실제로 가시화한다는 데 있다. 현실 세계에서 파트너 시장은 가상 세계이다. 즉, 그것은 단지 전제될 뿐 결코 볼 수 없는 시장, 곧 잠재적 시장이다. 반면 인터넷에서 시장은 가상 시장이 아니라 현실 시장이다. 왜냐하면 인터넷 이용자들이 잠재적 파트너 시장을 실제로 가시화시킬 수 있기 때문이다(Illouz, 2007: 87). 따라서 앞서 논의한 외모로 표현되는 섹시함의 범주를 텍스트로 가시적으로 드러내는 것이 더욱 중요해진다.

이러한 인터넷상에서의 파트너 선택은 앞서 언급한 주술화된 사랑과는 근본적 단절을 보여준다. 첫째, 낭만적 사랑이 자발성의 이데올로기를 특징으로 했다면, 인터넷은 합리화된 파트너 선택양식을 요구한다. 둘째, 전통적인 낭만적 사랑이 보통 신체적 몸의 현존에 의해 제공되는 성적 매력과 긴밀하게 관련되어 있었다면, 인터넷은 육체로부터 분리된 텍스트 상호작용에 기초한다. 그 결과 인터넷에서는 신체적 매력보다 합리적 검색이 우선한다. 셋째, 낭만적 사랑이 무사무욕을 전제한다면, 인터넷 테크놀로지는 낭만적 상호작용의 도구화를 증가시킨다. 넷째, 전통적 사랑이 비합리적이었다면, 즉 상대방에 대한 인지적 또는 경험적 지식을 필요로 하지 않았다면, 인터넷에서는 상대방에 대한 인지적 지식이 감정에 선행한다. 마지막으로, 낭만적 사랑의 관념이 사랑하는 사람의 유일무이함, 즉 배타성의 관념을 동반했다면, 인터넷은 선택할 파트너의 풍부함과 교체 가능성의 관념에 의해 지배된다. 이처럼 인터넷 데이트는 낭만적 만남의 영역에 풍요의 경제, 끝없는 선택, 효율성, 합리화, 표적 선택, 표준화에 기초하는 대량 소비의 원리를 도입한다 (Illouz, 2007: 90).

일루즈에 따르면, 과학, 평등과 공평함의 관념, 선택 기술의 발전은 성적 관계를 자기성찰적인 정밀 조사의 대상으로 만들고 공식적이고 예측 가능한 절차를 통해 통제해야 하는 것으로 바꾸어놓음으로써, 그간 에로티시즘과 사랑이 토대해왔던 의미체계를 훼손했고, 짝 찾기는 경제적 합리성에 의해 지배되는 하나의 시장이 되었다. 일루즈에 따르면, 이러한 상황은 한편에서는 사랑의 의미의 기호와 상징을 해체시켜 사랑의 영역을 극도의 불확실성이 지배하는 영역으로 만들었고, 다른 한편에서는 이러한 불확실성을 극복하고자 하는 전략을 통해, 즉 다른 사람들을 등급 매기고 자신의 욕구와 선호를 물화함으로써 불평등을 재생산하고 정당화해왔다.

3) 근대 낭만적 상처의 발생 구조 ③: 실망 – 낭만적 환상과 현실 사이에서

일루즈는 낭만적 상처가 발생하는 세 번째 원천을 설명하기 위해 라인하르트 코젤렉(Reinhart Koselleck)의 근대성 논의에 의지한다. 코젤렉(1998)에 따르면, 근대 세계의 특징은 현실과 열망 간의 거리가 점점 더 증가한다는 데 있고, 이것은 다시 실망을 낳고, 실망을 근대적 삶의 만성적 특징으로 만든다 (Illouz, 2012: 215). 그렇다면 이 괴리를 만들어내는 것은 무엇인가? 일루즈는 그 답을 근대 문화적 관행의 하나로서의 '상상력'에서 찾는다.

일반적으로 상상력이란 이전에 존재하지 않던 어떤 것을 발명하는 능력 — 즉, 형태 없는 것에 모양을 부여하는 발명과 창조의 행위에 의해 우리가 체험한 경험을 과장하고 강화하는 능력 — 을 의미한다. 일루즈는 사랑만큼 상상력의 구성적 역할 — 현실의 대상을 대체하고 그것을 창조하는 상상력의 능력 — 을 분명하게 발견할 수 있는 곳은 없을 것이라고 주장한다. 왜냐하면 사랑이 상상력을 통해 그 대상을 창조하고, 그리하여 그것이 더 많은 생기와 활력을 가지게 되기 때문이다(Illouz, 2012: 200).

일루즈에 따르면, 상상력은 현재의 가능성 — 일어날 수 있거나 일어날 것으로 예견되는 — 에 의거해 현재를 틀 짓는다는 데 그 특징이 있다(Illouz, 2012: 206). 상상력은 실제의 대상을 '실제로' 경험하는 것이 아니라 감각, 느낌, 감정에 의거해 실제로는 존재하지 않는 현재를 만들어낸다(Illouz, 2007: 102). 이러한 맥락에서 볼 때, 낭만적 상상력을 통해 형성되는 사랑의 감정은 하나의 기대되는 감정(anticipatory emotion), 즉 그것이 실제로 일어나기 이전에 느끼거나 몽상하는 감정이다(Illouz, 2012: 206~207). 일루즈는 근대의 사랑을 독특한 감정으로 만드는 것이 바로 이것이라고 주장한다.

일루즈가 볼 때, 이러한 상상력은 사적이고 감정적이지만, 그와 동시에 사회적이고 문화적이다. 왜냐하면 근대의 상상은 점점 더 그 사회의 문화적 각본 — 인쇄 매체와 시각 매체 속에 제도화된 상상력 — 에 의해 틀 지어지기 때문이다. 따라서 일루즈는 상상력이란 사회학적으로 표현하면 조직화되고 제도화된 하나의 문화적 관행이라고 주장한다(Illouz, 2012: 209). 하지만 이러한 문화적 시나리오에 의거한 낭만적 사랑 역시 하나의 허구적 감정임에는 틀림 없다. 그리하여 상상력은 우리를 현실과 분리시킨다. 그러나 상상력은 또한 현실을 폐기하는 것이 아니라(현실의 대상이 아닌 텍스트상의 대상을 상상의 대상으로 하는 인터넷 상상력을 제외하다면) 현실에 의존한다. 일루즈의 분석에 따르면, 전(前) 인터넷 시대의 낭만적 주체에게서 사랑은 이상화 과정을 통해 상상력을 촉발했다. 사랑한다는 것은 현실의 타자를 과대평가하는 것, 즉 실제보다 더 높은 가치를 부여하는 것이었다. 그리고 다른 사람을 유일무이하게 만드는 것은 바로 이러한 이상화 행위였다(Illouz, 2007: 103).

일루즈가 볼 때, 사랑의 고통은 이처럼 낭만적 상상이 현실과 결합되어 있다는 사실에서 나온다. 왜냐하면 꿈과 상상이 현실과 특정한 방식으로 결합될 때에만 실망이라는 감정이 유발될 수 있기 때문이다(Illouz, 2012: 216). 그렇다면 이러한 현실 속에서 실망을 야기하는 것은 무엇인가? 일루즈는 우선 상상력 자체의 특성에서 그 원인을 찾고 있다. 상상력은 문화적 각본에 적합한 요소들만을 기대하게 하고 부정적으로 평가되는 경험의 측면들은 망각시킨다. 실망은 실제 경험 속에서 그러한 기대된(미학화된) 요소를 발견할 수 없거나 현실 생활에서 그것을 유지할 수 없을 때 발생한다. 일루즈가 지적하는 실망의 두 번째 메커니즘은 일상생활의 합리화이다. 그것은 감정적 흥분과 감정 표현하기에 대한 상이한 모델과 이상들을 이용해 자신의 감정적 삶을 끊임없이 비교하게 하고, 이는 사람들로 하여금 자신과 자신의 삶을 부정적으로 평가하게 만든다. 세 번째로 일루즈는 역설적이게도 커플 관계와 친밀성의 주요 목표인 친숙함과 가까움이 실망의 또 다른 원인이라고 지적한다. 왜냐하면 그것이 상대방을 거리를 두고 바라보지 못하게 하여 이상화를 방해하고 파트너가 상대방에 집착하게 함으로써 혼란과 실망을 야기하기 때문이다(Illouz, 2012: 218, 220~222).

4) 사랑의 윤리학

　지금까지 살펴본 바와 같이, 일루즈에 따르면, 근대 결혼 시장의 형성은 자유에 기반한 섹스장의 형성 과정이었으며, 이 섹스장을 지배하는 것은 근대 남성성이 조장하고 또 여성도 열광적으로 지지하고 흉내 내어온 섹스 자본 축적 모델이었다. 이 모델은 경제적 시장이 엄청난 양극화를 불러온 것과 마찬가지로 결혼 시장에 도덕적 불평등, 즉 자아 존중감의 불평등을 산출했다(Illouz, 2012: 243). 이것은 남성과 여성뿐만 아니라 성공한 남성·여성을 성공하지 못한 남성·여성과 분할시켰다. 이것은 또한 사랑의 영역에서 감정과 섹스를 분리시키며, 사랑과 낭만의 감정을 차갑게 식혀버렸다. 이제 열정은 사람들에게 얼마간 어리석은 것으로 보인다(Illouz, 2012: 247).

　일루즈는 이러한 고도로 상품화된 성적 자유가 남자와 여자 모두에게 강렬하고 자신의 전부를 거는 의미 있는 유대를 만들어낼 능력을 손상시켰다고 믿는다. 하지만 일루즈가 보기에, 열정적 사랑이야말로 앞서 논의한 사랑의 아픔의 근원들, 즉 불안과 불확실성을 없애주는 것이다(Illouz, 2012: 246). 그렇기에 일루즈가 볼 때, 감정의 냉각이 우리가 다른 사람들에게서 덜 상처받게 할 수는 있지만, 열정과 강렬한 감정의 상실은 중요한 문화적 상실이다(Illouz, 2012: 245).

　일루즈는 이러한 역설적 상황이 초래된 것은 섹스 혁명 – 터부를 깨고 평등에 도달하고자 한 열망 – 이 섹스의 영역에서 윤리를 제거시켜왔기 때문이라고 진단한다(Illouz, 2012: 247). 섹슈얼리티가 윤리적 행동으로부터 벗어남에 따라, 그것은 원초적 투쟁의 장이 되었으며, 그 속에서 많은 남성, 그리고 특히 여성이 쓰라린 경험을 하며 몹시 지쳐 있다. 하지만 일루즈가 볼 때, 사랑은 하나의 문화적 이상일 뿐만 아니라 자아의 사회적 토대이다. 여전히 사랑은 자아 존중감을 결정하는 데 있어 무엇보다도 결정적이다. 따라서 일루즈는 성적·감정적 관계에 다시 윤리를 되돌려놓을 것이 절실하게 요구된다고 주장한다.

여기서 일루즈가 말하는 윤리가 바로 "다른 사람들과 그들의 감정에 대한 존중의 의무"이다. 왜냐하면 젠더 평등의 목표는 똑같이 서로에게 초연해지는 것이 아니라 강렬한 열정적 감정을 경험하는 능력이 같아질 때 이루어지기 때문이다. 일루즈는 이를 위해서는 대안적인 사랑의 모델이 요구된다고 주장한다. 그것이 바로 남성성과 열정적 헌신을 양립 불가능한 것이 아니라 심지어는 동의어로 보는 모델이다(Illouz, 2012: 247). 따라서 우리는 남성의 감정적 무능력을 공격하는 것이 아니라 감정적 남성성을 불러일으켜야만 한다. 일루즈는 바로 이러한 문화적 기원(祈願)이 그간 여성의 사회적 경험과 일치하는 윤리적·감정적 모델을 구축하고자 해온 페미니즘의 목적에 우리를 더욱 가까이 가게 하는 것일 수 있다고 주장한다.

5. 맺음말: '문화적 전환'을 넘어 '감정적 전환'으로 나아가기 위하여

지금까지 살펴보았듯이, 일루즈의 사랑의 사회학은 사랑 자체보다는 '사회학'에 방점을 찍고 있다. 이는 단순히 그간 사랑이 심리학의 대상으로 상정되어 사회학에서 소홀히 다루어졌다는 반발만이 아니라 그녀가 심리학이 과학의 이름으로 낭만적 사랑의 의미를 해체시키는 데 한몫했다고 파악하기 때문이다. 따라서 일루즈는 이러한 사랑의 심리학화 역시 사회학의 연구 대상인 하나의 '사회학적 사실'이라고 주장하고, 그것에까지 사회학의 프리즘을 들이댄다.

일루즈는 자신의 사랑의 연구가 사회학적임을 여러 저서에서 거듭해서 강조해왔다. 그녀는 사회학의 사명은 우리의 믿음에 숨어 있는 토대 ─ 우리를 규정짓는 힘 – 를 폭로하는 것이라고 믿는다(Illouz, 2012: 247; 일루즈, 2014: 50). 그리하여 일루즈가 『사랑은 왜 상처받는가』에서 수행한 핵심 작업 중의 하나가 사랑이라는 것도 우리의 주관성을 넘어서는 거대(big) 실체, 즉 짝 선택의 생태계와 아키텍처의 변화에 의해 틀 지어진다는 것을 보여주는 것이었다. 이러한 맥락에서 볼 때, 우리의 일상적인 감정적 고통의 경험도 근대 세계의 핵심 제도와 가치들에 의해 구성되는 것이다. 남자와 여자의 낭만적 불행 역시 결혼 시장에 제도화된 근대의 자유와 개인의 선택 능력의 불평등이 만들어내는 것이었다.

하지만 일루즈의 사회학은 단지 전통적으로 심리학이 지배하던 영역에 사회학을 데려오는 것만이 아니었다. 그녀는 대부분의 감정사회학자들과 마찬가지로, 사회학이 이성과 감정이라는 이분법적 전통 속에서 합리성을 중심으로 전개되어온 것에 이의를 제기한다. 심지어 일루즈는 이성에 기초한 과학이 세계를 더욱 예측 가능하고 안전하게 만들어주지만, 그것은 우리의 삶에서 매력, 신비함, 성스러움을 제거하여 세계를 공허하게 만든다고 주장한다. 따라서 이성이 우리의 삶에 의미를 부여할 수 있는가라는 질문이 근대성의 근본적인 질문의 하나라고까지 주장한다(Illouz, 2012: 158, 159).

그렇다고 지금까지 살펴보았듯이, 물론 일루즈가 감정, 특히 사랑이 지닌 신비성과 성스러움을 탐색하고, 그것이 우리의 삶에 주는 의미를 밝히고자 하는 것은 아니다. 일루즈가 사랑의 사회학을 통해 시도하는 것은 합리성과 합리화를 감정 생활과 대립되는 하나의 문화적 논리가 아니라 감정 생활과 결합해 작동하는 하나의 문화적 힘으로 이해하는 것이다(Illouz, 2012: 159). 왜냐하면 그녀의 심리학 비판에서도 드러나듯이, 합리성은 감정 생활을 내부로부터 재구조화하는 하나의 제도화된 문화적 힘으로 작동해왔기 때문이다. 따라서 일루즈의 감정사회학은 감정을 '생득적인 것'으로 보는 관점과 '이성의 통제 대상'으로 보는 관점을 넘어 감정에도 사회학의 기본 관점을 적용해,

우리의 감정을 틀 짓는 숨어 있는 구조를 밝혀내는 것이다. 이는 일루즈가 『사랑은 왜 상처받는가』에서 자신의 저술 의도를 밝히고 있는 다음과 같은 구절에서 분명하게 드러난다.

이 책의 원대한 야망은 …… 감정이 사회적 관계에 의해 틀 지어진다는 것, 감정이 아무런 제약 없이 자유롭게 순환하는 것이 아니라는 것, 감정의 마술은 사회적이라는 것, 그리고 감정은 근대 세계의 제도들을 포함하고 응축하고 있다는 것을 보여주는 것이다(Illouz, 2012: 241).

일루즈의 이러한 시도는 그간 그녀의 저작에 수여된 여러 상들을 보더라도 성공한 것으로 보인다. 그녀의 페미니즘 비판을 놓고 여성학계에서 일부 불편한 감정을 드러내고 있기도 하지만(허윤, 2013; 정승화, 2013), 이 글에서 보여주었듯이, 그녀가 밝힌 사랑의 생태계와 아키텍처의 변화, 사랑의 고통의 발생 메커니즘, 그리고 저서 곳곳에서 보이는 새로운 사회학적 개념화들은 사회학적 관점의 탁월한 설명력을 보여주고도 남는다. 그렇지만 넓게 보면, 일루즈의 이러한 사랑의 사회학은 감정의 상품화를 명쾌하게 설명한 앨리 혹실드(Arlie Hochschild)의 『마음의 관리: 인간 감정의 상업화(The Managed Heart: Commercialization of Human Feeling)』(1983)에서부터 감정적 자아의 사회적 구성을 설명한 데버러 럽턴(Deborah Lupton)의 『감정적 자아: 사회학적 설명(The Emotional Self: A Sociocultural Exploration)』(1998)으로 이어져온 감정에 대한 문화사회학의 전통, 즉 사회구성주의적 입장의 연장선상에 있다.

감정 연구에서의 이러한 '문화적 전환'은 사회적 행위를 문화적 상징체계를 동원해 설명함으로써 행위의 물리적 토대주의를 극복해왔고, 더 나아가 감정의 사회적 구성이라는 중요한 측면을 지적함으로써 감정사회학의 성립에 지대한 영향을 미친 것은 사실이다. 그럼에도 불구하고 그간의 문화사회학은 문화를 행위 주체의 인지적 차원에서 해석함으로써 감정을 종속변수로 몰아가고 말았고, 감정적 행위 주체는 다시 문화 속에 갇혀버렸다(박형신·정수남, 2009: 226~227). 이는 감정을 문화사회학의 한 연구 대상으로 설정하는 감정의 문화사회학(cultural sociology of emotion)을 수행해온 결과이다. 감정에 대한 문화적 전환을 넘어 보다 진정한 '감정적 전환'을 위해서는 감정적 사회학(emotional sociology)이 필요하다.

감정적 사회학은 감정이 사회적으로 규정된다는 것을 밝히는 것을 넘어, 사회생활에서의 감정, 기분, 감동의 편재성을 인정하고 감정을 단지 부수 현상이나 종속변수가 아니라 잠재적인 인과적 메커니즘으로 또는 그러한 메커니즘의 구성 요소로 다루는 사회학이다. 달리 말해 감정이 사회적 관계와 사회적 행위를 구성하기 때문에, 사회학자들은 항상 감정이 갖는 잠재적인 인과적 중요성에 주의를 기울일 필요가 있다는 것이다(굿윈·파프, 2012: 420). 왜냐하면 문화가 인간의 행위를 규정함에도 불구하고, 문화 역시 인간의 행위에 의해 구성되며, 그러한 인간 행위의 배후에는 감정이 자리하고 있기 때문이다(바바렛, 2007).

여기서 주목해야 하는 것이 바로 '잠재적 인과성'의 개념이다. 왜냐하면 감정(적)사회학은 일루즈의 심리학 비판에서도 드러나듯, 단일한 감정이 행위를 결정한다는 감정 결정론을 거부하고(Furedi, 2004 참조), 행위는 복합 감정을 매개로 표출되기 때문에 감정은 상황성, 맥락성, 관계성 안에서 고려되어야 한다는 점을 강조하기 때문이다. 이런 맥락에서 감정사회학적 접근은 '수리적인 인과성 없는' 논리, '기계적 메커니즘 없는' 메커니즘을 파악하고 해명한다. 여기서 중요한 개념이 감정동학이다. 감정동학은 어디로 튈지 모르는 감정의 속성을 상황적·관계적 논리로 파악하면서 행위의 양가성이나 맥락성을 설명할 수 있게 해주는 핵심 개념이다. 그리고 이 감정동학을 이끄는 힘이 바로 배후 감정이다. 배후 감정은 무대 전면으로 표출되지 않지만 행위에 강한 동력을 부과하는 숨겨진 감정, 즉 상징적 감정 권력(power of symbolic emotions)으로 이해될 수 있다. 그리고 감정동학은 배후 감정이 지향하는 대상과 시간성에 따라 그 방향이 달라지고 그에 따라 행위자들은 상이한 행위 양식을 드러낸다(박형신·정수남, 2013: 227). 더 나아가 필자는 그러한 감정에 기초한 행위들이 사회의 거시적 구조 역시 변화시킬 수 있고, 또 변화시켜왔다는 거시적 감정사회학을 줄곧 제기해왔다.

일루즈 역시 감정이 행위의 동인이 될 수 있다는 점, 그리고 감정사회학에서 감정동학의 중요성을 인식하고 있다. 일루즈는 『차가운 친밀성』에서 다음과 같이 언급한다.

감정은 그 자체로는 행위가 아니지만, 우리로 하여금 행위하게 하는 내적 에너지, 즉 행위에 특별한 '분위기' 또는 '색조'를 부여하는 것이다. 따라서 감정은 행위의 한 측면, 즉 행위의 '에너지를 담고' 있는 것으로 이해될 수 있다. …… 감정은 전(前) 사회적이거나 전(前) 문화적인 것이기는커녕 문화적 의미와 사회적 관계를 그것들과 서로 분리될 수 없게 응축하고 있다. 그리고 바로 이러한 응축이 감정이 행위에 에너지를 불어넣을 수 있게 해준다. 감정이 이러한 '에너지'를 담고 있는 것은 감정이 항상 자아, 그리고 자아와 문화적으로 자리 매김되어 있는 타자의 관계와 관련되어 있기 때문이다(Illouz, 2007: 2~3).

이 인용문이 보여주듯이, 일루즈는 감정이 문화적으로 규정될 뿐만 아니라 하나의 행위의 동인이 될 수 있다고 보고 있다. 그리고 『사랑은 왜 상처받는가』에서는 콜린스(Randall Collins, 2004)의 상호작용 의례 이론을 직접 언급하며, 사랑이 하나의 감정 에너지가 될 수 있음을 강조한다(Illouz, 2012: 120). 또한 일루즈는 감정동학이라는 용어를 사용하고 있지는 않지만, 사랑의 상처를 유발하는 감정들, 즉 불안, 불확실성, 실망을 언급하며, 사랑의 감정과 사랑의 상처 유발 감정의 복합적 작동 과정을 치밀하게 분석하고, 그러한 감정들의 결합이 어떻게 쾌락주의적 헌신 기피증과 의지 상실적 헌신 기피증을 유발하는지를 설명한다.

이렇듯 일루즈의 사랑의 사회학은 사회학의 감정적 전환을 일부 실천하고 있다. 비록 그녀의 감정사회학이 아직 거시적 감정사회학으로까지 본격적으로 이어지지 않고는 있지만, 우리 사회의 여러 문제점과 과제들을 감정사회학적으로 해명할 수 있는 단초를 제공하고 있음은 분명하다. 이를테면 일루즈의 사랑의 사회학은 우리 사회에서 젊은 층의 결혼 기피증이나 만혼 경향, 저출산의 문제는 단지 경제적 차원의 문제만이 아니라 우리 사회의 짝 선택의 생태계 및 선택 아키텍처의 변화와 그것이 유발하는 감정적 차원의 문제임을 쉽게 알 수 있게 해준다. 그리고 그러한 문제들의 해결은 단지 보육 정책을 통해서만이 아니라 우리 사회의 문화적·감정적 생태계의 변화를 통해서만, 그리고 일루즈가 제시하는 사랑의 윤리학의 재확립을 통해 가능하다는 것을 보여준다. 하지만 일루즈 사회학의 이러한 의의는 그녀의 사랑의 사회학이 다시 문화사회학의 틀에 갇히기보다는 더욱 적극적인 감정적 전환을 통해 감정 범주를 행위, 문화, 거시 사회구조를 잇는 보다 체계적인 감정사회학을 구축하고 그 실천성을 확보할 때에만 가능할 것이다.

참고문헌

굿윈(J. Goodwin)·파프(S. Pfaff). 2012. 「고위험 사회운동에서의 감정작업」. 제프 굿윈 외
　　엮음. 『열정적 정치: 감정과 사회운동』. 박형신·이진희 옮김. 한울

기든스, 앤서니(A. Giddens). 1999. 『현대사회의 성·사랑·에로티시즘』. 배은경·황정미 옮
　　김. 새물결.

김홍중. 2013. 「감정적 전환」. 김문조 외 지음. 『현대사회학이론』. 다산출판사.

루만, 니클라스(N. Luhmann). 2009. 『열정으로서의 사랑』. 정성훈·권기돈·조형준 옮김.
　　새물결.

바바렛, 잭(J. Barbalet). 2007. 『감정의 거시사회학: 감정은 사회를 어떻게 움직이는가?』. 박
　　형신·정수남 옮김. 일신사

박형신·정수남. 2009. 「거시적 감정사회학을 위하여」. ≪사회와 이론≫, 15.

_____. 2013. 「고도 경쟁 사회 노동자의 감정과 행위양식」. ≪사회와 이론≫, 23.

벡(U. Beck)·벡-게른샤임(E. Beck-Gernsheim). 1999. 『사랑의 지독한, 그러나 너무나 정상
　　적인 혼란』. 강수영·권기돈·배은경 옮김. 새물결.

실링, 크리스(C. Shilling). 2009. 「감정사회학의 두 가지 전통」. 잭 바바렛 엮음. 『감정과 사
　　회학』. 박형신 옮김. 이학사.

일루즈, 에바(E. Illouz). 2014. 『낭만적 유토피아 소비하기: 사랑과 자본주의의 문화적 모순』.
　　박형신·권오헌 옮김. 이학사.

정승화. 2013. 「신자유주의적 사랑은 왜 여성들에게 더 심리적 고통을 주는가?」. ≪한국여성
　　학≫, 29(3).

코젤렉, 라인하르트(R. Koselleck). 1998. 『지나간 미래』. 한철 옮김. 문학동네.

폴라니, 칼(K. Polanyi). 2009. 『거대한 전환』. 홍기빈 옮김. 길.

허윤. 2013. 「에바 일루즈 자본주의 시대의 사랑」. ≪여/성이론≫, 29.

호네트, 악셀(A. Honneth). 1996. 『인정투쟁』. 문성훈·이현재 옮김. 동녘.

Becker, G. 1981. *Marriage Markets*. Cambridge: Harvard University Press.

Bell, D. 1996. *The Cultural Contradictions of Capitalism*, Twentieth Anniversary Edition.
　　New York: Basic Books.

Collins, R. 2004. *Interaction Ritual Chains*. Princeton: Princeton University Press.

Furedi, F. 2004. *Therapy Culture: Cultivating vulnerability in an uncertain age*. London:
　　Routledge.

Held, D. 1980. *Introduction to Critical Theory: Horkheimer to Habermas*. Berkeley: University of California Press.

Hochschild, A. 1983. *The Managed Heart: Commercialization of Human Feeling*. Berkeley: University of California Press.

Illouz, E. 1997. *Consuming the Romantic Utopia: Love and the Cultural Contradictions of Capitalism*. Berkeley: University of California Press.

_____. 2003. *Oprah Winfrey and the Glamour of Misery: An Essay on Popular Culture*. New York: Columbia University Press.

_____. 2007. *Cold Intimacies: The Making of Emotional Capitalism*. London: Polity Press.

_____. 2008. *Saving the Modern Soul: Therapy, Emotions, and the Culture of Self-Help*. Berkeley: University of California Press.

_____. 2012. *Why Love Hurts: A Sociological Explanation*. London: Polity Press.

_____. 2014. *Hard Core Romance: Explaining the Fifty Shades of Grey Phenomenon*. Chicago: University of Chicago Press.

Jameson, F. 1981. *The Political Unconscious*. Ithaca: Cornell University Press.

Lupton, D. 1998. *The Emotional Self: A Sociocultural Exploration*. London: Sage.

책을 편집하고 나서

　사회에서 대학교수라는 직업은 명예와 자유로움의 상징처럼 인식되곤 한다. 하지만 교수들은 내적으로는 치열한 학문적 자기 싸움과 외적으로는 무한한 사회적 책임에 시달린다. 그러한 치열함과 중압감으로부터 인고의 시간을 겪어내면서 동료와 제자들의 존경과 축복 속에서 영예롭게 교단을 물러나기를 소망하는 것이 교수의 삶이다. 그렇기에 교수들에게 정년을 앞둔 시기는 만감이 교차하는 시간이라고들 말한다. 정년을 맞이하시는 선생님들께서 자주 "시원섭섭하다"고 말씀하시는 까닭도 바로 그 때문일 것이다. 한편으로는 그 무거운 짐을 내려놓으니 시원하고, 다른 한편으로는 무엇 하나 제대로 이루지 못한 것 같아 허전하기만 하다는 것이다. 자기 성찰을 업으로 하는 사람들이 어찌 채움의 만족을 느낄 수 있을까!

　이 책은 고려대학교 사회학과 김문조 교수님의 정년퇴임을 맞아, 여전히 학문적 열정으로 충만한 선생님께서 느끼실 허전함과 교단을 떠나시는 선생님의 빈자리에서 제자들이 느끼는 서운함을 달래기 위해 동료·후학과 제자들이 정성들여 엮어낸 결실이다. 하지만 이 책이 나오기까지는 많은 우여곡절이 있었다. 선생님께서는 정년이 되면 그저 조용히 떠나시겠다는 말씀을 입버릇처럼 하셨기 때문이다. 내세울 만한 학문적 성과도 거두지 못했고 제자들에게도 제대로 해주지도 못하고 그런 일을 벌인다는 것은 제자들에게 못할 짓을 하는 것이라는 말씀이셨다.

　선생님의 검박하고 올곧은 성품을 익히 아는지라 선생님의 정년퇴임이 가까워질수록 제자들의 고민은 깊어갔다. 선생님의 그간의 노고를 기리는 한편, 자기 전공 분야에서 이제 얼마간 제 몫을 하고 있는 제자들의 모습을 보여드리는 잔치를 벌이고 싶었기 때문이다. 제자들은 그러한 잔치를 우회적으로 준비하기로 결정했다. 선생님의 정년을 5년쯤 앞두고, 우리는 선생님과 제자들의 전공 분야를 고려해 사회이론, 정보·문화사회학, 과학기술사회학을 대주제로 하는 공동 연구 프로젝트를 선생님과 함께 수행하고 그 결과를 정년퇴임에 맞춰 책으로 출간하기로 의견을 모았다. 하지만 우리의 의도를 간파하신 선생님께서는 일언지하에 거절하셨고, 시간은 무심하게 흘렀다.

오랜 궁리 끝에 "부모님이 생일상 차리지 말란다고 생일상 차리지 않는 자식이 어디에 있느냐"며 선생님께서 오랫동안 가르쳐 오신 사회학이론 분야에 국한해 책을 만들어보겠다고 말씀드렸다. 하지만 이것 역시 쉽지 않았다. 선생님께서 이미 한국사회학회의 주관하에 현대 사회학이론 교과서를 공동으로 집필하고 계셨기 때문이다. 더 이상 물러설 수 없는 절박함 속에서 우리는 선생님이 추진하시는 작업이 현대 사회학이론의 주요 흐름과 발전 과정을 패러다임을 중심으로 서술하는 것이라면, 우리들의 계획은 '오늘의 사회이론가들'을 정리함으로써 선생님의 기획을 보완할 수 있을 것이라는 논리를 내세웠다. 완강하셨던 선생님께서도 선생님의 기획에서 미처 다루지 못하는 부분을 메울 수 있다는 이야기에서 틈을 보여주셨고, 드디어 이 책이 본격적으로 기획될 수 있었다.

우리는 먼저 사회학에서 독창적 이론체계를 구축함으로써 '현대적 고전'의 반열에 포함시킬 수 있는 사회학자 중에서 국내에 아직 학문적으로 충분히 정리되지 못했다고 판단되는 현대 사회이론가들을 선별했다. 처음에는 선생님의 제자를 중심으로 일을 벌일 생각이었지만, 다양한 학자들을 모두 다루기에는 역부족이었다. 따라서 국내 학계에서 주요 현대 사회이론가들을 충실히 소개할 수 있는 집필자들을 수소문했다. 평소 선생님과 교분이 두터웠던 분들을 중심으로 부탁을 드렸고, 모두들 우리의 뜻을 흔쾌히 받아주셨다.

이 책을 기획하고 원고를 쓰는 과정은 우리가 선생님을 또다시 바라보는 시간이기도 했다. 지금까지 그 많은 일들을 기획하고 그 많은 글들을 어떻게 다 써오셨을까하는 생각에 새삼 더 존경스러웠다. 그리고 우리의 게으름이 한몫했지만, '조금 더 잘 쓸 수 있었을 텐데' 하는 아쉬움에 선생님께 못내 죄송스러웠다. 아침 일찍부터 밤늦게까지(어떤 때에는 건물의 모든 문이 닫혀 건물의 쪽문으로 퇴근하시는 것도 부지기수였다) 연구실에 계셨던 선생님의 부지런한 학문적 삶이 다시 한 번 떠올랐다. 그럼에도 이 작업을 진행하는 기간은 기쁨과 자부심을 동시에 느끼는 시간이기도 했다. 교수님께서 애정을 가지고 있는 사회학 이론 분야의 발전에 미력이나마 힘을 보탤 수 있었기 때문이고, 이 책이 사회학 이론의 다양성을 꽃피우고 한국 사회학의 발전을 이끌어내는 마중물이 될 수 있으리라는 기대 때문이다.

편집을 마친 이 책의 목차와 내용을 훑어보시고 선생님께서는 엷은 미소를 지으셨다. 제자들에게 조금은 마음이 놓이시나 보다. 이제 이 책을 세상에 내놓고자 한다. 그렇지만 우리는 여전히 허전하고 또 부족하다. 우리가 선생님과 함께하고자 했던 연구 기획의 많은 부분이 여전히 잠자고 있기 때문이다. 특히 한국 사회의 문화 풍경에 대한 기획을 진행하지 못한 것은 못내 아쉽다. 아마 선생님께서도 이제는 우리의 이러한 연구 제안을 기꺼이 받아주시리라 생각한다. 그렇기에 우리는 이 책이 선생님과 하는 공동 연구 작업의 시작이라고 생각한다. 선생님의 정년을 맞이해 제자들은 그동안 가르쳐주시고 이끌어주시고 격려해주셨던 선생님의 열정과 노고에 감사드리는 것을 넘어 선생님께서 앞으로도 그 일을 계속해주시기를 간절히 원하고 있다. 정년퇴임을 맞이한 지금까지도 왕성한 연구 활동을 이어가고 계신 선생님의 건강을 기원하고, 선생님의 혜안이 담긴 지적 여정의 집대성을 간절히 기대한다.

이 자리를 빌려 좋은 글을 써주신 집필자 선생님들께 깊이 감사드린다. 아울러 여러 가지 사정으로 집필에 참여하지는 못했지만, 마음으로 응원해주신

많은 분들께도 고마움을 전한다. 또 사회학자들만큼이나 사회학에 깊은 애정을 갖고 사회학 관련 서적들을 출판해주는 도서출판 한울에도 감사한다. 한울 편집진은 빡빡한 일정에도 불구하고, 아주 세세한 부분까지 교정에 공을 들여, 우리의 책이 하나의 작품으로 탄생할 수 있었다.

2015년 2월

제자들을 대신하여

박형신·박수호 씀

알리는 글

이 책의 글들 중 일부는 다른 지면을 통해 이미 발표된 바 있다. 이 글들은 이 책의 편제에 맞게 일부 또는 크게 수정되어 재수록되었다. 원래 글의 저자, 제목, 발표지면은 다음과 같다.

1장 김원동. 1996. 「다니엘 벨: 정보화사회」. 박길성 외 지음. 『현대사회의 구조와 변동』. 사회비평사; 김원동·박형신. 2006. 「다니엘 벨과 탈산업사회이론의 현대적 의미(해제)」. 김원동·박형신 옮김. 『탈산업사회의 도래』. 아카넷.

5장 박희제. 2014. 「위험사회에서 세계시민주의론: 울리히 벡의 (기술)위험 거버넌스 전망과 한국의 사회학」. ≪사회사상과 문화≫, 30집.

7장 김종길. 2014. 「국내 인문·사회과학계의 니클라스 루만 연구: 수용 추이, 현황 및 과제」. ≪사회와 이론≫, 25집.

8장 이재혁. 2014. 「비대칭 사회와 합리적 선택이론: 제임스 콜만의 사회이론」. ≪사회와 이론≫, 25집.

9장 민문홍. 2014. 「레이몽 부동의 '일상적 합리성 이론'에 관한 시론」. ≪사회와 이론≫, 25집.

12장 유승무. 2015. 「로버트 벨라의 종교사회학: 종교진화론과 동양사회론을 중심으로」. ≪사회사상과 문화≫, 31집.

13장 하홍규. 2014. 「실재의 사회적 구성과 해방의 가능성: 피터 버거의 인간주의적 사회학」. ≪사회사상과 문화≫, 30집.

14장 조주현. 2014. 「실천이론에서 본 해러웨이의 사이보그 페미니즘: 물적-기호적 실천 개념을 중심으로」. ≪사회사상과 문화≫, 30집.

15장 함인희. 2014. 「일상의 해부를 위한 앨리 혹실드의 개념 도구 탐색: '감정노동'부터 '아웃소싱 자아'까지」. ≪사회와 이론≫, 25집.

16장 박형신. 2014. 「감정자본주의와 사랑: 에바 일루즈의 짝 찾기의 감정사회학」. ≪사회사상과 문화≫, 30집.

찾아보기

지은이

김문조는 미국 조지아 대학교에서 사회학 박사 학위를 취득한 후, 고려대학교 문과대학 사회학과에서 교수로 일하고 2015년 2월에 정년퇴임하여 고려대학교 명예교수로 있다. 주요 저서로는 『과학기술과 한국사회의 미래』, 『한국사회의 양극화』, 『융합문명론』 등이 있다.

김원동은 고려대학교 사회학과에서 박사 학위를 취득하고, 현재 강원대학교 사회학과 교수로 있다. 주요 저서로는 『한국사회의 불평등과 정치변동』, 『정보사회와 지역정보화』, 『중산층의 몰락과 계급양극화』(공저), 『분권과 혁신』(공저) 등이 있다.

유승호는 고려대학교 대학원에서 박사 학위를 취득했다. 현재 강원대학교 영상문화학과 교수이자 카이스트 문화기술대학원 겸직교수로 있다. 저서로 『디지털 시대와 문화콘텐츠』, 『당신은 소설한가: 소셜미디어가 바꾸는 인류의 풍경』, 『문화도시: 지역발전의 새로운 패러다임』 등이 있다.

김철규는 코넬 대학교에서 발전사회학 박사 학위를 취득하고, 현재 고려대학교 사회학과 교수로 있다. 주요 저서로는 『한국의 자본주의 발전과 사회변동』, 『새로운 농촌사회학』(공저), 『우리 눈으로 보는 환경사회학』(공저) 등이 있다.

김남옥은 고려대학교 사회학과에서 박사 학위를 취득하고, 현재 고려대학교 한국사회연구소 연구교수로 있다. 주요 논문으로는 「'386'세대 경험의 문학적 형상화: 김인숙, 공지영을 중심으로」, 「몸의 사회학적 연구현황과 새로운 과제」, 「기술융합의 신체적 파장」 등이 있다.

박수호는 고려대학교 사회학과에서 박사 학위를 취득하고, 현재 덕성여자대학교 지식문화연구소 연구교수로 있다. 『21세기 종교사회학』(공저), 『한국의 종교와 사회운동』(공저) 등의 저서와 「사이버커뮤니케이션과 종교적 정체성; 그리고 사회갈등」, 「종교정책을 통해 본 국가종교간 관계: 한국 불교를 중심으로」 등 다수의 논문을 발표했다.

박희제는 위스콘신 주립대학교(University of Wisconsin-Madison)에서 사회학 박사 학위를 취득하고, 현재 경희대학교 사회학과에서 교수로 있다. 주요 저서로는 『한국의 과학자사회』(공저), 『환경사회학 이론과 환경문제』(공저), 『과학기술학의 세계』(공저) 등이 있다.

정일준은 서울대학교에서 사회학 박사 학위를 취득하고, 현재 고려대학교 사회학과에서 교수로 있다. 주요 저서로는 『韓國現代政治史』(중국어·러시아어·영어 등), 『한국의 민주주의와 한미관계』(공저), 『한국공공사회학의 전망』(공저), 『문화사회학』(공저) 등이 있다.

김종길은 독일 괴팅겐 대학교에서 사회학 박사 학위를 받았으며, 현재 덕성여자대학교 사회학과 교수로 있다. 주요 저서로는 『피핑 톰 소사이어티』, 『사이버트렌드 2.0』 등이 있으며, 최근 관심 분야는 정보사회학, 현대사회이론, 지식사회학 등이다.

이재혁은 서울대학교 사회학과를 졸업하고, 아이오와 대학교(University of Iowa)에서 사회학 석사, 시카고 대학교(University of Chicago)에서 사회학 박사 학위를 받았다. 현재 서강대 사회학과 교수로 있다. 주요 전공 영역은 현대 사회학이론, 경제사회학, 계량방법론 등이다.

민문홍은 파리 소르본 대학교(Paris IV)에서 박사 학위를 취득하고, 현재 서강대학교 공공정책대학원 대우교수로 있다. 주요 저서로는 『창의사회와 자유민주주의의 이념적 기초』, 『현대사회학과 한국사회학의 위기』, 『에밀 뒤르케임의 사회학』 등이 있다.

정헌주는 고려대학교에서 사회학 박사 학위를 취득하고, 현재 고려대학교 한국사회연구소 연구교수로 있다. 주요 저서로는 『정보사회의 빛과 그늘』(공저), 『현대사회와 미디어 비판』(공저) 등이 있고, 번역서로는 『지구세계』, 『사회학이론: 무엇이 문제인가』 등 다수가 있다.

김무경은 파리 V 대학에서 사회학 박사 학위를 취득하고, 현재 서강대학교 사회학과에서 교수로 있다. 주요 저서로는 『자연회귀의 사회학: 미셸 마페졸리』와 『한국사회의 문화풍경』(공저)이 있다.

유승무는 한양대학교에서 사회학 박사 학위를 취득하고, 현재 중앙승가대학교 불교사회학부에서 교수로 있다. 주요 저서로는 『불교사회학』, 『현대사회와 베버 패러다임』(공저), 『사회학적 관심의 동양사상적 지평』(공저) 등이 있다.

하홍규는 보스턴 대학교에서 사회학 박사 학위를 취득하고, 현재 연세대학교 사회학과 BK21플러스 사업단에서 연구원으로 있다. 주요 저서로는 『한국인의 삶을 읽다: 창원시를 중심으로』(공저), 『현대사회학이론: 패러다임적 구도와 전환』(공저)이 있다.

조주현은 일리노이 대학교에서 사회학 박사 학위를 취득하고, 현재 계명대학교 정책대학원 여성학과에서 교수로 있다. 주요 저서로는 『여성 정체성의 정치학』, 『성 해방과 성 정치』(공저), 『벌거벗은 생명: 신자유주의 시대의 생명정치와 페미니즘』 등이 있다.

함인희는 미국 에모리(Emory) 대학교에서 사회학 박사 학위를 취득하고, 현재 이화여자대학교 사회학과 교수로 있다. 주요 논저로는 『일상과 예술 속의 커뮤니케이션』(공저), 『가족과 친밀성의 사회학』(공저), 「국가 후원 가족주의에 투영된 가족정책의 딜렘마」 등이 있다.

박형신은 고려대학교 사회학과에서 박사 학위를 취득했다. 고려대학교 인문대학 사회학과 초빙교수, 연세대학교 사회발전연구소 연구교수 등을 지냈다. 현재 고려대학교와 한양대학교에서 강의하고 있다. 주요 저서로는 『정치위기의 사회학』, 『사건으로 한국사회 읽기』(공저), 『열풍의 한국사회』(공저) 등이 있다.

한울아카데미 1779

오늘의 사회이론가들

ⓒ 김문조·김원동·유승호·김철규·김남옥·박수호·박희제·정일준·김종길·이재혁·민문홍·정헌주·
    김무경·유승무·하홍규·조주현·함인희·박형신, 2015

지은이 ┃ 김문조·김원동·유승호·김철규·김남옥·박수호·박희제·정일준·김종길·이재혁·민문홍·
        정헌주·김무경·유승무·하홍규·조주현·함인희·박형신
펴낸이 ┃ 김종수
펴낸곳 ┃ 한울엠플러스(주)
편   집 ┃ 이수동·정경윤

초판 1쇄 발행 ┃ 2015년 4월 10일
초판 2쇄 발행 ┃ 2016년 9월 26일

주소 ┃ 10881 경기도 파주시 광인사길 153 한울시소빌딩 3층
전화 ┃ 031-955-0655
팩스 ┃ 031-955-0656
홈페이지 ┃ www.hanulmplus.kr
등록번호 ┃ 제406-2015-000143호

Printed in Korea.
ISBN 978-89-460-5779-1 93330 (양장)
        978-89-460-6229-0 93330 (학생판)

* 책값은 겉표지에 표시되어 있습니다.
* 이 책은 강의를 위한 학생판 교재를 따로 준비했습니다.
  강의 교재로 사용하실 때에는 본사로 연락해주십시오.